LES SEPT HABITUDES DES FAMILLES ÉPANOUIES

Du même auteur :

Les 7 habitudes de ceux qui réalisent tout ce qu'ils entreprennent

L'étoffe des Leaders

Priorité aux Priorités

Stephen R. Covey

LES SEPT HABITUDES DES FAMILLES ÉPANOUIES

Traduit de l'américain par Anne Carole Grillot
Adaptation française de Gabriel Joseph-Dezaize

Savoir pour agir.

Titre original de l'édition américaine : The Seven Habits of Highly Effective Families.

ISBN 2-87691-414-X.
Dépôt légal : 1er trimestre 1998.

Éditions Générales First
13-15, rue Buffon
75005 Paris – France
Tél : 01 55 43 25 25
Fax : 01 55 43 25 20
Minitel : 3615 AC3*FIRST
Internet e-mail : firstinfo@efirst.com

la semaine prochaine vous serez disponible pour lui. En plaçant ce « rendez-vous » au centre de vos priorités, vous ferez de cette rencontre un moment aussi important que n'importe quel rendez-vous que vous prenez, dans votre travail par exemple.

« Chacun est libre de ses choix. Chacun a le pouvoir de dire non. De décider de ce qui est important pour lui. Et la meilleure manière de prédire l'avenir est de le construire », dit Stephen R. Covey. Seule cette première rupture dans notre comportement peut nous aider à envisager notre vie de manière différente. Et d'entrer dans l'univers transformateur des « 7 Habitudes ».

L'UNICITÉ DE VOTRE FAMILLE

Vous avez un brin de réticence? Vous pensez que votre famille et votre situation sont uniques? Bien sûr. Mais les préoccupations de votre propre famille, au-delà d'un vécu évidemment aussi unique que vos empreintes digitales, rejoignent forcément les préoccupations de nombreuses autres familles, qu'il s'agisse de faire les courses, d'élever les enfants, de trouver des moments pour être en tête à tête avec votre conjoint, de préparer les vacances, de savoir comment écouter un enfant qui a des problèmes scolaires, de dégager du temps pour vous occuper de vos parents qui vivent loin, de vous consacrer à un club ou à une association, tout en menant une vie professionnelle trépidante. Sandra Merrill Covey l'exprime parfaitement.

Vous avez forcément ressenti, comme moi, que la vie n'est pas simple. Chacun de vous a une vie familiale très personnelle et très différente de celle des autres. Bien sûr, personne ne comprendra jamais votre situation, votre singularité – les fardeaux que vous portez ou vos rêves profonds.

Les théories et les principes contenus dans ce livre n'ont pas été inventés par Stephen. Il en a pris note, les a observés, les a rassemblés dans un certain ordre. Ce sont des principes de bon sens que vous connaissez déjà dans votre cœur pour savoir qu'ils sont vrais. C'est pourquoi ils vous sembleront si familiers.

Ce qui est utile, de toute évidence, c'est de vous donner un cadre, une façon de penser, de regarder votre propre situation et de trouver une façon de vous en sortir. C'est un point de départ, une façon d'examiner où vous en êtes maintenant, où vous voulez aller et quels chemins vous permettraient d'y parvenir.

Vous pouvez retirer de ce livre ce que vous voulez, ce qui vous convient. Une histoire ou un exemple pourrait vous rappeler une situation que vous avez vécue et vous permettre de prendre du champ par rapport à ce que vous vivez.

Nous voulons donner de l'espoir à ceux qui sentent que, malgré beaucoup d'efforts, ils n'ont pas donné la priorité à leur famille et le regrettent. Par exemple ceux qui se sont fâchés avec un enfant au cours de leur vie. On peut toujours retrouver un enfant. Il n'est jamais trop tard. On ne devrait jamais abandonner ou cesser d'essayer. Je pense que ce livre vous aidera à devenir cette « personne de transition », cet « acteur du changement », qui fera la différence et changera votre vie.

En découvrant les « 7 Habitudes », vous entrez dans une nouvelle dimension. Car c'est vous qui allez prendre en main votre destinée, pour parfaire ou construire votre épanouissement familial.

Gabriel Joseph-Dezaize

« Les 7 Habitudes »

Tout au long de cet ouvrage, Stephen R. Covey s'appuie sur sept habitudes qui sont le pivot de sa pensée. Il nous a semblé qu'il était intéressant de les annoncer avant le début de l'ouvrage, comme feuille de route.

1. SOYEZ PROACTIF

Les membres d'une famille sont responsables de leurs actes et ont la liberté de choisir selon des principes et des valeurs auxquels ils croient, plutôt que selon leurs humeurs ou les contraintes extérieures. Ils développent et font usage des quatre dons propres à l'homme : la conscience, l'éthique, l'imagination et la volonté indépendante. Les membres de cette famille adoptent une attitude « de l'intérieur vers l'extérieur » pour créer un changement. Ils choisissent de ne pas être des victimes, de ne pas être réactifs et de ne pas juger les autres. La « proactivité » est donc la qualité de la famille qui est capable de faire des choix et de dominer les forces contraires.

2. SACHEZ DÈS LE DÉPART OÙ VOUS VOULEZ ALLER

Les familles construisent leur avenir en ayant une vision mentale et un objectif pour chaque projet, qu'il soit important ou non. Elles ne vivent pas simplement au jour le jour sans destination claire à l'esprit. La plus grande forme de conscience mentale est d'élaborer une charte personnelle, conjugale, puis familiale. Chaque famille doit donner un sens à sa vie, imaginer précisément ce à quoi elle se destine. Elle peut ainsi concevoir ce qu'elle veut devenir.

« La fin, c'est notre point de départ », dit le poète T.S. Eliot. Et comme le souligne Stephen R. Covey : « La meilleure manière de prédire l'avenir, c'est de le construire. »

3. DONNEZ LA PRIORITÉ AUX PRIORITÉS

Les familles déterminent leurs plus importantes priorités selon les composantes des chartes individuelles, conjugales, puis familiales. Elles prévoient des rendez-vous familiaux et des tête-à-tête affectifs. Leur force motrice, c'est leur objectif commun. Elles ne sont pas victimes de leurs agendas ni des forces contraires.

« Il ne faut pas donner la priorité à notre emploi du temps, mais un emploi du temps à nos priorités », dit Stephen R. Covey.

4. PENSEZ GAGNANT-GAGNANT

Les membres de la famille pensent en termes de bénéfices mutuels. Ils se respectent et se soutiennent mutuellement. Ils pensent de manière interdépendante : ils disent « nous » plutôt que « moi », et ils établissent des accords gagnant-gagnant. Ils ne pensent pas en égoïste (gagnant-perdant) ou en martyr (perdant-gagnant). Penser gagnant-gagnant, c'est la manière d'être de ceux qui, dans un groupe (famille, association, entreprise), recherchent prioritairement des solutions qui profitent à la fois à eux-mêmes et aux autres.

5. CHERCHEZ D'ABORD À COMPRENDRE, ENSUITE À ÊTRE COMPRIS

Les membres de la famille cherchent d'abord à écouter, avec la volonté de comprendre les pensées et les sentiments des autres, puis à communiquer leurs propres pensées et sentiments. Par une bonne compréhension mutuelle, ils bâtissent des relations solides fondées sur l'amour et la confiance.

« La clé de l'influence est d'abord d'être influençable », explique Stephen R. Covey.

6. CRÉEZ UN EFFET DE SYNERGIE

Les membres de la famille s'appuient les uns sur les autres et construisent leur culture familiale en respectant et en valorisant leurs différences respectives. Ils développent un esprit familial fondé sur l'amour, l'enseignement et l'échange. Ainsi, le tout est supérieur à la somme des éléments. En d'autres termes, ils ne recherchent pas un compromis (1 + 1 = 1,5), ni une simple coopération (1 + 1 = 2), mais une coopération créative (1 + 1 = 3). La famille est utilisée comme un effet démultiplicateur, pour une entente harmonieuse, constructive et créative.

7. RENOUVELEZ VOS RESSOURCES

La famille s'épanouit au fur et à mesure de son développement dans quatre domaines vitaux : physique, social, émotionnel, spirituel et mental. Les membres de la famille établissent des coutumes qui nourrissent la culture familiale.

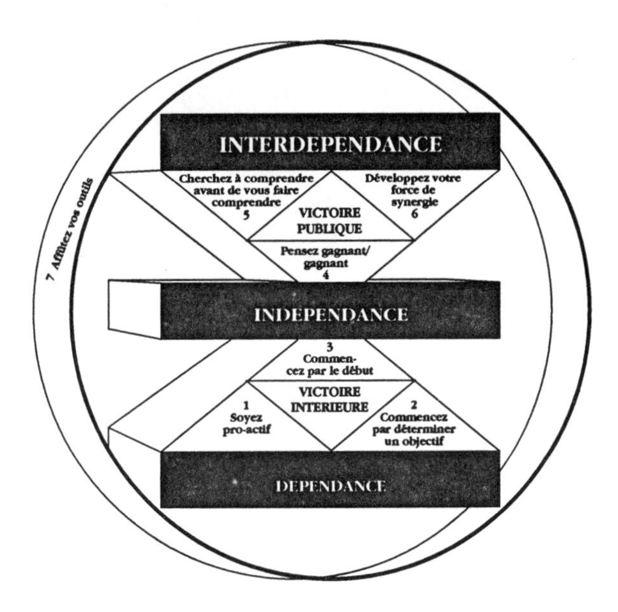

Vous trouverez en fin d'ouvrage un glossaire des principaux termes utilisés.

Vous perdez le contrôle ? Pas de panique !

Ah les familles ! Elles se ressemblent toutes et sont en même temps tellement différentes. Prenez la vôtre. Hier matin, veille de week-end, vous aviez décidé avec votre conjoint d'aller faire les courses le samedi matin pendant que les enfants seraient à l'école, d'organiser un déjeuner avec des amis, puis d'aller au cinéma en famille dans l'après-midi en emmenant le meilleur ami de votre aîné.

Le dimanche après-midi, pendant que vous flâneriez avec votre meilleure amie, votre conjoint avait prévu d'assister à un match de football avec son cadet : un événement, puisqu'il avait acheté deux places trois semaines plus tôt. Un modèle d'organisation et de prévision !

Patatrac ! Samedi matin, tout s'effondre : votre petit dernier a de la fièvre, il ne peut pas aller à l'école. Votre conjoint ira donc seul faire les courses. Et comme une mauvaise nouvelle n'arrive jamais seule, vous apprenez que votre mère qui vit à deux cent kilomètres a fait une mauvaise chute : elle a été transportée d'urgence à l'hôpital. Et elle a absolument besoin de vous. Votre conjoint devra vous y accompagner demain dimanche, car on vous a retiré votre permis. À l'eau, votre promenade avec votre meilleure amie, et tant pis pour le match dont rêvaient tant votre conjoint et votre cadet : il vont en faire une tête ! Voilà ! Tout le programme que vous aviez organisé pour le week-end est chamboulé. Et dire que, pour une fois, vous aviez fait un effort de planification au lieu de vous laisser porter par le courant, ou par le vent…

Rassurez-vous. Hélas, gérer les impromptus est le lot de tout le monde, même des familles les plus organisées. Dans toutes les familles, on perd très souvent le contrôle de la situation. Car la vie de famille est à l'image du vol d'un avion.

Avant que l'avion décolle, le pilote a consulté son plan de vol. Et lorsqu'il prend son envol, il a une idée précise de l'endroit où il va. Cependant, au cours du vol, le vent, la pluie, les turbulences, le trafic aérien, les erreurs de pilotage et d'autres facteurs contrarient les prévisions initiales. Ainsi, la plupart du temps, l'avion ne suit pas la trajectoire initialement prévue. Mais, sauf cas de force majeure, il arrivera à destination.

Comment les pilotes s'y prennent-ils? Pendant toute la durée du vol, ils reçoivent constamment des informations de l'extérieur. Les tours de contrôle, les autres avions et parfois même les étoiles les renseignent sur leur position. En prenant en compte ces informations, les pilotes peuvent corriger régulièrement leur trajectoire pour revenir à leur plan de vol. Au bout du compte, les déviations ont peu d'importance. L'essentiel est d'avoir une vision claire de sa destination, un bon plan de vol et la capacité de corriger sa position.

Il en va de même pour la vie de famille. Nous nous éloignons parfois de notre but contre notre gré. Mais ce n'est pas grave. Ce qui compte, c'est d'avoir un objectif en tête, un schéma de pensée, et le courage d'y revenir sans cesse.

Notre fils Sean décrit ainsi notre famille.

Je dirais que notre famille a connu autant de conflits que les autres lorsque nous étions petits. Nous avons eu notre part de problèmes, comme tout le monde. Mais je suis persuadé que nous avons eu des relations privilégiées grâce à notre capacité à renouer, à nous excuser et à repartir sur de bonnes bases.

Lorsque nous partions en voyage, par exemple, papa programmait tout à l'avance. Nous devions nous lever à cinq heures, prendre notre petit déjeuner, nous préparer et partir à huit heures. Malheureusement, le jour du départ, nous restions tous au lit et personne n'aidait à faire les préparatifs. Papa se mettait en colère. Quand nous nous levions enfin, à une heure où nous aurions déjà dû être partis, personne n'adressait la parole à papa tellement il était hors de lui.

Mais je n'ai jamais oublié que papa s'excusait toujours. Toujours. C'était une belle leçon d'humilité de voir papa s'excuser de s'être mis en colère, d'autant que nous savions pertinemment que c'était nous qui avions commencé.

Papa et maman rectifiaient toujours le tir et ne laissaient pas les choses s'envenimer. Avec le recul, je pense que c'est ce qui a fait la différence dans notre famille. Ils faisaient toujours de leur mieux, même quand nous n'y mettions pas du nôtre, même quand il semblait que leur façon de concevoir la vie de famille était impossible à appliquer.

Comme vous pouvez le voir, notre famille n'est pas une exception. Je ne suis pas une exception. Je tiens à affirmer dès le début que, quelle que soit votre situation – même si vous avez beaucoup de difficultés, de problèmes et d'échecs –, vous devez toujours garder l'espoir d'atteindre votre but. Comme pour les pilotes de l'avion, **l'essentiel pour vous est d'avoir une *destination*, un *plan de vol* et une *boussole*.**

Tout au long de ce livre, j'utiliserai la métaphore de l'avion pour vous communiquer l'espoir et l'exaltation que suscite le développement d'une culture familiale épanouissante.

LES TROIS ÉLÉMENTS INDISPENSABLES

L'objet de ce livre est de vous aider à garder espoir envers et contre tout. Pour cela, vous devez être conscient des trois éléments qui vous aideront, vous et votre famille, à rester sur la bonne voie : une destination, un plan de vol et une boussole.

1. Destination. Je sais que vous cherchez sans doute dans ce livre une réponse à un problème particulier. Vous êtes peut-être en train de lutter pour sauver votre mariage ou pour le reconstruire. Ou peut-être votre mariage est-il heureux, mais vous voulez qu'il soit pleinement satisfaisant et épanouissant. Vous vivez seul(e) et vous vous sentez accablé(e) par la foule d'exigences et de pressions qui pèsent sur vous. Vous êtes aux prises avec un enfant capricieux ou un adolescent rebelle, qui a sombré dans la délinquance, dans la drogue ou s'est laissé prendre dans un des autres pièges de notre société. Vous essayez de réunir deux familles qui ne font pas le moindre effort pour s'entendre.

Vous aimeriez peut-être que vos enfants effectuent leurs tâches ou leurs devoirs sans faire d'histoires et sans que vous ayez besoin de les rappeler à l'ordre. Vous avez des difficultés à jouer tous les rôles qui vous incombent – et apparemment s'opposent – dans votre vie de famille : père ou mère, juge, juré, geôlier et ami. Vous ne trouvez pas le juste milieu entre rigidité et laxisme, et ne savez pas comment faire respecter la discipline.

Vous luttez peut-être tout simplement pour joindre les deux bouts. Vous déshabillez Pierre pour habiller Paul. Vous êtes obnubilé par vos difficultés financières et vous n'avez plus ni le temps ni l'envie de vous consacrer à votre famille. Vous êtes débordé de travail et vous ne faites que croiser vos proches. L'idée d'une vie de famille agréable vous paraît bien lointaine.

L'atmosphère qui règne dans votre famille est peut-être hostile. Vous ne cessez de vous disputer, de crier, d'exiger, de gronder, de vous moquer, d'accuser, de critiquer, de partir en claquant la porte, d'ignorer, de vous replier sur vous-même, etc. Vos enfants ne viennent plus à la maison, vous vous sentez délaissé. Vous et votre conjoint(e) n'éprouvez plus de sentiments l'un pour l'autre, vous ressentez un vide en vous, vous vous sentez seul(e). Vous faites des efforts pour que tout aille bien, vous le souhaitez de tout cœur, et rien ne s'arrange. Vous n'en pouvez plus et plus rien ne vous motive. Vous vous dites : « A quoi bon? »

Vous êtes peut-être grand-père ou grand-mère et vous aimeriez apporter votre aide, mais vous avez peur d'aggraver les choses. Votre relation avec votre gendre ou votre belle-fille s'est détériorée et il ne reste entre vous qu'une politesse formelle. Vous vivez une sorte de guerre froide qui dégénère parfois en violents assauts. Vous avez été victime de mauvais traitements pendant des années – de la part de vos parents ou de votre conjoint(e) – et vous désirez plus que tout sortir de ce cercle vicieux. Mais vous n'avez pas d'exemple à suivre et vous ne parvenez pas à en trouver un, si bien que vous retombez sans cesse dans le même schéma, que vous abhorrez. Vous rêvez d'avoir un enfant, mais vous ne pouvez pas en avoir, et vous sentez que l'amertume s'installe dans votre couple.

Vous êtes peut-être même confronté à plusieurs problèmes à la fois et vous avez complètement perdu espoir. Quelle que soit votre situation, ne comparez jamais votre famille à une autre famille. Jamais. Personne ne connaît votre vie dans tous ses détails. Les conseils d'autrui ne vous seront donc d'aucun secours. De même, vous ne connaissez pas la vie de famille des autres. Gardez-vous donc de projeter votre propre situation sur les autres et de déterminer ce qui est bon pour eux. Nous ne voyons pas la partie cachée de l'iceberg. Beaucoup de gens pensent que les autres familles sont parfaites et qu'il n'y a que chez eux que les choses se passent mal. Pourtant, chaque famille a ses problèmes et sa part de soucis.

Notre objectif sera toujours plus fort que notre bagage émotionnel accumulé au fil de nos différentes expériences. Autrement dit, **il faut rester tourné vers l'avenir**. Ce que nous sommes capables d'envisager pour l'avenir – une atmosphère plus agréable, de meilleures relations – est bien plus important que toute la peine accumulée par le passé et doit supplanter nos problèmes actuels.

Dans le monde entier, des familles ont déjà défini leurs aspirations profondes et leurs valeurs en rédigeant une « charte familiale ». Je vous expliquerai comment rédiger la vôtre et en quoi celle-ci vous permettra de renforcer les liens au sein de votre famille. Votre charte familiale sera votre unique « destination », et les valeurs qui y seront consignées vous serviront de guide.

La perspective d'une famille plus épanouie et plus unie naîtra probablement en vous. Mais, pour que cette perspective s'ouvre à tous, chacun devra s'investir. Tous les membres de la famille devront aider à la dégager – ou au moins y être ouverts. L'implication de tous est essentielle pour une très simple raison. Avez-vous déjà fait un puzzle ? N'est-il pas indispensable d'avoir l'image complète en tête ? N'est-il pas indispensable que tous ceux qui font le puzzle aient l'image complète en tête ? À défaut de perspective commune, chacun prendra des décisions selon des critères différents, et ce sera l'anarchie complète.

Dès que la famille a une perspective commune, la destination est claire et on peut toujours revenir au plan de vol. En réalité, le trajet est intimement lié à la destination. Le déroulement du voyage est aussi important que l'endroit où on arrive.

2. Plan de vol. Il est indispensable d'avoir un plan de vol, fondé sur les principes qui vous permettront d'atteindre votre destination. Pour mieux vous expliquer ce que j'entends par plan de vol, je vais vous raconter ce qui est arrivé à l'un de mes amis.

Très préoccupé par l'attitude de son fils, qu'il qualifiait de « rebelle », « contrariant » et « ingrat », il s'est confié à moi : « Stephen, je ne sais plus quoi faire. Les choses se sont envenimées à tel point que, lorsque j'entre dans le salon pour regarder la télévision avec mon fils, il l'éteint et s'en va. J'ai fait de mon mieux pour essayer de me rapprocher de lui, mais c'est au-dessus de mes forces. »

À cette époque-là, je donnais des conférences sur les « 7 Habitudes de ceux qui réalisent tout ce qu'ils entreprennent ». Alors je lui ai proposé de venir assister à l'une des séances :

« Viens faire un tour, nous allons parler de l'Habitude n° 5 : avoir une écoute empathique avant d'essayer de s'expliquer. Ton fils se sent peut-être incompris.

– Mais je le comprends, m'a-t-il assuré, et je devine déjà les problèmes qu'il aura s'il ne m'écoute pas.

– D'accord. Alors disons que tu dois faire comme si tu ne connaissais absolument pas ton fils. Repars à zéro. Ecoute-le sans aucun jugement de valeur. Viens à ma conférence. Tu apprendras à l'écouter en fonction de son cadre de référence. »

Et il est venu. Pensant qu'une seule conférence lui avait suffit pour comprendre, il retourna auprès de son fils et lui dit : « Il faut que je t'écoute. Je ne te comprends probablement pas et je veux te comprendre. »

Mais celui-ci lui répondit : « Tu ne m'as jamais compris, jamais ! » Et sur ce, il sortit.

Le lendemain, mon ami me raconta ce qui s'était passé :

« Stephen, ça n'a pas marché. J'ai fait un tel effort... et voilà comment il m'a traité ! J'avais envie de lui dire : « Idiot, ne vois-tu pas ce que j'ai fait et ce que je suis en train d'essayer de faire pour toi ? » Je ne sais vraiment pas s'il reste un espoir d'arranger les choses.

– Il essaie de voir si tu es sincère. Et il a découvert que tu n'essaies pas vraiment de le comprendre. Ce que tu veux, c'est le faire entrer dans le moule.

– Il ferait bien, cet idiot ! Il sait très bien s'y prendre pour mettre de l'huile sur le feu.

– Regarde un peu dans quel état d'esprit tu es. Tu es en colère, déçu, et tu portes sans cesse des jugements. Crois-tu que ton fils s'ouvrira si tu l'écoutes en interprétant ce qu'il dit avec ta façon de penser ? Es-tu capable de lui parler ou ne serait-ce que de le regarder sans lui communiquer toute cette énergie négative qui est en toi ? Tu dois travailler sur toi, d'abord. Il faut que tu apprennes à l'aimer sans condition, tel qu'il est, au lieu de lui refuser ton amour tant qu'il ne sera pas entré dans le moule. Tu sauras alors l'écouter en te mettant dans son cadre de référence et, le cas échéant, tu t'excuseras pour ta façon de juger et pour les erreurs que tu as commises. »

Mon ami a compris le message. Il s'est rendu compte que son

approche n'était que superficielle et qu'il ne s'y prenait pas bien pour écouter son fils de manière sincère, constante et désintéressée.

Il est donc venu assister à d'autres conférences pour apprendre à travailler sur ses sentiments et sur ses motivations. Il n'a pas tardé à ressentir un sentiment nouveau en lui. Il est devenu plus tendre, plus sensible et plus ouvert vis-à-vis de son fils.

Puis, il décida de faire une nouvelle tentative :

« Je suis prêt. Je vais essayer encore une fois.

– Il va encore essayer de voir si tu es sincère, l'ai-je prévenu.

– Je sais, Stephen, mais je me sens prêt à encaisser les coups s'il me rejette. Je poursuivrai mes efforts, parce que j'ai compris que c'est la meilleure chose à faire et que cela en vaut la peine. »

Ce soir-là, il s'assit à côté de son fils et lui dit : « Je sais que tu penses que je ne fais pas d'efforts pour te comprendre, mais je veux que tu saches que j'essaie et que je vais continuer à essayer. »

La réponse ne changea pas : « Tu ne m'as jamais compris. » Son fils se leva et s'en alla mais, alors qu'il était sur le pas de la porte, mon ami lui dit :

« Avant que tu partes, je veux que tu saches que je suis vraiment désolé de t'avoir embarrassé devant tes amis l'autre soir.

– Tu n'imagines même pas à quel point cela m'a embarrassé! » répondit le jeune homme en se retournant brusquement.

Les larmes lui montaient aux yeux.

Mon ami me confia plus tard : « Stephen, tous tes conseils et tous tes encouragements, pourtant si précieux, ont été dérisoires par rapport au moment où j'ai vu mon fils commencer à pleurer. Je n'avais aucune idée de l'importance que tout cela avait pour lui. J'étais loin de penser qu'il était si vulnérable. Pour la première fois, j'ai *vraiment* eu envie de l'écouter. »

Et c'est ce qu'il a fait. Son fils a commencé à être plus ouvert. Ils ont parlé jusqu'au milieu de la nuit et, lorsque sa femme est venue pour leur dire qu'il était temps d'aller se coucher, son fils a répondu sans hésiter : « Nous avons besoin de parler, n'est-ce pas, papa? » Ils ont continué à parler jusqu'à l'aube.

Le lendemain, j'ai croisé mon ami dans mes bureaux. Les yeux pleins de larmes, il m'a dit : « Stephen, j'ai retrouvé mon fils. »

Comme l'a découvert mon ami, les relations humaines sont gouvernées par certains principes fondamentaux. Il est absolument indispensable de vivre en harmonie avec ces principes ou ces lois naturelles pour avoir une vie de famille heureuse. Dans l'exemple que je vous ai donné, le principe auquel mon ami a dérogé est celui du respect. Son fils ne l'a pas mieux observé. Mais, dès lors que ce père a choisi de vivre en harmonie avec ce principe, c'est-à-dire d'essayer d'avoir une écoute authentique, empathique, pour comprendre son fils, tout s'est arrangé. Lorsqu'on change le moindre élément dans une formule chimique, ça change tout!

L'observation du *principe* du respect et de l'écoute empathique fait partie des habitudes des gens qui réussissent dans la vie. Pouvez-vous imaginer un seul instant une personne couronnée de succès qui n'aurait aucun respect pour les autres ou serait incapable d'écouter et de comprendre? Non? C'est que vous saisissez la nécessité de vivre conformément à un principe véritablement *universel* (qui s'applique partout), *atemporel* (qui s'applique à tout moment) et *incontestable* (qu'il serait stupide de rejeter. Un peu comme si vous étiez persuadé qu'une relation forte et durable est possible sans respect). Sans cela, la vie ne serait-elle pas absurde?

Les « 7 Habitudes » se fondent sur des principes universels, atemporels et incontestables. Ces principes sont aux relations humaines ce que la loi de la gravité est au monde physique. Ils gouvernent notre vie. Depuis toujours, ils sont à la base du succès de tout individu, de toute famille, organisation ou civilisation. Ces habitudes ne sont pas des ficelles ni de simples combines. Ce ne sont pas des choses que l'on écrit sur un pense-bête. Ce que j'appelle *habitude*, c'est un schéma de pensée et une façon de faire établis en chacun de nous et en chaque famille.

Le non-respect de ces principes conduit presque inévitablement à l'échec de la famille ou de tout autre projet commun. Comme l'a observé Léon Tolstoï dans *Anna Karénine*, « Toutes les familles heureuses se ressemblent. Chaque famille malheureuse, au contraire, l'est à sa façon [1]. » Que les parents soient présents tous les deux ou non, qu'il y ait dix enfants ou aucun, qu'il y ait un passé de négligence et de maltraitance ou un héritage d'amour et de confiance, le fait est que les familles heureuses ont invariablement certaines caractéristiques. Ces caractéristiques sont toutes contenues dans les « 7 Habitudes ».

L'un des principes fondamentaux, que mon ami a également découvert avec son fils, concerne la nature même du changement. Tout changement véritable et durable provient d'une démarche qui va de l'intérieur vers l'extérieur. Autrement dit, au lieu d'essayer de

1. Léon Tolstoï, *Anna Karénine* (Flammarion, 1988).

changer la situation ou son fils, mon ami a travaillé sur lui-même. Au bout du compte, c'est sa profonde remise en question qui a fini par changer les circonstances, puis son fils.

Cette démarche sous-tend les « 7 Habitudes ». En appliquant régulièrement les principes sur lesquels reposent ces habitudes, vous pouvez susciter des changements positifs dans toute relation, en toute circonstance. Vous devenez ainsi un acteur du changement. En outre, l'action sur les principes a bien plus de conséquences sur un comportement que l'action directe sur le comportement en question. Ces principes sont profondément ancrés en chacun de nous. En cherchant à les comprendre, nous comprendrons mieux notre vraie nature et nous serons conscients de l'ampleur de notre potentiel.

Aller de l'intérieur vers l'extérieur est d'autant plus important aujourd'hui que les temps ont considérablement changé. Autrefois, il était plus facile de fonder une famille « de l'extérieur vers l'intérieur », car la société était une alliée, une ressource. Nous avions des modèles, des exemples, des codes et des lois qui favorisaient l'esprit de famille et le mariage. Même lorsque nous avions des problèmes, nous étions encouragés par la société. Pour réussir notre vie privée, il suffisait de suivre le mouvement.

Mais, aujourd'hui, c'est l'inverse. **La société est devenue hostile à la vie de famille**. Même si nous essayons de revenir aux valeurs de la famille, force est de constater que, depuis trente ou cinquante ans, la société a changé de camp. Ils nous faut donc naviguer dans un environnement troublé et hostile à la famille, où des vents contraires font naufrager de nombreuses familles.

Lors d'une de mes conférences sur la famille, un gouverneur d'Etat a fait le témoignage suivant[2].

J'ai récemment eu une conversation avec un homme que je considère comme un très bon père. Voilà ce qu'il m'a raconté.

Son fils de sept ans semblait être préoccupé par quelque chose : « Papa, je ne peux pas m'empêcher d'y penser. » Il a cru qu'il s'agissait d'un cauchemar ou d'un film qui l'avait impressionné.

Mais il a essayé de mettre son fils en confiance et celui-ci a fini par se confier. Il avait vu d'immondes photos pornographiques. Mon ami lui a demandé d'où provenaient ces photos et le petit garçon lui a donné le

2. Michael Leavitt, gouverneur de l'Utah, téléconférence sur l'initiative du gouverneur pour les familles d'aujourd'hui, mars 1997.

nom d'un voisin âgé de neuf ans, qu'il connaissait bien. Ils avaient regardé ces photos ensemble sur son ordinateur, de nombreuses fois.

Mon ami est donc allé chez les parents du garçon de neuf ans. Ceux-ci ont été très choqués et consternés. Ils étaient écœurés de voir que l'innocence de deux enfants de cet âge avait été souillée. Ils sont allés cherché leur fils. Celui-ci a éclaté en sanglots : « Je sais que c'est mal, mais je ne peux pas m'empêcher de les regarder. »

Les parents avaient peur que leur fils ait été entraîné par un adulte. Mais ce n'était pas le cas. Un garçon de onze ans lui avait communiqué, à l'école, une adresse Internet en lui disant : « Regarde ça, tu va te régaler! » Et l'adresse s'était répandue dans le quartier comme la peste.

Ces parents avaient jugé bon d'encourager leur fils à apprendre à utiliser l'ordinateur. Et celui-ci s'en tirait bien. Mais l'ordinateur était dans une pièce fermée et, malgré eux, ils en avaient fait une boutique porno.

Comment des choses pareilles peuvent-elles arriver? Comment pouvons-nous vivre dans une société où la technologie permet à des enfants, n'ayant pas encore suffisamment de discernement, de devenir victimes d'un poison aussi destructeur, vil et abject que la pornographie?

Au cours des trente dernières années, la situation des familles a considérablement changé. Aux États-Unis comme en France, les chiffres sont éloquents.

Aux États-Unis, le taux de naissance hors mariage a augmenté de 400 %. En France, 35 % des enfants nés en 1993 sont issus de parents non mariés, contre 6 % en 1960[3].

Aux États-Unis, le pourcentage de familles monoparentales a plus que triplé. En France, au recensement de 1990, on comptait 21,5 millions de ménages, dont un peu moins d'un million (4,6 %) sont des familles monoparentales[4].

Aux États-Unis, le taux de divorce a plus que doublé; la moitié des mariages finissent en divorce. En France, un mariage sur trois finit en divorce, et à Paris c'est un couple sur deux qui se sépare[5].

---

3. *Statistiques démographiques mensuelles.* Ministère de la santé des Etats-Unis : Centre national des statistiques sur la santé, vol.44, n° 11 (S), 1996. Gérard Mermet, Francoscopie 1997- Comment vivent les Français (Larousse, 1996).
4. Service du recensement des Etats-Unis, octobre 1996. Gérard Mermet, Francoscopie 1997- Comment vivent les Français (Larousse, 1996).
5. Service du recensement des Etats-Unis, *Rapport sur la population,* et Centre national des statistiques sur la santé, *Statistiques démographiques et statistiques sur*

Aux États-Unis, le suicide des adolescents a augmenté de 300 %. En France, 12 000 personnes ont mis fin à leurs jours en 1994, dont 830 jeunes de quinze à vingt-quatre ans. D'après une enquête de l'INSERM, 9 % des jeunes de quinze à vingt-cinq ans ont des idées suicidaires [6].

Aux États-Unis, le niveau des élèves est en chute libre. En France, en revanche, malgré des situations différenciées, une étude du ministère de l'Education nationale montre que, sur un panel d'élèves entrés en sixième, 94 % effectuent un cycle complet jusqu'à la troisième [7].

Aux États-Unis, les principaux problèmes de santé dont souffrent les Américaines sont dus aux violences qu'elles subissent. Quatre millions de femmes sont battues chaque année par leur partenaire [8]...

Aux États-Unis, un quart des adolescents contracte une maladie sexuellement transmissible avant de quitter le lycée. En France, malgré les campagnes de prévention contre le sida, plus de 50 % des quinze à vingt-quatre ans prennent le risque de s'exposer au sida et aux MST [9].

Depuis un demi-siècle, aux États-Unis, les problèmes rencontrés dans les lycées ont pris une ampleur considérable. En 1940, les problèmes de discipline concernaient des faits mineurs : parler sans avoir levé le doigt, mâcher du chewing-gum, faire du bruit dans les couloirs, ne pas rester aligné dans le rang, ne pas respecter les codes vestimentaires, jeter des ordures par terre... Cinquante ans plus tard, c'est davantage à des troubles graves du comportement que l'on assiste dans les lycées : toxicomanie, alcoolisme, grossesses, suicides, viols, vols et agressions [10].

---

la santé. Gérard Mermet, Francoscopie 1997- Comment vivent les Français (Larousse, 1996).

6. Centre national des statistiques sur la santé, Service des statistiques sur la mortalité : *Statistiques démographiques* des Etats-Unis, 1975-1990, vol.2. Gérard Mermet, Francoscopie 1997- Comment vivent les Français (Larousse, 1996).

7. Ministère de l'éducation des Etats-Unis, *Les conditions de l'éducation*. Bureau d'étude pour l'amélioration de l'éducation, 1996. Insee, Données sociales 1996/La société française, (Insee, 1996).

8. F. Byron Nahser et Susan E. Mehrtens, *What's Really Going On?* (Corporantes, 1993).

9. Service du recensement des Etats-Unis, *Rapport sur la population*, et Centre national des statistiques sur la santé, *Statistiques démographiques et statistiques sur la santé*. Gérard Mermet, Francoscopie 1997- Comment vivent les Français (Larousse, 1996).

10. Publication trimestrielle du Congrès, citée par William Benett, *Indice des principaux indicateurs culturels* (Simon & Schuster, 1994).

Au foyer, la situation a également considérablement évolué. Aux États-Unis, le pourcentage de familles où seul l'un des parents travaille tandis que l'autre reste à la maison pour s'occuper des enfants est passé de 67 % en 1940 à 17 % en 1994. En France, le modèle familial dominant est également celui du couple biactif avec ou sans enfant : dans 65 % des couples, les deux personnes travaillent, ce qui comprend les cas où l'un des deux est à temps partiel ou au chômage[11].

Aux États-Unis, un enfant passe en moyenne sept heures par jour devant la télévision et seulement cinq minutes avec son père... En France, la consommation télévisuelle est également impressionnante : en 1990, d'après une enquête Médiamétrie, les Français de plus six ans passaient en moyenne trois heures par jour devant la télé (ce chiffre reste stable : 3 heures 13 minutes en 1995). À ce rythme, rapporté à la journée de travail de huit heures et à la semaine de quarante heures, c'est quarante et un ans d'équivalent temps salarié que nous passons devant le poste! D'autres études indiquent que radio et télé confondues nous absorbent six heures par jour; la télévision reste en moyenne allumée cinq heures par jour et par foyer[12].

D'après Arnold Toynbee, grand historien, toute l'histoire se résume en une seule phrase : rien n'est plus voué à l'échec que le succès. Autrement dit, lorsque la réponse est appropriée au défi, c'est un succès. Mais, dès lors que le défi change, l'ancienne réponse n'est plus valable.

Or le défi a changé. Nous devons donc adapter notre réponse. Le désir de fonder une famille soudée ne suffit plus. Outre nos bonnes intentions, nous devons avoir un nouvel état d'esprit et une nouvelle méthode. La société a fait un bond en avant et, si nous voulons être à la hauteur, nous devons en faire autant.

Les « 7 Habitudes » favorisent cet état d'esprit et constituent cette méthode. Tout au long de ce livre, je vous ferai part de l'expérience de nombreuses familles. Vous verrez comment, malgré un environnement peu favorable, elles restent fidèles à leur choix en appliquant les principes ancrés dans les « 7 Habitudes ».

---

11. Service du recensement des Etats-Unis, *Résumé des statistiques relatives aux Etats-Unis*, octobre 1996. Gérard Mermet, Francoscopie 1997- Comment vivent les Français (Larousse, 1996). Pierre Péan et Christophe Nick, *TF1, un pouvoir* (Fayard, 1997).

12. Robert G. DeMoss, Jr., *Apprendre à discerner* (Zondervan Publishing House, 1992)

Mon objectif est notamment de vous encourager à vous ménager, chaque semaine, un « rendez-vous familial ». Ce moment sera sacré. Sauf urgence ou imprévu, rien ne pourra l'empêcher. Vous l'emploierez à faire des projets, à communiquer, à transmettre des valeurs et à passer du bon temps ensemble. Ce rendez-vous familial sera essentiel pour vous aider à garder le cap. Je vous engagerai aussi à passer régulièrement des moments en tête à tête avec chaque membre de la famille. Le « tête-à-tête » est généralement un moment où vous faites ce que l'autre a envie. Si vous suivez ces deux conseils, je peux vous assurer que la qualité de votre vie de famille va considérablement s'améliorer.

Mais **pourquoi une charte familiale ? Pourquoi un rendez-vous familial ? Pourquoi un tête-à-tête ?** Simplement **parce que** le monde a profondément changé, à une vitesse considérable, et continue de changer. **Si vous n'avez ni modèle ni structure prédéfinie, votre famille vous échappera.**

Comme l'a dit Alfred North Whitehead : « L'habitude d'appliquer en toutes circonstances les principes que nous avons définis comme tels est le comble de la sagesse [13] » Il est inutile de chercher sans cesse de nouvelles et de meilleures méthodes. Il suffit d'être cohérent, quelle que soit la situation, avec notre système de valeurs.

Les « 7 Habitudes » vous permettront d'établir ce système de valeurs. L'efficacité des « 7 Habitudes » provient non pas de chacune isolée, mais de l'ensemble et de leur interaction. Ce cadre vous aidera à analyser et à comprendre presque toutes les situations que l'on peut rencontrer dans une famille. Vous saurez quelle démarche entreprendre pour vous sortir de tous les mauvais pas. Des millions de gens qui ont appliqué les « 7 Habitudes de ceux qui réalisent tout ce qu'ils entreprennent » peuvent en témoigner. Ces habitudes ne vous diront pas que faire, mais vous aideront à développer une certaine façon de penser et d'être, de sorte que *vous saurez* que faire – et quand le faire. Restera à savoir *comment* le faire, ce qui vous demandera une certaine pratique.

Une famille m'a affirmé : « Il nous a parfois été difficile de vivre selon ces principes. *Mais c'est bien plus difficile de vivre sans !* » Tout acte a des conséquences. Et les actes qui ne se fondent pas sur des principes auront des conséquences malheureuses.

---

13. Alfred North Whitehead, « The Rhythmic Claims of Freedom and Discipline », *The Aims of Education and Other Essays* (New York : New American Library, 1929).

Quelle que soit votre situation, le diagramme des « 7 Habitudes » peut vous être d'une aide précieuse pour analyser les problèmes et susciter un changement, de l'intérieur vers l'extérieur.

3. Boussole. Les « 7 Habitudes » font de vous le créateur de votre propre vie. En donnant l'exemple, vous pouvez devenir le créateur – l'acteur du changement – de votre vie de famille. Je me propose donc de vous aider à reconnaître et à développer quatre dons propres à l'homme, qui vous permettront de devenir un acteur du changement au sein de votre famille. Ces dons composent votre boussole ou votre système de guidage intérieur. Ne pensez-vous pas que tout ce que pourra vous apporter ce livre serait bien plus utile si vous ne dépendiez ni de moi ni de tout autre auteur, conseiller ou guide ? Ne serait-ce pas mieux si cet ouvrage vous donnait la possibilité de comprendre les choses par vous-même et de puiser dans vos propres ressources ?

Encore une fois, personne ne connaît votre situation familiale aussi bien que vous. C'est *vous* qui êtes dans l'avion. C'est *vous* qui devez faire face aux perturbations, aux vents qui vous entraînent vous et votre famille hors de votre trajectoire. C'est *vous* qui avez tous les outils en main pour comprendre ce dont votre famille a besoin et le lui donner.

Bien plus que des recettes qui peuvent fonctionner dans d'autres situations, vous devez avoir une approche qui vous donne la capacité, le pouvoir d'adapter des principes à votre situation.

Il existe un proverbe en Asie qui dit : « Donnez à un homme un poisson et vous le nourrirez pour la journée ; apprenez-lui à pêcher et vous le nourrirez pour le reste de sa vie. » Mon intention n'est pas de vous donner un poisson. Bien que ce livre propose quantité d'exemples sur la façon dont diverses personnes, dans diverses situations, ont appliqué les « 7 Habitudes », mon objectif est de vous apprendre à pêcher. J'aimerais vous suggérer certains principes qui vous aideront à développer votre capacité à résoudre les problèmes qui vous sont propres. Aussi, lorsque je vous fais part de l'expérience de certaines personnes, sachez lire entre lignes. Concentrez-vous sur les principes. Ces témoignages ne correspondent peut-être pas à votre situation, mais *je peux vous garantir que tous les principes s'y appliquent.*

AYEZ TOUJOURS À L'ESPRIT CET OBJECTIF : UNE CULTURE FAMILIALE ÉPANOUISSANTE

Ce livre s'intitule *Les 7 Habitudes des familles épanouies*. Mais qu'est-ce qu'une famille épanouie? À mon avis, c'est une famille harmonieuse fondée sur une culture familiale épanouissante.

Quand je dis *culture*, je parle de l'esprit de famille – le « feeling », l'ambiance, l'atmosphère qui règnent à la maison. C'est le tempérament de la famille – la profondeur et la qualité des relations. C'est la façon dont les membres de la famille sont liés les uns aux autres, dont ils se sentent les uns avec les autres. C'est l'esprit qui se dégage du comportement collectif, qui caractérise l'interaction des membres de la famille. Comme le sommet d'un iceberg, tout cela repose sur la partie cachée, qui renferme convictions et valeurs.

J'entends par culture « épanouissante » une culture dans laquelle les membres de la famille s'apprécient mutuellement, partagent les mêmes valeurs, agissent et interagissent de manière constructive, selon les principes qui gouvernent la vie. Je parle d'une culture qui, de l'intérêt personnel, passe à l'épanouissement collectif.

La famille elle-même est une expérience collective, un esprit collectif. Et le passage d'une perspective individuelle à une perspective collective – de l'indépendance à l'interdépendance – est peut-être l'un des aspects les plus difficiles de la vie de famille. Mais comme cette « route que personne ne prend » du poème de Robert Frost [14], c'est la route qui fait toute la différence. Bien que la culture occidentale donne clairement la priorité à la liberté individuelle, à l'assouvissement immédiat des désirs, à l'efficacité et au contrôle, la route que vous prendrez avec le plus de joie et de satisfaction, c'est celle de la vie de famille riche et interdépendante.

Si votre bonheur est le fruit du bonheur d'autrui, c'est que vous êtes passé d'une perspective individuelle à une perspective collective. Votre approche des problèmes et votre façon de les résoudre ne sont plus les mêmes. Mais tant que votre famille n'est pas une véritable priorité, ce changement de perspective n'a pas lieu. Le mariage n'est souvent rien de plus que la réunion de deux célibataires qui vivent ensemble, car le passage de l'indépendance à l'interdépendance n'a jamais eu lieu.

---

14. Robert Frost, « The Road Not taken », *Selected Poems of Robert Frost* (New York : Holt, Rinehart, et Winston, 1963)

Une culture familiale épanouissante est une culture du « nous ». Elle reflète ce changement de perspective. Elle vous permet de travailler ensemble pour choisir et vous diriger vers une destination commune. Elle contribue à faire changer les choses – au sein de la société en général et d'autres familles en particulier. Elle repousse, enfin, les forces qui pourraient vous détourner de votre destination : les forces externes (votre héritage culturel, le désordre économique ou la maladie, contre laquelle vous ne pouvez rien) et les forces internes (les disputes, le manque de communication et la tendance à critiquer, se plaindre, comparer et rivaliser).

IMPLIQUEZ VOTRE FAMILLE DÈS À PRÉSENT

Lorsque vous lirez les récits des personnes qui se sont confiées à moi, essayez d'en extraire les principes fondamentaux. Ces témoignages vous donneront peut-être également quelques idées que vous pourrez reprendre en les adaptant à votre propre famille.

Je vous suggère également d'impliquer toute votre famille, dans la mesure du possible, dès le début de votre démarche d'appliquer les 7 habitudes à votre vie quotidienne. Je peux vous assurer que l'apprentissage sera plus efficace, les liens plus forts et la joie plus grande si vous faites vos découvertes ensemble. En outre, votre conjoint ou vos enfants ne se sentiront pas menacés par vos nouvelles connaissances ou votre désir de changement. Je connais beaucoup de gens qui ont eu recours à des livres apportant une aide individuelle à la vie de famille. Ils ont commencé à juger leur conjoint, et leur jugement a été tel qu'ils ont divorcé au bout d'un an, « avec raison ». Quelle triste satisfaction…

Apprendre ensemble vous aidera à construire une culture du « nous ». Alors, si possible, je vous conseille de lire ce livre ensemble – peut-être même à haute voix. Discutez ensemble des témoignages. Commentez les principes ensemble, au fur et à mesure de votre lecture. Vous pouvez commencer par faire part de certains témoignages lors du dîner. A la fin de chaque chapitre, je donne quelques suggestions sur la façon d'impliquer votre famille et de partager avec elle ce que vous avez appris. Soyez patient. Avancez lentement. Respectez le rythme de chacun. Ne brusquez personne. **Souvenez-vous, il vaut mieux aller lentement, mais sûrement**.

Encore une fois, vous seul connaissez votre famille. Votre situation est peut-être telle que vous ne souhaitez pas impliquer le reste de votre famille pour l'instant. Vous êtes peut-être confronté à des problèmes délicats, et vous pensez qu'il est plus sage de garder votre démarche pour vous. Vous voulez peut-être simplement voir si cet ouvrage peut vous être utile avant d'en parler à vos proches. Vous souhaitez peut-être commencer uniquement avec votre conjoint et vos enfants les plus âgés.

Faites comme bon vous semblera. Vous êtes seul juge. Je veux simplement dire que, lorsque l'on apprend ensemble, on crée des liens profonds. Il y a un sentiment d'égalité entre les membres de la famille : « Je ne suis pas parfait. Tu n'es pas parfait. Nous apprenons et évoluons ensemble. » Lorsque vous faites part de ce que vous apprenez, avec humilité, sans intention de faire entrer les autres « dans le moule », vous n'êtes pas jugé sur ce que vous faites. Vous êtes alors libre de continuer à évoluer et à changer, en toute légitimité.

Suivez ce conseil : ne vous découragez pas si vos premiers efforts ne sont pas récompensés. Soyez conscient que, chaque fois que l'on essaie d'apporter quelque chose de nouveau, il y a toujours une certaine réticence.

« Alors, qu'est-ce qui ne va pas entre nous? »
« Pourquoi veux-tu absolument changer quelque chose? »
« Pourquoi on ne resterait pas comme tout le monde? »
« J'ai faim. Si on mangeait d'abord? »
« Je n'ai que dix minutes, pas plus! »
« Je peux amener un copain? »
« Je préférerais regarder la télé... »

Contentez-vous de sourire et poursuivez vos efforts. Je vous assure, ça vaut la peine!

LE MIRACLE DU BAMBOU CHINOIS

Le dernier conseil que je peux vous donner, c'est de garder à l'esprit le miracle du bambou chinois. Une fois que vous avez planté la graine de cet herbe superbe, vous ne voyez rien, absolument *rien*, pendant quatre ans, si ce n'est une minuscule pousse. Mais pendant ces quatre ans, de grosses racines se développent et s'étalent sous terre. Et la cinquième année, le bambou chinois pousse jusqu'à vingt-cinq mètres de haut!

L'évolution de la vie de famille ressemble un peu au bambou chinois. Vous faites des efforts, vous consacrez du temps et faites tout ce que vous pouvez pour faire évoluer les choses, et parfois vous ne constatez aucun changement pendant des semaines, des mois ou même des années. Mais si vous êtes patient et si vous poursuivez vos efforts, cette « cinquième année » arrivera et vous serez étonné de l'évolution et du changement qui auront lieu.

La patience, c'est la foi en nos actes. La patience est une forme de sollicitude. C'est la volonté de souffrir pour permettre aux autres d'évoluer. C'est une marque d'amour. C'est le début de la compréhension. Même si nous sommes conscients de souffrir par amour, nous apprenons beaucoup sur nous-mêmes et sur nos propres faiblesses et motivations. Comme l'a dit Winston Churchill : « **N'abandonnez jamais, jamais, JAMAIS !** »

Je connais une petite fille qui avait l'habitude de sortir de chez elle, pour s'amuser, et de courir jusqu'au portail de la maison. Sa mère rentrait dans le jeu : elle allait toujours la chercher, l'embrassait et l'invitait à rentrer. Un jour, la petite fille est sortie, comme à son habitude. Mais sa mère était occupée et a oublié d'aller la chercher. Au bout d'un moment, la petite fille est retournée à la maison. Sa mère l'a embrassée et lui a dit qu'elle était contente qu'elle soit de retour. Mais la petite fille a répondu : « Maman, n'oublie jamais de venir me chercher. »

Chacun a en soi ce désir de retrouver son foyer et d'avoir des relations fortes et satisfaisantes avec les membres de sa famille. Nous ne devons jamais renoncer à satisfaire ce désir. Croyez-moi, quelle que soit la distance qui vous sépare de votre fils ou de votre fille, n'abandonnez jamais. Vos enfants sont la chair de votre chair. Peu importe que vos liens soient physiques ou affectifs et noués par l'engagement que vous avez pris envers eux. Comme le fils prodigue, ils reviendront toujours. Ils *vous* reviendront toujours.

Comme nous le rappelle la métaphore de l'avion, la destination est toujours à notre portée. Quant au voyage, il peut être agréable et enrichissant. Il est intimement lié à la destination car, dans la vie comme au sein de la famille, la façon dont on atteint nos objectifs est aussi importante que l'objectif lui-même.

Nous devons agir dès maintenant, car nous savons tous au fond de nous-mêmes que la famille est extrêmement importante. D'ailleurs, lorsque je demande aux personnes qui assistent à mes séminaires quelles sont leurs priorités dans la vie, 95 % répondent

« la famille » ou « les relations familiales ». 75 % mettent la famille en tête.

C'est ce que je répondrais moi-même et vous aussi, j'imagine. En France, bien que les indicateurs sociaux semblent défavorables à la famille au sens traditionnel (moins de mariages, plus de divorces, moins d'enfants, plus de personnes seules, plus de familles monoparentales ou éclatées), la famille reste pourtant la première valeur dans le cœur de 96 % des Français[15]. Nos plus grandes joies et nos plus grandes peines proviennent de la vie de famille. On dit qu'« aucune mère n'est plus heureuse que son enfant le plus malheureux ». Nous voulons que tout aille bien. Nous voulons partager la même joie, car nous savons au fond de nous qu'elle est possible, naturelle et juste au sein d'une famille. Mais lorsque nous sommes conscients de l'écart entre notre objectif et la réalité de notre quotidien, nous avons l'impression que celui-ci est hors de notre portée. Nous sommes découragés et nous perdons espoir. Nous croyons qu'il est vain d'aspirer encore à la vie de famille que nous voulons vraiment avoir.

Mais tout espoir n'est pas perdu, bien au contraire ! L'espoir réside dans le travail que vous effectuerez sur vous-même et au sein de votre famille, de l'intérieur vers l'extérieur. Ainsi, pour reprendre la métaphore de l'avion, vous saurez revenir à votre trajectoire initiale chaque fois que vous vous en serez écarté.

Je vous souhaite de réussir. Je sais que votre famille est différente de la nôtre. Vous êtes peut-être seul(e) à élever votre enfant, vous êtes peut-être grand-père, grand-mère ou jeune marié(e) sans enfant. Vous êtes peut-être oncle, tante, frère, sœur, cousin ou cousine. Mais, qui que vous soyez, vous faites partie d'une famille, et l'amour au sein d'une famille est particulièrement précieux. Lorsque l'on a de bonnes relations avec les membres de sa famille, la vie est belle ! J'espère, et je suis convaincu, que ces « 7 Habitudes » vous aideront à créer une culture familiale épanouissante, où il fera bon vivre…

15. Gérard Mermet, Francoscopie 1997- Comment vivent les Français (Larousse, 1996).

APPLICATION ENTRE ADULTES ET ADOLESCENTS

La vie de famille est semblable au vol d'un avion

- Revoyez la métaphore de l'avion, page 22. Demandez aux membres de votre famille en quoi la vie de famille s'apparente au vol d'un avion.
- Posez la question suivante : Quand avez-vous la sensation que notre famille s'écarte de sa trajectoire ? Les réponses peuvent varier : en période de stress, de conflit (disputes, accusations, critiques), ou lors de périodes de solitude et d'insécurité.
- Posez la question suivante : Quand avez-vous la sensation que notre famille suit sa trajectoire ? Par exemple lorsque l'on va se promener ensemble, on discute, on se détend, on va au parc, on part en voyage, on dîne en famille, on « travaille » ensemble, on fait des pique-niques ou des barbecues.
- Encouragez les membres de votre famille à réfléchir à un moment où ils ont quitté la trajectoire. Demandez-leur pourquoi. Incitez-les à trouver ce qui les a poussés à avoir une réaction négative.
- Posez la question suivante : Comment peut-on revenir à notre trajectoire initiale ? Revoyez l'histoire de mon ami qui a « retrouvé son fils », pages 26 et 27. Voici quelques possibilités : passer des moments en tête à tête, demander l'avis des autres, écouter, pardonner, demander pardon, mettre sa fierté de côté, être humble, être responsable, analyser ses pensées, chercher ce qui est important, respecter autrui, envisager les conséquences.
- Discutez de la façon dont les membres de la famille peuvent corriger leur position de manière plus efficace. Revoyez les souvenirs de Sean, « Papa et maman rectifiaient toujours le tir », pages 22 à 23.

Apprendre ensemble

- Demandez aux membres de votre famille comment on peut apprendre ensemble et partager des choses. Ensemble, vous pouvez lire les témoignages rapportés dans ce livre, écouter de la musique, partir en voyage, faire de nouvelles expériences,

rassembler des photos de famille, raconter des histoires de famille. Demandez si cette démarche est importante pour une famille.
- Discutez de la façon dont la lecture et l'analyse de ce livre peuvent devenir un engagement commun.

Il n'est jamais trop tard

- Commentez le miracle du bambou chinois, décrit aux pages 37 et 38. Revoyez l'histoire de la petite fille qui demande : « Maman, n'oublie jamais de venir me chercher », page 38. Posez les questions suivantes : Que pensez-vous des conséquences de tout cela sur la façon dont nous voyons notre famille et sur les combats que nous devons mener? Y a-t-il des domaines, ou des relations, auxquels nous devons consacrer du temps pour évoluer de manière positive?

APPLICATION AVEC LES ENFANTS

Faites un jeu

- Bandez les yeux d'un membre de la famille. Emmenez-le dans un endroit éloigné du point de départ. Assurez-vous que le chemin qui ramène au point de départ ne soit pas dangereux : pas d'escaliers ni d'obstacles à franchir.
- Faites tourner la personne sur elle-même et demandez-lui d'essayer de retourner au point de départ.
- Laissez la personne se débrouiller seule pendant un moment. Puis demandez-lui si elle aimerait avoir de l'aide ou quelques indices.
- Dites aux membres de la famille de diriger la personne en lui donnant des indications comme « à gauche, tout droit, à droite ».
- Lorsque la personne arrive au point de départ, demandez-lui s'il lui a été difficile de retrouver le chemin les yeux bandés et sans instructions. Faites faire cet exercice à tous vos enfants.

Analysez le jeu

- Aidez les enfants à comprendre que vous vivez votre vie tous ensemble, mais qu'aucun de vous ne connaît l'avenir. Vous avez souvent besoin d'indications, d'indices et d'aide de la part de votre famille pour atteindre votre destination.
- Discutez du bonheur d'avoir une famille sur laquelle on peut compter.
- Aidez les enfants à voir que, pour devenir une famille soudée et heureuse, il faut un « plan de vol » et de l'aide, comme pour retrouver son chemin les yeux bandés.

Agissez

- Fixez un rendez-vous hebdomadaire pour vous retrouver et parler de votre « plan de vol » familial. Discutez de ce que vous pouvez faire pour vous entraider, vous soutenir mutuellement, vous amuser ensemble et rester proches toute votre vie.
- Pendant la semaine, affichez des petits mots rappelant le prochain rendez-vous familial.
- Projetez des activités qui vous rapprocheront : aller rendre visite à un membre de la famille, aller manger des glaces, faire du sport ou parler ensemble de choses qui montreront la valeur que vous attachez à la famille et à quel point vous êtes décidé, en tant que parent, à lui donner la priorité.

Habitude n° 1

Soyez proactif

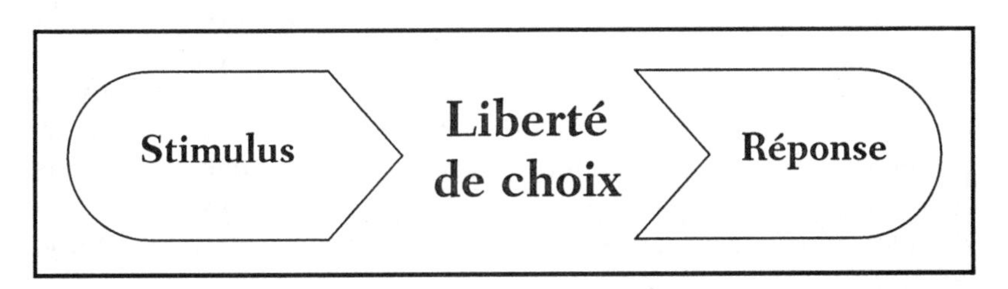

Tout a commencé lorsque j'ai écrit *Les 7 Habitudes de ceux qui réalisent tout ce qu'ils entreprennent*, un de mes livres sur le management. C'était il y a de nombreuses années, lors d'une année sabbatique à Hawaï. Je flânais entre les rayons de l'arrière-salle d'une bibliothèque d'université quand un livre a attiré mon attention. En le feuilletant, je suis tombé sur un paragraphe énonçant une idée si pénétrante, si marquante et si fascinante qu'elle a influencé tout le reste de ma vie. Cette idée-force était résumée en trois lignes.

Nous disposons d'un délai entre stimulus et réponse.
Ce délai réveille notre liberté et notre pouvoir de choisir notre réponse.
De notre réponse dépend notre évolution personnelle et notre liberté.

Je ne sais par où commencer pour vous décrire l'effet que cette idée a eu sur moi. Elle me submergeait. Je ne cessais d'y penser. J'étais fasciné par la vision de la liberté qu'elle suggérait. Puis, je m'y suis identifié. Entre ce qui m'arrivait et ma réponse, je pouvais m'accorder un délai. Ce délai me permettait d'user de ma liberté et de choisir ma réponse. De ma réponse dépendaient mon évolution personnelle et mon bonheur.

Plus j'y réfléchissais, plus je me rendais compte que je pouvais choisir des réponses qui influenceraient le stimulus lui-même. Je pouvais, par ma seule volonté, maîtriser l'évolution de mes relations.

C'est Sandra, ma femme, qui me rappela cette idée sans le vouloir. Lors d'un tournage vidéo qui s'éternisait, on me transmit un mot m'avertissant qu'elle me demandait au téléphone. « Que fais-tu? demanda-t-elle d'un ton impatient. Tu sais que nous recevons des invités à dîner, ce soir. Où es-tu? »

Je sentais qu'elle était contrariée, mais il se trouvait que j'avais passé la journée à faire un tournage vidéo à la montagne. Lorsque nous en étions arrivés à la dernière scène, le réalisateur avait insisté pour la faire à la lumière du soleil couchant. Nous avions donc dû attendre près d'une heure pour obtenir cet effet de lumière.

Moi-même agacé par cette attente, je répondis sèchement : « Ecoute Sandra, ce n'est pas moi qui ai prévu ce dîner. Et je ne peux pas empêcher les choses de tourner ici. Tu devras te débrouiller sans moi, je ne peux pas partir. D'ailleurs, plus nous passons de temps à discuter, plus je serai en retard. J'ai du travail. Je rentrerai quand je pourrai. »

Je raccrochai, m'apprêtant à rejoindre l'équipe. Puis je compris soudain que ma réponse vis-à-vis de Sandra avait été complètement réactive. Ses questions étaient tout à fait normales. Elle se trouvait dans une position socialement délicate. Des attentes avaient été créées et je n'étais pas là pour l'aider à y répondre. Mais, au lieu de la comprendre, j'avais laissé ma propre situation prendre le pas sur le reste. Ma réaction avait été brutale et n'avait sans aucun doute fait qu'empirer les choses.

Plus j'y pensais, plus je me rendais compte que ma façon d'agir avait été véritablement déplacée. Ce n'était pas ainsi que je voulais me comporter envers ma femme. Je ne voulais pas de ce genre de sentiments entre nous. Si seulement j'avais agi différemment, si j'avais été plus patient, plus compréhensif, plus prévenant – si j'avais agi dans le respect de mon amour pour elle au lieu de réagir aux pressions du moment –, nous n'en serions pas arrivés là.

Mais, malheureusement, je n'avais pas pensé à cela sur le moment. Au lieu d'agir conformément à des principes dont je savais qu'ils auraient eu une issue positive, j'avais réagi sous l'impulsion du moment. J'avais été envahi par des sentiments liés à ma propre situation. Ils semblaient si débordants, si dévorants, à cet instant précis, qu'ils m'avaient complètement fait perdre de vue ce que je ressentais au fond de moi et ce que je voulais réellement faire.

Par chance, nous avons pu finir le tournage rapidement. Sur le chemin du retour, c'était à Sandra – et non au tournage – que je pensais. Mon irritation s'était dissipée. Des sentiments de compréhension et d'amour me remplissaient le cœur. Je m'apprêtais à présenter mes excuses. Sandra a fini par s'excuser elle aussi. Les choses se sont arrangées, puis la chaleur et la complicité ont retrouvé leur place dans notre relation.

CRÉEZ UNE « TOUCHE PAUSE »

Il est *tellement* facile d'être réactif! Ne le ressentez-vous pas dans votre propre vie? Vous êtes happé par l'humeur du moment. Vous dites des choses que vous ne pensez pas. Vous faites des choses que vous regrettez ensuite. Et vous vous dites : « Oh, si seulement j'avais cessé de penser à cela, je n'aurais jamais réagi de cette façon! »

Il est évident que la vie de famille serait bien plus agréable si les gens agissaient en fonction des valeurs qui leur sont chères au lieu de réagir à un sentiment ou à une circonstance momentanés. Ce qu'il nous faut, c'est une « touche pause » – quelque chose qui nous permette de marquer un temps d'arrêt entre ce qui nous arrive et notre réponse, pour choisir notre propre réponse.

Il nous est possible, en tant qu'individus, de développer cette aptitude à faire une pause. Il est également possible de créer, au sein de la culture familiale, des habitudes visant à se contrôler et à avoir des réactions plus sages. La façon dont on peut créer cette « touche pause » dans sa propre famille – c'est-à-dire cultiver un état d'esprit favorisant l'action en vertu de valeurs fondées sur des principes, et non la réaction liée à des sentiments passagers ou à des circonstances – est l'objet des Habitudes n° 1, 2 et 3.

LES QUATRE DONS PROPRES À L'HOMME

L'Habitude n° 1 – être proactif – est l'aptitude à agir en vertu de principes et de valeurs au lieu de réagir en fonction de sentiments ou de circonstances. Cette aptitude s'acquiert en développant et en utilisant quatre dons propres à l'homme, dont les animaux sont dépourvus.

Pour comprendre quels sont ces dons, voyez vous-même comment une mère célibataire les a utilisés pour se convertir en acteur du changement au sein de sa famille. Voici ses propos.

Pendant des années, je me suis disputée avec mes enfants et ils se sont disputés entre eux. Je n'ai fait que juger, critiquer et réprimander. Notre famille était en perpétuel conflit et je savais que mes remarques incessantes blessaient mes enfants dans leur amour-propre.

Maintes fois, je me suis résolue à essayer de changer, mais à chaque fois je retombais dans le même schéma négatif. J'ai fini par me détester et par reporter ma colère sur mes enfants, ce qui a accru mon sentiment de culpabilité. Je me sentais aspirée vers le bas dans une spirale sans fin, qui datait de mon enfance et contre laquelle je ne pouvais rien. Je savais qu'il fallait faire quelque chose, mais je ne savais pas quoi.

Puis, un jour, j'ai décidé de prendre un vrai recul par rapport à mes problèmes. Ce fut un véritable travail de méditation et de remise en question. Progressivement, j'ai pris conscience de deux facteurs pouvant être à l'origine de mon comportement négatif et désagréable.

Le premier remontait à mon enfance. Je commençai à voir plus clairement l'impact de mon vécu sur mon attitude et mon comportement. J'entrevis une plaie psychologique ancienne, qui ne s'était jamais refermée. Mon enfance avait été brisée sur presque tous les plans. Par exemple, je ne me souviens pas avoir vu mes parents discuter sereinement de leurs problèmes et de leurs différences. Au contraire, ils se disputaient et s'affrontaient, ou bien se rejetaient avec colère pour finalement s'isoler dans un silence malsain. Cela pouvait durer des jours. Mes parents ont fini par divorcer.

Lorsque, à mon tour, j'ai dû faire face à ce genre de problèmes au sein de ma propre famille, je n'ai pas su quoi faire. Je n'avais pas de modèle, pas d'exemple à suivre. Au lieu de chercher un modèle ou d'en construire un moi-même, j'ai reporté ma frustration et mon désarroi sur mes enfants. Sans m'en rendre compte, je me suis finalement comportée avec mes enfants comme mes parents s'étaient comportés avec moi.

Le second facteur qui influençait mon comportement était d'ordre social. J'essayais de me faire apprécier des autres à travers le comportement de mes enfants. Je voulais gagner l'estime des gens en me servant d'eux. J'avais toujours peur que ceux-ci, au lieu de m'aider à acquérir cette reconnaissance sociale, me mettent dans l'embarras. Ainsi, à cause de ce manque de confiance en eux, je me suis mise à être directive et menaçante. J'essayais d'obtenir d'eux le comportement que je voulais les voir adopter en les soudoyant et en les manipulant. J'ai commencé à comprendre que ma propre soif de reconnaissance sociale entravait l'évolution personnelle et la responsabilité de mes enfants. Ma conduite favorisait précisément ce que je craignais le plus : un comportement irresponsable.

Ces deux prises de conscience m'ont permis de comprendre qu'il fallait que j'affronte mes propres problèmes au lieu d'essayer de trouver des solutions en exhortant les autres à changer. Mon enfance malheureuse et déroutante m'avait incitée à être négative, mais elle ne m'y avait pas obligée. J'étais libre d'agir différemment. Il était vain de justifier ma situation en accusant mes parents ou les circonstances.

Cela m'a beaucoup coûté de m'avouer les choses. Il m'a fallu lutter contre toute la fierté que j'avais accumulée pendant des années. Mais, lorsque j'ai enfin avalé la pilule, j'ai découvert un sentiment de liberté merveilleux. J'étais maître de moi-même. Je pouvais choisir une voie plus sage. J'étais responsable.

Aujourd'hui, lorsque je me trouve dans une situation conflictuelle, je fais une pause. J'analyse mes pulsions. Je les compare à mon objectif et à mes valeurs. J'arrête d'être impulsive ou de m'emporter. Je m'efforce constamment de garder du recul et la maîtrise de moi-même.

C'est un combat de tous les jours, et je poursuis mes efforts. Je m'isole fréquemment pour me retrouver et m'engager à gagner mes batailles intérieurement, en respectant mes choix.

Cette femme a su créer une « touche pause », c'est-à-dire s'accorder un délai entre ce qui lui arrivait et sa réponse. Au cours de ce délai, elle a été capable d'*agir* au lieu de *réagir*. Comment y est-elle parvenue ?

Voyez comment elle a fait marche arrière, comment elle a fait le bilan de sa vie, pour prendre conscience de son comportement. Elle a utilisé le premier don propre à l'homme : la *conscience de soi*. En tant qu'êtres humains, nous pouvons prendre du recul par rapport à notre vie et en faire le bilan. Nous pouvons même analyser nos pensées. Ensuite, seulement, nous sommes capables d'évoluer et de faire de véritables progrès. Les animaux n'ont pas cette faculté. C'est notre privilège. Cette mère l'a compris. Elle a eu d'importantes prises de conscience.

Cette femme s'est servie d'un deuxième don : l'*éthique*. C'est grâce à son éthique – son sens moral ou sa « voix intérieure » – qu'elle a compris que la façon dont elle traitait ses enfants était nuisible. Son attitude entraînait toute sa famille sur le chemin dangereux qu'elle avait pris dès l'enfance. L'éthique est un autre don propre à l'homme. Elle nous permet d'évaluer le bilan que nous avons tiré de notre vie. Notre sens moral du bien et du mal est profondément ancré en nous. Toutefois, de nombreux facteurs culturels nous éloignent de notre vraie nature morale, car nous utilisons mal ou nous négligeons ce don. Notre sens moral s'accompagne d'une puissance morale. Celle-ci est une source d'énergie qui nous élève au niveau des principes les plus profonds et les plus nobles de la nature humaine. Les différentes religions, chacune à sa façon et dans son propre langage, enseignent ce concept fondamental.

Le troisième don qui est intervenu dans la démarche de cette femme est l'*imagination*. Il s'agit de sa capacité à créer un système différent de celui qu'elle a toujours connu. Elle a réussi à concevoir ou à imaginer une réponse bien meilleure, donnant des résultats positifs à la fois à court et à long terme. On voit qu'elle se rend compte de cette aptitude lorsqu'elle dit : « J'étais maître de moi-même. Je pouvais choisir une voie plus sage. » Etant consciente de ses actes, elle a pu analyser ses pulsions et les comparer à cette vision d'une voie nouvelle.

Reste le quatrième don. C'est ce que j'appelle la *volonté indépendante* – le pouvoir d'agir. Observez une nouvelle fois la démarche de cette femme : « J'arrête d'être impulsive ou de m'emporter. Je m'efforce constamment de garder du recul et la maîtrise de moi-même. Je m'isole fréquemment pour me retrouver et m'engager à gagner mes batailles intérieurement, en respectant mes choix. » Sentez-vous la fermeté de sa détermination et de sa volonté indépendante? Elle nage à contre-courant, résistant à ses pulsions les plus fortes. Elle prend sa vie en main. Elle en a la volonté. Elle concrétise ses choix. Bien sûr, c'est difficile. Mais c'est l'essence même du bonheur : subordonner nos désirs passagers à nos désirs les plus chers. Cette femme a subordonné ses pulsions (se justifier, avoir raison, satisfaire son ego) à ses désirs profonds. La sagesse qu'elle a acquise grâce à sa conscience d'elle-même, à son sens moral et à son imagination lui a permis de voir que ses désirs essentiels étaient bien plus importants pour sa famille que la satisfaction à court terme de son ego.

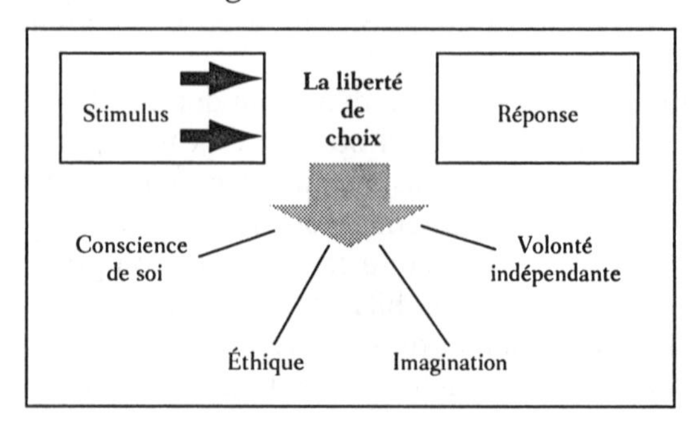

Nous pouvons, en tant qu'êtres humains, utiliser ces quatre dons – conscience de soi, éthique, imagination créative et volonté indépendante – en nous accordant un délai entre ce qui nous arrive et notre réponse.

Les animaux n'ont pas cette faculté. Ils ne sont que le produit de leurs instincts naturels et de leur dressage. Ils possèdent eux aussi des dons que nous n'avons pas, mais ils ne font essentiellement que survivre et procréer. Les êtres humains, forts du délai dont ils disposent, ont d'innombrables choix de vie. Cette liberté de choix est le moteur de la vie, l'énergie grâce à laquelle l'homme est toujours en devenir. « Apprends ou meurs » est l'impératif moral de l'existence humaine.

Depuis le clonage d'une brebis, prénommée Dolly, en Ecosse, le débat sur la possibilité de cloner des hommes a été relancé. Les problèmes éthiques que pose un tel procédé sont au cœur des discussions. Jusqu'à présent, l'essentiel des thèses avancées partent du principe que l'homme n'est qu'un animal évolué – il n'a pas de liberté de choix, il est essentiellement le produit de la *nature* (patrimoine génétique) et de l'*éducation* (instruction, cadre familial, culture, environnement).

Ce postulat est pourtant en totale contradiction avec les sommets qu'ont réussi à atteindre des êtres tels que Gandhi, Nelson Mandela, mère Teresa ou de nombreux parents dont ce livre apporte le témoignage. L'homme détient, dans chacun de ses gènes, la possibilité d'atteindre un niveau de développement et d'évolution supérieur, de faire progresser l'humanité, en développant et en utilisant les dons qui lui sont propres.

Revenons à notre mère de famille. En apprenant à gérer le délai entre le stimulus et sa réponse, elle devient proactive. Elle devient également une « personne de transition » dans sa famille. Elle met un terme à la reproduction d'un même schéma d'une génération à l'autre. Elle sort du cercle vicieux par sa volonté, en elle-même. Elle souffre, en un sens, et sa souffrance consume le mal intergénérationnel – ce besoin hérité de la génération précédente, cette habitude profondément ancrée, de regarder en arrière, d'être à égalité, d'avoir raison. Son exemple se répand comme une traînée de poudre dans la culture familiale. Elle coupe les ponts avec cet esprit de combat.

Vous rendez-vous compte de l'effet positif qu'aura l'attitude de cette femme, du changement qu'elle apporte, du modèle qu'elle construit et de l'exemple qu'elle donne? Grâce à une remise en question progressive, subtile et peut-être presque imperceptible, elle opère un profond changement au sein de sa culture familiale. Elle écrit un nouveau scénario. Elle est devenue un acteur du changement.

Nous avons tous la capacité d'agir comme cette mère, et rien n'est plus excitant, valorisant, motivant et formateur. Dès que nous prenons conscience de ces quatre dons et de la façon dont nous pouvons les utiliser, nous comprenons que nous avons le pouvoir d'effectuer des changements essentiels sur nous-mêmes et dans notre famille. Tout au long de ce livre, nous analyserons ces dons en profondeur, à travers les expériences de personnes qui les ont développés et utilisés.

Les quatre dons dont nous disposons signifient qu'il n'y a pas obligatoirement de victime. Même si vous êtes issu d'une famille tourmentée et déstabilisante, vous pouvez choisir de transmettre un héritage de tendresse et d'amour. Même si vous avez déjà décidé d'être plus agréable, plus patient et plus respectueux que certaines personnes que vous avez connues dans votre vie, le développement de ces quatre dons ne pourra que vous aider à faire germer et grandir ce désir. Vous deviendrez alors le genre de personne, d'un point de vue personnel et familial, que vous voulez réellement être.

UN « CINQUIEME » DON

Lorsque Sandra et moi avons observé avec recul notre vie de famille passée, nous en sommes arrivés à la conclusion que, d'une certaine manière, l'homme a un cinquième don : le sens de l'humour. Nous aurions pu le placer dans la boussole avec la conscience de soi, l'éthique, l'imagination et la volonté indépendante. Mais il s'agit plutôt d'un don secondaire, car il émerge de la fusion des quatre premiers. Pour voir les choses avec humour, il faut avoir une bonne *conscience de soi*, être capable de voir la dimension ironique et paradoxale des événements, et de redéfinir ce qui est vraiment important. L'humour requiert également une dose d'*imagination* créative. Il faut savoir réorganiser les choses de manière véritablement différente et drôle. L'*éthique* intervient pour trancher entre ce qui est vraiment amusant et ce qui n'est qu'un déguisement de cynisme et de dévalorisation. Enfin, le choix de développer un état d'esprit empreint d'humour – ne pas être réactif ni accablé – fait appel à la *volonté indépendante*.

Bien que l'humour soit un don secondaire, il est essentiel pour développer une culture familiale agréable. En ce qui concerne ma propre expérience, je dirais que le rire est l'élément clé grâce auquel nous avons formé une famille saine, agréable, unie, proche et attrayante. Raconter des histoires drôles, voir le côté cocasse de la vie, se moquer des gens pompeux ou simplement s'amuser ensemble a toujours fait partie de notre culture familiale.

Je me souviens d'un jour où nous étions dans un magasin pour acheter des glaces. Notre fils Stephen était alors tout petit. Une femme entra en toute hâte puis, passant devant nous avec agitation, saisit deux bouteilles de lait et se précipita vers la caisse. Dans sa hâte, elle entrechoqua les deux bouteilles, qui se brisèrent. Le lait et les éclats de verre se répandirent sur le sol. Il y eut un grand silence. Tous les yeux étaient braqués sur cette femme trempée et embarrassée. Personne ne savait quoi faire ni quoi dire.

Soudain, le petit Stephen s'exclama : « Riez un bon coup, madame! » Tout le monde, y compris cette dame, a éclaté de rire, considérant l'incident avec recul. Depuis lors, dès que l'un de nous a une réaction disproportionnée, il y a toujours quelqu'un pour dire : « Ris un bon coup! »

Nous prenons également avec humour notre tendance à être réactifs. Un jour, nous avons regardé ensemble un film de Tarzan et nous avons décidé d'apprendre le langage des singes! Depuis, lorsque nous nous rendons compte que nous devenons réactifs, nous l'imitons. Dès que l'un de nous commence, tous se joignent à lui. Des « Ooo! ooo! ooo! ah! ah! ah! » se font entendre de toutes parts. Pour nous, cela signifie clairement : « Ressaisissons-nous! Il n'y a pas eu de délai entre le stimulus et la réponse. Nous nous sommes comportés comme des animaux. »

Le rire est un excellent moyen de détendre l'atmosphère. Il produit, dans le cerveau, des endorphines et d'autres composés chimiques agissant sur l'humeur. On retrouve alors bien-être et soulagement. L'humour rend aussi les relations avec autrui plus humaines et plus équilibrées. L'humour, c'est tout cela et encore bien plus! Il apporte une réponse à cette prise de conscience : « Nous avons perdu le contrôle de nous-mêmes. Que faire? » Il remet les choses à leur place, de sorte que l'on ne s'embarrasse pas de ce qui n'est pas grave. Il nous permet de voir que, finalement, rien n'est grave. Il nous empêche de nous prendre trop au sérieux et d'être constamment tendus, embarrassés, exigeants, impulsifs, déraisonnables, injustes et perfectionnistes. L'humour est enfin un bon remède contre le danger de nous enfermer dans des valeurs morales avec une telle rigidité que nous perdons toute notion de notre condition d'êtres humains et de la réalité de notre situation.

Les gens qui savent rire de leurs erreurs, de leurs bêtises et de leurs maladresses peuvent se ressaisir beaucoup plus facilement que ces âmes perfectionnistes qui s'enferment dans la culpabilité. Le sens de l'humour constitue souvent une alternative aux sentiments de culpabilité, aux attentes perfectionnistes et au laisser-aller indiscipliné.

Comme tout, l'humour peut être pratiqué à l'excès. Il peut aboutir au sarcasme, à l'humour noir et même à la désinvolture, lorsque rien n'est pris au sérieux.

Mais l'humour véritable, loin de la désinvolture, est une forme de bienveillance. C'est l'un des éléments essentiels d'une culture familiale épanouissante. La gaieté, la bonne humeur, l'optimisme et la joie de vivre sont autant de qualités qui font que les gens aiment la compagnie des autres. L'humour est aussi la clé de la proactivité, car il constitue un moyen positif, agréable et non réactif de faire face aux vicissitudes de la vie de tous les jours.

AIMER EST UN VERBE

Lors d'un séminaire où je développais le concept de proactivité, un homme est venu près de moi et m'a dit :

« Stephen, je suis séduit par ce que vous dites, mais chaque cas est différent. Par exemple, je suis moi-même très inquiet concernant mon mariage. Ma femme et moi ne ressentons plus les mêmes sentiments qu'auparavant. Je crois que je ne l'aime plus et qu'elle ne m'aime plus, tout simplement. Que puis-je faire?

– Il n'y a plus de sentiments entre vous? demandai-je.

– C'est ça, confirma-t-il. Et nous avons trois enfants qui comptent beaucoup pour nous. Que suggérez-vous?

– Aimez-la, ai-je répliqué.

– Je vous l'ai dit, je n'éprouve plus rien pour elle.

– Aimez-la.

– Vous ne comprenez pas. Je ne ressens plus d'amour pour elle.

– Alors, aimez-la. Si vous n'avez plus de sentiments pour elle, c'est une bonne raison pour l'aimer.

– Mais comment aimer lorsque l'on n'a plus d'amour?

– Mon ami, aimer est un verbe. L'amour – le sentiment – est le fruit du verbe aimer. Alors, aimez-la. Oubliez votre ego. Ecoutez-la. Comprenez-la. Appréciez-la. Valorisez-la. Etes-vous prêt à faire tout cela? »

Les stars de Hollywood nous ont fait croire que l'amour n'était qu'un sentiment. Dans les films, les relations sont éphémères. Le mariage et la famille sont des questions de contrat et de confort plutôt que d'engagement et d'intégrité. Mais ces scénarios donnent une image très infidèle de la réalité. Reprenons la métaphore de l'avion. Les messages de ces films sont comme les parasites qui brouillent les instructions données par la tour de contrôle. Ils incitent beaucoup de gens à prendre la mauvaise voie.

Regardez autour de vous – peut-être même dans votre propre famille. Tous ceux qui ont connu la dure épreuve du divorce, qui ont été brouillés avec un ami, un enfant ou un parent, ou qui ont subi une rupture sentimentale ou amicale vous diront qu'ils ont beaucoup souffert et qu'ils en gardent d'affreuses cicatrices. Les conséquences de ces souffrances durent très longtemps, bien que les stars de Hollywood ne les incarnent presque jamais. Cela peut paraître plus facile de rompre que de se réconcilier, à court terme. Mais, à long terme, cela est bien plus difficile et bien plus pénible, surtout lorsque des enfants se trouvent impliqués dans cette relation.

Voici les propos de M. Scott Peck concernant l'amour.

Le désir d'aimer n'est pas l'amour lui-même. [...] Aimer est un acte de volonté, c'est-à-dire une intention et une action. La volonté implique également le choix. ***Nous ne devons pas aimer. Nous choisissons d'aimer.*** *Mais quand nous sommes profondément convaincus d'aimer, il se peut que ce n'est qu'une illusion et ce parce que nous avons fait le choix de ne pas aimer. Ainsi, tout simplement, nous n'aimons pas, malgré nos bonnes intentions. En revanche, lorsque nous nous impliquons dans notre évolution spirituelle, c'est parce que nous avons choisi de le faire. Dès lors, le choix d'aimer est fait* [1].

Un de mes amis utilise chaque jour ses dons pour faire un choix proactif important. Lorsqu'il rentre du travail, tout en conduisant, il appuie mentalement sur sa « touche pause ». Toute sa vie est en arrêt. Il prend du recul. Il pense aux membres de sa famille et à ce qu'ils doivent être en train de faire. Il se représente le genre d'atmo-

1. M. Scott Peck, *The Road Less Traveled* (Simon & Schuster, 1978).

sphère et de sentiment qu'il aura envie de susciter lorsqu'il entrera dans la maison. Il se dit : « Ma famille représente la partie la plus appréciable, agréable et importante de ma vie. Je vais la retrouver et lui communiquer tout l'amour que je lui porte. »

Lorsqu'il passe le pas de la porte, au lieu de chercher la faille et de tout critiquer, ou de s'isoler pour se détendre et satisfaire ses propres besoins, il se met à crier : « Je suis là! Essayez de ne pas m'étouffer sous les câlins et les bisous! » Ensuite, il fait un tour dans la maison et essaie d'avoir un contact positif avec chaque membre de la famille Il embrasse sa femme, il se roule par terre avec ses enfants et fait tout ce qu'il peut pour créer une atmosphère agréable et joyeuse. Cela peut consister à sortir les poubelles, à aider quelqu'un à réaliser un projet ou tout simplement à écouter. En se comportant ainsi, il évacue la fatigue, les épreuves et les contretemps de la journée. Il maîtrise sa tendance à être critique ou déçu par ce qu'il trouve en entrant chez lui. Il est en accord avec lui-même et génère une énergie positive au sein de la culture familiale.

Vous rendez-vous compte des conséquences du choix proactif de cet homme sur sa famille? Les relations qu'il établit vont influencer sa vie de famille sur tous les plans, pendant des années, et peut-être même des générations!

Tout mariage heureux, toute famille heureuse, suppose un investissement des personnes. Le bonheur n'est pas un hasard, c'est une victoire. Cela demande des efforts et des sacrifices. Pour être heureux, il faut avoir compris que – « pour le meilleur et pour le pire, pour toujours et à jamais » – aimer est un verbe.

COMMENT DÉVELOPPER VOS DONS

Tous les êtres humains possèdent les quatre dons que nous avons décrits (conscience de soi, éthique, imagination et volonté indépendante), sauf peut-être les gens mentalement handicapés dépourvus de conscience d'eux-mêmes. Mais le développement de ces dons demande un effort conscient.

Le principe est le même que pour le développement d'un muscle. Si vous avez déjà fait travailler un muscle, vous devez savoir qu'il faut forcer jusqu'à la rupture de la fibre musculaire. La nature compense en réparant cette rupture en quarante-huit heures. Ainsi, elle rend le muscle encore plus fort. Vous savez aussi qu'il est important d'adapter les exercices pour faire travailler les muscles les plus faibles. Il est vain de choisir la solution de facilité et de se consacrer à des muscles déjà forts et développés.

Ayant moi-même des problèmes à un genou et au dos, j'ai dû faire travailler des muscles et même des groupes de muscles que j'utilisais rarement et que j'avais à peine conscience de posséder. Je me rends compte aujourd'hui que le développement de ces muscles a d'importantes conséquences sur mon équilibre, ma forme physique, mon maintien, ma capacité à réaliser certaines activités et même ma démarche. Par exemple, pour compenser la faiblesse de mon genou, j'avais pris l'habitude de développer les quadriceps – muscles de la face antérieure de la cuisse – et de négliger les triceps – muscles de la face postérieure de la cuisse. Ce déséquilibre avait compromis la guérison de mon genou et de mon dos.

Il en va de même dans la vie de tous les jours. Nous avons tendance à vivre en fonction de nos points forts et à négliger nos faiblesses. Ce n'est pas un problème si nous pouvons créer un environnement où ces faiblesses sont insignifiantes. Mais, pour utiliser pleinement nos capacités, nous devons vaincre toutes nos faiblesses.

L'utilisation de nos dons répond au même principe. Au cours de notre vie, nous sommes confrontés à des circonstances indépendantes de notre volonté, à d'autres personnes et à notre propre nature. Nous avons sans cesse l'occasion de faire face à nos faiblesses. Nous pouvons choisir de les ignorer ou de les dépasser, pour atteindre une compétence et une force plus grandes.

Répondez à ce questionnaire pour évaluer le développement de vos propres dons[2].

Entourez les chiffres qui représentent le mieux votre comportement habituel (0 = jamais, 2 = parfois, 4 = toujours).

Conscience de soi

	Jamais		Parfois		Toujours
1. Etes-vous capable de prendre du recul par rapport à vos pensées et à vos sentiments et de vous remettre en question ?	x	x	x	x	x
	0	1	2	3	4

2. Questionnaire initialement publié dans *Priorités aux priorités*, Stephen R. Covey, A. Roger Merrill et Rebecca R. Merrill. (Éditions First, 1996).

2. Êtes-vous conscient de vos paradigmes essentiels, de leurs conséquences sur votre comportement et sur votre vie ?

Jamais Parfois Toujours
x——x——x——x——x
0 1 2 3 4

3. Êtes-vous conscient de votre patrimoine biologique, héréditaire, psychologique et sociologique – et de votre vie intérieure ?

Jamais Parfois Toujours
x——x——x——x——x
0 1 2 3 4

4. Lorsque quelqu'un met en question votre perception de vous-même, êtes-vous capable de prendre du recul et de réévaluer votre image, malgré votre conviction profonde d'avoir raison ?

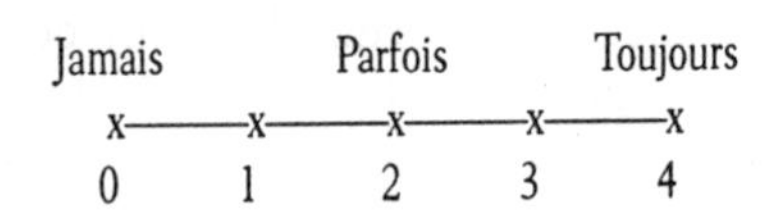

Ethique

1. Cela vous arrive-t-il d'avoir le sentiment que vous devriez faire quelque chose ou ne pas faire ce que vous vous apprêtez à faire ?

Jamais Parfois Toujours
x——x——x——x——x
0 1 2 3 4

2. Sentez-vous la différence entre « l'éthique sociale » – les valeurs établies par la société – et votre propre sens moral ?

Jamais Parfois Toujours
x——x——x——x——x
0 1 2 3 4

3. Vos valeurs se fondent-elles sur des principes universels tels que la loyauté et l'intégrité ?

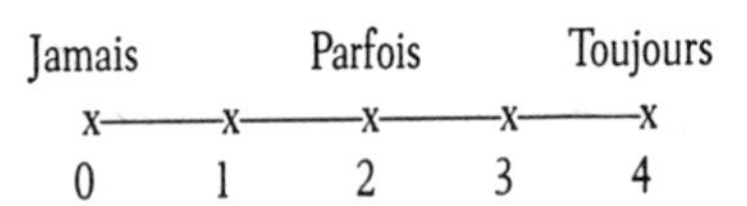

4. Voyez-vous dans l'histoire de l'humanité une structure, autre que la société, dans laquelle ces principes sont respectés ?

Jamais Parfois Toujours
x——x——x——x——x
0 1 2 3 4

Imagination créative

1. Voyez-vous de l'avant ?

Jamais Parfois Toujours
x——x——x——x——x
0 1 2 3 4

	Jamais		Parfois		Toujours
2. Projetez-vous votre vie dans l'avenir ?	x	x	x	x	x
	0	1	2	3	4
3. Visualisez-vous vos objectifs pour vous les remémorer et les atteindre ?	x	x	x	x	x
	0	1	2	3	4
4. Cherchez-vous et créez-vous de nouveaux moyens de résoudre les problèmes dans diverses situations et accordez-vous de l'importance aux idées des autres ?	x	x	x	x	x
	0	1	2	3	4

Volonté indépendante

	Jamais		Parfois		Toujours
1. Savez-vous faire et tenir des promesses (envers vous-même et autrui) ?	x	x	x	x	x
	0	1	2	3	4
2. Êtes-vous capable de maîtriser vos pulsions, même lorsque cela vous demande beaucoup d'efforts ?	x	x	x	x	x
	0	1	2	3	4
3. Êtes-vous capable de vous fixer et d'atteindre des objectifs essentiels dans votre vie ?	x	x	x	x	x
	0	1	2	3	4
4. Pouvez-vous subordonner vos humeurs à vos engagements ?	x	x	x	x	x
	0	1	2	3	4

Faites le total de vos points pour chaque don et évaluez votre score pour chacun :

0 à 7 : don inexploité.

8 à 12 : don exploité.

13 à 16 : don très développé.

J'ai fait remplir ce questionnaire à un grand nombre de personnes, dans de nombreux endroits différents. Dans l'immense majorité des cas, le don qui est le plus négligé est la conscience de soi. Nous disons couramment : il faut « prendre du recul ». Cela signifie que nous devons sortir de notre schéma de pensée habituel et prendre de la distance par rapport aux postulats et aux paradigmes qui régissent notre vie. En d'autres termes, il faut utiliser ce don qu'est la conscience de soi. Tant que nous le négligeons, l'éthique, l'imagination et la volonté indépendante n'interviennent que dans un cadre fermé, dans un schéma de pensée ou un paradigme prédéfini.

Ainsi, la conscience de soi est le don essentiel sans lequel les autres n'ont pas de raison d'être. C'est seulement lorsque nous avons pris du recul que l'imagination, l'éthique et la volonté indépendante nous ouvrent de nouvelles portes. Nous nous transcendons. Nous dépassons les frontières de notre cadre de vie, de notre vécu et de notre bagage psychique.

Cette transcendance est essentielle pour l'énergie vitale qui est en nous. Elle est la clé de notre devenir, de notre évolution et de notre développement. C'est elle qui conditionne nos relations avec les autres et nous permet de bâtir une culture familiale épanouissante. Plus ce don est développé dans une famille, plus il y a de possibilités d'introspection et de progrès. Il devient alors possible d'effectuer des changements, de se fixer des objectifs dépassant les conventions sociales et les habitudes profondément ancrées et de définir un cadre et une ligne de conduite pour atteindre ces objectifs.

« Connais-toi toi-même [3] », la maxime de Socrate, est très significative. Socrate avait bien compris que la connaissance de soi est à la base de toute autre connaissance. Si nous ne nous prenons pas en compte, nous ne faisons que nous projeter sur autrui. Nous nous jugeons en fonction de nos raisons et nous jugeons les autres en fonction de leur comportement. Si nous ne nous connaissons pas, si nous n'avons pas conscience de nous-mêmes en tant qu'entités indépendantes des autres et de notre environnement, si nous ne pouvons pas prendre du recul par rapport à nous-mêmes pour analyser nos pulsions, nos pensées et nos désirs, nous ne sommes pas armés pour connaître et respecter les autres, et encore moins pour nous remettre en question.

---

3. Socrate. La phrase « Connais-toi toi-même. » viendrait de l'oracle de Delphes et fut inscrite à l'entrée du temple.

Pour être proactif, il est essentiel de développer les quatre dons à la fois. On ne peut en négliger aucun, car le résultat dépend de la synergie et de l'interaction de tous. Certains ont un grand sens moral, mais n'ont aucune imagination et aucune clairvoyance. Ils sont bons – mais pour qui, pour quoi, dans quel but ? D'autres ont beaucoup de volonté, mais peu de clairvoyance. Ils traversent sans cesse les mêmes épreuves avec la volonté de s'en sortir, mais sans objectif à atteindre.

Ce qui vaut pour une personne vaut également pour une famille. C'est l'ensemble de ces dons – l'interaction de ces dons chez chaque individu et les relations entre les membres de la famille – qui donne un sens à la famille et la fait progresser. Il est important de cultiver ces quatre dons, tant sur le plan individuel que sur le plan familial, pour atteindre un niveau de conscience personnel et familial élevé, un sens moral individuel et collectif aigu, une imagination créative débouchant sur une perspective commune et une volonté personnelle et sociale permettant d'atteindre les objectifs que l'on s'est fixés.

LE CERCLE D'INFLUENCE ET LE CERCLE DES PRÉOCCUPATIONS

La proactivité, c'est-à-dire l'utilisation de ces quatre dons, consiste à prendre la responsabilité et l'initiative de se consacrer aux choses que nous pouvons influencer. Saint François, lui-même, a écrit dans sa *Prière de la sérénité* : « Mon Dieu, donnez-moi la sérénité d'accepter les choses que je ne puis changer, le courage de changer les choses que je peux et la sagesse d'en connaître la différence[4]. »

Pour faire cette différence, vous pouvez tracer dans votre vie ce que j'appelle le Cercle d'influence et le Cercle des préoccupations. Le Cercle des préoccupations est un grand cercle qui comprend tout ce à quoi vous êtes confronté. Le Cercle d'influence est un plus petit cercle, inscrit dans le premier, qui comprend toutes les choses sur lesquelles vous pouvez agir.

4. Cette prière est attribuée à Saint François d'Assise. Elle est récitée dans la plupart des réunions de groupes des Alcooliques Anonymes.

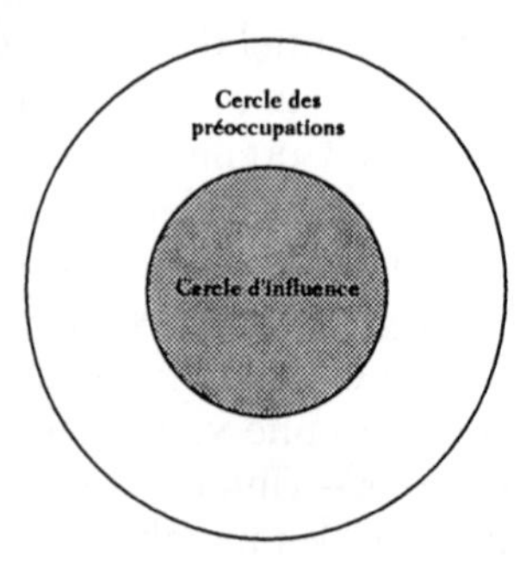

La tendance réactive consiste à faire une fixation sur le Cercle des préoccupations, ce qui ne fait que réduire le Cercle d'influence. L'énergie qui se dégage du Cercle des préoccupations est négative. Lorsque cette énergie négative s'associe à la négligence du Cercle d'influence, celui-ci diminue inévitablement.

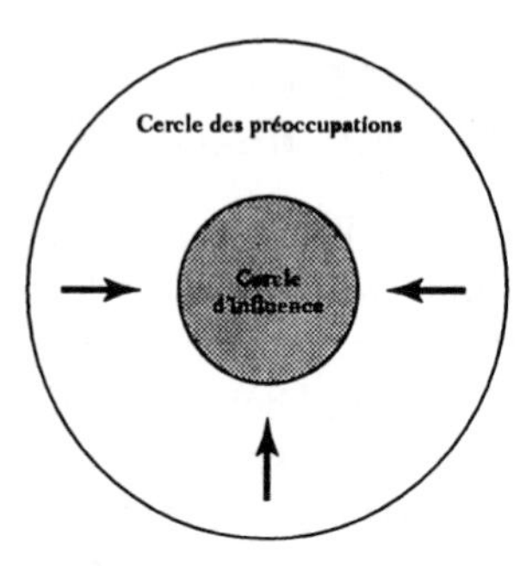

La proactivité consiste à se concentrer sur le Cercle d'influence. Celui-ci s'accroît sous l'action de l'énergie positive.

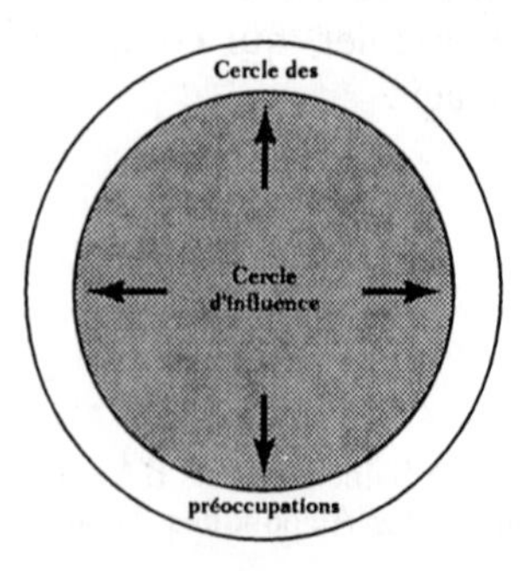

Voici l'exemple d'un homme qui a travaillé au sein de son Cercle d'influence.

Vers la fin de mon adolescence, j'ai remarqué que ma mère et mon père n'arrêtaient pas de se critiquer. Cela finissait toujours en disputes et en larmes. Ils faisaient tout pour être blessants – et ils savaient comment s'y prendre. Il leur arrivait aussi de faire comme si tout allait bien mais, avec le temps, les disputes se sont multipliées et les blessures sont devenues de plus en plus profondes.

J'avais environ vingt et un ans lorsqu'ils se sont finalement séparés. à ce moment-là, j'ai eu l'impression d'avoir le devoir d'arranger les choses, et je le désirais par-dessus tout. Je suppose que c'est une réaction normale pour un enfant. On aime ses parents. On veut faire tout ce qui est en notre pouvoir.

Je disais à mon père : « Pourquoi ne vas-tu pas dire à maman : Je suis désolé. Je sais que je t'ai fait beaucoup de mal, mais s'il te plaît pardonne-moi. Essayons encore une fois. Je suis prêt à faire des efforts. » Il me répondait : « Je ne peux pas. Je ne vais pas me mettre à ses pieds pour me faire piétiner encore une fois. »

Je disais à ma mère : « Pense à tout ce que vous avez vécu ensemble. Est-ce que ça ne mérite pas d'être sauvé? » Elle me répondait : « Je ne peux pas. Je ne sais plus comment m'y prendre avec cet homme. »

Ils étaient tous deux très malheureux, très angoissés et très en colère. Chacun faisait des efforts incroyables pour que nous, leurs enfants, prenions parti en faveur de l'un aux dépens de l'autre.

Quand j'ai fini par me rendre compte qu'ils allaient divorcer, je ne pouvais pas y croire. J'ai ressenti un immense vide et une profonde tristesse. Parfois, je me mettais à pleurer. L'un des piliers de ma vie s'écroulait. Je souffrais personnellement de ce drame, car je ramenais tout à moi. Pourquoi moi? Pourquoi ne puis-je rien faire?

C'est un de mes meilleurs amis qui m'a aidé à m'en sortir. Il m'a dit : « Tu sais ce que tu devrais faire? Tu devrais arrêter de t'apitoyer sur ton sort. Regarde-toi. Ce n'est pas ton problème. C'est le problème de tes parents. Ce n'est pas le tien, même s'il te concerne. Au lieu de te conduire en victime, tu ferais mieux d'essayer d'apporter à chacun de tes parents soutien et amour, car ils ont besoin de toi plus que jamais. »

Après cette conversation avec mon ami, quelque chose a changé en moi. Je me suis soudain rendu compte que ce n'était pas moi la victime. Ma plus grande responsabilité en tant que fils était d'aimer chacun de mes parents et de vivre ma propre vie. Je pouvais choisir ma réaction vis-à-vis de ce qui se passait.

Cet épisode de ma vie a été très fort. J'ai fait un choix, celui de ne plus être une victime et de tout faire pour me débarrasser de ce rôle que je m'étais assigné.

J'ai fait de mon mieux pour apporter amour et soutien à ma mère et à mon père, et j'ai refusé de prendre parti. Cela n'a pas plu à mes parents. Ils me reprochaient d'être neutre, poltron et de ne pas vouloir prendre position. Mais ils ont tous deux fini par accepter mon choix.

Puis je me suis tourné vers ma propre vie. J'ai pris du recul par rapport à moi-même. J'ai commencé à apprendre à partir de l'expérience de mes parents, de leur mariage. Je savais qu'un jour je me marierais et fonderais une famille. Alors je me suis demandé : « Qu'est-ce que tout cela signifie pour toi ? Quelles leçons vas-tu en tirer ? Quel genre de relations veux-tu avoir avec ta femme ? Quelles sont les faiblesses que tu as remarquées chez tes parents et que tu ne veux pas avoir ? »

J'ai décidé que je voulais avoir une relation forte, saine et évolutive. Dès lors, j'ai constaté qu'en prenant cette résolution j'avais acquis le pouvoir de me maîtriser dans les moments difficiles. Aujourd'hui, j'évite de dire des choses blessantes, je m'excuse, je reviens sur ce que j'ai dit, parce que j'ai toujours à l'esprit quelque chose de bien plus important que le sentiment que je ressens sur le moment.

Je m'efforce également de ne jamais oublier qu'il est plus important d'être unis que d'avoir raison. La petite victoire que l'on remporte en ayant le dernier mot ne fait que séparer davantage un couple et le prive d'une relation harmonieuse qui lui apporterait une bien plus grande satisfaction. C'est l'une des choses les plus importantes que la vie m'ait apprises. Lorsque j'ai un différend avec ma femme et que j'élève bêtement un mur entre nous (ce que je fais régulièrement, malgré mes prises de conscience), je ne laisse pas la situation s'envenimer, je vais toujours m'excuser. Je me reconcentre sur mon amour et sur mon engagement, et tout s'arrange. J'ai décidé de faire tout ce qui est en mon pouvoir pour, non pas être parfait parce que c'est impossible, mais tendre vers cette perfection, essayer sans cesse de m'en rapprocher.

Ce n'est pas toujours facile. Cela me demande beaucoup d'efforts lorsque je me heurte à des problèmes délicats. Mais je crois que ma décision reflète une priorité que je ne me serais jamais fixée si je n'avais pas connu la dure épreuve du divorce de mes parents.

Songez à l'expérience de cet homme. Les deux personnes qu'il aime le plus au monde, qui lui ont donné une identité et lui ont apporté leur protection, se sont séparées. Il s'est senti trahi, délaissé. Son idée du mariage a été considérablement ternie. Il a beaucoup souffert. Il a connu à ce moment-là l'épreuve la plus difficile de toute sa vie.

Grâce à l'aide d'un ami, il s'est rendu compte qu'il avait situé le mariage de ses parents dans son Cercle d'influence et non dans son Cercle des préoccupations. Dès lors, il a décidé d'être proactif. Il a compris qu'il ne pourrait pas sauver ce mariage, mais qu'il pouvait quand même faire quelque chose. Il a donc commencé à se concentrer sur son Cercle d'influence. Il s'est attaché à apporter amour et soutien à chacun de ses parents – malgré les réactions négatives de ceux-ci et les difficultés qu'il éprouvait. Il a trouvé le courage d'agir selon des principes au lieu de réagir à des sentiments suscités par la situation de ses parents.

Il a également commencé à penser à son propre avenir. Il a défini les valeurs sur lesquelles il voulait bâtir sa relation avec sa future femme. Lorsqu'il s'est marié, il avait donc déjà à l'esprit une idée précise de cette relation. Cette perspective ne l'a jamais quitté et lui a donné les moyens de concrétiser son choix. Elle lui a donné la sagesse de s'excuser et de toujours revenir à ses engagements.

Etes-vous conscient de l'avantage de se concentrer sur son Cercle d'influence ? Prenons un autre exemple. Je connais des parents dont la fille avait un comportement tel que, selon eux, continuer à l'accepter au sein de leur foyer ne pouvait que détruire toute la famille. Le père a donc décidé que, lorsqu'elle rentrerait à la maison ce soir-là, il mettrait les choses au point : soit elle s'engageait à faire certaines choses, soit elle quittait la maison le lendemain. Sur ce, il s'est assis et l'a attendue. En l'attendant, il décida de faire une liste de ce qu'elle devait changer si elle voulait rester. Lorsque la liste fut terminée, il ressentit un sentiment que seules les personnes qui ont traversé une pareille épreuve peuvent connaître.

La mort dans l'âme, tout en l'attendant, il retourna la feuille. Au verso, il se mit à énumérer ce qu'il était prêt à changer si elle s'engageait à changer de son côté. Il fondit en larmes lorsqu'il se rendit compte que sa liste était plus longue que celle de sa fille. Toujours dans cet état d'esprit, il accueillit sa fille humblement lorsqu'elle rentra à la maison et entama avec elle une longue discussion en commençant par *sa propre* liste. Son choix de commencer par cette liste a fait toute la différence. Il a agi de l'intérieur vers l'extérieur.

Réfléchissez un instant au terme « responsable ». Il signifie « capable de réponse », capable de choisir sa propre réponse. C'est l'essence même de la proactivité. C'est quelque chose que vous pouvez faire dans votre propre vie. Au fur et à mesure que vous vous concentrez sur votre Cercle d'influence, non seulement vous l'agrandissez, mais vous incitez les autres à suivre votre exemple. Par conséquent, ils auront eux-mêmes tendance à se concentrer sur leur cercle intérieur. L'inverse peut également se produire lorsqu'une personne est dévorée par une colère réactive. Si vous êtes sincère et résolu, vous influencerez cette personne et ainsi progressivement l'esprit de la famille. Proactivité, initiative et responsabilité (capacité de réponse) feront partie de la culture familiale.

ÉCOUTEZ VOTRE LANGAGE

Pour savoir si vous êtes dans votre Cercle d'influence ou dans votre Cercle des préoccupations, le meilleur moyen est de vous écouter parler. Si vous êtes dans votre Cercle des préoccupations, lorsque vous parlez, vous blâmez, vous accusez, vous êtes réactif.

« Je n'ai jamais vu un comportement pareil ! Ces gosses me rendent fou ! »
« Ma femme est complètement irréfléchie ! »
« Pourquoi a-t-il fallu que mon père soit alcoolique ? »

Si vous êtes dans votre Cercle d'influence, votre langage est proactif. Il reflète votre désir de vous consacrer aux choses sur lesquelles vous pouvez agir.

« Je peux essayer d'établir des règles dans notre famille qui aideront les enfants à se rendre compte des conséquences de leur comportement. Je peux chercher des moyens d'encourager et de susciter un comportement positif. »
« Je peux me comporter de manière réfléchie. L'amour est un excellent moyen d'interaction pour transmettre et orienter les comportements. »
« Je peux essayer d'en apprendre plus sur mon père et son alcoolisme. Je peux chercher à le comprendre, à l'aimer et à lui pardonner. Je peux choisir une voie différente de celle qu'il a prise. Je peux apprendre aux membres de ma famille à suivre mon exemple, afin que le problème de mon père ne rejaillisse pas sur leur vie. »

Afin d'avoir une idée plus précise de votre niveau de proactivité ou de réactivité, vous pouvez faire l'expérience suivante. Si vous le souhaitez, invitez votre conjoint ou une personne de votre choix à participer et à donner son avis.

1. Identifiez un problème dans votre famille.
2. Décrivez-le (oralement ou par écrit) en utilisant des termes réactifs. Concentrez-vous sur votre Cercle des préoccupations. Réfléchissez bien. Essayez de prouver de la manière la plus convaincante possible que ce problème ne vient pas de vous.
3. Décrivez le même problème en termes proactifs. Concentrez-vous sur votre responsabilité (capacité de réponse). Expliquez ce que vous pouvez faire à l'intérieur de votre Cercle d'influence. Essayez de prouver que vous pouvez profondément changer cette situation.
4. Observez les différences entre ces deux descriptions. Quelle est celle qui se rapproche le plus de la façon dont vous décrivez habituellement vos problèmes de famille?

Si vous constatez que vous utilisez essentiellement un langage réactif, vous pouvez commencer dès à présent à le remplacer par des termes et des expressions proactives. Le seul fait de vous forcer à utiliser ces termes vous aidera à reconnaître votre tendance réactive et à changer.

Nous pouvons aider les jeunes enfants à intégrer l'Habitude n° 1 dans leur système de pensée en les incitant à être responsables de leur langage. Il ne s'agit pas de les enfermer dans une éducation rigide, mais de voir dans le langage un moyen de favoriser un comportement proactif.

Colleen (fille)

J'ai récemment essayé d'aider notre fille de trois ans à faire plus attention à son langage. Je lui ai dit : « Dans notre famille, on ne dit pas « Je déteste » et on ne dit pas aux gens qu'ils sont stupides. Tu dois faire attention à la façon dont tu parles aux gens. Tu es responsable. » De temps à autre, je la rappelle à l'ordre : « Ne traite pas les gens de tous les noms, Erika. Essaie d'être responsable de la façon dont tu parles et dont tu agis. »

Puis, l'autre jour, je me suis exclamée : « Oh, j'ai détesté ce film! » Erika a tout de suite répliqué : « Tu ne dois pas dire « Je déteste », 'man! Toi aussi, tu es responsable. »

OUVREZ UN COMPTE ÉMOTIONNEL

Pour comprendre et appliquer le concept de proactivité, pour réussir à effectuer la démarche qui consiste à aller de l'intérieur vers l'extérieur en se concentrant sur son Cercle d'influence, vous pouvez utiliser la métaphore du Compte émotionnel.

Le Compte émotionnel représente la qualité des relations que vous avez avec les autres. Il s'apparente à un compte bancaire, puisqu'on peut y faire des « dépôts » et des « retraits ». Un dépôt consiste à accroître la confiance au sein d'une relation en se comportant de manière proactive. Un retrait consiste à diminuer la confiance en se comportant de manière réactive. À tout moment, *le solde de votre compte indique votre aptitude à communiquer et à résoudre les problèmes avec une autre personne.*

Si le solde de votre Compte émotionnel est élevé, vous avez su établir une grande confiance dans votre relation. La communication est facile et sans contrainte. Même si vous avez un accident de parcours, votre « réserve émotionnelle » le compensera.

En revanche, si le solde de votre compte est peu élevé, voire négatif, vous n'avez pas su instaurer une relation de confiance. C'est comme si vous marchiez sur un champ de mines. Vous êtes toujours sur vos gardes. Vous devez peser chaque mot, et même vos meilleures intentions sont mal interprétées.

Souvenez-vous de l'histoire de mon ami qui a « retrouvé son fils ». On pourrait dire que cette relation entre le père et le fils représentait un découvert de plusieurs milliers de francs. Il n'y avait aucune confiance, pas de véritable communication, pas de possibilité de chercher ensemble des solutions aux problèmes. Plus le père insistait, plus la situation empirait. Mais mon ami a ensuite adopté un comportement proactif, qui a fait toute la différence. Il a effectué une démarche de l'intérieur vers l'extérieur, et s'est converti en acteur du changement. Il a arrêté d'être réactif vis-à-vis de son fils. Il a fait un dépôt considérable dans le Compte émotionnel de ce garçon. Il l'a écouté. Il s'est véritablement mis à l'écoute. Alors son fils s'est soudain senti considéré et reconnu comme un être humain à part entière.

La tendance réactive à faire continuellement des retraits au lieu de dépôts constitue l'un des plus graves problèmes de beaucoup de familles. Voici la journée type d'un adolescent, vue par mon ami le docteur C. Griffin.

LA JOURNÉE TYPE D'UN ADOLESCENT

7h00 Lève-toi ou tu vas encore être en retard.
7h15 Et ton petit déjeuner ?
7h16 Tu as l'air d'un zonard. Mets quelque chose de décent.
7h18 N'oublie pas de sortir la poubelle.
7h23 Mets ton manteau. Tu ne sais pas qu'il fait froid dehors ? Tu ne peux pas aller à l'école à pied par un temps pareil.
7h25 Tu me feras le plaisir de rentrer directement à la maison après l'école et de faire tes devoirs.
17h42 Tu as oublié la poubelle. Grâce à toi, nous allons encore crouler sous les ordures pendant une semaine.
17h46 Range ce fichu skateboard. Quelqu'un va trébucher dessus et se casser le cou.
18h16 Tu ferais bien de te secouer un peu. Ta chambre est un vrai chantier et il serait temps que tu fasses ta part de ménage. Ce n'est pas un hôtel, ici, et je ne suis pas ta bonne.
18h28 Qu'est-ce que tu regardes ? Ça ne m'a pas l'air bien intelligent. C'est vraiment stupide de penser que tu arrives mieux à faire tes devoirs devant la télé.
19h03 Je t'ai dit de ne pas regarder la télé tant que tu n'as pas fini tes devoirs. Et qu'est-ce que c'est que ces chaussures et ces papiers de bonbons qui traînent par terre ? Je t'ai dit des milliers de fois de ranger les choses au fur et à mesure. Tu n'en as pas assez de toujours provoquer des disputes ?
19h30 Viens à table. Pourquoi faut-il toujours te chercher partout quand il est l'heure de dîner ? Tu aurais pu aider à mettre la table.
19h37 Combien de fois faut-il te dire que le dîner est prêt ?
19h47 Faut-il que tu viennes à table avec un walkman ? Tu ne peux pas te passer de ce bruit insensé que tu appelles de la musique ? Tu entends ce que je te dis ? Enlève ça de tes oreilles.
20h34 Laisse ce jeu vidéo. Vide le lave-vaisselle et mets les assiettes sales dedans. Quand j'avais ton âge, on n'avait pas de lave-vaisselle. On lavait la vaisselle à la main.

21h59 Cette musique est si assourdissante que je ne m'entends même plus penser. Va te coucher ou tu vas encore être en retard demain.

À votre avis, si on communique de cette façon avec un adolescent, chaque jour de la semaine, quelles seront les conséquences sur son Compte émotionnel ?

Souvenez-vous : aimer est un verbe. **Être proactif offre le précieux avantage de pouvoir choisir de faire des dépôts au lieu de faire des retraits. Quelle que soit la situation, il y a toujours un moyen d'améliorer les relations.**

Un père m'a fait part de son expérience.

Je me suis toujours considéré comme un homme honnête et courageux. J'ai réussi dans mon travail et dans ma vie privée, avec ma femme et mes enfants – excepté avec ma fille de quinze ans, Tara.

J'ai essayé plusieurs fois d'arranger les choses avec elle, en vain. Chaque tentative était un échec. Elle n'avait pas confiance en moi. à chaque fois que j'ai voulu régler nos différends, cela ne faisait visiblement qu'envenimer la situation.

Puis, j'ai entendu parler du Compte émotionnel et je suis tombé sur une question qui m'a vraiment bouleversé : « Lorsque vous êtes à la maison, vos proches se sentent-ils mieux ou plus heureux en votre présence ? » Je n'ai pu que répondre ce que mon cœur me dictait : « Non. Ma présence est désagréable à ma fille Tara. » Cette prise de conscience m'a brisé le cœur.

Après m'être remis de ce choc, je me suis rendu compte que cette triste vérité ne pourrait changer que si je changeais moi-même, au plus profond moi. Il ne me suffisait pas d'agir différemment envers elle. Je devais m'engager à l'aimer sincèrement. Je devais cesser de la critiquer et de la blâmer, cesser de penser que c'était elle la cause de nos problèmes. Il fallait que j'arrête de rivaliser avec elle en essayant toujours de lui imposer ma volonté.

Je savais que, si je n'agissais pas dès maintenant, je ne ferais probablement jamais rien. Je m'y suis donc résolu. Je me suis engagé à faire cinq dépôts par jour sur notre Compte émotionnel – et absolument aucun retrait – pendant trente jours.

Ma première intention a été d'aller voir ma fille et de lui parler de ce que j'avais appris. Mais j'ai pensé que le moment était venu non pas de parler mais d'agir. Lorsque Tara est rentrée de l'école ce jour-là, je l'ai accueillie avec un sourire chaleureux et je lui ai demandé : « Comment vas-tu ? » Elle m'a répondu sèchement : « Comme si ça t'intéressait... » J'ai gardé mon calme, faisant comme si je n'avais rien entendu. J'ai souri et répliqué : « Je me demandais juste comment tu allais. »

Durant les jours suivants, j'ai tout fait pour tenir mes engagements. Je mettais des petits mots partout, y compris sur le rétroviseur de ma voiture. J'ai continué à ignorer ses réflexions acerbes, ce qui ne m'a pas été facile, car j'avais depuis longtemps l'habitude de lui répondre. à chaque expérience, j'ai compris à quel point notre relation était devenue cynique. Puis j'ai commencé à me rendre compte que j'avais toujours attendu qu'elle change la première, avant d'avoir moi-même essayé d'améliorer notre relation.

Au fur et à mesure que j'essayais de changer mes sentiments et ma façon d'agir, je commençais à voir Tara sous un tout autre jour. Je me suis peu à peu rendu compte de son immense besoin d'être aimée. Moins je tenais compte de ses réflexions, plus je me sentais la force de le faire sans le moindre ressentiment, avec un amour grandissant.

Presque sans m'en rendre compte, je me suis mis à avoir de petites attentions pour elle – des petites choses que je n'étais pas obligé de faire. Un jour, pendant qu'elle faisait ses devoirs, je suis entré sans faire de bruit dans sa chambre et j'ai allumé la lumière. Elle m'a demandé : « Pourquoi fais-tu ça ? » Et j'ai répondu « J'ai juste pensé que tu arriverais mieux à lire avec plus de lumière. »

Finalement, au bout de deux semaines, Tara m'a dit d'un air perplexe : « Papa, il y a quelque chose de changé en toi. Que se passe-t-il ? Qu'est-ce que ça signifie ? »

Alors, je me suis expliqué : « Je me suis rendu compte de certaines choses en ce qui me concerne qui doivent changer, c'est tout. Je suis tellement heureux de pouvoir enfin exprimer mon amour en te traitant comme j'aurais toujours dû te traiter. »

Nous avons commencé à passer plus de temps ensemble, simplement à parler ou à s'écouter. Plus de deux mois ont passé depuis, et notre relation est devenue beaucoup plus forte et positive. Tout n'est pas encore parfait, mais nous sommes sur la bonne voie. Il n'y a plus de douleur. La confiance et l'amour augmentent chaque jour. Il m'a suffit de ne faire que des dépôts et aucun retrait dans notre Compte émotionnel. C'est un engagement à la fois simple et profond, car il doit être ininterrompu et sincère. Il permet de voir l'autre différemment et d'avoir une attitude qui sert, non pas un intérêt personnel, mais celui des deux personnes impliquées dans la relation.

Je suis certain que, si vous demandez à ma fille ce qu'elle pense de moi aujourd'hui, elle vous répondra sans hésiter : « Mon père? Nous sommes amis. J'ai confiance en lui. »

Ce père a eu une démarche proactive pour changer radicalement sa relation avec sa fille. Il a fait appel à ses quatre dons. Il a utilisé sa *conscience de soi*. Il a su prendre du recul vis-à-vis de lui-même, de sa fille, de l'ensemble de la situation, et faire une analyse objective. Il a comparé la tournure que prenaient les choses avec le chemin que son *éthique* lui indiquait. Il a anticipé ce qu'il était possible de faire. Son *imagination* lui a permis d'envisager quelque chose de différent. Puis, grâce à sa *volonté*, il a agi.

Lorsqu'il a commencé à utiliser ses quatre dons, les choses ont considérablement évolué. Sa relation avec sa fille s'est améliorée, il se sentait mieux dans sa peau et sa fille aussi. C'est comme s'il avait pansé une plaie béante. Il a fait des dépôts en arrêtant de faire une fixation sur les faiblesses de l'autre et en se concentrant sur son Cercle d'influence – les choses qu'il pouvait changer. Il a agi en véritable acteur du changement.

Souvenez-vous : dès lors que vous bâtissez votre vie affective sur les faiblesses des autres, vous abandonnez votre pouvoir – c'est-à-dire vos dons – à leurs faiblesses, et votre vie affective devient le produit de leur façon d'agir.

En revanche, si vous vous concentrez sur votre Cercle d'influence, si vous faites votre possible pour bien gérer votre Compte émotionnel – construire des relations de confiance et d'amour inconditionnel –, vous augmentez considérablement votre capacité à influencer les autres de manière positive.

Permettez-moi de vous suggérer quelques idées sur la façon de faire des « dépôts » dans votre famille. Appliquez-les dès aujourd'hui pour commencer à prendre l'Habitude n° 1.

FAITES PREUVE DE GENTILLESSE

Il y a quelques années, j'avais décidé de consacrer une soirée à deux de mes fils. Nous avions tout organisé : gymnastique, catch, hot dogs, orangeade et cinéma – la totale. Au milieu du film, Sean, qui avait alors quatre ans, s'est endormi dans son fauteuil. Son grand frère, Stephen, âgé de six ans, a tenu le coup, et nous avons regardé le reste du film ensemble. Lorsque la séance a été terminée, j'ai pris

Sean dans mes bras pour l'emmener jusqu'à la voiture et je l'ai couché sur la banquette arrière. Comme il faisait très froid cette nuit-là, j'ai retiré mon manteau et je l'ai posé avec précaution sur mon fils endormi.

Lorsque nous sommes arrivés à la maison, je suis vite allé mettre Sean au lit. Stephen s'est mis en pyjama et s'est brossé les dents, puis je suis venu m'asseoir près de lui pour que nous discutions de la soirée que nous venions de passer ensemble.

« Tu as passé une bonne soirée, Stephen ?

– Oui, répondit-il.

– Tu t'es bien amusé ?

– Oui.

– Qu'est-ce qui t'a le plus plu ?

– Je ne sais pas. Le trampoline, je crois.

– C'était quelque chose, hein ? Faire des sauts périlleux et des galipettes en l'air… »

Il n'était pas très bavard. Je me suis retrouvé à faire la conversation tout seul. Je me demandais pourquoi Stephen était si renfermé. D'habitude, il était plutôt expansif lorsqu'il faisait des choses qui lui plaisaient. J'étais un peu déçu. Je sentais que quelque chose n'allait pas. Il avait été si calme sur le chemin du retour et lorsqu'il s'était préparé pour aller se coucher !

Soudain, Stephen s'est retourné sur le côté, face au mur. Je me suis demandé pourquoi et je me suis penché au-dessus de lui, juste assez pour voir les larmes lui monter aux yeux.

« Qu'est-ce qui ne va pas, chéri ? Que se passe-t-il ? »

Il s'est retourné et j'ai pu voir qu'il était un peu gêné d'avoir les yeux remplis de larmes et le menton tremblant.

« Papa, si j'avais froid, est-ce que tu mettrais ton manteau sur moi aussi ? »

De tout ce qui s'était passé au cours de cette soirée, la chose la plus importante avait été un petit geste de tendresse – une marque d'amour momentanée et inconsciente – que j'avais eu envers son petit frère.

Vous imaginez quelle leçon j'ai pu en tirer sur l'importance de la gentillesse !

Dans toute relation, ce sont les petits riens qui comptent le plus. Une femme m'a raconté que, dans la maison où elle avait grandi, se trouvait une plaque où il était écrit : « **Les petits riens que l'on fait chaque jour, avec tendresse, ce n'est pas rien**. »

Cynthia (fille)

Un des souvenirs que je garde de mon adolescence, c'est de m'être sentie toujours submergée. J'essayais de faire de mon mieux à l'école, j'étais déléguée au conseil de classe et j'étais prise par trois ou quatre autres activités en même temps.

Parfois, lorsque je rentrais à la maison, je trouvais ma chambre propre et rangée, ainsi qu'un petit mot qui disait : « Grosses bises, la bonne fée. » Je comprenais que maman avait tout fait pour m'aider, car elle savait que j'étais complètement débordée. Cela me rendait vraiment service. J'entrais dans ma chambre et je murmurais simplement : « Oh, merci ! Merci ! »

Les petites attentions sont essentielles pour créer des relations de confiance et d'amour inconditionnel. Pensez à l'importance que peuvent avoir, dans votre famille, des expressions comme *merci*, *s'il te plaît*, *excuse-moi*, *je t'en prie* ou *puis-je t'aider*. Cela vaut aussi pour les services que l'on rend sans qu'on nous le demande, comme aider à faire la vaisselle, emmener les enfants acheter quelque chose d'important pour eux, téléphoner pour demander s'il y a quelque chose que l'on pourrait ramener du magasin. Il y a mille façons d'être gentil : exprimer son amour en envoyant des fleurs, mettre un petit mot avec le goûter de ses enfants ou dans le porte-documents de son conjoint, ou bien téléphoner pour dire « Je t'aime » en plein milieu de la journée. Montrer sa gratitude ou son estime. Faire des compliments sincères. Etre reconnaissant – et pas seulement lors d'un succès particulier ou d'une grande occasion comme un anniversaire, mais à n'importe quel moment, juste parce que votre conjoint et vos enfants sont ce qu'ils sont.

Douze câlins par jour – voilà ce dont nous avons besoin. Les câlins sont dans les gestes, les mots, les regards et l'atmosphère. Nous avons besoin de recevoir d'autrui une nourriture affective, quelle qu'en soit la forme.

Je connais une femme qui avait grandi dans une famille où les disputes remplaçaient la chaleur. Employée dans un grand hôtel, elle s'est progressivement rendu compte de l'importance de la gentillesse et de la courtoisie dans un foyer. Tout le personnel était très courtois avec les clients. Elle voyait le bien que cela faisait aux gens d'être bien traités. Elle s'est également rendu compte du bien qu'elle ressentait elle-même en faisant preuve d'amabilité et de courtoisie. Un jour, elle a décidé d'essayer de se comporter de cette façon, à la maison, avec sa propre famille. Elle a commencé à rendre de petits services, à employer un langage positif et aimable. Par exemple, en servant le petit déjeuner, elle s'est mise à dire, comme à l'hôtel : « Je vous en prie. » Elle m'a dit que sa vie et celle de sa famille en ont été complètement transformées et que les relations entre les générations en ont été profondément modifiées.

Mon frère John et sa femme, Jane, ont, eux, une autre méthode. Chaque matin, ils prennent le temps de se faire des compliments. Chaque membre de la famille est tour à tour l'objet de ces compliments. Un matin, leur fils, costaud et sportif, a dévalé les escaliers avec une telle énergie et une telle excitation que Jane s'est demandée pourquoi il était si plein d'énergie.

« Pourquoi es-tu si excité? demanda-t-elle.

– C'est mon jour de compliments! répondit-il avec un large sourire. »

Cela peut vous paraître cocasse, mais essayez, et vous verrez vous-même que cela change tout. Une journée qui commence bien, ça compte!

L'un des rôles les plus importants de la gentillesse est de montrer aux gens qu'on les apprécie. C'est un dépôt considérable sur le Compte émotionnel de la famille. Ne manquez pas de le faire et d'inciter les autres à le faire!

DEMANDEZ PARDON

Mettez votre proactivité à l'épreuve : savez-vous demander pardon? Si votre sentiment de sécurité est fondé sur votre image, votre position ou le fait d'avoir raison, demander pardon, c'est comme saigner à blanc votre ego. Vous vous sentez vidé, parce que vos dons sont sollicités à l'extrême.

Colleen (fille)

Il y a plusieurs années, Matt et moi sommes allés passer Noël avec toute ma famille. Je ne me souviens pas exactement des détails, mais j'étais censée conduire ma mère à Salt Lake City le lendemain. Or je ne pouvais pas : j'avais déjà pris un autre engagement. Quand je l'ai dit à mon père, il est littéralement sorti de ses gonds.

« Egoïste! On comptait vraiment sur toi! » m'a-t-il lancé, avec quantité d'autres choses qu'il ne pensait pas vraiment.

Etonnée de sa virulence, je me suis mise à pleurer. Il m'avait profondément blessée. J'avais tellement l'habitude de le voir compréhensif et prévenant! En fait, de toute ma vie, je ne me rappelle que deux fois où il s'est vraiment énervé contre moi. J'avais été très surprise. Je n'aurais pas dû y attacher trop d'importance, mais je l'ai mal pris. J'ai fini par céder, sachant qu'il ne comprendrait pas mon dilemme.

Je suis rentrée à la maison avec mon mari. « Nous n'y retournerons pas ce soir. Et tant pis pour la fête de famille! » Pendant tout le trajet, j'ai ruminé mon amertume.

Nous venions d'arriver quand le téléphone a sonné. Matt a décroché. C'était mon père. Toujours vexée, j'ai déclaré que je ne voulais pas lui parler. Mais j'en avais très envie et j'ai fini par répondre.

Mon père m'a dit : « Ma chérie, je te demande pardon. Mon emportement est inexcusable, mais laisse-moi t'expliquer. » La maison était en construction et les travaux coûtaient beaucoup plus cher que prévu, les affaires ne marchaient pas très bien, Noël arrivait et toute la famille était là... Bref, la pression avait été trop forte et il avait craqué. « C'est toi qui a tout pris, a-t-il reconnu. Je te demande pardon. » Je me suis excusée à mon tour, consciente que ma réaction avait été disproportionnée.

En me présentant ses excuses, mon père a fait, sur mon Compte émotionnel, un dépôt très important, qui a marqué le début d'une relation plus profonde entre nous.

Matt et moi sommes allés à la fête de Noël. Je me suis arrangée pour conduire ma mère à Salt Lake City le lendemain, et l'incident a été oublié. En tout cas, mon père et moi sommes devenus plus proches, parce qu'il a su demander immédiatement pardon. Or je pense que ça lui a beaucoup coûté de revenir si vite sur son attitude pour dire : « Je suis désolé. »

Notre mauvais caractère ne se manifeste peut-être qu'occasionnellement, mais nos accès de mauvaise humeur peuvent gâter toute une relation si nous ne savons pas reconnaître nos torts et demander pardon. Pourquoi? Pour une raison très simple. Les autres, soucieux de ne pas nous contrarier, chercheront à se protéger en anticipant nos réactions, en bridant leur spontanéité et en réfrénant leurs réponses intuitives.

Plus vite on apprend à demander pardon, mieux on se porte. Les traditions du monde entier l'affirment. Cet adage asiatique va complètement en ce sens : « Si vous devez vous incliner, courbez-vous jusqu'à terre. » La Bible nous l'enseigne également, en nous engageant à « payer jusqu'au dernier centime » : « Mets-toi vite d'accord avec ton adversaire, tant que tu es encore en chemin avec lui, de peur que cet adversaire ne te livre au juge, le juge au gendarme, et que tu ne sois jeté en prison. En vérité, je te le déclare : tu n'en sortiras pas tant que tu n'auras pas payé jusqu'au dernier centime. »

Il y a plusieurs façons d'appliquer ce principe. Je recommanderai la suivante : chaque fois que nous sommes en désaccord avec quelqu'un, nous devons nous réconcilier le plus vite possible. Attention, il ne s'agit pas de tomber d'accord sur le fond (notre intégrité en serait compromise), mais sur le droit à défendre un point de vue différent. Sans cela, pour se protéger, l'autre nous enfermera dans une « prison affective », dont nous ne pourrons sortir qu'en payant jusqu'au dernier centime. Nous devons reconnaître humblement et pleinement que nous avons eu tort de ne pas respecter le droit à ne pas être d'accord, et en aucun cas monnayer nos excuses.

Si vous vous tenez quitte, en essayant simplement d'être meilleur, sans pour autant demander pardon, les autres resteront méfiants à votre égard. Vous resterez enfermé dans cette prison affective qui les rassure, en leur rappelant qu'il n'y a pas grand-chose à attendre de vous.

Nous avons tous, de temps à autre, des « ratés », qui nous écartent de notre chemin. Quand cela arrive, il faut savoir le reconnaître avec humilité et demander sincèrement pardon.

Mon cœur, excuse-moi de t'avoir embarrassée devant tes amis. J'ai eu tort. Je tiens à m'excuser auprès de toi et de tes amis. Je n'aurais jamais dû faire cela. J'ai tout fait pour te dévaloriser et je m'en veux terriblement. J'espère que tu ne m'en tiendras pas rigueur.

Chéri, pardonne-moi de t'avoir coupé aussi brutalement. Tu essayais de me dire quelque chose qui te tenait à cœur, mais j'étais tellement prise par mes propres préoccupations que je t'ai interrompu sans le moindre tact. Excuse-moi, tu veux bien?

Dans ces excuses, notez à nouveau comme chaque don est sollicité. Vous vous rendez compte de ce qui s'est passé. Vous faites appel à votre éthique, à votre sens moral. Vous percevez ce qui serait possible – ce qui serait mieux. Enfin, vous agissez en conséquence. Si vous négligez l'un ou l'autre de ces dons, vous ruinez l'ensemble de vos efforts. Vous finissez par essayer de vous expliquer, de justifier votre comportement, et vos excuses restent superficielles, manquent de sincérité.

SOYEZ LOYAL ENVERS LES ABSENTS

Que se passe-t-il quand les membres d'une famille ne sont pas loyaux les uns envers les autres, quand ils se critiquent par-derrière ? Quelles conséquences les propos déloyaux peuvent-ils avoir sur les relations et la culture familiales ?

« Mon mari est vraiment radin ! Il pleure le moindre centime. »

« Ma femme jacasse sans arrêt. Tu crois qu'elle me laisserait en placer une de temps en temps ? »

« Tu ne sais pas la dernière de mon fils ? Il a répondu à un professeur ! J'ai été convoquée à l'école, je ne savais plus où me mettre. Je ne sais plus quoi faire de cet enfant. Il ne nous cause que des problèmes. »

« Je ne supporte plus ma belle-mère ! Elle essaie de contrôler tous nos faits et gestes. Je ne comprends pas que ma femme ne coupe pas le cordon une bonne fois pour toutes. »

De tels propos constituent des retraits émotionnels considérables, non seulement pour la personne critiquée, mais aussi pour la personne à laquelle on parle. Si vous deviez découvrir que l'on en dit autant sur votre compte, comment vous sentiriez-vous ? Probablement incompris, bafoué, injustement montré du doigt. Ne perdriez-vous pas confiance en la personne qui a fait ces critiques ? Continueriez-vous à vous sentir en sécurité en sa présence ? Vous sentiriez-vous estimé ? Pourriez-vous encore vous confier à elle, sans douter de sa discrétion ?

D'un autre côté, si on vous faisait des remarques concernant quelqu'un d'autre, qu'en penseriez-vous ? Dans un premier temps, vous seriez peut-être heureux qu'on « se confie » à vous. Mais vous finiriez par vous demander si la même personne, dans d'autres circonstances, n'en dit pas autant sur vous.

La loyauté envers les membres de la famille en leur absence est extrêmement importante. Elle a un rôle aussi important que la capacité à demander pardon. Toute la famille doit l'adopter en tant que valeur fondamentale et s'engager à la respecter. Autrement dit, **parlez toujours des autres comme s'ils étaient présents**. Il ne s'agit pas d'être inconscient de leurs faiblesses ni d'opter pour la politique de l'autruche. Concentrez-vous simplement davantage sur leurs qualités que sur leurs défauts – et si vous évoquez certaines faiblesses, faites-le de manière responsable et constructive, de sorte à ne pas avoir honte d'être surpris lors de votre conversation.

L'un de nos amis avait un fils de dix-huit ans, dont le comportement irritait ses frères et sœurs et leurs conjoints respectifs. Dès que le jeune homme avait tourné le dos (il était souvent absent, car il passait le plus clair de son temps dehors, avec des amis), il était au centre de toutes les conversations. Ses petites amies, son habitude de rentrer tard, sa façon de prendre sa mère pour son esclave, etc. : tout y passait. Notre ami, qui prenait part à ces racontars, en est arrivé à penser que son fils était véritablement irresponsable.

À un moment donné, prenant conscience de ce qui était en train de se produire et du rôle qu'il jouait dans tout cela, il a décidé d'appliquer le principe de loyauté envers les absents à l'égard de son fils. Dès que ce type de conversation s'engageait, il interrompait gentiment tout commentaire négatif, en faisant remarquer une attitude positive qu'avait eue son fils. Il contrecarrait systématiquement tout commentaire désobligeant. Et de fait, la conversation perdait rapidement de son piquant et passait à d'autres sujets plus intéressants.

Notre ami a bientôt senti que les autres membres de la famille commençaient à se rallier à ce principe de loyauté. Ils se rendaient compte qu'ils en bénéficieraient eux aussi en leur absence. Puis, de manière quasi inexplicable, notre ami a commencé à avoir de meilleures relations avec son fils, qui n'avait pourtant jamais soupçonné les critiques dont il faisait l'objet. Peut-être est-ce parce qu'il l'a enfin vu sous un autre jour. Résultat : la façon dont nous traitons un membre de la famille peut avoir des conséquences sur toutes les relations au sein de la famille.

Je me souviens d'un jour où je suis sorti de la maison en courant. Je ne sais plus où j'allais, mais j'étais pressé. Je savais que, si je m'arrêtais pour dire au revoir à Joshua, mon petit garçon de trois ans, il me retarderait par ses pourquoi et ses comment. Je suis donc parti en disant à mes autres enfants : « À plus tard, les enfants. Il faut que je file ! Ne dites pas à Joshua que je m'en vais. »

À quelques mètres de la voiture, j'ai réalisé ce que je venais de faire. Je suis retourné à la maison et j'ai dit aux enfants : « J'ai eu tort d'éviter Joshua et de partir comme un voleur. Je vais lui dire au revoir à lui aussi. »

C'est vrai, il a fallu que je passe du temps avec Joshua. J'ai dû parler avec lui, avant de partir, de ce qui lui tenait à cœur. Mais j'ai consolidé mon Compte émotionnel avec lui, et avec mes autres enfants.

Je me demande parfois ce qui se serait passé si je n'étais pas revenu sur mes pas, si je n'étais pas retourné voir Joshua, pour entretenir de bonnes relations avec lui. Serait-il resté affectueux et ouvert avec moi s'il avait appris que je l'avais esquivé alors qu'il avait besoin de moi ? Mes relations avec mes autres enfants n'en auraient-elles pas également pâti ? N'auraient-ils pas pensé que les contraintes de mon emploi du temps pourraient m'amener à me conduire de la même façon avec eux ?

Les membres de votre famille savent que tout ce que vous dites vaut pour chacun d'entre eux. Il suffira d'un changement de circonstances pour qu'un acte envers l'un s'applique à l'autre. C'est pourquoi il est si important d'être loyal envers les absents.

Notez, là encore, l'utilisation proactive de nos quatre dons. Pour être loyal, il faut être conscient de ses actes. Il faut avoir un sens moral de ce qui est bien et de ce qui est mal. Il faut anticiper ce qui serait possible, mieux, et il faut avoir le courage de le mettre en œuvre. Être loyal envers les absents est sans aucun doute un choix proactif.

FAITES DES PROMESSES ET TENEZ-LES

On m'a souvent demandé si je savais ce qui pouvait aider une personne à mûrir – savoir affronter ses problèmes, saisir les opportunités qui se présentent, réussir sa vie. J'en suis arrivé à donner une simple réponse : « Faites des promesses et tenez-les. »

Cette réponse peut paraître simpliste. Je ne crois pas qu'elle le soit. Vous verrez, c'est le mot d'ordre des trois premières habitudes. Lorsque l'ensemble d'une famille cultive cet état d'esprit, elle en retire beaucoup d'autres bénéfices.

Cynthia (fille)
Lorsque j'avais douze ans, mon père m'avait promis de m'emmener avec lui en voyage d'affaires à San Francisco. J'étais tout excitée ! On en avait parlé pendant trois mois. Tout était planifié en détail : on y passerait deux jours et une nuit ; le premier jour, mon père serait pris par ses réunions et je resterais à l'hôtel ; après, on prendrait un taxi pour aller dîner à Chinatown ; puis on irait au cinéma ; on prendrait le tram pour

rentrer à l'hôtel; on se ferait monter des glaces dans notre chambre et on regarderait une cassette vidéo. Je mourais d'impatience.

Le grand jour est enfin arrivé. Les heures à l'hôtel m'ont semblé interminables. Six heures – mon père n'était toujours pas là. à six heures et demie, il est arrivé avec un autre homme, un ami, une relation d'affaires importante. Mon cœur a failli se briser lorsque j'ai entendu celui-ci dire : « Je suis si heureux que tu sois ici, Stephen. Lois et moi aimerions t'emmener dîner sur les quais – tu verras, il y a des fruits de mer excellents. Et puis, il faut que tu viennes voir quelle vue on a de chez nous. » Quand mon père lui a dit que j'étais là, il a ajouté : « Elle peut venir, naturellement. Ce sera un plaisir de l'avoir avec nous! »

« C'est ça, ai-je pensé. J'ai horreur des fruits de mer et je vais rester toute seule dans mon coin, pendant qu'eux discuteront. » Tous mes projets s'effondraient. J'étais déçue à en mourir, mais cet ami se montrait si insistant! Je voulais protester : « Papa, nous devions passer la soirée ensemble, tu avais promis! » Mais je n'avais que douze ans : j'ai ravalé mes larmes.

Je n'oublierai jamais ce que j'ai ressenti lorsque mon père a répondu : « Ecoute, Bill, ça m'aurait fait très plaisir, mais j'ai prévu une soirée privilégiée avec ma fille. Nous avons déjà tout programmé, à la minute près. Merci quand même pour ton invitation. » Je voyais que son ami était déçu, mais – cela m'avait semblé incroyable – qu'il semblait comprendre.

On a fait absolument tout ce qu'on avait projeté. Sans exception. C'est resté l'un des meilleurs souvenirs de ma vie. Je ne pense pas qu'une petite fille ait aimé son père autant que moi ce soir-là.

Je suis persuadé qu'il n'y a rien de plus bénéfique dans une famille que de faire des promesses et de les tenir. Songez un instant à la joie, à l'espoir qu'elles suscitent! Les promesses que l'on fait à sa famille sont les plus importantes et souvent les plus tendres.

La promesse la plus solennelle que nous puissions faire à une autre personne est le serment du mariage. C'est la promesse ultime. Seule l'égale celle que nous faisons implicitement à nos enfants, particulièrement lorsqu'ils sont petits, de prendre soin d'eux et d'assurer leur subsistance. C'est pourquoi le divorce et l'abandon sont si douloureux. Ceux qui vivent de telles épreuves ont souvent le sentiment que la promesse ultime n'a pas été tenue. Il est donc important, quand cela arrive, de faire en sorte de restaurer une relation de confiance.

Un homme qui m'avait aidé sur un projet particulier m'a un jour raconté le divorce terrible qu'il venait de vivre. Il parlait pourtant avec une certaine fierté de la façon dont il avait tenu l'engagement qu'il avait pris envers sa femme et envers lui-même. Plusieurs mois auparavant, il avait promis que, quoi qu'il advienne, il ne dirait aucun mal d'elle, notamment devant leurs enfants. Au contraire, il en parlerait toujours en des termes positifs et valorisants. C'était au plus fort de leur bataille juridique et affective, et il m'a confessé que cela avait été la chose la plus difficile qu'il ait jamais faite. Mais il m'a dit aussi à quel point il était heureux d'avoir tenu bon : cela avait fait une énorme différence pour les enfants. Ils avaient été préservés au mieux, ils avaient de bonnes relations avec chacun de leurs parents, et l'image de la famille n'avait pas été ternie, malgré une situation très difficile.

Même s'il vous est arrivé de ne pas tenir une promesse, vous pouvez parfois vous racheter. Je me souviens d'un homme qui n'avait pas respecté l'engagement qu'il avait pris à mon égard. Lorsqu'il m'a demandé une seconde chance, n'étant pas sûr de pouvoir compter sur lui, j'ai refusé.

Il a pourtant insisté : « Je n'ai pas tenu mon engagement précédent. J'aurais dû le reconnaître. Je ne me suis pas donné à fond. J'ai eu tort. Offrez-moi une seconde chance! Vous verrez, non seulement je tiendrai parole, mais je me surpasserai! »

J'ai donné mon accord et je n'ai pas été déçu. Il s'en est tiré de manière remarquable. Et mon respect pour lui en a été encore plus grand que s'il m'avait donné satisfaction la première fois. J'ai vraiment apprécié les efforts qu'il a faits pour se racheter, effacer sa faute et régler un problème difficile avec courage.

PARDONNEZ

Pour de nombreuses personnes, le plus difficile dans la démarche proactive, c'est de pardonner. Or, **on sera toujours une victime tant que l'on n'aura pas pardonné**[5].

Une femme en a fait l'expérience.

Je viens d'une famille très unie. Enfants, parents, oncles et tantes, cousins, grands-parents – nous étions tous très proches.

5. Glen C. Griffin, M.D., *It takes a Parent to Raise a Child.*

Quand mon père a suivi ma mère dans la tombe, nous en avons tous été profondément attristés. Nous nous sommes retrouvés, entre frères et sœurs, pour partager l'héritage. Ce qui s'est passé à ce moment-là a été un choc si terrible que nous avons pensé ne jamais nous en remettre. Nous avons toujours eu le sang chaud, et il était déjà arrivé que des conflits tournent mal. Mais cette fois-là, nous nous sommes disputés avec une violence inouïe, au point de hurler les uns sur les autres. Nous nous sommes déchirés. Incapables de nous mettre d'accord, nous avons chacun résolu de faire défendre nos intérêts par un avocat et de porter l'affaire devant un tribunal.

Nous nous sommes séparés amers et pleins de rancune. Nous avons cessé de nous voir et même de nous téléphoner. Nous n'avons plus fêté les anniversaires ni passé les vacances ensemble.

Ça a duré quatre ans. Je n'avais jamais rien vécu de plus dur. Je ressentais douloureusement l'isolement. L'amertume et la rancune qui nous séparaient me pesaient beaucoup. Mon chagrin augmentait de jour en jour, et je ne cessais de me dire : « S'ils m'aimaient vraiment, ils m'appelleraient. Pourquoi ne téléphonent-ils pas ? »

Un jour, j'ai entendu parler du concept de Compte émotionnel. J'ai compris que je m'étais conduite de manière réactive en refusant de pardonner à mes frères et sœurs, que l'amour devait se traduire dans des actes.

Ce soir-là, seule dans ma chambre, je n'y ai plus tenu. J'ai rassemblé tout mon courage et j'ai composé le numéro de mon frère aîné. Au son de sa voix, mes yeux se sont remplis de larmes. Je pouvais à peine parler.

Quand il a compris que c'était moi, son émotion a été égale à la mienne. Nous voulions chacun être le premier à demander pardon. Nous nous sommes redit toute notre affection et avons évoqué tous nos bons souvenirs.

Puis, j'ai appelé mes autres frères et sœurs. Cela m'a pris presque toute la nuit. Tous ont réagi comme mon frère aîné.

Ce moment restera à jamais gravé dans ma mémoire. Pour la première fois en quatre ans, je me suis sentie bien. La douleur qui ne m'avait pas quittée était enfin partie, balayée par la joie du pardon et de la sérénité retrouvée. Je me suis sentie régénérée.

Cette fois encore, les quatre dons interviennent dans cette extraordinaire réconciliation. Cette femme est tout à fait consciente de ce qui se passe. Elle fait appel à son sens moral. Le concept de Compte émotionnel lui permet d'entrevoir une solution au conflit. La combinaison de ces trois dons lui donne la force de pardonner et de rétablir des liens. Voyez la joie que lui procure la réconciliation!

Une autre femme a fait une expérience similaire.

J'ai eu une enfance heureuse et gaie. Je garde de merveilleux souvenirs de pique-niques en famille, d'heures passées ensemble à jouer dans le salon ou à jardiner. Je savais que mes parents s'aimaient et qu'ils aimaient leurs enfants.

Tout a changé pendant mon adolescence. Mon père partait parfois en voyage d'affaires. Puis il a commencé à travailler tard le soir et le samedi. Les relations avec ma mère semblaient tendues. Il ne passait plus de temps en famille. Un jour, à l'aube, alors que je rentrais du restaurant où je travaillais, je suis tombée sur lui. J'ai compris qu'il n'avait pas dormi à la maison.

Ma mère et lui se sont séparés, puis ont fini par divorcer. Cela a été très difficile, d'autant plus que nous avons découvert que mon père avait été infidèle. Son aventure avait commencé pendant un voyage d'affaires.

Des années après, j'ai épousé le meilleur des hommes. Nous nous aimions très fort et prenions tous deux très au sérieux notre engagement. Tout semblait aller très bien, jusqu'au jour où il m'a annoncé qu'il devait s'absenter quelques jours pour des raisons professionnelles. Tout à coup, ma douleur s'est réveillée. Je ne me rappelais que trop bien comment avaient commencé les infidélités de mon père. Je n'avais absolument aucune raison de douter de mon mari. Rien ne justifiait mes craintes. Mais c'était plus fort que moi.

Pendant son absence, j'ai passé presque tout mon temps à pleurer et à me poser des questions. J'ai essayé de lui expliquer mon angoisse, mais je savais qu'il ne me comprendrait pas vraiment. Il était très attaché à moi et ne voyait pas en quoi une séparation provisoire était un problème. Mais de mon côté, je pensais qu'il ne réalisait pas à quel point il lui faudrait toujours être vigilant. J'avais le sentiment que, n'ayant pas vécu ce que j'avais vécu, il manquait de discernement.

Dans les mois qui ont suivi, mon mari est parti plusieurs fois. J'ai essayé de me montrer plus positive. J'ai fait mon possible pour contrôler mes émotions. Mais, à chaque fois, je paniquais intérieurement. Mon angoisse était telle que j'en perdais l'appétit et le sommeil. Malgré mes efforts, les choses ne s'amélioraient pas.

Finalement, après avoir lutté pendant des années contre ma souffrance, j'ai réussi à pardonner à mon père. C'était son *comportement. Quel que soit le mal qu'il nous avait fait, j'ai compris que je pouvais lui pardonner, l'aimer et me débarrasser de mon angoisse et de ma souffrance.*

Cette prise de conscience a été un tournant très important dans ma vie. Je n'ai pas tardé à découvrir que les tensions dans mon couple avaient disparu. J'étais désormais capable de dire : « C'était mon père, pas mon mari. » Je pouvais dire au revoir à mon mari sans inquiétude et me consacrer aux choses que je voulais faire en son absence.

Je ne prétends pas que tout est devenu parfait du jour au lendemain. Toutes ces années de rancune à l'encontre de mon père avaient laissé des marques profondes. Mais depuis cette expérience cruciale, quand ce sentiment resurgit, je sais le reconnaître, prendre sur moi et passer à autre chose.

Encore une fois : « On sera toujours une victime tant que l'on n'aura pas pardonné. » Le vrai pardon est une porte ouverte à la confiance et à l'amour inconditionnel. Pardonner, c'est régénérer son propre cœur. C'est aussi supprimer un obstacle qui empêche l'autre de s'amender. Car en refusant de pardonner, on s'interpose entre lui et sa conscience. On ne lui laisse pas la voie libre pour changer. Au lieu de faire l'effort d'un véritable examen de conscience, il essaie de se défendre, de se justifier à nos yeux.

L'un des plus sûrs moyens d'entretenir de bonnes relations avec les membres de votre famille – et **d'acquérir une certaine sagesse –, c'est de pardonner**.

LES LOIS FONDAMENTALES DE L'AMOUR

Si vous voulez être proactif, suivez dès à présent les cinq conseils que je viens de vous donner. Ils constitueront des dépôts importants sur le Compte émotionnel des membres de votre famille. Si ces dépôts ont une influence à ce point bénéfique sur la culture familiale, c'est parce qu'ils découlent des Lois fondamentales de l'amour – lois qui expriment une vérité toute simple : l'amour, dans sa forme la plus pure, est *inconditionnel*.

Il existe trois lois : accepter, et non rejeter; comprendre, et non juger; participer, et non manipuler. Vivre selon ces lois relève d'un choix proactif, qui ne dépend pas du comportement d'autrui, de son statut social, de son niveau d'éducation, de sa richesse, de sa réputation, ni de tout autre facteur. Ce choix est la reconnaissance de la valeur intrinsèque de chaque individu.

Ces lois sont le fondement d'une culture familiale épanouissante. Ce n'est qu'en les appliquant que nous pouvons encourager notre famille à respecter les Lois fondamentales de la vie (honnêteté, responsabilité, intégrité et dévouement).

Lorsque l'on met tout en œuvre pour inciter un de nos proches à adopter un comportement que l'on juge responsable, on peut très facilement tomber dans le piège des fausses lois de l'amour : juger, rejeter, manipuler. On aime la cause plus que la personne. On aime sous condition. En d'autres termes, sous couvert d'amour, on s'efforce de contrôler l'autre. Par conséquent, celui-ci se sent rejeté et refuse de changer.

Ce n'est qu'en aimant et en acceptant véritablement l'autre tel qu'il est qu'on l'encourage à devenir meilleur. Cela ne signifie pas fermer les yeux sur ses faiblesses ou partager tous ses points de vue. Il s'agit simplement de reconnaître sa valeur intrinsèque. Respectez son droit d'avoir ses propres opinions ou sentiments, et vous l'affranchirez de son besoin de se défendre, de se protéger. Au lieu de gaspiller son énergie à essayer de se justifier, ils sera capable d'écouter sa conscience et d'évoluer.

Dès lors que vous aimez quelqu'un sans condition, vous libérez sa capacité naturelle à devenir ce qu'il est de meilleur. Mais ceci n'est possible qu'en distinguant la personne de son comportement et en croyant en son potentiel caché.

Cette perspective change tout dans nos relations avec un membre de la famille, surtout s'il s'agit d'un enfant rempli d'énergie négative ou dont le comportement laisse à désirer depuis un certain temps. Au lieu de juger cet enfant sur son comportement actuel, essayez de percevoir son potentiel caché et aimez-le sans condition. Goethe l'a dit : « Traitez un homme tel qu'il est, et il le restera. Traitez-le tel qu'il peut et devrait être, et il le deviendra. »

J'avais un ami qui était doyen d'une université prestigieuse. Il avait économisé pendant des années pour permettre à son fils d'y faire ses études. Mais le moment venu, celui-ci a refusé. Mon ami a été très déçu. Être diplômé de cette université aurait été un atout majeur pour son fils. En outre, il s'agissait d'une tradition familiale vieille de trois générations. Il a donc fait pression, argumenté, supplié. Il a aussi essayé d'écouter son fils, tout en espérant l'amener à changer d'avis.

« Écoute, disait-il, tu ne vois pas ce que cela représente pour ton avenir? Tu ne peux pas prendre une décision capitale pour ton avenir sous le coup d'un sentiment passager. »

Son fils répondait : « Tu ne comprends pas! C'est ma vie. Tu me voudrais à *ton* idée. Mais je ne suis même pas sûr d'avoir envie de faire des études. »

Le père revenait à la charge : « C'est toi qui ne comprends pas. Je ne veux que ce qu'il y a de meilleur pour toi. Ne sois donc pas si stupide! »

Le message qui se cachait derrière ces propos était un message d'amour sous condition. Le jeune homme a senti que, d'une certaine manière, le désir de son père de le voir aller à l'université était plus fort que la valeur qu'il lui reconnaissait en tant qu'individu et en tant que fils. Il s'est senti menacé. Il s'est donc battu pour affirmer son identité, son intégrité, puis il a mis toute sa détermination à faire prévaloir sa décision.

Au bout d'un difficile examen de conscience, mon ami a décidé de renoncer à l'amour conditionnel. Il savait que le choix de son fils serait sans doute différent de ce qu'il aurait souhaité. Sa femme et lui se sont cependant résolus à l'aimer sans condition, quelle que soit sa décision. Cela n'a pas été chose facile. Ils attachaient une grande importance aux études supérieures. De plus, ils avaient économisé depuis la naissance de leur enfant pour lui offrir cette chance.

Mon ami et sa femme ont suivi un cheminement intérieur très difficile pour apprendre à utiliser leurs quatre dons et à comprendre la nature de l'amour inconditionnel. Ils ont fini par ressentir profondément cet amour, et ils ont fait part de leur démarche proactive à leur fils en lui expliquant ce qui l'avait motivée. Ils lui ont affirmé qu'ils étaient désormais capables de l'aimer quelle que soit sa décision. Leur intention n'était pas du tout de le manipuler, de l'inciter à « rentrer dans le rang » par une psychologie déloyale. Ils étaient mus par le changement qui s'était opéré en eux.

Le jeune homme n'a pas vraiment réagi. Mais ses parents étaient si déterminés à l'aimer sans condition que rien ne pouvait les atteindre. Au bout d'une semaine, il leur a annoncé qu'il ne voulait pas aller à l'université. Ils y étaient parfaitement préparés et ont continué à lui témoigner le même amour. La question était réglée, la vie a repris son cours.

Peu de temps après, une chose intéressante s'est produite. Sentant qu'il n'avait plus à défendre sa position, le jeune homme s'est livré à un travail d'introspection approfondi et s'est rendu compte qu'en fait il avait envie de faire des études. Il s'est donc inscrit à l'université. Quand il l'a dit à son père, celui-ci a encore une fois montré son amour inconditionnel en acceptant cette nouvelle décision. Mon ami s'en est réjoui, mais son amour n'était plus soumis à cette condition.

C'est parce que ce couple a su respecter les Lois fondamentales de l'amour que leur fils a pu écouter son propre cœur et choisir de vivre selon les Lois fondamentales de la vie, qui comptent évolution personnelle et éducation.

De nombreuses personnes n'ayant jamais été aimées pour elles-mêmes ne savent pas reconnaître leur propre valeur. Toute leur vie, elles cherchent l'approbation et la reconnaissance des autres. Pour compenser leur sensation de manque, de vide intérieur, elles puisent leurs forces dans le pouvoir, le statut social, l'argent, ou dans des biens, des références ou une réputation. Elles deviennent souvent extrêmement narcissiques, rapportant tout à elles-mêmes. Leur comportement est si détestable que les autres finissent par les rejeter, ce qui n'arrange rien.

Voilà pourquoi les Lois fondamentales de l'amour sont si importantes. Elles affirment la valeur intrinsèque de l'individu. Aimer quelqu'un sans condition, c'est lui donner la liberté de développer sa propre force, en restant fidèle à ce qu'il est réellement.

TOUT PROBLÈME OFFRE UNE OCCASION DE FAIRE UN DÉPÔT

Vous allez vous rendre compte que chaque habitude découle des Lois fondamentales de l'amour et consolide notre Compte émotionnel. Faire des dépôts émotionnels est un choix proactif. En fait, ce qui est vraiment passionnant et enrichissant lorsque l'on crée un Compte émotionnel, c'est que l'on peut transformer tout problème familial en occasion de faire un dépôt :

- Un mauvais jour? C'est une occasion de faire preuve de gentillesse.
- Une offense? C'est une occasion de demander pardon ou de pardonner.
- Des critiques dans le dos de quelqu'un? C'est une occasion de se montrer loyal envers les absents.

Si l'on conserve, à l'esprit et dans le cœur, l'image du Compte émotionnel, les problèmes qui surgissent ne sont plus des obstacles en travers de notre chemin. Ils *sont* le chemin. Nos interactions quotidiennes deviennent une occasion de bâtir des relations d'amour et de confiance. Les défis que l'on doit relever sont autant d'« inoculations » qui activent et renforcent le « système immunitaire » de l'ensemble de la famille. Chacun sait bien, au fond de lui-même, que ces dépôts émotionnels ne peuvent qu'améliorer les relations familiales. Cette conviction nous est dictée par notre conscience, car nous sommes intimement liés aux principes qui gouverneront toujours notre vie.

Comprenez-vous à quel point le choix proactif de faire des dépôts émotionnels, grâce à une démarche intérieure, peut vous aider à forger une culture familiale épanouissante ?

Dépôt ou retrait ?
Songez à quel point cela peut tout changer.

Retraits	Dépôts
Parler de manière irrespectueuse, méprisante, ou agir de manière grossière et impolie	*Faire preuve de gentillesse*
Ne jamais dire « Je suis désolé », ou le dire sans le penser	*Demander pardon*
Critiquer, se plaindre des autres dans leur dos	*Être loyal envers les absents*
Ne jamais prendre d'engagements, ou ne pas les tenir	*Faire des promesses et les tenir*
Etre susceptible, rancunier, reprocher aux autres leurs erreurs passées, entretenir les griefs	*Pardonner*

PENSEZ À L'IMAGE DU BAMBOU CHINOIS

Faire des dépôts peut avoir des résultats positifs immédiats. Mais, en général, il faut du temps. Pour ne pas désespérer, gardez à l'esprit l'image du bambou chinois.

Je connais un couple qui, pendant des années, a fait des dépôts sur le Compte émotionnel d'un homme sans que leurs efforts soient récompensés. Il s'agissait du père de la femme. Après avoir travaillé quinze ans dans l'affaire de son beau-père, le mari avait changé de travail pour pouvoir passer ses dimanches en famille. Son beau-père l'avait si mal pris qu'il refusait de le voir ou de lui parler. Mais personne ne lui en a voulu. La femme et son mari ont continué à l'aimer sans condition. Ils allaient fréquemment à la ferme où il vivait, à environ quatre-vingts kilomètres de chez eux. Le mari attendait dans la voiture, parfois plus d'une heure, pendant qu'elle lui rendait visite. Elle lui amenait souvent un gâteau qu'elle avait fait elle-même ou quelque chose qui lui ferait plaisir. Elle passait du temps avec lui à Noël, pour son anniversaire et à de nombreuses autres occasions. Jamais elle n'a fait pression sur lui, jamais elle ne lui a demandé d'inviter son mari à entrer.

Chaque fois que son père venait en ville, elle quittait le bureau où elle travaillait avec son mari pour déjeuner ou faire les magasins avec lui. Elle faisait tout son possible pour lui témoigner son amour et son estime, et son mari la soutenait entièrement dans cet effort.

Un jour où elle rendait visite à son père, il lui a soudain demandé : « Ce ne serait pas mieux si ton mari entrait ? »

Elle a acquiescé dans un souffle, les yeux pleins de larmes.

D'un ton doux, il a ajouté : « Alors, va le chercher. »

À partir de ce jour-là, cet homme a bénéficié de dépôts émotionnels encore plus importants. Le mari l'aidait à la ferme et, avec le temps, cette aide lui était d'autant plus précieuse qu'il commençait à perdre certaines de ses facultés. À la fin de sa vie, il a reconnu qu'il se sentait aussi proche de son gendre que de son propre fils.

Dans tous vos efforts, souvenez-vous du bambou chinois. Il vous faudra peut-être attendre des années avant d'obtenir des résultats. Mais ne vous découragez pas. N'écoutez pas les sirènes qui disent : « C'est inutile. C'est sans espoir. Il n'y a rien à faire. C'est trop tard. »

Rien n'est sans espoir. Il n'est *jamais* trop tard. Continuez à vous concentrer sur votre Cercle d'influence. Éclairez, ne jugez pas ; donnez l'exemple, ne critiquez pas. Et croyez à l'aboutissement de vos efforts.

J'ai discuté avec un grand nombre d'hommes et de femmes – des amis, pour la plupart – qui sont venus me voir pleins d'amertume envers leur conjoint, à bout de nerfs. Très souvent, ces hommes et ces femmes étaient persuadés d'avoir raison et dénonçaient le manque de compréhension et de responsabilité de leur partenaire. Ils s'étaient laissé enfermer dans ce cercle vicieux où l'un ne cesse de juger, sermonner, critiquer, condamner, brandir la menace de représailles affectives, et l'autre de se rebeller, en restant distant, sur la défensive, et en justifiant son comportement par la manière dont il est traité.

Le conseil que je donne à ceux qui se posent en juges (ce sont généralement ceux qui viennent me voir, dans l'espoir que je parvienne à ramener leur conjoint à la raison ou que je les conforte dans leur désir de divorcer) est le suivant : éclairez au lieu de juger. Autrement dit, renoncez à essayer de changer votre partenaire et travaillez d'abord sur vous-même pour arrêter de juger, de manipuler et d'aimer sous condition.

Si vous suivez humblement ce conseil, si vous savez rester patient et persévérer même quand on vous provoque, la sérénité retrouvera sa place. L'amour inconditionnel et l'évolution intérieure deviendront irrésistibles.

Naturellement, il y a des cas où ce conseil n'est pas approprié. Lorsque l'on subit des mauvais traitements, par exemple. Mais j'ai presque toujours constaté qu'il permettait d'acquérir la sagesse nécessaire à un mariage heureux. Montrer l'exemple par une attitude proactive et continuer patiemment à faire des dépôts d'amour inconditionnel donne souvent, à terme, des résultats étonnants!

L'HABITUDE N° 1 : LA CLÉ DE TOUTES LES AUTRES

L'Habitude n° 1 – être proactif – est la clé de toutes les autres : si vous évitez systématiquement de prendre des responsabilités et des initiatives, vous ne pourrez jamais appliquer pleinement les autres habitudes. Vous vivrez emprisonné dans votre Cercle des préoccupations et, au lieu de vous avouer les choses, vous rejetterez sur les autres la responsabilité de ce qui vous arrive. La colère n'est souvent qu'un moyen d'évacuer un trop-plein de culpabilité.

L'Habitude n° 1 incarne le plus grand don de l'homme : la liberté de choix. À part la vie elle-même, il n'y a rien de plus précieux. La vérité, c'est que la solution à tous nos problèmes est en nous. Nous ne pouvons échapper à la nature des choses : que nous le voulions ou non, que nous nous en rendions compte ou non, nous sommes dotés d'une conscience et de principes. Comme l'a dit David

O. McKay, éducateur et leader religieux : « Les plus grandes batailles de notre vie sont celles que nous menons dans les profondeurs de notre âme. » Il est vain de livrer bataille sur de mauvais terrains.

La décision d'être la force créatrice de notre propre vie est le choix fondamental. C'est grâce à ce choix que l'on devient une personne de transition, puis un acteur du changement. Joseph Zinker confirme mes propos : « Quelle que soit notre situation actuelle, nous sommes toujours le créateur de notre destinée[6]. »

La proactivité n'est pas uniquement une qualité individuelle : elle peut devenir une valeur partagée par toute la famille. Cette valeur peut engendrer une « famille de transition » qui diffusera un nouveau schéma de pensée dans les relations entre les générations, avec les parents éloignés ou avec d'autres familles. Nos quatre dons peuvent être utilisés dans une démarche commune. Ainsi, on passe d'une conscience de soi à une conscience familiale, d'une éthique individuelle à une éthique sociale, d'une imagination ou d'une vision individuelle à une vision commune et d'une volonté indépendante à une volonté sociale. Tous les membres de la famille sont impliqués : « Nous formons une famille dotée d'une conscience, qui évolue vers une perspective commune. Nous sommes conscients de nos actes et agissons de manière éclairée pour rester fidèles à nos choix. »

Pour réaliser cette transformation au sein de votre famille, pour faire travailler et utiliser vos muscles proactifs, passez à l'Habitude n° 2 : Sachez dès le départ où vous voulez aller.

APPLICATION ENTRE ADULTES ET ADOLESCENTS

Faites travailler vos muscles proactifs

- Discutez avec les membres de votre famille : Quand vous sentez-vous particulièrement proactif? Quand vous sentez-vous particulièrement réactif? Quelles en sont les conséquences?
- Revoyez les quatre dons propres à l'homme, pages 45 à 50. Posez la question suivante : Comment peut-on faire travailler nos muscles proactifs?

---

6. Joseph Zinker, « On Public Knowledge and Public Revolution », cité par Léon Buscaglia, *Love* (Fawcet Crest, 1972).

Créez une « touche pause » : marquez un temps d'arrêt, réfléchissez et choisissez

- Discutez ensemble du concept de « touche pause ».
- Choisissez ensemble un signe qui représentera une « touche pause » au sein de votre famille. Vous pouvez faire un geste, comme un signe de la main ou du bras, éteindre et rallumer la lumière, siffler, faire sonner une cloche, imiter le cri d'un animal ou dire un mot que vous aurez choisi ensemble. Chaque fois que ce signal sera donné, tout le monde saura que la « touche pause » a été actionnée. Toute activité, y compris la conversation, la dispute, le débat, etc., devra s'arrêter. Ce signal rappellera à chacun qu'il doit faire une pause, réfléchir et envisager les conséquences de sa façon d'agir. En parlant de l'utilisation de cette « touche pause », vous apprendrez à subordonner ce qui vous paraît important sur le moment (avoir le dernier mot, faire les choses à son idée, être le premier ou le meilleur) à ce qui compte vraiment (avoir de bonnes relations, être une famille heureuse et construire une culture familiale épanouissante).

Travaillez dans votre Cercle d'influence

- Revoyez les pages 59 à 65. Faites l'inventaire des choses sur lesquelles vous n'exercez pas une influence directe (les idées et les actes des autres, le temps, les saisons, les catastrophes naturelles). Aidez les membres de votre famille à comprendre qu'il existe également des choses que nous pouvons influencer. Expliquez qu'il est bien plus efficace de concentrer son énergie et ses efforts sur ce que nous pouvons influencer.
- Demandez aux membres de votre famille ce qu'ils peuvent faire pour rester en bonne santé et prévenir la maladie.
- Revoyez les pages 67 à 85. Discutez ensemble de ce que vous pouvez faire pour établir un Compte émotionnel au sein de votre famille. Encouragez les membres de votre famille à s'engager à faire des dépôts et à limiter les retraits pendant une semaine. À la fin de la semaine, discutez du changement que cela apporte.

APPLICATION AVEC LES ENFANTS

Travaillez sur l'éthique : la chasse au trésor

- Choisissez un « trésor » apprécié de tous, en prenant garde à ce qu'il y en ait pour tout le monde !
- Choisissez un endroit où cacher le trésor, en veillant à ce qu'il soit accessible à chacun.
- Imaginez des indices qui permettront d'atteindre le trésor. Pour obtenir des indices, les participants devront répondre à des questions qui feront appel à leur éthique. Les réponses positives les rapprocheront du trésor ; les réponses négatives les en éloigneront. Voici quelques exemples.

Question : En allant à l'école, vous voyez qu'un garçon fait tomber un billet de sa poche. Que faites-vous ? Réponses positives : Je le ramasse et je le rends au garçon. Je le dis au maître ou à la maîtresse et je le lui remets. Réponses négatives : Je le garde. Je cours m'acheter des bonbons. Je nargue le garçon.

Question : Quelqu'un se procure les réponses du devoir de mathématiques de la semaine prochaine et vous les propose. Que faites-vous ? Réponses positives : Je les refuse et je révise. J'encourage la personne à être honnête. Réponses négatives : Je les accepte, il faut que j'aie une bonne note. Je les communique à tous mes camarades pour qu'ils puissent aussi avoir une bonne note.

Expliquez le concept de Compte émotionnel

- Rendez-vous dans une banque et expliquez ce que sont les dépôts et les retraits sur un compte bancaire.
- Faites une tirelire en carton. Dites aux enfants de la décorer. Mettez-la dans un endroit visible et accessible à tous. Confectionnez des cartes représentant des « dépôts ». Encouragez les enfants à faire des « dépôts » en faveur des autres membres de la famille, tout au long de la semaine. Par exemple : « Papa, merci de m'avoir emmené au golf. Je t'aime » ; « Brooke, j'ai remarqué comme tu avais bien plié le linge cette semaine » ; « John a fait mon lit aujourd'hui, alors que je ne le lui avais même pas demandé » ; « Maman

m'emmène au foot tous les week-ends. C'est vraiment gentil. » Trouvez un moment pour parler des dépôts qui ont été faits au cours de la semaine. Encouragez les membres de la famille à profiter de cette occasion pour dire ce qu'un « dépôt » représente pour eux.

Habitude n° 2

Sachez dès le depart où vous voulez aller

Un jeune père m'a fait part de la proactivité dont sa femme a fait preuve dans une situation difficile avec leur fils :

Un soir où je rentrais du travail, j'ai trouvé mon petit garçon de trois ans et demi qui m'attendait sur le seuil. Il rayonnait : « Papa, j'ai bien travaillé ! »

Ma femme m'a raconté le fin mot de l'histoire : pendant qu'elle était occupée en bas, Brenton avait versé sur le sol de la cuisine près de deux litres d'eau d'une bouteille qu'il avait prise dans le réfrigérateur.

La première réaction de mon épouse avait été l'envie de le gronder et de lui donner une bonne fessée. Mais elle s'est maîtrisée et lui a demandé patiemment ce qu'il était en train de faire.

« J'aidais maman, a-t-il répondu fièrement.

– Comment ça ?

– Je faisais la vaisselle ! »

Effectivement, tout ce qu'il avait lavé avec l'eau de la bouteille était aligné sur la table de la cuisine.

« Chéri, pourquoi as-tu pris l'eau de cette bouteille ?

– L'évier est trop haut !

– Ah ! Et à ton avis, que pourrais-tu faire la prochaine fois pour faire moins de désordre ? »

Après un instant de réflexion, son visage s'est éclairé :

« Je ferai la vaisselle dans la baignoire !

– La vaisselle pourrait se casser dans la baignoire. Mais écoute : si tu venais me chercher pour que je t'aide à approcher une chaise de l'évier? En montant dessus, tu pourrais atteindre le robinet...

– Bonne idée! s'est-il exclamé, tout heureux.

– Et maintenant, comment allons-nous nettoyer tout ça?

– Mm... On va prendre plein de serviettes en papier! »

Elle lui en a donné, puis a fini de nettoyer à la serpillière.

Quand ma femme m'a raconté ce qui s'était passé, j'ai compris à quel point il avait été important qu'elle se soit accordé un délai entre le stimulus et sa réponse. Elle avait fait un choix proactif. Et si elle avait été capable de le faire, c'est parce qu'elle avait à l'esprit l'objectif essentiel que nous nous étions fixé : non pas avoir une cuisine propre, mais bien élever notre enfant.

Si elle avait été réactive, il ne lui aurait pas fallu moins de temps pour tout nettoyer, mais Brenton serait venu me voir tout penaud : « Papa, je suis un méchant garçon! »

La capacité de cette femme à se montrer proactive plutôt que réactive a fait toute la différence. Au lieu d'en retirer un sentiment de culpabilité et de honte, son petit garçon s'est senti reconnu et aimé. Ses bonnes intentions et son désir d'aider ont été encouragés. Et il a appris comment mieux faire. Cette interaction a donc eu un impact doublement positif : elle a renforcé sa confiance en lui-même et son aptitude à se montrer serviable.

Comment cette femme a-t-elle su transformer ce qui aurait pu rester une expérience très négative en dépôt sur le Compte émotionnel de son petit garçon? Comme l'a souligné son mari, elle a su garder à l'esprit ce qui était essentiel : non pas la propreté du sol, mais élever leur enfant. L'objectif a transcendé le problème. Et en s'accordant un délai entre l'incident et sa réponse, elle a su s'en souvenir. Elle a agi avec une vision claire de son objectif.

UNE VISION CLAIRE DE VOTRE « DESTINATION »

L'Habitude n° 2 – savoir dès le départ où l'on veut aller – consiste à avoir une vision claire de ce qu'est votre famille. Pour reprendre la métaphore de l'avion, l'Habitude n° 2 établit votre « destination ». Cette destination, si vous la gardez à l'esprit, influera sur toutes les décisions que vous prendrez en chemin.

L'Habitude n° 2 repose donc sur le principe d'une « vision ». La vision est une forme d'énergie. C'est elle qui permet aux prisonniers de guerre de survivre [1]. C'est elle encore, des recherches l'ont prouvé, qui donne aux bons élèves l'envie de réussir [2]. C'est la force dynamique qui anime les individus couronnés de succès et les sociétés prospères. C'est elle qui vous permet de transcender votre « bagage » émotionnel, votre lot d'expériences négatives, pour agir en fonction de ce qui compte vraiment.

Il existe de multiples manières d'appliquer ce principe à la vie de famille. On peut se fixer un objectif pour l'année, la semaine ou même un seul jour, ou encore pour une activité spécifique – des leçons de danse ou de piano, un dîner de famille, la construction d'une nouvelle maison ou la recherche d'un animal domestique.

Mais dans ce chapitre, nous étudierons l'application la plus fondamentale de l'Habitude n° 2, celle qui a le plus de portée : l'établissement d'une « charte familiale ».

Une charte familiale est l'expression, par tous les membres de la famille, de leurs objectifs communs – ce qu'ils souhaitent faire et être – et des principes qu'ils choisissent pour y parvenir. Elle repose sur l'idée que toute chose est créée deux fois : une première fois par un concept (création mentale); une seconde fois par sa concrétisation (création physique). Avant de construire une maison, on en dessine les plans; avant de tourner un film, on en écrit le scénario; avant de faire décoller un avion, on établit son plan de vol. C'est aussi la devise du charpentier : « Mesure à deux reprises avant de couper. »

Imaginez les conséquences de l'attitude inverse – ne pas savoir où l'on va dès le départ. Vous vous rendez sur un chantier et vous interrogez les ouvriers :

« Que construisez-vous?

– Aucune idée, vous répond l'un d'entre eux.

– Qu'indique le plan? demandez-vous encore.

– Nous n'en avons pas, réplique le contremaître. Mais avec nos compétences et notre expérience, nous sommes sûrs de réaliser un bel ouvrage. Nous devons reprendre le travail, à présent. Peut-être qu'à la fin de la journée nous pourrons vous dire ce que nous avons construit. »

---

1. Victor Frankl, *Man's Search for Meaning* (Pocket Books, 1959).
2. Benjamin Singer, « The Future-Focused Role-Image », Alvin Toffler, *Learning for Tomorrow : The Role of the Future in Education* (Random House, 1974).

Ou encore, pour en revenir à la métaphore de l'avion, imaginez que vous soyez le pilote et que quelqu'un vous demande : « Quelle est votre destination ? » Répondriez-vous : « Je n'en sais absolument rien. Nous n'avons pas de plan de vol. Nous nous contenterons d'embarquer les passagers et de décoller. Une fois en vol, nous nous laisserons guider par les courants. Selon les jours, ils changent de direction. Nous verrons bien où le courant le plus fort nous entraînera. Quand nous y serons, nous saurons alors quelle était notre destination » ?

Lorsque j'interviens, à titre professionnel, dans une organisation ou chez un client, notamment au niveau de la direction, je demande souvent à mes interlocuteurs de répondre en une phrase à la question suivante : « Quelle est la mission ou l'objectif essentiel de votre organisation, et quelle est sa principale stratégie pour atteindre cet objectif ? » Je les invite ensuite à lire leurs réponses à haute voix. En général, ils sont très surpris par les divergences. Ils ne peuvent pas croire que leurs points de vue soient si différents, particulièrement sur un sujet d'une telle importance.

Vous pourriez faire ce test dans votre famille. Demandez simplement à chacun : « Quels sont les objectifs de notre famille ? Que voulons-nous réaliser ? » Puis demandez à votre conjoint : « Quel est le but de notre mariage, sa principale raison d'être ? Quelles sont ses priorités ? » Les réponses vous surprendront peut-être !

Ce que je veux dire ici, c'est qu'il est essentiel d'avoir une culture familiale cohérente – de se diriger vers une destination communément établie. L'équipe de pilotage d'un avion doit obligatoirement s'entendre sur sa destination. Il n'est pas possible que le pilote pense aller à Londres, tandis que le copilote croit se diriger sur Berlin.

Comme il est dit dans la Bible, dans le livre des Proverbes : « Sans vision, un peuple meurt. » Le contraire de l'Habitude n° 2, c'est l'absence de création mentale, de projection dans l'avenir. C'est être passif et se laisser ballotter par le flot des valeurs et des tendances en cours dans la société, sans aucune vision de l'avenir, sans aucun objectif. C'est croire que notre destin a été écrit une fois pour toute. Ce n'est pas vivre – c'est se laisser vivre.

Toute chose est créée deux fois. Si vous ne faites pas vous-même la création mentale initiale, quelqu'un ou quelque chose d'autre s'en chargera. Établir une charte familiale, c'est assumer cette première création, en déterminant quel type de famille vous voulez vraiment être et en identifiant les principes qui vous permettront d'y parvenir. Toutes les décisions que vous prendrez par la suite s'inscriront dans ce cadre. Cette charte familiale deviendra votre destination. Par la simple force de ses principes elle vous aidera à garder le cap.

NOTRE CHARTE FAMILIALE

Vous voudrez bien excuser la longue référence personnelle qui va suivre. Mais ce n'est pas par nos lectures, nos observations, l'enseignement ou l'écriture que nous avons compris toute la valeur d'une charte familiale : c'est par nos actes. Comprenez bien que je vous fais partager ici, de manière intime, notre vécu personnel et familial. Ce vécu reflète profondément les valeurs auxquelles nous croyons. Mais sachez aussi que nous sommes fidèles au principe du respect à l'égard de tous, y compris de ceux qui pensent différemment de nous.

Si vous nous demandiez, à Sandra, ma femme, et à moi : « Quel événement a le plus marqué votre vie familiale? », nous répondrions sans hésiter : l'établissement de notre charte familiale. Nous avons rédigé notre première charte lors de notre cérémonie de mariage, il y a quarante et un ans. Notre seconde charte, nous l'avons établie progressivement, sur une période de quinze ans, ponctuée par plusieurs naissances. Au fil des ans, ces chartes nous ont donné le sentiment d'une destination commune et les moyens de l'atteindre, en forgeant notre volonté sociale et notre culture familiale. Et, directement ou indirectement, de manière consciente ou inconsciente, presque tout, dans notre famille, en a découlé.

Le jour de notre mariage, immédiatement après la cérémonie, Sandra et moi sommes allés dans un parc : Memory Grove. Nous nous sommes assis et avons discuté de ce que signifiait pour nous cette cérémonie et de la manière dont nous entendions respecter notre engagement. Nous avons parlé de nos familles respectives et des choses que nous voulions perpétuer ou changer dans celle que nous venions de former.

Nous nous sommes également redit que notre mariage était bien plus qu'une union contractuelle. C'était une *alliance* : notre engagement l'un envers l'autre serait total, sans condition, pour la vie. Et nous avons reconnu que notre alliance était aussi une alliance avec Dieu, et qu'en L'aimant nous nous aimerions davantage.

Nous avons donc décidé de gouverner notre vie personnelle et familiale selon ces principes. Et nous pensons que c'est cette décision, plus que toute autre chose, qui nous a donné la force de demander pardon, de pardonner, de faire preuve de gentillesse et de toujours revenir à nos engagements. Nous avons découvert que, plus nous sommes fidèles à ces principes, plus nous en retirons force et sagesse – notamment dans des situations où il serait très facile de se laisser accaparer par d'autres choses, comme le travail, l'argent, les biens matériels, voire la famille elle-même. Sandra et moi sommes convaincus que, sans cette décision, notre sentiment de sécurité aurait davantage dépendu de l'humeur de l'autre ou de notre popularité auprès des enfants que de notre propre intégrité.

En fondant notre vie sur des principes, nous avons pu voir ce qui était prioritaire.

C'est comme une paire de lunettes à travers laquelle nous avons regardé toute notre vie. Cela nous a donné le sentiment d'une responsabilité commune – le sentiment que nous devons tous deux répondre de la manière dont nous menons notre vie, notamment notre vie de famille. Nous avons compris que la famille est elle-même un principe universel, atemporel et incontestable.

Le jour où Sandra et moi nous sommes assis à Memory Grove, nous avons aussi parlé des enfants que nous voulions avoir, en pensant aux propos de Daniel Webster :

Gravez le marbre, rien n'en subsistera. Travaillez le cuivre, le temps effacera votre marque. Elevez des temples, ils retomberont en poussière. Mais œuvrez sur des âmes immortelles, inculquez-leur de justes principes, et vous graverez alors sur cette tablette que le temps jamais n'effacera et qui brillera pour l'éternité[3].

Nous avons commencé à identifier les principes selon lesquels nous voulions élever nos enfants. Et, quand ils sont nés, nous nous sommes souvent demandé : « Quels sont les atouts et les aptitudes qu'ils devront avoir pour réussir leur vie d'adultes ? » Ces discussions nous ont permis de distinguer dix aptitudes qui nous paraissaient essentielles – dix choses dont nos enfants devraient être capables

---

3. Sur ce sujet, voir aussi Andrew Campbell et Laura Nash, *A sense of Mission* (Addison Wesley Longman, 1994), et James Collins et Jerry Porras, *Bâties pour durer : les entreprises visionnaires ont-elles un secret ?* Éditions First, 1997.

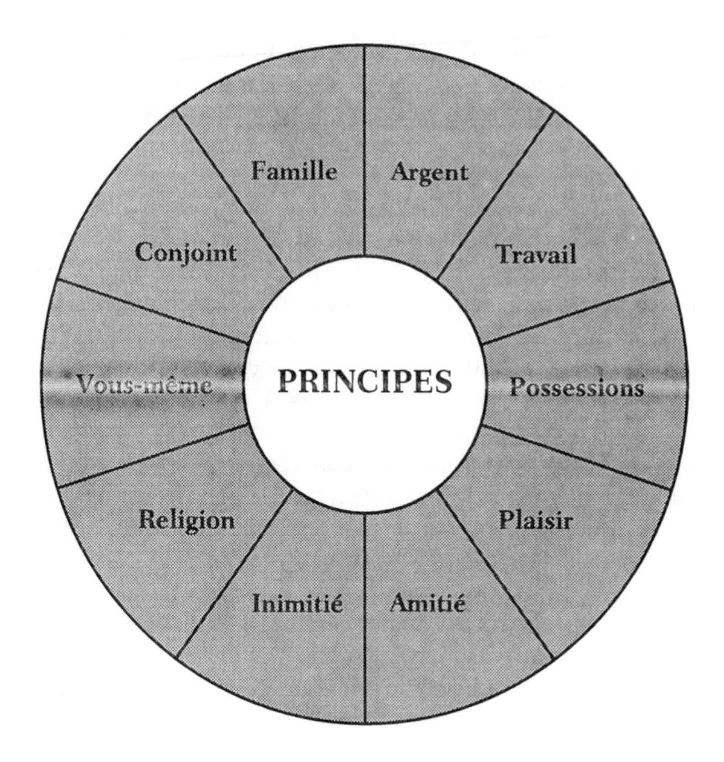

quand ils prendraient leur indépendance et fonderaient, à leur tour, une famille : travailler, apprendre, communiquer, résoudre les problèmes, se repentir, pardonner, rendre service, prier, survivre en milieu hostile et s'amuser.

Il nous semblait également important de nous rassembler tous ensemble le soir autour du repas pour faire part de nos expériences, rire, renforcer nos liens, philosopher et discuter de nos valeurs. Nous voulions que nos enfants soient heureux d'être ensemble, de faire des choses ensemble, et s'apprécient mutuellement.

Les enfants grandissant, cette vision a orienté de nombreuses discussions et activités familiales : nous avons planifié chaque été, chaque période de vacances et de loisirs, dans l'optique de réaliser notre rêve. Par exemple, pour apprendre aux enfants à survivre dans des conditions difficiles – l'un des dix éléments sur notre liste de priorités –, nous nous sommes tous inscrits à des camps de survie. Nous avons été entraînés à survivre plusieurs jours en milieu hostile sans rien d'autre pour nous soutenir que notre esprit. Notre ingéniosité et les connaissances que nous avions acquises sur ce que nous pouvions boire et manger étaient nos seules ressources. Nous avons appris des techniques de survie dans des conditions de froid ou de chaleur extrême, ou sans eau.

Autre élément auquel nous attachions beaucoup d'importance : l'éducation. Nous voulions que nos enfants travaillent à l'école et acquièrent le maximum de connaissances, sans se contenter d'accumuler bonnes notes et diplômes. Nous avons donc encouragé la lecture en famille. Nous avons aménagé notre maison de telle sorte que les enfants aient le calme et l'espace nécessaires pour faire leurs devoirs. Nous nous sommes intéressés à ce qu'ils apprenaient en classe, en leur donnant la possibilité de nous transmettre ces connaissances. Nous nous sommes essentiellement attachés à l'apprentissage, non aux notes. Ainsi, nous n'avons presque jamais dû pousser les enfants à travailler, et il est rare que leurs notes soient descendues au-dessous de 15 sur 20.

Au fil des ans, ces objectifs, et d'autres, ont profondément influencé nos orientations et notre culture familiale. C'est alors que nous sommes passés, il y a maintenant une vingtaine d'années, à un tout autre niveau d'unité et de synergie. C'est à cette époque que nous avons commencé à développer et à forger les « 7 Habitudes ». Nous nous sommes aperçus que toutes les organisations qui réussissent ont des chartes. Certaines de ces chartes sont sincères et orientent toute prise de décision ; d'autres ont seulement été rédigées pour les relations publiques. Nous avons compris – des recherches récentes le prouvent clairement – qu'une charte sincère est un ingrédient essentiel du succès des organisations performantes – non seulement en termes de productivité et de succès de l'entreprise, mais aussi en termes de satisfaction et d'épanouissement des personnes qui y travaillent.

Nous avons également constaté que, si la plupart des familles sont fondées à partir du serment du mariage (qui consiste bien à se fixer un objectif au départ), la majorité d'entre elles n'ont pas ce type de « chartes », si essentielles à la réussite d'une organisation. Or il n'existe pas au monde d'organisation plus importante, plus fondamentale que la famille : c'est la pierre angulaire de la société. Aucune civilisation n'a survécu à sa désagrégation. Aucune autre institution ne peut remplir sa mission. Rien n'a autant d'impact en termes positifs ou négatifs. Pourtant, les membres de la plupart des familles n'ont pas de vision commune concernant sa signification et son but. Ils n'ont pas fait l'effort de créer cette vision, ce système de valeurs, qui est l'essence même de la famille et de la culture familiale.

Nous avons donc acquis la certitude que nous devions rédiger une « charte familiale ». Nous devions créer une vision de la famille que nous voulions fonder, des principes qui orienteraient notre vie, pour lesquels nous serions prêts à lutter – et même à mourir. Cette vision serait celle de toute notre famille, non pas seulement la nôtre.

Nous avons donc entrepris d'élaborer une charte, en réunissant la famille une fois par semaine. Nous avions imaginé différentes activités ludiques pour aider les enfants à exposer leurs idées en faisant appel à leurs quatre dons – conscience de soi, éthique, imagination, volonté indépendante. Nous utilisions le « brainstorming ». Dans l'attente de la réunion suivante, chacun réfléchissait à ce qui avait été dit. Nous en discutions parfois avec un enfant en particulier ou au cours des repas. Un soir, Sandra et moi avons demandé : « À votre avis, comment pourrions-nous devenir de meilleurs parents ? Comment pourrions-nous nous améliorer ? ». Au bout de vingt minutes pendant lesquelles les enfants nous ont bombardés d'idées et de suggestions, nous les avons interrompus : « D'accord. On a compris ! »

Progressivement, nous avons abordé toute une série de questions plus fondamentales :

Quelle sorte de famille désirons-nous être ?
Dans quel genre de foyer aimeriez-vous inviter vos amis ?
Qu'est-ce qui vous gêne dans notre famille ?
Qu'est-ce qui fait que vous vous y sentez bien ?
Qu'est-ce qui vous donne envie de rentrer à la maison ?
Pourquoi vous sentez-vous proches de nous et ouverts à notre influence ?
Pourquoi sommes-nous ouverts à la vôtre ?
Que voulons-nous que l'on retienne de nous ?

Nous avons demandé aux enfants qui savaient écrire de dresser une liste des choses importantes pour eux. La semaine suivante, ils ont ramené leur liste et nous avons discuté ouvertement des raisons pour lesquelles ces choses étaient importantes ou souhaitables. Pour finir, chaque enfant a rédigé sa propre charte personnelle, expliquant ce qui lui tenait à cœur et pourquoi. Nous avons lu chaque charte et nous en avons discuté tous ensemble. Chacune était réfléchie et très personnelle. Sandra et moi n'avons pas pu nous empêcher de sourire en lisant celle de Sean, très branché sur le football à l'époque : « On forme une sacrée équipe. On marquera des buts ! » Pas très intello, mais très bien vu !

Il nous a fallu presque huit mois pour élaborer notre charte familiale. Chacun y a contribué, même ma mère. Aujourd'hui, nous avons des petits-enfants, qui en sont également partie prenante. Notre charte couvre donc à présent quatre générations.

UNE DESTINATION ET UNE BOUSSOLE

Il est presque impossible de décrire l'impact qu'a eu l'élaboration d'une charte familiale sur notre famille – à la fois directement et indirectement. La meilleure manière de le faire est peut-être de reprendre la métaphore de l'avion : la création d'une charte familiale nous a donné une *destination* et une *boussole.*

La charte elle-même nous a donné *vision claire, commune, de la destination* vers laquelle notre famille veut se diriger. Cela fait désormais quinze ans que cette charte nous guide. Elle est affichée dans notre salon. Nous nous y référons souvent, en nous demandant : « Vivons-nous selon ce que nous avons décidé d'être et d'accomplir ? L'amour règne-t-il vraiment dans notre foyer ? Ou sommes-nous cyniques, critiques, cruellement ironiques ? Savons-nous respecter les autres et communiquer ? Est-ce que nous nous contentons de donner sans recevoir en retour ? »

En revoyant nos actes à la lumière de notre charte, nous sommes à même de voir si nous nous sommes écartés de notre chemin. En réalité, c'est le sentiment d'avoir une « destination » qui donne sens à tout « feed-back », tout retour d'information sur notre attitude. Sans cela, ce retour d'information nous dérouterait et deviendrait néfaste. Aucune référence ne nous permettrait d'évaluer sa pertinence. Si, en revanche, nous avons la vision claire d'une destination et de valeurs communes, nous savons l'interpréter et corriger constamment notre trajectoire, pour finalement atteindre notre destination.

Ce sentiment de destination nous permet également de mieux appréhender notre situation actuelle et de comprendre combien la fin et les moyens sont indissociables. Autrement dit, la destination et le moyen de l'atteindre sont intrinsèquement liés. Si notre destination est une certaine qualité de vie de famille, une relation d'amour, comment serait-il possible de la séparer de la manière de l'atteindre ? En réalité, **la fin et les moyens – la destination et le chemin à parcourir – se confondent**.

Bien sûr, notre famille a ses problèmes. Mais, la plupart du temps au moins, chacun a le profond sentiment que nous formons un foyer où règnent la confiance, l'ordre, la vérité, l'amour, le bonheur et le bien-être. Nous nous efforçons d'être indépendants de manière responsable et interdépendants de manière efficace. Nous essayons d'être utiles à la société. Et Sandra et moi sommes heureux de retrouver cette dimension dans la vie de nos enfants mariés, qui ont fondé leur propre famille et élaboré leur propre charte familiale.

En rédigeant la nôtre, nous avons également fait de nos quatre dons une *boussole*, qui nous a permis de ne pas perdre de vue notre destination. Nous savions selon quels principes nous voulions vivre – des principes tels que ceux que j'ai mentionnés dans le cadre de l'Habitude n° 1 – mais, lorsque nous avons commencé à nous réunir pour en parler en famille, nous sommes passés à un tout autre niveau de compréhension, qui nous a conduits à prendre un nouvel engagement.

Par nos interactions, chacun de nous est passé d'une *conscience de soi* à une *conscience familiale* – la capacité à nous voir comme une famille. L'*éthique personnelle* est devenue une *éthique familiale* – une unité fondée sur un sens moral commun et une clarté issue de nos discussions en famille. L'*imagination* s'est transformée en une *synergie créative*, à force de débattre jusqu'à parvenir à un accord. La *volonté indépendante* est devenue une *volonté interdépendante* ou *sociale*, tandis que nous mettions en commun nos efforts pour agir.

L'émergence de cette volonté sociale, de ce « nous », est l'une des choses les plus passionnantes que nous ayons vécues en élaborant notre charte familiale. C'était *notre* décision, *notre* détermination, ce que *nous* avions décidé d'être et de faire. C'était le fruit d'une conscience collective, d'une éthique familiale, d'une imagination commune, combinées pour concrétiser, par effet de synergie, cette promesse, cet engagement commun – cette expression d'une volonté interdépendante.

Rien ne crée d'engagement plus profond et de liens plus étroits que l'implication de chaque membre de la famille dans ce processus d'interaction et de communication synergiques jusqu'à l'émergence d'une volonté sociale. En forgeant cette volonté sociale, on crée une synergie beaucoup plus forte qu'une simple addition de volontés individuelles. Le concept même de synergie acquiert une tout autre dimension : ce n'est plus seulement une troisième solution, c'est un troisième état d'esprit – l'esprit de famille.

En combinant ainsi nos quatre dons, nous nous sommes fabriqué une *boussole familiale* qui nous a aidés à garder le cap. Cette boussole nous a servi de système de guidage interne pour continuer à progresser vers la destination que nous nous étions fixée.

ÉTABLISSEZ VOTRE PROPRE CHARTE FAMILIALE

L'expérience que j'ai acquise dans ma propre famille – ainsi qu'auprès d'un très grand nombre de familles du monde entier – m'a conduit à définir une démarche en trois étapes, que peut suivre toute famille pour établir sa charte familiale.

Première étape : recherchez quelles sont les aspirations de chacun

À ce stade, l'objectif est que chacun puisse exprimer ses opinions et ses sentiments. Il existe de multiples manières de procéder. Selon votre situation, vous choisirez l'une plutôt que l'autre.

Une charte pour deux

Si votre famille se limite actuellement à votre conjoint et vous-même, vous pouvez envisager de partir quelques jours, ou même quelques heures, dans un endroit où vous pourrez être seuls. Prenez d'abord le temps de vous détendre et d'être bien ensemble. Ensuite, quand vous sentirez que l'atmosphère s'y prête, essayez de discuter de la façon dont vous voyez votre relation dans dix, vingt-cinq ou cinquante ans. Pourquoi ne pas vous inspirer des paroles prononcées lors de votre mariage ou de celui de parents ou d'amis? Ces paroles peuvent être les suivantes :

Attachez-vous l'un à l'autre.
Aimez-vous, honorez-vous et chérissez-vous tant que vous vivrez.
Soyez comblés dans votre postérité.
Ayez ensemble une longue vie de bonheur.

Si de telles phrases trouvent un écho dans votre cœur, elles peuvent devenir le fondement d'une charte familiale importante.

D'autres paroles peuvent vous inspirer. Sandra et moi avons été très influencés par le proverbe quaker : « Tu me porteras et je te porterai, et nous nous élèverons ensemble. »

Vous pouvez également réfléchir ensemble aux questions suivantes :

Quels conjoints voulons-nous être l'un pour l'autre?
Comment voulons-nous agir l'un envers l'autre?
Comment entendons-nous régler nos différends?
Comment pensons-nous gérer nos finances?
Quels parents voulons-nous être?
Quels principes voulons-nous enseigner à nos enfants pour les aider à devenir des adultes responsables et attentifs aux autres?
Comment aiderons-nous chacun d'entre eux à développer ses facultés?
De quelle discipline userons-nous à leur égard?
Comment nous partagerons-nous les rôles (qui gagnera un salaire, qui tiendra les comptes, qui entretiendra la maison, etc.)?
Comment entretiendrons-nous de bonnes relations avec la famille de notre conjoint?
Quelles traditions nos familles respectives nous ont-elles léguées?
Quelles traditions voulons-nous conserver ou créer?
Quelles caractéristiques ou tendances intergénérationelles aimons-nous ou n'aimons-nous pas, et comment évoluer?
Comment entendons-nous rendre ce que nous recevons?

Quelle que soit la méthode que vous utilisez, rappelez-vous que **le processus compte autant que le résultat**. Donnez-vous du temps. Construisez votre Compte émotionnel. Réfléchissez ensemble à ces questions. Assurez-vous que la charte qui en résulte représente véritablement les opinions et les sentiments de chacun.

Une femme a apporté le témoignage suivant.

Lorsque j'ai rencontré mon mari, il y a vingt ans, nous avions très peur de nous engager dans une relation, car nous avions tous deux vécu un mariage malheureux auparavant. Mais, dès le début, quelque chose m'a vraiment plu chez Chuck : il avait fait une liste de tout ce qu'il voulait dans un mariage et l'avait affichée sur la porte de son réfrigérateur!

Toute femme qui mettait les pieds chez lui savait à quoi s'en tenir et pouvait se dire : « Oui, ça correspond à ce que je veux » ou « Non, ce n'est pas pour moi ! » Chuck était très clair et très déterminé sur ce sujet.

Dès le début, nous nous sommes basés sur cette liste. J'y ai ajouté des choses qui étaient importantes pour moi, et nous nous sommes efforcés de définir ensemble ce que nous voulions faire de notre relation. Nous avons ainsi décidé de ne pas avoir de secret l'un pour l'autre, de ne pas garder de rancune, de parler ouvertement de nos besoins respectifs, etc.

Ces principes ont été décisifs dans notre mariage. Ils sont désormais inscrits dans nos cœurs. Nous n'avons pas besoin de revenir sur les choses en disant à l'autre : « Tu n'as pas respecté tel ou tel principe », parce que, dès que surgit une cause de ressentiment ou que quelque chose ne va pas, nous en parlons immédiatement. Si nous en sommes capables, c'est grâce à ce que nous avons décidé dès le départ.

S'il est si important d'établir une charte dans un mariage, c'est que deux personnes ne peuvent jamais être totalement semblables. Il y a toujours des différences. Et lorsque deux individus décident d'unir leurs vies dans cette relation extrêmement intime et sensible qu'est le mariage, s'ils ne prennent pas le temps d'apprendre à connaître leurs différences et de se créer une vision commune, ces différences peuvent finir par les séparer.

Prenons un homme et une femme, que nous appellerons Paul et Sally. La famille de Paul l'a toujours beaucoup soutenu. Lycéen, s'il était revenu chez lui en se désolant d'avoir été dernier en mathématiques, sa mère lui aurait dit, en substance : « Oh, Paul, je suis désolée pour toi. Tu dois être déçu, mais je suis sûre que tu as fait de ton mieux. Nous sommes fiers de toi ! » S'il avait déclaré, au contraire, avoir été élu délégué de classe, sa mère se serait réjouie et lui aurait également dit : « Nous sommes fiers de toi ! » Succès ou échec, aucune différence : les parents de Paul lui témoignaient un amour inconditionnel.

Sally, en revanche, vient d'une famille beaucoup moins encourageante. D'une manière générale, ses parents ne s'intéressent pas à elle, ne l'entourent pas d'affection et conditionnent l'amour qu'ils lui portent. Si Sally était revenue du lycée en avouant un mauvais résultat en mathématiques, sa mère l'aurait rabrouée : « Tu peux m'expliquer ? Je t'avais dit de travailler davantage ! Ta sœur s'entraînait bien plus que toi ! Et elle s'en tirait haut la main ! Ton père ne va pas être fier de toi ! » Mais si Sally avait déclaré avoir été élue déléguée de classe, sa mère se serait exclamée : « Bravo! Je suis fière de toi! Je suis impatiente de l'apprendre à ton père! »

Voilà donc deux personnes qui ont eu un vécu totalement différent. L'un a appris à aimer sans condition, l'autre conditionne son amour. Ils se rencontrent, commencent à sortir ensemble, finissent par se dire « Je t'aime » et se marient. Mais, au bout de quelques mois de vie commune, les problèmes surgissent.

Ne comprenant pas l'amour conditionnel que lui témoigne Sally, Paul finit par lui dire : « Tu ne m'aimes plus. »

« Comment ça, je ne t'aime plus? s'indigne Sally. Je fais la cuisine, le ménage, je ramène un salaire à la maison, et je ne t'aime plus? »

Vous rendez-vous compte des incompréhensions qui pourraient s'accumuler à la longue si Paul et Sally n'essayaient pas de s'entendre sur le sens du mot « aimer »?

Imaginez encore que la famille de Paul n'a jamais appris à discuter véritablement de ses problèmes, ni à résoudre ses conflits. Elle s'est toujours contentée de les esquiver, de faire comme s'ils n'existaient pas, d'opter pour la politique de l'autruche. Ses membres se sont toujours montrés si positifs et attentionnés les uns envers les autres qu'ils n'ont jamais vraiment appris à communiquer. Les membres de la famille de Sally, eux, lorsque surgit un différend, entrent en conflit ouvert (on crie, on accuse, on fait des reproches) ou choisissent la fuite en avant (on s'en va, on claque la porte). Ainsi, non seulement Paul et Sally n'ont pas appris à aimer de la même manière, mais ils ont une façon radicalement différente de résoudre leurs problèmes.

Les conflits pourraient rapidement s'installer dans leur couple. Chaque différence importante pourrait constituer un problème. Le ressentiment lié à leur incapacité à se comprendre pourrait dégénérer. D'amoureux qu'ils étaient, ils pourraient en venir à se tolérer, puis à tout juste se supporter, avant de se haïr.

L'environnement social pourrait alors intervenir dans leur conflit pour leur conseiller de se séparer et de renoncer. Si ce conseil se justifie en cas de mauvais traitements, une séparation peut engendrer une souffrance bien plus grande que celle que je viens de décrire. Mais imaginez l'impact qu'aurait, dans ce couple, le sentiment d'une vision commune, particulièrement si cette vision reposait sur des principes fournissant une base solide pour résoudre et même dépasser les conflits!

Si l'on examine attentivement les difficultés que rencontrent les couples mariés, on constate que la plupart survien-

nent d'*attentes différentes quant au rôle de chacun* et sont exacerbées par des *divergences dans la manière d'aborder les problèmes*. Un mari peut penser que c'est à sa femme de gérer le budget, puisque sa mère le faisait. Mais la femme peut juger, d'après l'exemple de son père, que c'est à son époux qu'incombe cette responsabilité. Le problème reste mineur, jusqu'à ce qu'ils essaient de le résoudre en l'abordant de manière différente. Lui est du type « agressif passif » : il bout intérieurement, ne dit rien, mais ne cesse de juger, et son irritation augmente. Elle est du type « agressif actif » : elle préfère entrer en conflit ouvert et tout mettre à plat. Ils en viennent à un état de collusion, voire de codépendance, où chacun a besoin des faiblesses de l'autre pour valider son point de vue et justifier son comportement. Chacun blâme l'autre. Et c'est ainsi qu'un petit problème devient grand. Ils font une montagne d'un rien. La montagne devient parfois chaîne de montagnes, car leurs divergences dans la façon de régler les conflits aggravent les problèmes et creusent les différences. Analysez vos propres difficultés : ne proviennent-elles pas, elles aussi, d'attentes différentes quant au rôle de chacun et d'écarts dans votre façon de résoudre les conflits ?

Ces écarts apparaissent souvent dans deux domaines étroitement liés. Il faut faire appel au don de conscience de soi pour les comprendre : le premier est celui de nos valeurs et de nos objectifs – ce que les choses devraient être ; le second, ce que nous pensons qu'elles sont. Ces deux domaines sont interdépendants, puisque nous définissons souvent ce que sont les choses par ce qu'elles devraient être. Quand nous déclarons avoir un problème, nous disons que les choses ne sont pas telles qu'elles devraient être. Pour l'un des conjoints, ce problème peut être dramatique, tandis que pour l'autre il n'existe même pas.

L'un a peut-être une conception « nucléaire » de la famille ou considère qu'elle se compose exclusivement de deux générations : parents et enfants. L'autre, au contraire, en a peut-être une conception intergénérationnelle, qui implique une communication ouverte, de nombreuses interactions et activités avec les oncles et tantes, neveux et nièces, grands-parents, etc. On a appris à l'un que l'amour est un sentiment, à l'autre qu'aimer est un verbe. Face aux problèmes, l'un choisit l'affrontement ou la fuite ; l'autre voudrait communiquer et discuter. L'un considère que la différence est une faiblesse ; l'autre estime que c'est une force. Leurs positions respectives sur ces sujets sont essentiellement le produit de leur vécu auprès des personnes qui ont été leurs principaux modèles. C'est pourquoi, dans n'importe quel couple, il est indispensable d'en discuter longuement et sérieusement.

On appelle cette rencontre – réfléchir ensemble et s'accorder sur les attentes quant au rôle de chacun, la manière de résoudre les problèmes, une vision et des valeurs communes – la « **mise en commun des missions** ». Celle-ci consiste à fusionner les missions ou les objectifs que chacun s'est fixés, de sorte à les orienter vers une destination commune. Ce qui fait sa force, c'est qu'elle **transcende littéralement le « tu » ou le « je », en créant une manière nouvelle, plus élevée, d'envisager la vie : le « nous »**. Elle permet aux conjoints d'apprendre à connaître leurs différences et à résoudre leurs problèmes de façon à renforcer leur Compte émotionnel et à obtenir des résultats positifs.

Vous découvrirez peut-être, comme nous, que cette mise en commun est si essentielle pour un couple et une famille que, même après avoir établi une charte familiale impliquant les enfants, vous voudrez conserver une « charte conjugale » qui soit le reflet de la relation privilégiée que vous avez en tant que conjoints.

Si vous êtes un peu plus âgé, si vos enfants sont grands, vous pouvez vous poser des questions telles que celles-ci :

Que pouvons-nous faire pour favoriser l'épanouissement et le bonheur de nos enfants et petits-enfants?

Quels sont leurs besoins et comment pouvons-nous les aider à les satisfaire?

Quels principes doivent gouverner nos interactions avec eux?

Quelle est la façon la plus sage de nous impliquer dans leur vie et dans leur famille?

Comment pouvons-nous les aider à établir leurs propres chartes familiales?

Comment pouvons-nous les encourager à affronter difficultés et problèmes en se fondant sur cette charte?

Comment pouvons-nous les encourager à donner comme ils ont reçu?

Vous pouvez également rédiger une charte familiale qui implique trois générations. Imaginez des activités qui vous permettraient de tous vous rassembler – vacances, anniversaires... Rappelez-vous qu'il n'est jamais trop tard pour être de bons parents. Vos enfants ont encore besoin de vous. Ils auront toujours besoin de vous. **Et éduquer vos enfants, c'est également éduquer vos petits-enfants,**

car vos enfants tendront à reproduire vos schémas d'éducation. En fait, on a souvent l'occasion d'élever une seconde fois ses enfants en les aidant à élever les leurs.

Une charte pour trois ou plus

L'élaboration d'une charte familiale devient encore plus importante lorsque le couple a des enfants. Nous sommes désormais en présence d'êtres qui ont besoin d'un sentiment d'appartenance, d'une éducation – et qui seront soumis à diverses influences tout au long de leur enfance et de leur adolescence. Sans le sentiment unificateur d'une vision et de valeurs communes, ils n'auront ni identité ni objectif familial. D'où l'importance cruciale d'une charte familiale.

Les jeunes enfants adorent généralement être associés au processus d'élaboration de la charte. Ils sont heureux de faire part de leurs idées et de contribuer à créer quelque chose qui leur donne le sentiment d'une identité familiale.

Catherine (fille)

Avant notre mariage, mon mari et moi avons discuté de ce que nous voulions faire de notre foyer, particulièrement quand nous aurions des enfants : voulions-nous privilégier la détente, le bien-être, l'éducation... ? Nous souhaitions que l'honnêteté et l'intégrité ne fassent jamais défaut dans notre relation, que notre amour dure toujours, qu'il ne flétrisse ni ne meure jamais. C'est à partir de ces discussions que nous avons élaboré notre charte familiale.

Nous avons désormais trois enfants. Notre charte est restée fondamentalement la même, mais nous l'avons légèrement modifiée au fil des naissances. L'arrivée de notre premier bébé nous a quelque peu désorientés : tout s'était organisé autour de lui. Le second nous a remis dans la perspective que nous avions choisie. Nous avons pris du recul et réfléchi à la manière dont nous voulions élever nos enfants ensemble. Nous voulions qu'ils soient des citoyens responsables, qu'ils sachent servir les autres, etc.

Les enfants ont également apporté des éléments à notre charte. L'aînée qui n'a que six ans a déclaré qu'elle voulait une famille gaie. Nous avons donc ajouté une phrase à ce propos pour elle et son petit frère de trois ans.

À chaque veille de nouvel an, nous nous réunissons autour d'une table pour revoir notre charte et définir nos objectifs pour l'année à venir. Nous avons pu constater que les enfants s'y intéressent beaucoup. Nous affi-

chons ensuite la charte sur la porte du réfrigérateur. Les enfants s'y réfèrent constamment : « Maman, n'élève pas la voix ! Rappelle-toi : toujours de la bonne humeur à la maison ! » C'est un bon garde-fou !

Un homme, marié et père de famille, m'a fait part de son expérience :

Il y a environ quatre ans, ma femme et moi, nos deux enfants et ma belle-mère, qui vit avec nous, avons élaboré une charte familiale. Nous l'avons réexaminée récemment pour voir s'il fallait la modifier.

Au cours de la discussion, Sarah, notre fille de onze ans, a dit quelque chose de très important. Elle parlait de la manière dont une personne peut communiquer son stress à tout le reste de la famille. Je pense que cela s'adressait en particulier à sa grand-mère, qui traverse actuellement une période difficile et parle parfois durement aux enfants lorsque nous ne sommes pas là.

Mais Sarah n'a fait référence à personne, elle parlait de l'ensemble de la famille. Pourtant, ma belle-mère a saisi la balle au bond : « Tu as raison. C'est tout à fait ce que je fais. Et je veux changer. » Ma femme et moi nous sommes empressés d'ajouter : « Tu sais, nous le faisons tous. Nous devons tous faire des efforts. » Notre charte comporte désormais la phrase suivante : « Lorsque nous serons stressés, nous le reconnaîtrons et nous nous efforcerons de ne pas transmettre ce stress aux autres. »

Je suis convaincu que ce processus de réflexion en famille est en soi très sain, parce qu'il crée un climat de confiance. Or la nature humaine ne favorise pas naturellement ce climat. Généralement, on a plutôt tendance à se montrer critique ou à rester sur la défensive. Ainsi, en proposant une discussion ouverte sur le type de famille que nous voulons être, on crée une atmosphère de confiance qui permet à chacun d'exprimer ses sentiments et ses idées. Les personnes ne se sentent pas menacées, parce qu'on ne parle pas d'elles mais de questions qui concernent toute la famille.

Quelle expérience formidable pour des enfants de voir que leurs idées et sentiments sont reconnus et contribuent pour une part essentielle au devenir de leur famille !

D'un autre côté, il est parfois plus difficile d'intéresser des adolescents à l'élaboration d'une charte familiale. Il est probable qu'on se heurte même parfois à des résistances. Dans notre famille, nous avons constaté que des enfants les plus âgés n'y prenaient pas grand intérêt. Ils étaient pressés d'en finir. Ils ne comprenaient pas qu'on prenne le temps de discuter de choses pourtant si importantes. Mais nous n'avons jamais abandonné notre projet. Nous avons essayé de les éclairer sur les bénéfices qu'on en retirerait, et nous avons fini par éveiller leur intérêt.

Sean (fils)
Je devais être au lycée lorsque nous avons rédigé notre charte familiale. Je n'attachais pas beaucoup d'importance au fond, à l'époque. Mais l'établissement d'une charte – l'idée que mes parents avaient une vision de l'avenir et un objectif – m'a donné une certaine stabilité. Je me disais : « Tout va bien. Mes parents savent ce qu'ils font et où ils vont. »

Un père de famille m'a fait part de la réaction de ses enfants.

Pour mes cinquante ans, j'ai décidé de demander à mes filles, adolescentes, et à mon épouse de m'accompagner à Hawaï pour travailler sur les « 7 Habitudes » et rédiger une charte. J'envisageais d'y passer une semaine. Chaque jour serait équitablement partagé entre la lecture et le commentaire de l'une des « 7 Habitudes », puis les jeux, la plage et autres activités auxquelles on s'adonne en vacances.

Lorsque j'ai parlé de mon projet à mes filles, on ne peut pas dire qu'elles aient été enthousiastes : « Ah, super! Des vacances le nez dans un bouquin. Qu'est-ce que je vais raconter aux copains? » « Encore une de tes lubies passagères? »

Je ne me suis pas laissé influencer : « Je vous promets qu'on s'amusera bien, et c'est le seul cadeau d'anniversaire qui me ferait vraiment plaisir. Alors, je peux compter sur vous? »

Soupirs...

« Si tu y tiens... » m'a répondu la première. (Traduisez : « Ça ne va pas durer. On va passer notre temps à la plage, je vais avoir un bronzage d'enfer. »)

« Mouais » m'a répondu l'autre. (Traduisez : « Jamais rien entendu de plus ridicule. Enfin, c'est son cadeau, si ça peut lui faire plaisir... »)

« Génial! Ça, c'est un cadeau! » ai-je répliqué. (Traduisez : « Mon Dieu! Dans quoi est-ce que je me suis embarqué? »)

Lorsque nous nous sommes installés dans l'avion, je leur ai donné des photocopies des « 7 Habitudes » et des surligneurs. Puis, je me suis assis confortablement dans mon fauteuil. Il a fallu attendre un bon moment, mais finalement – conformément à notre accord – elles ont mis les OK,

Jeune & Jolie *et autres magazines de côté, puis se sont mises à lire les photocopies. Les questions ont commencé à venir :*

« Eh, papa! C'est quoi un paradigme?

– C'est la façon dont tu vois les choses – ta perspective, ton point de vue.

– Papa, j'ai lu quelques chapitres, et c'est vraiment intéressant. Je veux être « proactive », mais je ne vois pas à quoi ça servira d'en discuter vingt-quatre heures sur vingt-quatre. »

Je me suis finalement enfoncé dans mon fauteuil pour m'endormir, car les choses ne s'annonçaient pas si mal.

Lorsque nous sommes arrivés à Hawaï, nous nous sommes installés et avons pris notre rythme. Nous partagions notre temps entre la lecture et les jeux sur la plage. Au cours des repas, mon épouse et moi incitions les filles à parler de ce qu'elles avaient lu. Au bout de trois jours, tout le monde était conscient de l'importance de ces idées. Nous avons commencé à en discuter à n'importe quel moment de la journée.

Lors de notre dernière soirée à Hawaï, nous avons rédigé notre charte familiale. J'ai pris un papier, un crayon et, très important, un paquet de pop-corn : « Il est temps de rédiger notre charte, ai-je annoncé avec optimisme. Cette charte doit exprimer les attentes de chacun. Qui veut commencer? »

Je n'ai pas eu besoin d'insister. Persuadés que je voulais vraiment connaître leurs attentes, tous les membres de la famille ont fait part ouvertement de leurs suggestions. Cela m'a rappelé la période de Noël, où chacun demande ce qu'il veut. C'était une véritable création. Rien n'a été dicté; aucune suggestion n'a été rejetée. Ce fut un investissement important, que nous avons abordé avec respect.

Nous étions heureux de parler ensemble de la famille que nous voulions être. Nous avons fait beaucoup d'efforts pour établir une charte qui reflète fidèlement les valeurs et les désirs de chacun. Lorsque nous sommes arrivés à la fin de cette tâche, j'ai posé la question suivante :

« Chacun a-t-il le sentiment que cette charte exprime tous ses souhaits et toutes ses attentes?

– C'est une très bonne charte familiale, a répondu l'une de mes filles.

– C'est vraiment bien. Les idées de chacun sont à égalité, a ajouté l'autre.

– Adjugé! a conclu ma femme. »

Sur le chemin du retour, les filles ont parlé de cette expérience et de ce qu'elle leur avait apporté. L'une d'elles m'a dit : « Papa, pour ton anniversaire, c'est nous qui avons reçu un cadeau! »

Quelque temps après, cet homme m'a dit : « Je ne peux pas te décrire l'impact que cette semaine a eu sur nous en tant qu'individus et en tant que famille. » Je lui ai alors demandé de m'en donner un exemple, et voici ce qu'il m'a raconté.

Peu de temps après notre retour, ma femme et moi devions nous absenter quelques jours. J'ai demandé aux filles si elles voulaient que je demande à quelqu'un de rester auprès d'elles pendant notre absence. Je n'oublierai jamais leur réponse : « Mets notre charte familiale sur le réfrigérateur. Nous aurons des principes pour nous guider pendant que vous ne serez pas là. »

Il a ajouté que c'était juste un exemple parmi tant d'autres de l'influence positive qu'avait eue cette charte sur leur vie.

Si vous avez des enfants, vous pouvez organiser une « réunion de famille » pour introduire le concept de charte familiale et commencer à élaborer celle-ci. Dans ce cas, faites-le de manière attrayante et agréable. Si vos enfants sont jeunes, donnez-leur des marqueurs et des grandes feuilles. Ajoutez-y une petite gâterie. N'oubliez pas que la durée d'attention des jeunes enfants est brève. Il sera bien plus efficace de passer dix minutes avec eux chaque semaine pendant plusieurs mois que de leur imposer de longues discussions philosophiques.

Les enfants plus âgés préfèrent avoir des discussions plus approfondies. Mais, encore une fois, ces moments doivent être agréables. Vous pouvez les étaler sur plusieurs semaines. Vous pouvez prendre des notes ou simplement parler ensemble. Quoi qu'il en soit, faites en sorte que chacun se sente à l'aise et libre de participer.

Si vous craignez de vous heurter à une certaine résistance de la part des adolescents, vous préférerez peut-être commencer par discuter, à table par exemple, de ce qui est important, sans même mentionner des termes tels que charte familiale. Vous pourrez également en parler en particulier avec un membre de la famille – lorsque vous faites quelque chose avec lui. Il sera peut-être souhaitable de prendre chaque personne à part pour lui demander ce qu'elle pense de votre famille et quels sont les changements qu'elle aimerait voir s'opérer. En procédant de cette façon, vous inciterez les enfants à réfléchir sur la famille et à rassembler des idées consciemment et inconsciemment. Soyez patient. Il vous faudra peut-être des semaines de discussions en tête à tête et de démarches individuelles avant de pouvoir avoir une conversation avec l'ensemble de la famille.

Lorsque vous sentirez que le moment est venu, impliquez chacun dans une discussion collective. Choisissez un moment où vous et votre famille vous sentez bien. Ne prenez pas cette initiative si vous vous sentez éprouvé sur le plan affectif, épuisé ou en colère. De même, si vous êtes au milieu d'une crise familiale, mieux vaut vous abstenir pour le moment. Vous pouvez engager cette conversation au cours d'un dîner ou lors de vacances en famille. Prenez votre temps. Amusez-vous. Et si vous sentez que la résistance est trop forte, n'insistez pas. Vous reprendrez la discussion un autre jour. La patience est un facteur essentiel. Ayez confiance en votre famille et en ce que vous entreprenez. Donnez-vous du temps.

Lorsque vous pourrez enfin discuter tous ensemble de ces questions, expliquez clairement que vous avez l'intention d'établir une charte qui permettra d'unir et d'influencer de manière positive tous les membres de la famille. Posez des questions qui aideront chacun à utiliser ses quatre dons – conscience de soi, éthique, imagination, volonté indépendante.

Quel est l'objectif de notre famille?
Quelle famille voulons-nous être?
Que voulons-nous accomplir?
Quelle atmosphère voulons-nous avoir dans notre foyer?
Quelles relations voulons-nous avoir?
Comment voulons-nous agir les uns envers les autres? Comment voulons-nous nous parler?
Qu'est-ce qui est réellement important pour nous en tant que famille?
Quelles sont les priorités de notre famille?
Quels sont les talents, les dons, les aptitudes propres aux membres de notre famille?
Quelles sont nos responsabilités en tant que membres de la famille?
Selon quels principes voulons-nous vivre?
Qui sont nos héros? Qu'aimons-nous chez eux que nous aimerions reproduire?
Quelles familles nous inspirent et pourquoi les admirons-nous?
Que pouvons-nous apporter à la société en tant que famille et comment le lui apporter?

Vous obtiendrez probablement toutes sortes de réponses. N'oubliez pas que *chacun est un membre à part entière de la famille. Les opinions de chacun sont importantes*. Vous entendrez des commentaires positifs et négatifs. Ne les jugez pas. Respectez-les. Laissez chacun s'exprimer librement. N'essayez pas de résoudre tous les problèmes. À ce stade, il s'agit seulement d'ouvrir les cœurs et les esprits, et de favoriser la réflexion. Autrement dit, préparez le terrain et commencez à semer quelques graines. Après seulement viendra le temps de la récolte.

Ces discussions seront plus efficaces si vous respectez trois règles fondamentales.

1. **Écoutez avec respect.** Faites en sorte que chacun puisse intervenir. N'oubliez pas que la participation à ce processus est aussi importante que le résultat. Les membres de votre famille ne s'engageront que s'ils prennent véritablement part à l'établissement de la vision et des valeurs qui gouverneront leur vie, les guideront et leur permettront d'évaluer leur évolution. En d'autres termes : « **Pas d'implication, pas d'engagement**. » Chacun doit savoir que ses idées seront écoutées et prises en compte. Aidez les enfants à comprendre ce que signifie écouter les autres avec respect. Expliquez-leur que, lorsqu'ils parleront à leur tour, les autres respecteront également leurs opinions.

2. **Reformulez pour montrer que vous avez compris.** L'une des meilleures façons de témoigner du respect est de reformuler fidèlement les idées des autres, puis d'encourager tous les membres de la famille à faire de même, notamment en cas de désaccord. En procédant de cette façon, on atteint un niveau de compréhension mutuelle qui tempère les passions et libère une énergie créative.

3. **Prenez des notes.** Vous pouvez demander à quelqu'un d'être le scribe de la famille. Cette personne devra noter toutes les idées émises au cours de vos discussions. Ne portez pas de jugement de valeur sur ces idées. Ne cherchez pas à les classer selon leur importance. C'est une tâche que vous ferez ultérieurement. Contentez-vous de faire l'inventaire des opinions de chacun, afin que tout le monde les connaisse.

Ensuite, vous pourrez approfondir votre démarche. Vous ne tarderez pas à découvrir que la tâche la plus difficile dans l'élaboration d'une charte consiste à hiérarchiser les idées et les valeurs. Autrement dit, il faut déterminer l'objectif et la valeur prioritaires et classer les autres par ordre d'importance. Ce n'est pas une mince affaire.

J'ai assisté à une conférence, à Bangkok, où il était question de la hiérarchisation des valeurs en Occident et en Asie. De part et d'autre, on accordait de l'importance à la coopération et au travail d'équipe. Toutefois, en Occident, cette valeur était secondaire, alors qu'elle était prioritaire en Asie. Il semblait que les leaders du monde asiatique étaient soucieux d'empêcher la dépréciation de cette valeur et la généralisation du modèle occidental, qui donne la priorité à l'indépendance, à la liberté d'action et à l'individualisme.

Comprenez bien que je n'ai pas l'intention de porter un jugement sur les valeurs ni de les hiérarchiser moi-même. J'essaie simplement de démontrer que cette hiérarchisation est capitale dans la rédaction d'une charte.

Pour déterminer votre priorité, vous pouvez commencer par écrire vos cinq valeurs prioritaires. Ensuite, éliminez-en quatre, l'une après l'autre, pour en conserver une seule. Ainsi, vous vous obligerez à déterminer ce qui compte le plus pour vous. Cette démarche pourra être très enrichissante : tous les membres de la famille pourront découvrir que l'intégrité prime sur la loyauté, l'honneur sur l'humeur, les principes sur les valeurs, la mission sur le vécu, la direction sur la gestion, l'efficacité sur le rendement et l'imagination sur la volonté consciente.

Ce regard sur votre famille peut avoir de multiples avantages sur votre culture familiale. **Une charte familiale énonce des possibilités, non des limites**. Au lieu de discuter de vos faiblesses, vous débattez de ce qui est possible, de votre vision de l'avenir. Tout ce que vous entrevoyez est entre vos mains. Les grandes œuvres littéraires, cinématographiques et artistiques, celles qui sont vraiment édifiantes, mettent essentiellement l'accent sur une vision et les choix qu'elle rend possible. Elles nous incitent à faire confiance à nos motivations et nos impulsions les plus nobles et à donner le meilleur de nous-mêmes.

N'oublions pas non plus l'impact de cette démarche sur le Compte émotionnel! Le simple fait de passer du temps ensemble, de s'écouter les uns les autres, d'entretenir des rapports aussi profonds, constitue un dépôt émotionnel considérable. Cet avantage suffirait à justifier la rédaction d'une charte, même si elle ne devait pas en avoir d'autres. Songez à ce que cela signifie pour les membres de la famille concernant leur valeur en tant qu'individu et l'importance accordée à leurs idées.

L'établissement d'une charte peut être une étape vraiment agréable. Dans un premier temps, les membres de la famille peuvent se sentir légèrement mal à l'aise, car ils n'ont jamais eu une conversation aussi approfondie. Mais, au fur et à mesure qu'ils s'y impliquent, ils se passionnent pour ce projet commun. La communication devient authentique et les liens se resserrent de plus en plus. Puis, lentement, presque imperceptiblement, la substance de la charte commence à poindre dans les cœurs et dans les esprits.

Deuxième étape : rédigez votre charte familiale

Une fois que les idées ont été jetées sur le papier, vous pouvez demander à un membre de la famille de les rassembler et de les organiser en une charte qui reflétera les idées et les sentiments de ceux qui les ont exprimés.

Dans un certain sens, il est extrêmement important d'écrire cette charte. L'écriture cristallise le cheminement de la pensée et verbalise l'apprentissage et les idées. Elle rend l'information visible et accessible à tous les membres de la famille.

D'un autre coté, il est plus utile de graver une charte dans les cœurs et dans les esprits que de l'écrire sur le papier. Mais l'un n'exclut pas l'autre. Au contraire, les deux peuvent se compléter.

Quel que soit le résultat auquel vous aboutirez, soyez conscients que ce ne sera qu'un premier jet. Il y en aura peut-être beaucoup d'autres. Les membres de la famille devront examiner cette charte, y réfléchir, vivre fidèlement aux principes qu'elle énonce, en discuter et faire des modifications. Ils devront la retravailler jusqu'à ce qu'ils parviennent à un accord : « Voici ce qu'est notre famille. Telle est notre mission. Nous y croyons. Nous l'acceptons. Nous nous engageons à la mener à bien. »

Voici quelques exemples de chartes familiales, dont la nôtre, en tête de liste. Comme vous pourrez le voir, chaque charte est unique et reflète les valeurs et les convictions de ceux qui l'ont rédigée. Je ne vous les cite pas pour que vous vous en serviez comme modèles pour établir votre propre charte. La vôtre devra refléter les aspirations, les valeurs et les convictions qui vous sont propres.

Sans doute ressentirez-vous – comme moi – un profond respect et une grande estime pour ceux qui m'ont dévoilé une partie de leur intimité et m'ont donné l'autorisation de publier leurs chartes.

La mission de notre famille est de créer un foyer où règne la foi, l'ordre, la vérité, l'amour, la joie et la détente, et de donner à chacun la possibilité de devenir indépendant de manière responsable et interdépendant, afin de servir des causes justes au sein de la société.

La mission de notre famille est la suivante :
Être honnête envers nous-mêmes et envers les autres.
Créer un environnement dans lequel chacun trouvera soutien et encouragement dans ses efforts pour atteindre les objectifs de notre vie.
Respecter et accepter la personnalité et les talents de chacun.
Favoriser une atmosphère chaleureuse et agréable.
Soutenir les efforts de la famille pour améliorer la société.
Se montrer compréhensif pour ne pas perdre patience.
Toujours résoudre les conflits au lieu de garder rancune.
Bénéficier de la magie de la vie et développer ses trésors.

La mission de notre famille :
Nous aimer les uns les autres.
Nous entraider.
Croire en les autres.
User judicieusement de notre temps, de nos talents et de nos ressources en faveur des autres.
Prier ensemble.
Toute notre vie.

Notre foyer sera un havre de paix, de joie, de bien-être et de bonheur pour notre famille, nos amis et nos invités. Nous nous attacherons à créer un environnement sain, organisé et agréable, où il fera bon vivre. Nous choisirons avec discernement ce que nous mangerons, lirons, regarderons et ferons à la maison. Nous enseignerons à nos enfants l'amour, l'apprentissage, le rire et le travail, et aiderons chacun à développer ses talents.

Nous sommes une famille heureuse et nous aimons être ensemble.
Nous nous sentons tous en confiance et nous avons l'esprit de famille.
Nous nous soutenons mutuellement pour développer nos potentiels apparents et cachés.
Nous nous aimons sans condition et nous inspirons les uns des autres.
Nous avons la possibilité d'évoluer sans cesse sur les plans mental, physique, social, affectif et spirituel.
Nous découvrons tous les aspects de la vie et nous en discutons.

Nous respectons toutes les formes de vie et protégeons l'environnement.
Nous nous rendons mutuellement service et nous servons la société.
Nous aimons la pureté et l'ordre.
Nous pensons que la diversité des races et des cultures est une chance.
Nous sommes sensibles à la grâce de Dieu.
Nous espérons montrer l'importance et le poids de la famille.

Une charte n'est pas forcément un document long et formel. Elle peut se réduire à une phrase ou à un mot. Il peut même s'agir d'une image ou d'un symbole. Certaines familles ont écrit une chanson qui reflète ce qui compte le plus pour eux. D'autres ont exprimé leur vision dans un poème ou dans une œuvre d'art. D'autres encore ont rédigé leur charte en formant des phrases à partir de chaque lettre de leur nom. Je connais même une famille qui tire son sentiment de vision d'un bâton d'environ un mètre ! Ce bâton est droit sur une certaine distance, puis dévie subitement en formant des nœuds. Il rappelle aux membres de la famille que, « lorsque l'on ramasse une extrémité du bâton, on ramasse aussi l'autre ». Autrement dit, tous les choix que l'on fait ont des conséquences. Il faut donc les faire avec discernement.

Vous voyez, il est inutile de trouver de belles expressions. La seule chose qui compte, c'est que votre charte représente tous les membres de votre famille, qu'elle vous inspire et vous rassemble. Qu'il s'agisse d'un mot, d'une page ou de tout un document, de poésie ou de prose, d'une musique ou d'une œuvre d'art, si votre charte est l'expression commune des pensées et des sentiments de chacun d'entre vous, elle donnera inspiration, énergie et unité à votre famille. C'est tellement magique qu'il faut le vivre pour le croire.

Troisième étape : référez-vous à votre charte pour rester fidèle à vos choix

Une charte n'est pas un simple pense-bête. Elle doit littéralement être la Constitution de votre famille. Tout comme la Constitution française, la Constitution de votre famille sera un document fondateur, qui unira chacun de vous pendant les décennies – et même les générations – à venir.

Nous parlerons plus en détail de la façon dont une charte peut devenir une véritable Constitution lorsque nous aborderons l'Habitude n° 3. Mais, pour le moment, je me borne à mentionner cette troisième étape et à les résumer toutes les trois, en vous faisant part de la démarche du père d'une famille recomposée, structure familiale répandue aux Etats-Unis.

Il nous a fallu cinq semaines pour rédiger notre charte familiale. Le première semaine, nous avons réuni les quatre enfants et nous nous sommes expliqués : « Écoutez, si nous allons tous dans des directions différentes, si nous nous disputons sans cesse, nous allons avoir du mal à nous en sortir. » Nous avons essayé de leur montrer que tout irait bien mieux si nous partagions le même système de valeurs. Nous leur avons donc donné cinq fiches chacun et leur avons proposé d'écrire sur chaque fiche un mot décrivant notre famille.

Après avoir trié les fiches et éliminé celles qui étaient en double, nous avons obtenu un total de vingt-huit mots. La deuxième semaine, nous avons demandé aux enfants de définir ces mots, afin que nous puissions comprendre ce qu'ils voulaient vraiment dire. Par exemple, notre fille de huit ans avait écrit sur l'une de ses fiches : « Cool. » Elle voulait avoir une famille « cool ». Nous l'avons donc encouragée à nous expliquer ce qu'elle entendait par là. Tous les mots ont été ainsi définis et nous nous sommes bien compris.

La troisième semaine, nous avons affiché les mots sur un grand tableau et nous avons donné à chacun dix bulletins de vote. Les enfants avaient la possibilité d'utiliser jusqu'à trois bulletins de vote pour un seul mot s'ils le souhaitaient, mais ne disposaient que de dix bulletins au total. Après le vote, nous avons pu constater que, parmi tous les mots, dix étaient importants pour tout le monde.

La quatrième semaine, nous avons voté une nouvelle fois et nous sommes passés de dix à six mots. Puis nous nous sommes séparés en trois groupes. Chaque groupe a écrit une phrase ou deux à partir de deux des mots retenus, pour les définir. Enfin, nous nous sommes à nouveau rassemblés pour lire nos phrases aux autres.

La cinquième semaine, nous avons commenté les phrases. Nous les avons éclaircies, en veillant à ce qu'elles aient bien le sens que l'on avait voulu leur donner. Nous les avons rédigées de manière grammaticalement correcte. Et notre charte familiale est née!

La mission de notre famille :
Faire preuve de gentillesse, de respect, et s'entraider.
Être honnête et ouvert envers les autres.

Favoriser la spiritualité dans notre foyer.
S'aimer sans condition.
Être responsable pour avoir une vie heureuse, saine et épanouissante.
Faire de cette maison un endroit où l'on aime se retrouver.

Cette expérience a été très enrichissante, car tout le monde a été impliqué du début à la fin. Notre charte était composée des mots et des phrases de nos enfants.

Nous l'avons encadrée et accrochée au-dessus de la cheminée. Il restait encore une étape à franchir : « Maintenant, toute personne qui réussira à mémoriser cette charte aura la friandise de son choix. »

Chaque semaine, nous demandons à l'un des membres de notre famille de dire ce que ces mots ou ces phrases signifient pour lui. Cela ne prend que deux ou trois minutes, et notre charte est ainsi plus vivante. Nous nous fixons également des objectifs à partir de cette charte. Elle est véritablement au cœur de notre vie.

Le processus de création de notre charte nous a énormément apporté. Dans une famille classique, on a tendance à adopter un comportement déterminé. Mais dans une famille recomposée, on se retrouve avec deux opinions distinctes sur la façon d'élever les enfants. Notre charte nous a donné une véritable structure, des valeurs communes et une perspective collective.

Le fait de mettre les principes d'une charte par écrit, de les afficher et les visualiser ainsi en permanence a un grand impact psychologique. Ces activités conscientes transmettent rapidement des informations au subconscient. Celles-ci s'inscrivent dans votre esprit et dans votre cœur, ce qui vous aide à y rester fidèle.

Ces deux démarches permettent de cristalliser la pensée. Si tous les sens interviennent, cette cristallisation grave dans votre cerveau, comme un laser, les informations transmises par l'écriture et la visualisation. Ainsi, vous avez toujours votre mission à l'esprit et vous pouvez l'appliquer à vos activités quotidiennes.

L'IMPACT D'UNE CHARTE FAMILIALE

De nombreuses familles ont témoigné de l'impact qu'a eu leur charte sur leurs enfants, au fil des ans. Cet impact est d'autant plus important lorsque les enfants ont le sentiment que leur participation est la bienvenue et influence véritablement la voie suivie par la famille.

Une charte influe aussi profondément sur les parents. **Si vous vous impliquez vraiment dans le processus de création de votre charte, vous découvrirez que** vous serez moins effrayé par la paternité et par le devoir de prendre des décisions. **Vous ne serez pas tenté de lutter pour sauvegarder votre popularité auprès de vos enfants**. Vous ne vous sentirez pas visé personnellement par leur révolte et leur rejet, comme c'est le cas lorsque l'on dépend affectivement de leur reconnaissance. Vous ne ferez pas partie de ces parents qui s'appuient sur les faiblesses de leurs enfants pour se sentir reconnus et cherchent des alliés qui les rassurent en leur disant qu'ils ont bien raison et que ce sont leurs enfants qui « ne tournent pas rond ».

Lorsque vous avez une vision et des valeurs communes, vous pouvez être très exigeant. Vous pouvez avoir le courage de voir vos enfants comme des êtres responsables et de les laisser appréhender les conséquences de leurs actes. Vous devenez plus chaleureux et vous écoutez avec plus d'empathie, car vous respectez l'individualité de chacun de vos enfants et vous leur permettez d'être autonomes, de prendre eux-mêmes leurs décisions, dans les limites de leur expérience et de leur sagesse.

En outre, une charte crée des liens très étroits entre parents et enfants, et entre mari et femme. Ces liens n'existent pas lorsque l'on ne partage pas la même vision et les mêmes valeurs. C'est comme si l'on comparait un diamant à un morceau de graphite. Ils sont tous deux composés de la même matière, mais le diamant est la substance la plus dure qui soit, alors que le graphite s'effrite. Toute la différence réside dans la cohésion des atomes.

Un père a fait part de son expérience.

Il y a quelque temps, j'ai réfléchi à mon rôle de père et je me suis demandé ce que j'aimerais que mes enfants retiennent de moi. J'ai essayé d'avoir une vision de ce que je voulais être. Aussi, lorsque nous sommes partis en vacances, cet été, j'ai décidé d'appliquer ce principe de la vision à toute la famille. A cette occasion, nous avons établi une sorte de charte familiale. Nous l'avons appelée « l'équipe des Smith ». Elle représentait la perspective que nous voulions avoir dès notre départ en vacances.

Chacun s'est assigné un rôle qui allait contribuer à former l'équipe des Smith. Ma fille de six ans a choisi le rôle de meneur de jeu. Son objectif était de dissiper toute dispute au sein de la famille lors de notre trajet en voiture. Elle nous a plusieurs fois rappelés à l'ordre et, dès que surgissait un problème, elle s'exclamait : « Eh, les Smith! Vous êtes sur la mauvaise pente! Lorsque nous sommes ensemble, pas de disputes! » Que cela nous plaise ou non, nous devions tous nous calmer, et les sentiments négatifs s'estompaient d'eux-mêmes.

Nous portions tous le même tee-shirt. À un moment donné, nous nous sommes arrêtés à une station-service. D'abord, le pompiste ne nous prêtait pas grande attention. Mais lorsqu'il a levé les yeux sur nous, nous étions tous debout avec nos tee-shirts assortis et il s'est exclamé : « Vous avez l'air d'une vraie équipe! » Cela nous a confortés dans notre idée. Nous nous sommes regardés, très fiers. Nous sommes remontés dans la voiture et sommes repartis, vitres descendues, radio à plein tube. Nous étions une famille!

Environ trois mois après notre retour de vacances, nous avons appris que notre fils de trois ans était atteint d'une leucémie. Cette épreuve a constitué un véritable défi pour notre famille. Ce qui nous a frappés, c'est que, chaque fois que nous emmenions notre fils à l'hôpital pour ses séances de chimiothérapie, il nous demandait s'il pouvait mettre son tee-shirt. Peut-être était-ce un moyen pour lui de rester en contact avec l'équipe, de sentir son soutien et de se souvenir des moments que nous avions passés ensemble pendant les vacances.

Après sa sixième séance de chimiothérapie, il a souffert d'une grave infection et il a fallu le transférer au service des soins intensifs. Nous avons failli le perdre, mais il s'en est tiré. Pendant toute cette période, il n'a pratiquement pas quitté son tee-shirt, pourtant couvert de taches de vomissements, de sang et de larmes. Lorsqu'il a enfin été hors de danger, nous l'avons ramené à la maison. Ce jour-là, tous les membres de la famille portaient leur tee-shirt en son honneur. Nous avions tous le désir de retrouver le sentiment qui nous avait habités lors de la création de notre charte familiale.

Cette vision de l'équipe des Smith nous a aidés à faire face au plus grand défi que nous ayons jamais dû relever.

Voici encore un exemple, communiqué par une femme divorcée, mère de quatre enfants.

Il y a maintenant vingt ans, mon mari m'a quittée et m'a laissée seule avec quatre enfants, âgés de quatre, six, huit et dix ans. Au début, je me suis complètement laissée aller. J'étais anéantie. Pendant plusieurs jours, je suis restée au lit à pleurer à longueur de journée.

La douleur était trop forte. Et j'avais terriblement peur de ce qui nous attendait. Je ne savais pas comment m'en sortir. Parfois, je ne faisais que survivre d'une heure à l'autre. Et passer soixante minutes sans pleurer était déjà un exploit. C'était très dur pour les enfants, parce que leur père avait quitté la maison et, pendant un moment, ils ont pensé que leur maman était « partie » elle aussi.

Ce sont mes enfants qui m'ont finalement donné la force de m'en tirer. Je me suis rendu compte que, si je ne me reprenais pas en main, non seulement je tomberais au plus bas, mais j'entraînerais avec moi les quatre personnes auxquelles je tenais par-dessus tout. Mes enfants ont été ma seule vraie motivation, la raison pour laquelle j'ai fait mon choix, de manière consciente.

J'ai commencé à m'apercevoir que j'avais besoin d'une nouvelle perspective d'avenir. Nous n'étions plus une famille « traditionnelle ». Et puisque notre famille n'était plus la même – elle n'était plus ce qu'elle avait été et ce que nous pensions qu'elle serait toujours –, il fallait que je porte un nouveau regard sur elle.

Nous avons donc parlé ensemble de cette nouvelle structure familiale. Nous avons pris certaines décisions fondamentales. Tout irait bien si nous continuions à aller à l'église, à l'école. Il nous manquait quelque chose d'essentiel, cela ne fait aucun doute, mais nous n'avions pas tout perdu. Nous pouvions nous comporter de manière positive, malgré tout. Il nous restait nos valeurs, nos principes, et presque tout ce qui faisait notre bonheur dans la vie.

Il fallait que je parvienne à maîtriser mes sentiments concernant le père de mes enfants, afin de voir ce qu'il y avait de bon en lui et tolérer ce que je n'approuvais pas. Je ne voulais pas lui pardonner. Je ne voulais pas que les enfants sortent avec lui. Mais, au plus profond de moi, ma conscience me disait que ce genre d'attitude ne pourrait pas durer éternellement. Je savais que ma haine et ma colère me dévoreraient et détruiraient ma famille. Aussi, j'ai prié pour être courageuse. J'ai prié pour avoir la volonté de faire ce qu'il fallait faire car, si j'étais capable d'en avoir la volonté, *cela me coûterait moins.*

Cela n'a pas été facile. Parfois, j'en voulais tellement à cet homme que j'avais envie de le tuer – surtout quand son comportement continuait à nuire aux enfants. Mais, au fil des ans, j'ai réussi à dépasser ma colère et j'en suis arrivée à me sentir concernée par cet homme quasiment comme si c'était mon propre frère. J'ai commencé à le considérer non pas comme mon ex-mari ou le père de mes enfants, mais comme un homme qui avait fait de tragiques erreurs.

Quant aux enfants, ils ont tous traversé des crises avec leur père. Mais ils sont parvenus à renoncer au père qu'ils avaient toujours voulu et pensé avoir. Ils sont aujourd'hui capables de voir ses bons côtés et de tolérer ses défauts, pourtant si douloureux pour eux. Ils savent qu'ils doivent prendre leur père tel qu'il est, et non tel qu'ils auraient aimé qu'il soit, parce qu'il n'est pas comme ça, en tout cas pas pour le moment, et il ne le sera peut-être jamais.

Ce qui nous a le plus aidés, c'est d'avoir pu envisager l'avenir différemment. Nous nous sommes créé une nouvelle vision de ce qu'allait être notre famille.

Dans ces deux situations, c'est le sens d'une vision commune et des valeurs qui a permis à la famille de garder la tête hors de l'eau et de rester unie, même dans les moments les plus difficiles. C'est là tout le pouvoir d'une charte familiale. Celle-ci devient l'ADN de la vie de famille. Elle est semblable à la structure chromosomique de chaque cellule, qui représente le schéma de fonctionnement de l'ensemble du corps. Chaque cellule, grâce à l'ADN, est une sorte d'hologramme de tout le corps. En outre, l'ADN détermine non seulement la fonction de chaque cellule, mais aussi sa relation aux autres.

La création d'une vision commune établit des liens étroits, une unité, une cohésion et un but commun si motivant qu'il transcende les obstacles, les problèmes de la vie quotidienne et les mauvaises expériences passées et actuelles.

AIMER, C'EST S'ENGAGER

Comment une charte familiale peut-elle avoir autant d'influence? Voici la réponse d'une femme mariée de quarante-trois ans.

Je pense qu'une charte familiale est l'aspect pratique, concret et pragmatique de ce qu'est réellement l'amour. L'amour, c'est bien sûr les roses, les dîners aux chandelles et les balades romantiques. Mais c'est aussi prendre l'autre dans ses bras, lui tendre son peignoir, lui apporter le journal, faire le café ou donner ses graines au cochon d'Inde. Les détails comptent comme dans une symphonie.

La charte est un moyen de concrétiser cet engagement. Je crois que le processus d'élaboration est aussi important que le résultat, parce que c'est le fait de travailler ensemble pour créer cette vision et la concrétiser qui détermine, purifie et fait grandir l'amour.

Une femme, épouse et mère d'une famille recomposée, nous donne également son opinion.

Je pense que, lorsque l'on a une charte familiale, on a un ensemble de règles ou de principes qui nous lient et nous empêchent de nous défiler. Si j'avais eu une base comme celle-là lors de mon premier mariage, je me serais probablement conduite différemment. Mais il n'y avait ni vision commune ni engagement sur lesquels j'aurais pu m'appuyer pour trouver des raisons et des moyens de sauver ce mariage. Au contraire, je me suis dit : « J'ai eu ce que je voulais. Maintenant, c'est fini. Je n'ai plus qu'à partir. » Et voilà. Il n'y a jamais eu de véritable engagement en vertu d'une vision commune.

Mais tout est différent aujourd'hui. Par exemple, Bonnie n'est pas la fille de mon mari. C'est notre fille. Mon mari a sa paire de lunettes, ses cravates, mais Bonnie n'est pas un objet qu'on s'approprie. Elle est un membre de la famille que nous formons. Nous avons passé un accord : « Nous ne formons qu'un. Nous sommes tous égaux. Nous avons tous les mêmes droits dans cette famille. Que nous ayons toujours été là ou non n'a aucune importance. »

Chacun a sa propre personnalité et sa façon de faire, et il serait facile pour une famille comme la nôtre de se désagréger et de mal tourner. Mais ce sentiment d'une vision commune constitue un engagement qui nous a donné la force de rester unis, de nous conduire comme une véritable famille, d'être une famille.

Encore une fois, aimer est un verbe. C'est aussi un engagement. Une charte familiale explicite ce que signifie cet engagement.

Comme nous l'avons vu dans l'Habitude n° 1, les promesses les plus importantes sont celles que nous faisions aux membres de notre famille – notre serment de mariage et notre promesse implicite de subvenir aux besoins de nos enfants. **En rédigeant une charte familiale, vous montrez à vos enfants que vous leur êtes entièrement dévoué, que vous l'avez été depuis le jour de leur naissance ou de leur adoption**, que vos liens ne se sont jamais rompus, ne se rompront jamais et que rien ne pourra jamais les rompre. C'est une manière de leur dire : « Mon engagement ne dépend pas de votre comportement ou de votre engagement à mon égard. Il est absolu. Mon amour ne flétrira jamais. Vous serez toujours dans mon cœur. Je ne vous trahirai jamais. Je ne vous abandonnerai jamais. Je vous serai toujours fidèle, quoi que vous fassiez. Je veux que vous le sachiez, et je continuerai à vous le dire en paroles et en actes. Mon engagement est absolu et mon amour inconditionnel. »

Si vos enfants sentent que vous avez atteint ce niveau d'engagement – et si vous le leur communiquez régulièrement à travers vos paroles et vos actes –, ils désireront vivre dans certaines limites, en acceptant leur responsabilité. Mais si vous ne faites pas l'effort de prendre ces décisions que l'on exprime dans les chartes, vous risquez de céder aux pressions d'une société qui favorise avant tout des décisions faciles, c'est-à-dire contre la prise de responsabilité, l'interdépendance, le respect de la cohérence au sein de votre famille et des valeurs communes.

La création d'une charte familiale vous permet, à vous et à votre famille, d'analyser, d'éclaircir et de renouveler vos promesses – et de les avoir constamment sous les yeux, de sorte qu'elles soient gravées dans votre esprit et dans votre cœur, et influent chaque jour sur votre vie.

RENFORCEZ LES LIENS AU SEIN DE VOTRE FAMILLE ÉTENDUE

Comme vous avez pu le voir d'après les témoignages dont je vous ai fait part, les chartes familiales s'appliquent à toutes sortes de familles : les familles traditionnelles, monoparentales, recomposées, etc. Elles peuvent aussi donner un but aux familles mosaïques et intergénérationnelles, et renforcer les liens entre leurs membres. Voici le témoignage d'un homme marié et père de famille.

Alors que travaillais sur ma charte personnelle, je me suis demandé ce que je ressentais pour mon frère, mes sœurs et leurs enfants. Lorsque j'étais enfant, je me souviens d'avoir assisté à de cruelles bagarres entre mon père et ma mère. Parfois, mon père cassait tout dans la maison. Il jetait tout ce qu'il trouvait contre les murs. Ma mère a passé des nuits à pleurer près de la fenêtre. Tout cela m'a profondément marqué.

Je ne sais pas exactement quelle influence le passé a eue sur la vie de mes sœurs, mais elles se sont mariées avec des hommes soit très dominants soit très passifs. Il n'y a pas de juste milieu. Et les mariages de certaines d'entre elles ont échoué.

Aussi, lorsque j'ai réfléchi à ma charte, j'ai ressenti un grand sens de la responsabilité à l'égard de leurs enfants et un profond désir de leur donner un bon exemple. Chaque semaine, lorsque je revois ma charte, je pense très sérieusement à ce que je pourrais faire pour mes neveux et nièces.

Sa femme ajoute :

Mon mari est devenu une véritable personne de transition dans sa famille. Non seulement il a mis un terme à une tradition d'alcoolisme et de chantage affectif, mais il a apporté un excellent modèle d'éducation pour ses neveux et nièces. Il leur dit : « Bon, vous n'avez pas le niveau pour aller à l'université. Alors, comment comptez-vous arranger ça? »

Nous essayons d'inviter souvent nos neveux et nièces à la maison, et ils voient comment ça se passe dans notre famille. Nous ne regardons pas systématiquement la télévision tous les soirs. Nous attachons beaucoup d'importance à l'école. Nos enfants font de la musique et du sport. Ils voient que nous nous sommes fixé des objectifs à long terme, et cela les fait réfléchir.

La vision et les valeurs de cet homme lui ont permis de jouer un rôle positif et proactif au sein de sa famille étendue. Il est devenu un acteur du changement. Il a travaillé de l'intérieur vers l'extérieur. Vous rendez-vous compte du changement qu'il a apporté dans la vie de ses neveux et nièces?

Le bien que vous pouvez faire dans votre famille est infini lorsque vous avez une vision claire de votre destination, de votre rôle et de vos possibilités. Songez aux possibilités qu'ont les grands-parents, par exemple. Ils peuvent jouer un rôle actif et essentiel dans la tentative d'unir leurs enfants et leurs petits-enfants. Mon frère John et sa femme, Jane, étaient parents et grands-parents lorsqu'ils ont rédigé leur charte. Ils avaient des enfants mariés, vivant dans diverses régions du pays, et des enfants qui vivaient encore à la maison. Ils ont communiqué avec eux pendant dix-huit mois, de diverses façons, jusqu'à aboutir finalement à une simple phrase, qui reflète exactement la pensée et le sentiment de tous : « **Pas de chaise vide**. »

Ces quatre mots ont un sens profond pour eux. Ce sont des mots symboliques. Ils sont le fruit de profondes interactions et de longues discussions sur l'esprit d'amour inconditionnel et l'engagement des membres de la famille les uns envers les autres. « Nous nous entraiderons. Nous ne nous laisserons pas tomber. Nous prierons les uns pour les autres. Nous nous rendrons service. Nous nous pardonnerons. Nous ne garderons pas de rancune les uns envers les autres. Nous ne nous offenserons pas. »

Songez à l'impact d'un tel engagement au sein de la famille! Ces mots vont résonner dans le cœur des oncles, des tantes et des cousins, au fur et à mesure que la famille s'agrandira.

Mais il ne faut pas forcément être parents ou grands-parents pour amorcer le processus de création d'une charte familiale intergénérationnelle. Des frères et sœurs adultes peuvent aussi devenir des acteurs du changement.

Cet homme en témoigne.

Il y a quelque temps, mon père a téléphoné pour suggérer que toute la famille se réunisse pour des vacances. Mes parents vivaient en Virginie, l'une de mes sœurs et son mari étaient dans l'Ohio et mon autre sœur et mon frère étaient dans l'Utah. Nous étions donc plutôt éparpillés.

À cette époque, j'étais plongé dans les « 7 Habitudes » et je pensais que ce serait bien de rédiger une charte pour toute la famille. Avant de partir en vacances, j'ai donc écrit à tout le monde. J'ai expliqué ce qu'était une charte et j'ai ajouté quelques documents sur la façon dont on pouvait en rédiger une. Puis j'ai demandé à chacun d'arriver avec des idées et un premier jet.

Ce qui m'intéressait beaucoup dans l'établissement de cette charte, c'était de redéfinir nos relations. J'étais convaincu que nous avions collé des étiquettes sur le dos de tout le monde et que personne n'y correspondait plus. « Johnny? Il ne s'en fait pas. Il est vraiment gentil, mais on ne peut pas toujours compter sur lui. Jenny, elle se plaint constamment. Elle se lamente toujours à propos de ceci ou de cela. David se lamente aussi, mais il fait exactement ce qu'il déplore chez les autres. » Tous les membres de la famille y ont eu droit. Ces étiquettes nous convenaient peut-être lorsque nous avions douze ou treize ans, mais elles ne nous correspondent plus. Alors, lors de la première soirée que nous avons passée ensemble, nous en avons discuté.

Ce fut une soirée incroyable. Nous avons fait des photocopies de tous les brouillons de charte et nous nous les sommes réparties. Chacun a lu sa charte, pendant que les autres soulignaient les points qui leur plaisaient le plus. C'était stupéfiant de voir à quel point les approches étaient différentes. Mon frère avait écrit la sienne sous forme d'un très beau poème. Celle de mon père était composée d'un seul paragraphe. La mienne faisait trois pages. Chacune était unique.

À partir des douze brouillons, nous sommes parvenus à une devise familiale que nous avons fait imprimer sur des tee-shirts. Nous n'avions pas encore rédigé notre charte à ce moment-là, mais nous avions fait beaucoup de progrès.

L'impact du processus lui-même a été particulièrement étonnant. L'un des bénéfices les plus grands que nous en ayons tirés est apparu plus tard, lorsque l'hôtel magnifique et luxueux que maman avait choisi sur une brochure s'est révélé être un véritable « taudis ». Avant, nous aurions tous bouilli intérieurement. Mais l'expérience de la charte nous a permis de communiquer ouvertement et, en une demi-heure, nous avons sauvé nos vacances. Je suis sûr que la complicité que nous avions y a été pour quelque chose.

Après ce travail sur notre charte, certains de mes frère et sœurs ont fini par déménager pour se rapprocher de papa et maman. Nous avons décidé que la famille était plus importante que l'argent ou l'endroit où nous vivions. Nous nous sommes même aperçus que nous aimerions gérer une affaire en famille. Nous étions conscients de tous les problèmes que cela pouvait poser, mais nous avions le sentiment que cela nous permettrait de mieux nous connaître. Nous avons donc fait nos bagages et déménagé à des centaines de kilomètres pour être ensemble.

Avant cette expérience, on avait l'habitude de se dire : « Allez, à Noël prochain ! » Mais maintenant, nous voulons que nos enfants grandissent ensemble. Nous voulons qu'ils connaissent leurs grands-parents. Une nouvelle ère a commencé pour notre famille.

Cet homme, bien qu'il n'était pas le père de cette famille, a accepté le rôle de meneur proactif. Il a fait l'analyse de ses moyens de changer les choses, d'influencer les autres membres de sa famille de manière positive. Il a ainsi identifié son véritable Cercle d'influence et a favorisé une expérience qui a créé des liens et uni toute la famille. Vous rendez-vous compte du changement que cela va impliquer au sein de cette famille pour les années à venir ?

La vérité, c'est que tout vient de vous – de ce qui se passe dans votre esprit et dans votre cœur – et des choix proactifs que vous faites pour effectuer des changements dans votre famille.

Je n'oublierai jamais l'expérience que j'ai eue avec un groupe de parents de la côte Est des Etats-Unis. Ces parents, tous cadres supérieurs ou dirigeants, étaient venus, avec leurs enfants, alors adolescents, assister à l'un de mes séminaires sur la famille. L'objectif de ce séminaire était d'apprendre à élaborer une charte familiale.

Pendant la première moitié du séminaire, nous avons essentiellement parlé de la création des liens. J'ai expliqué comment s'écouter les uns les autres et s'exprimer d'une manière qui valorise les autres, au lieu de les rabaisser, les humilier ou les embarrasser.

Dès la seconde moitié du séminaire, j'ai commencé à aborder la création d'une charte familiale. Les participants avaient déjà beaucoup travaillé et lu sur le sujet avant de venir. Mais lorsque nous en sommes arrivés à la partie « questions-réponses », je me suis rendu compte qu'ils avaient beaucoup de mal.

Ils étaient intelligents. Ils étaient talentueux et très doués. Ils avaient accompli de grandes choses dans le cadre de leur profession. Mais ils avaient un problème derrière tout cela. Bien qu'ils m'aient affirmé le contraire, le couple et la famille n'étaient pas prioritaires dans leur vie, du moins pas pour la plupart d'entre eux. Ils donnaient depuis toujours la priorité à leur travail et la famille n'était qu'un détail de leur carrière. Pour la plupart, ils étaient venus au séminaire dans l'espoir d'apprendre quelques techniques rapides, qui leur permettraient de rétablir leurs relations familiales et de créer une grande culture familiale. Ainsi, ils pourraient rayer le mot « famille » de leur liste et se consacrer de nouveau à leur carrière.

J'ai essayé d'aborder les choses différemment. Je leur ai parlé de la manière la plus convaincante et la plus directe possible : « Si vous vouliez lancer un nouveau produit ayant un grand potentiel de vente et mettre sur pied un plan marketing pour l'ensemble du pays, qu'est-ce qui vous attirerait dans ce projet? Feriez-vous le nécessaire pour accomplir cette tâche? Si un concurrent empiétait sur votre territoire et vous privait d'une grande part de votre marché, seriez-vous prêt à tout mettre en œuvre pour remédier au plus tôt à cette situation? Si l'un de vos produits ou services recevait un accueil exceptionnel lors d'une commercialisation à titre expérimental et si vous aviez deux ans d'avance sur vos concurrents, cela vous inciterait-il à déployer tous vos talents et toute votre énergie? Comment vous organiseriez-vous pour tirer le meilleur profit de cette situation?

À une personne près, ils savaient tous ce qu'ils auraient à faire – s'ils ne le savaient pas, ils ne seraient pas longs à trouver une solution. Cela deviendrait une priorité pour eux et ils organiseraient leur vie de sorte à pouvoir obtenir le résultat désiré. Ils feraient des sacrifices. Ils mettraient de côté des projets de moindre importance. Ils feraient appel à d'autres personnes pour obtenir de l'aide. Ils en arriveraient à consacrer tous leurs talents, leurs compétences, leur expérience, leur savoir-faire, leur intelligence et leurs efforts à ce qui leur permettrait de mener à bien leur projet.

J'ai ensuite appliqué la même méthode en leur posant des questions sur leur couple et leur famille. Si cela avait été le cas auparavant, il n'y avait maintenant plus l'ombre d'un doute : le problème majeur et la source de tous les autres problèmes, c'était qu'ils n'avaient jamais vraiment songé à faire de la famille une priorité dans leur vie. J'ai été très clair sur ce point, à tel point qu'ils en étaient presque gênés.

Ces hommes et ces femmes se sont soudain dégrisés. Ils sont restés pensifs. Leur échec concernant leur famille les a fait réfléchir sur leur vie. Dès lors, ils se sont rendu compte que la famille n'était pas un détail. C'était, au contraire, un élément considérablement important. Ils ont compris que le succès, dans ce domaine, ne reposait pas sur une technique ou une formation rapide, mais était fondé sur des principes fondamentaux, qui gouvernent tous les aspects de la vie.

A ce moment-là, le séminaire a pris une tout autre dimension. Ces parents ont fait profiter leur couple et leurs familles de leurs talents et leur créativité. Ils ont commencé à chercher des principes fondamentaux et inébranlables, au lieu d'essayer de résoudre leurs problèmes grâce à des techniques et à des solutions provisoires. Ils ont entrepris de s'organiser en fonction de ce qui était vraiment important.

La prise de conscience d'un échec de leur vie de famille, au cours de cette expérience, a eu un écho au plus profond d'eux-mêmes. Tant qu'ils n'avaient pas été capables de définir leurs priorités, dans leur cœur, ils n'avaient pas pu travailler efficacement dans le domaine de la famille. Mais, quand leurs priorités ont été fixées, leur victoire intérieure a abouti à une victoire familiale.

Dans tous vos efforts pour améliorer votre vie de famille, notamment en ce qui concerne l'Habitude n° 2, le succès vient de l'intérieur. Vous découvrirez peut-être que la création d'une charte familiale nécessitera la rédaction préalable de votre propre charte personnelle, car c'est en vous que vous ferez les choix essentiels de votre vie. Comme il est dit dans la Bible, dans le livre des Proverbes : « Sois attentif à ton cœur, car c'est là que se trouvent les clés de la vie. »

Le sentiment d'une vision personnelle peut vraiment vous aider, vous et les membres de votre famille, à découvrir ce qui compte le plus pour vous et à vous y consacrer.

Un conseiller psychologique m'a fait part de l'effet bénéfique qu'avait eu la création d'une charte personnelle pour un garçon de neuf ans souffrant de graves troubles du comportement. Cet enfant pensait qu'il pouvait obtenir tout ce qu'il voulait en persécutant les autres. Il brutalisait les autres enfants dans la cour d'école et leur créait beaucoup de problèmes. Les parents d'élèves étaient naturellement excédés par son comportement.

Mais, au lieu de dicter à cet enfant une ligne de conduite, le conseiller lui a enseigné le principe de la proactivité. Il a sollicité ses dons. Il l'a aidé à établir une charte personnelle, résumant la façon dont il voulait vivre sa vie et ce qu'il voulait en faire. Ce sentiment d'avoir un objectif et cette vision de l'avenir sont devenus si importants dans la vie de ce garçon qu'il a complètement changé de cap. Il a pu s'observer avec du recul et appréhender les conséquences de son comportement sur les autres. En quelques mois, m'a affirmé le conseiller, il est devenu un « garçon modèle ».

Un père de famille m'a tenu les propos suivants.

Avant, j'étais plutôt brusque, rigide et un peu bourru. Mais lorsque j'ai rédigé ma charte, je me suis rendu compte qu'il fallait que j'adopte un ton plus calme et plus rassurant à la maison. Et ça a tout changé! Maintenant, j'essaie de parler d'une voix plus douce et je m'efforce de ne pas dominer la conversation.

Ma charte m'aide à garder à l'esprit cette perspective. On devient si facilement réactif quand on a des enfants en bas âge! On ne prend pas le temps de réfléchir aux conséquences que notre comportement pourra avoir sur eux.

Maintenant, lorsqu'il y a un problème, j'essaie de faire une pause et de réfléchir : ceci est-il vraiment important? Je ne suis ferme avec les enfants que lorsqu'il s'agit de quelque chose de décisif pour leur vie. Je me rends compte aujourd'hui que, lorsque je m'énerve pour une tasse de lait renversée ou pour un coup de crayon sur le mur, cela ne leur fait aucun bien.

Comme l'a si joliment dit Benjamin Franklin :

Chaque jour, chaque heure, chaque minute, nous sommes à la croisée des chemins. Nous choisissons les idées que nous nous permettons d'avoir, les sentiments que nous nous permettons de ressentir, les actes que nous nous permettons d'accomplir. Chacun de nos choix s'inscrit dans un système de valeurs que nous avons choisi pour gouverner notre vie. Le choix même de ce système de valeurs est véritablement le choix le plus important que nous ferons jamais[4].

---

4. Benjamin Franklin, « Franklin's Formula for Successful Living – Number Three », *The Art of Virtue* (Acorn Publications, 1986).

En résumé, vous pourriez bien découvrir que la création d'une charte familiale vous conduira à faire le travail intérieur dont vous avez besoin pour éclaircir votre vision et définir vos valeurs. Vous reviendrez à votre relation avec votre conjoint, car elle est la source de la famille. Si vous ne partagez pas une vision et des valeurs communes dans votre couple, il va être difficile d'en créer au sein de la famille. Vous serez peut-être amené à créer une « charte conjugale » pour être sûr que vous et votre conjoint êtes sur la même longueur d'ondes.

TROIS « MISES EN GARDE »

Lorsque vous élaborerez votre charte familiale, ne perdez pas de vue ces trois « mises en garde ».

1. Ne l'imposez pas. Il faudra du temps et de la patience pour que tous les membres de votre famille se sentent véritablement impliqués. Vous serez peut-être tenté d'écrire vous-même une charte, seul ou avec votre conjoint, et d'en faire part ensuite à vos enfants. *Ne cédez pas à cette tentation!* Si les membres de votre famille ne se sentent pas représentés par cette charte, ils ne l'accepteront pas. Comme l'affirme une mère de famille : « Chacun doit avoir le sentiment d'être l'un des auteurs de cette charte. Sans cela, **c'est comme si vous demandiez à quelqu'un : « Quand as-tu lavé une voiture de location pour la dernière fois? » Si ce n'est pas votre voiture, vous n'en prenez pas soin de la même façon**. » Aussi, prenez votre temps et veillez à ce que chacun se sente impliqué et lié par cette charte. Souvenez-vous : « Pas d'implication, pas d'engagement. » Seuls les enfants en bas âge échappent à cette règle. En ce qui les concerne, l'identification (le lien affectif) est plus importante que l'implication.

2. Ne vous précipitez pas. Si vous brusquez les membres de votre famille, ils vous laisseront faire à votre façon pour s'en débarrasser. Mais le résultat ne reflétera pas leurs sentiments, et ils en feront peu de cas. Encore une fois, le processus est aussi important que le résultat. Il faut une profonde implication de chacun, une écoute mutuelle et un travail commun pour que la charte représente les idées et les sentiments de tous.

3. Ne l'ignorez pas. N'oubliez pas que la création d'une charte familiale fait partie d'une *habitude* des familles heureuses. Ce n'est pas un *événement*. La rédaction d'une charte n'est qu'un début. Vous ne récolterez les fruits de votre semence que lorsque que vous appliquerez quotidiennement votre mission à votre vie de famille. Pour y parvenir, vous devrez l'avoir constamment à l'esprit, y réfléchir et la considérer comme la véritable Constitution de votre famille. Vous pouvez l'imprimer, en donner un exemplaire à chacun, en mettre un dans votre portefeuille, l'encadrer, l'accrocher au mur… Je connais une famille qui l'a fait graver sur une plaque, aujourd'hui fixée près de la porte d'entrée. Elle se résume en une phrase : « Dans cette maison vibrent les sons de l'amour et du dévouement. » Cette plaque rappelle à tous les membres de la famille, lors de leurs allées et venues, le genre de famille qu'ils ont décidé d'être.

SOUVENEZ-VOUS DU BAMBOU CHINOIS

Gardez à l'esprit l'image du bambou chinois. Un père de famille a témoigné des conséquences éblouissantes de la réalisation d'une charte et de l'application des « 7 Habitudes » sur sa vie et celle de sa femme lors d'une épreuve particulièrement difficile avec leur fille.

Il y a environ cinq ans, notre fille, enfant intelligente et douée pour la musique, est entrée en sixième. Elle a commencé a traîner avec des gamins qui avaient plusieurs années de retard et prenaient de la drogue. À ce moment-là, nous avons essayé de l'inciter à s'investir dans une charte familiale, mais sans succès.

Pour essayer de l'aider, nous l'avons retirée de l'école publique et nous l'avons inscrite dans une école privée. Nous lui avons interdit de revoir ses camarades. Nous avons même déménagé dans un autre quartier de la ville. Mais, malgré nos efforts quotidiens, ceux de ses professeurs et notre tentative de lui montrer qu'elle était responsable de son comportement, ses résultats scolaires ont continué à se détériorer. Elle a commencé à téléphoner à ses anciens amis et à les revoir de temps en temps. Elle est devenue très irrespectueuse envers sa mère. Nous avons tout essayé pour qu'elle change de comportement. Mais ni les attentions ni les privations n'ont eu d'effet. Nous avons fini par l'envoyer dans une autre ville, au sein d'un groupe d'enfants encadré par l'Eglise locale.

Pendant ce temps, ma femme et moi avons rédigé notre charte conjugale. Nous avons passé environ une heure par jour à nous écouter et avons pris notre charte personnelle très au sérieux. Nous avons décidé de rester fidèles au principe du choix et aux valeurs essentielles selon lesquelles nous voulions vivre, quoi qu'il arrive avec notre fille.

Lorsqu'elle a refusé d'aller dans un lycée privé, nous avons déménagé dans le New Jersey, où nous avions de la famille. Nous avons quitté une banlieue triste pour quelques hectares à la campagne, dans un quartier aisé, où les écoles publiques étaient excellentes et les problèmes de drogue très rares. Sous la pression de gens qui nous disaient que nous n'en faisions pas assez, nous avons essayé plusieurs formes d'« amour exigeant », sans succès. Notre fille a commencé à se renfermer sur elle-même et a menacé de s'enfuir et de se suicider.

Le directeur de son lycée nous a recommandé de la placer dans un groupe pris en charge par le conseiller psychologique de l'établissement. Elle y a immédiatement rencontré des jeunes qui buvaient, fumaient du haschisch et avaient ensemble des relations sexuelles. Elle est devenue destructrice par moments, et ma femme avait peur d'elle. Nous lui avons fait suivre une thérapie mais, encore une fois, sans succès.

Au lycée, tout s'est détérioré. Elle a refusé de continuer sa thérapie et s'est fait renvoyer du groupe de conseil psychologique. Elle a commencé à vivre hors de la maison avec des garçons. Ma femme et moi ne savions plus où donner de la tête. Nous ne voulions pas qu'elle s'enfuie, ni lui mettre la police aux trousses. Nous ne savions plus quoi faire.

A ce moment-là, nous avons décidé d'être fidèles à nos principes, au lieu d'écouter les innombrables conseils des autres. Nous avons poursuivi nos discussions quotidiennes et, malgré mes nombreux déplacements, nous n'en avons jamais manqué une seule. Nous avons commencé à séparer nos problèmes de ceux de notre fille, et il nous a semblé que notre attitude avait plus d'impact qu'il n'y paraissait.

Nous nous sommes efforcés de travailler de l'intérieur vers l'extérieur. Nous avons mis un point d'honneur à être dignes de confiance. Quel que soit le comportement de notre fille, nous ne l'avons jamais pris comme excuse pour manquer à notre parole. Nous avons toujours essayé d'établir une relation de confiance avec elle. Nous lui avons témoigné notre amour inconditionnel, tout en étant clairs sur le genre de comportement qui allait à l'encontre de nos valeurs et sur les conséquences qui en découleraient.

Nous avons veillé rester concentrés sur notre Cercle d'influence, quelle que soit la situation. Si elle s'enfuyait, nous n'essaierions pas de la retrouver, mais nous irions la chercher lorsqu'elle nous le demanderait. Nous lui exprimerions notre amour et notre intérêt, nous l'écoute-

rions pour la comprendre, mais nous ne changerions pas nos projets ni notre vie, et nous ne cacherions pas son comportement à notre famille. Nous ne lui ferions pas confiance aveuglément. Nous lui avons expliqué qu'elle devait, tout comme nous, gagner la confiance d'autrui.

Nous l'avons considérée comme une personne proactive. Nous avons mis en valeur ses talents et nous lui avons permis de prendre des initiatives, dans la mesure de la confiance que nous pouvions lui faire.

Nous avons élaboré une charte familiale, bien qu'elle n'y ait pas participé. Nous y avons inclus uniquement des choses auxquelles nous savions qu'elle croyait elle aussi. Nous avons toujours été attentifs à nos systèmes, formels et informels, de récompense, de prise de décision et d'échange de l'information. À sa demande, nous l'avons inscrite dans un centre d'apprentissage alternatif, où nous lui rendions visite chaque semaine, pour discuter en compagnie d'un conseiller.

L'année suivante, elle a commencé à répondre un peu plus à nos efforts. Mais elle a continué à consommer du haschisch et du LSD avec ses amis. Elle a commencé à respecter notre interdiction de se droguer ou de fumer à la maison. Elle ne changeait rien à l'école mais, à la maison, la vie de famille s'améliorait considérablement.

Au cours de l'année suivante, nos relations sont devenues beaucoup plus fortes. Nous avons atteint un niveau de compréhension plus profond et nous avons commencé à prendre des dîners ensemble. Ses « amis » sont venus traîner à la maison et nous étions toujours présents lorsqu'ils étaient là. La drogue continuait à faire partie de notre vie, bien que nous exprimions toujours notre désapprobation. Nous savions très bien qu'elle continuait à en prendre.

Puis elle est tombée enceinte. Nous avons accepté sa décision, bien que nous ne l'approuvions pas, de se faire avorter. Nous avons continué à mettre en valeur son potentiel et à lui témoigner notre amour inconditionnel. Nous étions toujours là pour elle quand elle avait besoin de nous – ce qui était loin d'être le cas de ses « amis ».

À l'âge de seize ans, elle a eu une mauvaise expérience avec la drogue et a immédiatement téléphoné à sa mère, qui l'a emmenée à l'hôpital. Elle a soudain arrêté drogue et alcool, et ses résultats scolaires se sont améliorés.

Un an plus tard, nos relations à la maison ont surpassé nos espoirs les plus fous. Elle a essayé de démontrer qu'elle était responsable. Elle est retournée au lycée et a eu de très bonnes notes, pour la première fois depuis l'école primaire. Elle a pris un travail à mi-temps et a commencé à être indépendante financièrement. Elle a demandé si elle pouvait vivre à la maison pendant encore deux ans pour faire son premier cycle universitaire et obtenir son diplôme pour continuer ses études.

Ma femme et moi savons que rien n'est acquis avec notre fille, mais nous avons le sentiment que, en ayant vécu fidèlement à nos principes, nous avons considérablement augmenté ses chances de s'en sortir. Les « 7 Habitudes » nous ont donné un fil conducteur pour chercher des principes correspondant à notre situation et la certitude que, quelle qu'en soit l'issue, nous pouvions trouver la sérénité et vivre en accord avec nous-mêmes. Ce qui nous a le plus étonnés, c'est que nous avons tous deux évolué et changé personnellement autant que notre fille, si ce n'est plus.

Élever des enfants et établir des relations au sein de notre famille, cela prend du temps. Parfois, les forces qui nous éloignent de notre chemin sont très puissantes – y compris au sein de la famille.

Certains parents, notamment dans les familles recomposées, m'ont dit que leurs efforts pour créer une charte familiale se sont heurtés à beaucoup de résistance de la part de leurs enfants adolescents : « Nous n'avons pas choisi cette famille. Ce n'était pas notre idée. Pourquoi devrions-nous coopérer? »

À ces parents – et à tous ceux qui se heurtent à une résistance –, je voudrais dire ceci : l'un de vos plus grands atouts sera d'avoir une charte personnelle et une charte conjugale clairement définies. Ces adolescents se sentent peut-être mal à l'aise dans leur propre vie et en famille. Ils se sentent peut-être perdus, et vous avez la possibilité d'être pour eux leur unique repère. Pour cela, il faut que vous ayez une vision claire de votre direction et que vous viviez selon vos principes. Si vous y êtes fidèle, vos enfants se rendront progressivement compte de cette cohérence. Vous verrez aussi à quel point cela vous aidera d'agir selon des principes au milieu de la tempête.

N'abandonnez jamais votre projet de créer une charte familiale. Faites ce que vous pouvez en famille. Faites ce que vous pouvez avec chacun de vos enfants réfractaires, en tête à tête. Aimez-les sans condition. Ne cessez pas de faire des dépôts sur leurs Comptes émotionnels. Continuez à travailler avec vos autres enfants. Vous devrez peut-être commencer par rédiger une charte provisoire, qui reflétera les idées et les sentiments de ceux qui y auront participé, et continuer à essayer d'atteindre les autres dans un amour inconditionnel.

Avec le temps, le cœur de ces enfants réfractaires s'adoucira. Cela peut vous paraître difficile à imaginer pour le moment, mais je l'ai souvent vu arriver. Au fur et à mesure que votre vision s'éclaircira, que vous agirez en fonction de principes, avec un amour inconditionnel, vos enfants auront de plus en plus confiance en cette démarche et en cet amour.

Presque toujours, votre destination et votre boussole intérieure vous donneront la force de vous en tirer – tant que la patience et la foi en vos actes vous aideront à être fidèle à vous-même et à garder le cap.

Application entre adultes et adolescents

Toute chose est créée deux fois

- Commentez les phrases suivantes, page 98 : « Toute chose est créée deux fois. Si vous ne faites pas vous-même la création mentale initiale, quelqu'un ou quelque chose d'autre s'en chargera. » Demandez aux membres de votre famille comment nous nous chargeons de la première création.
- Commentez les exemples de première et de seconde création (faire un plan avant de construire une maison, établir un plan de vol avant de faire décoller un avion). Quelles sont les créations mentales que l'on doit faire dans la vie de tous les jours, au bureau, à l'école, à la maison, en sport, en jardinage, en cuisine?

Le pouvoir de la vision

- Revoyez la métaphore de l'avion. Expliquez ce que représentent une destination claire et une boussole.
- Discutez de l'importance d'avoir une vision et un objectif clairs en vous basant sur le récit « Notre charte familiale ». Posez-vous la question suivante avec votre conjoint : Quelles aptitudes voulons-nous développer chez nos enfants pour qu'ils soient heureux dans leur vie d'adulte?
- Identifiez l'intérêt que l'on peut avoir à développer une vision. Les avantages que l'on en retire sont, par exemple : un sentiment accru du but et du sens de sa propre vie, un regard tourné vers l'espoir et les possibilités futures, et non vers les problèmes.

La création de votre propre charte familiale

- Commentez et appliquez la méthode en trois étapes décrite aux pages 106 à 124.

- Commentez les conseils suggérés et les mises en garde.
- Identifiez les quatre dons propres à l'homme. Voyez ensemble en quoi l'établissement d'une charte familiale développe ces dons.

Application avec les enfants

L'importance de la planification

- Posez la question suivante : Si nous partions en voyage demain, qu'emmèneriez-vous dans vos bagages? Ne précisez pas l'endroit où vous partez ni la durée de votre voyage. Lorsque tout le monde aura fini de faire ses bagages ou de faire une liste des choses à emmener, annoncez que la destination que vous avez choisie est le pôle Nord et que vous avez l'intention de passer un mois dans un igloo. Tout le monde s'est-il bien préparé pour ce voyage?
- Posez cette question : Est-il judicieux de faire une robe sans patron ou sans savoir pour qui elle est, de cuisiner sans recette ou sans savoir ce que l'on veut faire à manger, de construire une maison sans en avoir fait le plan? Aidez les enfants à comprendre que la famille a elle aussi besoin d'un plan.
- Demandez aux enfants ce qu'ils aimeraient voir arriver dans leur avenir. Aidez-les à transposer leur vision en mots et en images, que vous pourrez accrocher au mur de leur chambre. Les idées qu'ils exprimeront pourraient vous être très utiles pour élaborer votre charte familiale.

À la découverte des aspirations de chaque enfant

- Prévoyez un moment où chaque membre de la famille pourra faire part d'une aptitude qu'il a remarquée chez l'un des enfants. Prenez des notes en vue de l'élaboration de votre charte familiale. Procédez ainsi pour tous les enfants.
- Encouragez les enfants à prendre part à l'élaboration de votre charte familiale. Distribuez-leur des fiches et demandez-leur d'écrire ou de dessiner ce qui les rend heureux dans leur vie de famille, les activités qu'ils aiment faire en famille ou ce qu'ils ont vu dans d'autres familles et aimeraient faire chez eux. Conservez précieusement ces fiches pour votre charte.

- Allez dehors par une belle nuit claire. Observez les étoiles et parlez de l'univers. Ou bien localisez l'endroit où vous vivez sur une carte du monde et discutez de la taille du monde. Parlez de ce que signifie notre appartenance à l'humanité. Voyez ensemble les différentes façons dont chaque personne et chaque famille peut apporter quelque chose à l'humanité. Demandez aux membres de votre famille ce qu'ils pensent pouvoir faire pour le monde. Écrivez leurs idées et conservez-les pour l'élaboration de votre charte.
- Faites un drapeau, choisissez une devise ou écrivez une chanson représentant votre famille.

Habitude n° 3

Donnez la priorité aux priorités

Au cours de ce chapitre, je vais vous proposer deux pratiques qui vous aideront à donner la priorité à votre famille et à transformer votre charte familiale en une véritable Constitution.

La première est ce que j'appelle le « rendez-vous familial » hebdomadaire. La seconde consiste à se réserver des moments en tête à tête avec chaque membre de la famille. Si vous adoptez ces pratiques, vous serez inévitablement amené à donner la priorité aux priorités, et notamment à la famille.

LORSQUE LES PRIORITÉS PASSENT AU SECOND PLAN

Il n'y a rien de plus désagréable que de se rendre compte que nos priorités – y compris la famille – sont reléguées au second plan, voire encore plus loin. Et c'est encore pire lorsqu'arrive le moment d'en payer les frais.

Je me souviens encore du sentiment douloureux que j'ai ressenti, une nuit, en me couchant dans un hôtel de Chicago. Ce jour-là, pendant que j'avais donné une conférence, Colleen, ma fille de quatorze ans, avait participé à la répétition générale d'une pièce dans laquelle elle jouait. C'était *West Side Story*. Elle n'avait pas été sélectionnée pour jouer le rôle principal. Je savais qu'on ne la verrait pas beaucoup sur scène.

Mais ce soir, elle allait être une des stars de la pièce. Je lui avais téléphoné pour lui dire que je pensais à elle mais, au fond de moi, je regrettais de ne pas être auprès d'elle. De plus, bien que ce ne soit pas toujours le cas, ce jour-là j'aurais pu m'arranger pour être là. Mais, je ne sais trop comment, la pièce de Colleen avait été noyée sous le travail et autres exigences du moment. Je ne l'avais pas inscrite sur mon agenda. Résultat : je me retrouvais seul à plus de mille kilomètres, pendant que ma fille jouait et chantait de tout son cœur devant un public qui ne comptait pas son père.

Ce soir-là, j'ai appris deux choses. Tout d'abord, que notre enfant ait le rôle principal ou non ne rentre absolument pas en ligne de compte. Ce qui importe, c'est d'être là pour cet enfant. J'avais assisté à plusieurs pièces dans lesquelles Colleen avait un petit rôle. Je l'avais encouragée et applaudie. Je sais qu'elle avait été contente que je sois là.

Puis, j'ai appris que, si l'on veut vraiment donner la priorité à sa famille, il suffit d'organiser son emploi du temps et de s'y tenir. C'est bien beau de dire que la famille est importante. Mais si c'est elle qui a la priorité dans votre vie, il faut la lui donner concrètement.

Un soir, après le journal télévisé, j'ai vu une publicité qui a attiré mon attention : on y voit une petite fille qui s'approche du bureau de son père. Celui-ci a l'air tracassé, il a des papiers tout autour de lui et remplit avec soin son agenda. La fillette est debout près de lui, mais il ne la remarque pas jusqu'à ce qu'elle dise : « Papa, qu'est-ce que tu fais ? »

Sans même lever les yeux, il répond : « Oh, rien, chérie. Je prépare juste mon agenda. Tu vois, je note sur ces pages les noms de toutes les personnes que je dois voir, à qui je dois parler, et toutes les choses importantes que je dois faire. »

Hésitante, la petite fille demande finalement : « Est-ce que je suis dans ce livre, papa ? »

Comme l'a dit Goethe, « **Ce qui compte le plus ne doit jamais être à la merci de ce qui compte le moins**. » On ne peut pas être heureux en famille si on ne lui donne pas la priorité dans notre vie.

C'est là l'objet de l'Habitude n° 3. Dans un certain sens, l'Habitude n° 2 nous montre quelles sont les priorités. L'Habitude n° 3, quant à elle, concerne notre discipline et notre engagement à vivre en fonction de ces priorités. Elle met à l'épreuve cet engagement et notre intégrité – que notre vie se fonde ou non sur des principes.

POURQUOI NE DONNONS-NOUS PAS LA PRIORITÉ AUX PRIORITÉS ?

Pour la plupart des gens, la famille est la première des priorités. Certains la placeraient même avant leur propre santé, si besoin était. Ils iraient jusqu'à mourir pour leur famille. Mais lorsqu'on observe leur style de vie, les domaines auxquels ils consacrent le plus de temps et le plus d'attention, on constate presque toujours que la famille est subordonnée à d'autres valeurs – le travail, les amis, les activités personnelles.

Dans nos études, réalisées sur environ un quart de million de personnes, dans le cadre du Covey Leadership Center, l'Habitude n° 3 est celle qui semble le plus faire défaut. La plupart ont le sentiment qu'il y a un véritable fossé entre ce qui compte le plus pour eux – y compris la famille – et la façon dont ils vivent au quotidien.

Comment expliquer cela ? Pourquoi ce décalage ?

Après l'un de mes séminaires, je suis allé rendre visite à un homme, qui s'est confié à moi : « Stephen, je ne sais pas si je suis vraiment satisfait de ce que j'ai fait de ma vie. Je ne sais pas si ça valait la peine de faire autant d'efforts pour en arriver là. On va peut-être me proposer la présidence de la société, et je ne sais même pas si j'en ai envie. J'ai la cinquantaine et je pourrais être président pendant plusieurs années, mais ça me prendrait tout mon temps. Je sais ce que ça implique. Ce que je regrette le plus, c'est de ne pas avoir profité de mes enfants lorsqu'ils étaient petits. Je n'étais pas là pour eux et, même quand j'étais à la maison, je n'étais pas vraiment « présent ». Mon esprit et mon cœur étaient tournés vers d'autres choses. J'essayais de remplacer la quantité par la qualité, mais je ne faisais que désorienter mes enfants et compliquer les choses. J'ai même essayé de les acheter en leur donnant des choses matérielles ou en leur faisant vivre des expériences hors du commun, mais nous n'avons tout simplement jamais été véritablement liés. Mes enfants sont aussi tout à fait conscients de ce manque. C'est exactement ce que tu disais tout à l'heure, Stephen : je suis monté tout en haut de l'échelle de la réussite et, lorsque j'ai atteint le dernier barreau, je me suis rendu compte que j'avais posé l'échelle contre le mauvais mur. Nous n'avons pas cette culture familiale épanouissante dont tu as parlé. Pourtant, je sens que la seule véritable richesse ne réside pas dans l'argent, ni dans le statut social, mais dans les relations familiales. »

Soudain, il a ouvert sa serviette : « Je vais te montrer quelque chose, a-t-il dit en sortant une grande feuille de papier. Voilà ce qui me passionne vraiment ! » Puis il déplia la feuille devant nous. C'était le plan d'une maison qu'il faisait construire. Il l'appelait la « maison trigénérationnelle ». Ce devait être un endroit où enfants et petits-enfants pourraient venir et se retrouver pour se détendre. Elle se trouvait en Georgie, tout près de la plage. Tout en me commentant le plan, il m'avoua : « Ce qui m'enthousiasme le plus, c'est que ce projet passionne également mes enfants. Ils ont eux aussi le sentiment de ne pas avoir profité de leur enfance avec moi. Quelque chose leur a manqué et ils veulent combler ce manque. Ils en ont besoin. Cette maison trigénérationnelle représente pour nous un projet commun, sur lequel nous travaillons ensemble, en pensant à la dernière génération. Dans un certain sens, je me rapproche de mes enfants grâce à mes petits-enfants, et ils en sont très contents. Ils apprécient mon désir de m'impliquer dans la vie de leurs enfants. »

Tout en rangeant son plan dans sa serviette, il a ajouté : « C'est tellement important pour moi, Stephen ! Si la présidence de la société m'oblige à déménager ou ne me permet pas de m'investir réellement dans ma vie de famille, je la refuserai. »

Pendant de nombreuses années, la famille n'avait pas été la priorité dans la vie de cet homme. Il a perdu, ainsi que son épouse et ses enfants, de nombreuses années de bonheur en famille à cause de cela. Mais, à ce moment précis de sa vie, il s'est rendu compte de l'importance de la famille. Elle est devenue si importante dans sa vie qu'elle a même éclipsé la présidence d'une grande firme internationale – le dernier barreau de l'échelle de la « réussite ».

Mais soyons clairs : donner la priorité à la famille n'implique pas nécessairement acheter une nouvelle maison ou abandonner son travail. Cela signifie simplement « suivre son chemin » – faire en sorte que notre vie soit le reflet de la valeur que nous accordons à la famille.

Sous la pression du travail et de leur carrière, de nombreuses personnes passent à côté de leur vraie priorité. Mais réfléchissez un instant : votre rôle professionnel n'est que temporaire. Lorsque vous serez à la retraite, quelqu'un vous remplacera. L'entreprise continuera à vivre sans vous. Et votre vie changera radicalement quand vous quitterez cette culture professionnelle et perdrez la reconnaissance immédiate que vous aviez dans le cadre de votre travail.

En revanche, votre rôle au sein de votre famille n'a pas de fin. Vous ne serez jamais remplacé. Votre influence et le besoin de bénéficier de votre influence dureront toujours. Même quand vous ne serez plus là, vos enfants, vos petits-enfants et vos arrière-petits-enfants vous verront toujours de la même façon. La famille donne naissance à l'un des quelques rôles permanents de notre vie, peut-être notre seul véritable rôle permanent.

Ainsi, si vous construisez votre vie autour d'un rôle temporaire et négligez votre seul rôle permanent, vous vous privez de la vraie richesse de la vie : la satisfaction profonde et durable que l'on ne connaît qu'en famille.

À la fin de notre vie, nous voyons l'importance de la famille. Des recherches menées auprès de personnes mourantes ont montré que le plus grand regret que l'on a, à la dernière heure, concerne les choses que l'on a manquées au sein de notre famille. Parallèlement, une étude réalisée auprès de personnes âgées a prouvé que, dans de nombreux cas, les problèmes non résolus – notamment avec les membres de la famille – semblent inciter les gens à s'accrocher à la vie jusqu'à ce que les conflits se règlent – on reconnaît, on demande pardon, on pardonne – et apportent paix et soulagement.

Alors, pourquoi ne sommes-nous pas conscients de la priorité que constitue la famille dès que nous sommes attirés par quelqu'un, dès que nous nous marions et dès que nous avons des enfants? Pourquoi ne savons-nous pas nous en souvenir lorsque surgissent d'inévitables problèmes?

Pour la plupart d'entre nous, la vie se résume à ce qu'a dit Rabindranath Tagore : « Je n'ai pas chanté la chanson que j'étais venu chanter. J'ai passé ma vie à tendre et à détendre les cordes de mon instrument [1]. » Nous sommes occupés – tellement occupés que nous ne faisons jamais vibrer les cordes de notre vie.

LA FAMILLE : DÉTAIL OU PRIORITÉ ?

Le première raison pour laquelle nous ne donnons pas la priorité à la famille remonte à l'Habitude n° 2. Nous ne sommes pas à l'écoute de nos véritables priorités. Souvenez-vous de ces hommes

1. Rabindranath Tagore, (*L'Offrande lyrique*, Gallimard, 1971).

et femmes d'affaires qui avaient des difficultés à établir leur charte familiale. Ils ont été incapables de réussir leur vie de famille jusqu'à ce qu'ils lui donnent réellement la priorité, au plus profond d'eux-mêmes, c'est-à-dire jusqu'à ce qu'ils fassent la démarche de l'intérieur vers l'extérieur.

De nombreuses personnes pensent que la famille devrait être leur priorité et veulent la placer avant le reste. Mais elles n'y parviennent pas car elles ne font pas l'effort de vivre en fonction de cette priorité. Elles ne s'engagent pas et restent soumises aux forces qui interviennent dans leur vie quotidienne. Elles sont attirées, entraînées et détournées par d'autres choses.

En avril 1997, le *US News & World Report* a publié un article très mordant intitulé « Pourquoi travaillons-nous ? Les mensonges que les parents se racontent. » Cet article a incité certains parents à faire un véritable travail d'introspection autour de cette question. Les auteurs, Shannon Brownley et Matthew Miller, estiment que rien, ou presque, n'est aussi important – et engendre autant d'aveuglement et de mauvaise foi – que la recherche d'un équilibre entre la famille et le travail. Ils énoncent cinq mensonges que les parents se racontent pour *rationaliser* leur préférence pour le travail (créer des mensonges rationnels). Ces mensonges sont les suivants :

Mensonge n° 1 : Nous avons besoin d'argent. (Or des études montrent que les personnes les plus fortunées déclarent travailler pour subsister, tout comme celles qui sont proches du seuil de pauvreté.)

Mensonge n° 2 : Les garderies sont tout à fait satisfaisantes. (D'après des études récentes, réalisées par des chercheurs issus de quatre universités différentes, 15 % des garderies américaines sont excellentes, 70 % sont tout juste acceptables et 15 % sont catastrophiques. Les enfants placés dans cette vaste catégorie intermédiaire sont physiquement en bonne santé, mais souffrent d'un manque affectif et reçoivent une stimulation intellectuelle pauvre.)

Mensonge n° 3 : Le véritable problème est lié à la rigidité des entreprises. (En réalité, les politiques favorisant la vie de famille sont habituellement ignorées. De nombreuses personnes souhaitent passer plus de temps au bureau. Le foyer est devenu un endroit géré avec efficacité mais sans joie. En revanche, au bureau, on travaille en équipe et les collègues s'apparentent plus à une famille.)

Mensonge n° 4 : Les pères resteraient volontiers à la maison si leur femme travaillait. (En fait, peu d'hommes ont envisagé sérieusement cette éventualité. La plupart des hommes – et des femmes – définissent la virilité non pas en termes de prouesses athlétiques ou sexuelles, mais comme la capacité à entretenir une famille.)

Mensonge n° 5 : L'importance de la fiscalité nous oblige à travailler tous les deux. (Malgré de récentes incitations fiscales, aux Etats-Unis, des femmes bénéficiant d'une situation aisée sont entrées sur le marché du travail. En France, l'accroissement du travail féminin est une donnée majeure des trente dernières années. Entre 1960 et 1990, le nombre de femmes actives a augmenté de 4,3 millions contre 900 000 pour les hommes. Le taux d'activité des femmes est aujourd'hui de 47,6 % contre 39 % en 1970. Attention toutefois : au début du siècle, les femmes actives étaient proportionnellement aussi nombreuses... Le modèle dominant est le couple biactif [cas de 65 % des couples, y compris ceux dont l'un est à temps partiel ou au chômage] [2].)

On devient vite prisonnier du travail et d'un certain niveau de vie. Les parents construisent leur vie en partant du principe qu'ils doivent travailler tous les deux à plein temps. Puis ils finissent par croire à leurs propres mensonges. Ils violent leur conscience, et ils sont persuadés qu'ils n'ont pas le choix.

Mais **il ne faut pas partir du principe que le travail est incontournable. C'est la *famille* qui est incontournable. Ce changement d'état d'esprit est la porte ouverte à toutes les possibilités.**

Mary Pipher, psychologue, nous fait part, dans son best-seller *The Shelter of Each Other* (Le Refuge mutuel), de l'histoire d'un couple prisonnier de son mode de vie [3]. Le mari et la femme travaillaient tous deux énormément pour joindre les deux bouts. Ils avaient l'impression de n'avoir pas le temps de se consacrer à leurs centres d'intérêts personnels, ni à leurs jumeaux de trois ans. Ils étaient angoissés, car c'était le personnel de la garderie qui avait vu les premiers pas de leurs fils et entendu leurs premiers mots. Aujourd'hui, on leur rapportait en outre des problèmes de comportement. Ils n'étaient plus amoureux l'un de l'autre, et la femme souffrait de son désir inassouvi d'aider sa mère malade du cancer. Ils étaient enfermés dans ce qui leur semblait être une situation sans issue.

Grâce à une assistance psychologique, ils ont su effectuer quelques changements qui ont eu beaucoup d'impact sur leur vie. Ils ont com-

---

2. Gérard Mermet, Francoscopie 1997- Comment vivent les Français (Larousse, 1996).
3. Mary Pipher, *The Shelter of Each Other* (Grosset/Putnam Books, 1996).

mencé par réserver les dimanches soir à la famille, pour passer du temps ensemble, être attentifs l'un à l'autre, oublier les problèmes et exprimer leur affection. Le mari a prévenu ses employeurs qu'il ne pourrait plus travailler le samedi. La femme a fini par quitter son travail pour rester à la maison avec les enfants. Elle a demandé à sa mère de venir emménager chez eux, si bien qu'ils ont mis leurs ressources en commun. Les jumeaux y ont gagné une grand-mère sur place pour leur raconter des histoires. Ils ont fait des économies dans de nombreux domaines. Le mari s'est fait emmener au travail par des collègues. Ils n'ont acheté que le strict nécessaire et ont arrêté de sortir pour dîner.

Mary Pipher précise : « Cet homme et cette femme ont fait des choix difficiles. Ils ont compris qu'ils pourraient avoir soit plus de temps soit plus d'argent, mais pas les deux. Ils ont choisi le temps[4]. » Ce choix a eu de grandes conséquences sur leur vie privée et leur vie de famille. Ils sont devenus plus heureux, plus satisfaits, moins stressés et plus amoureux.

Bien sûr, ce n'est pas la seule solution pour les couples qui se sentent débordés et déphasés. Mais ce qu'il faut savoir, c'est qu'il y a toujours une alternative et un choix à faire. Vous pouvez réduire vos dépenses, simplifier votre mode de vie, changer de travail, prendre un emploi à temps partiel, diminuer votre temps de transport en travaillant plus près de chez vous, partager votre travail ou faire du télétravail. Inutile de vous mentir. Vous ne vous laisserez pas emprisonner si la famille est vraiment votre priorité. Au contraire, vous envisagerez toutes les solutions possibles.

ÊTRE PARENT : UN ROLE UNIQUE

Aux Etats-Unis, où la plupart des services sont payants, il est certain que lorsqu'on a de l'argent la vie est plus facile, non seulement pour soi-même, mais aussi pour ses enfants : ils ont accès à de bonnes écoles, à des moyens éducatifs sophistiqués et même à de meilleurs soins médicaux. Par ailleurs, des études récentes ont montré que, lorsqu'un des deux parents reste à la maison à contrecœur, les enfants s'en portent plus mal que s'il travaille. En France, la situation est un peu différente, car l'accès à l'école publique est obligatoire et – presque – gratuit. Il n'empêche que de récentes enquêtes ont montré que, pour de nombreux enfants, l'accès à la cantine était

4. Ibid.

un luxe inaccessible. Plus de la moitié des mères de famille de trois enfants restent à la maison. Mais cette proportion n'est que d'un tiers pour l'ensemble des mères de famille. Le nombre de femmes au foyer est tombé de 5,5 millions en 1968 à 3,3 millions en 1990 [5].

Le rôle de parent est un rôle unique, une fonction sacrée. Cette fonction consiste à favoriser le plein développement d'un être particulièrement cher dont on est responsable. **Existe-t-il**, sur n'importe quelle échelle de valeurs, **une chose plus importante que de bien remplir cette mission** – sur les plans social, mental, spirituel et économique ?

Il n'existe aucun substitut à cette relation unique qu'est la relation parents-enfants. Nous voudrions parfois nous persuader du contraire. Quand nous choisissons de confier notre enfant aux soins d'une nourrice ou au personnel d'une crèche, par exemple, nous voulons nous convaincre que c'est la bonne décision… et nous finissons par en être convaincus. Si ces personnes ont une attitude positive et sont d'un naturel attentionné, nous croyons aisément qu'elles ont à la fois le caractère et les compétences nécessaires pour contribuer à bien élever notre enfant. Mais on croit très volontiers ce que l'on désire le plus. Cela fait partie du processus de rationalisation. En fait, la plupart des systèmes de garderies et de crèches ne sont pas appropriés. Pour paraphraser Urie Bronfenbrenner, spécialiste du développement infantile : « On ne peut payer une personne à faire autant pour un enfant que ce que feraient ses parents gratuitement [6]. » Une nourrice, même excellente, ne pourra jamais remplacer de bons parents.

Les parents doivent donc faire passer leur devoir envers leurs enfants – envers leur famille – avant leurs obligations professionnelles. Et s'ils doivent vraiment confier leur enfant à quelqu'un d'autre, il leur faut choisir cette personne avec plus de soin qu'ils n'en prendront jamais pour l'achat d'un logement ou d'une voiture. Ils doivent vérifier ses références pour s'assurer qu'elle a à la fois le caractère et les compétences nécessaires. Il faut qu'ils la « sentent bien » – avec cette intuition qu'ont les parents concernant la façon dont on s'occupe de leurs enfants. Ils doivent établir avec elle une relation clairement définie quant aux exigences qui doivent être respectées et la responsabilité qui lui incombe.

---

5. Gérard Mermet, Francoscopie 1997- Comment vivent les Français (Larousse, 1996).
6. Urie Bronfenbrenner, voir interview de Susan Byrne « Nobody Home : The Erosion of the American Family », *Psychology Today*, mai 1997.

La bonne volonté ne suffit absolument pas. Les bonnes intentions n'excuseront jamais un mauvais jugement. La confiance est nécessaire, mais encore faut-il être sûr des compétences. Un grand nombre de gens sont fiables au niveau du caractère, mais ne sont tout simplement pas compétents parce qu'il leur manque les connaissances et le savoir-faire nécessaires. Et, bien souvent, ils n'en ont absolument pas conscience. D'autres sont très compétents, mais ont des faiblesses de caractère – ils manquent de maturité et d'intégrité, ils ne sont pas attentionnés, ou sont incapables de se montrer à la fois gentils et fermes.

Même lorsque les enfants sont correctement pris en charge, chaque parent devrait se poser cette question : « Dans quelle mesure ai-je le droit, dans ma situation, de confier mes enfants à quelqu'un d'autre ? » Sandra et moi avons des amis qui disent avoir eu le sentiment, quand leurs enfants étaient petits, d'être entièrement libres de faire ce qu'ils voulaient. Leurs enfants leur obéissaient et dépendaient entièrement d'eux. Ils pouvaient donc leur imposer, quand ils le souhaitaient, ces parents de substitution que sont les nourrices et les baby-sitters. Ils se sont, quant à eux, investis dans toutes sortes d'activités extérieures. Mais maintenant que leurs enfants sont grands, ils commencent à récolter les fruits de ce qu'ils ont semé. Ils n'ont pas de relations avec leurs enfants, qui ont des comportements destructeurs de plus en plus alarmants. « **Si c'était à refaire**, disent-ils, **nous accorderions une plus grande priorité à notre famille, à nos enfants – particulièrement pendant leur petite enfance. Nous aurions dû nous investir davantage pour eux**. »

Comme l'a écrit John Greenleaf Whittier : « De tous les mots tristes que l'on peut dire ou écrire, il n'en est pas de plus tristes que *cela aurait pu être autrement*[7]. »

À l'inverse, nous avons une autre amie qui nous a affirmé : « Je sais que, pendant toutes les années où j'élèverai mes enfants, tout le reste – réussite professionnelle, accomplissement personnel, vie sociale – passera au second plan. Pour moi, ce qui compte avant tout, c'est d'être présente pour mes enfants et de m'investir dans cette phase essentielle de leur développement. » Elle a ajouté que ce n'était pas facile pour elle, car elle avait de nombreux autres centres d'intérêts, mais qu'elle se tenait à cette décision, sachant à quel point c'était important.

---

7. John Greenleaf Whittier, *Maud Muller* (Houghton, Mifflin, 1866).

Qu'est-ce qui différencie ces deux situations ? Un sens des priorités et de l'engagement – le sentiment d'une vision claire et la volonté d'y rester fidèle. Si, au quotidien, vous n'accordez pas vraiment la priorité à votre famille, c'est d'abord en revenant à l'Habitude n° 2 que vous trouverez des réponses : votre charte familiale est-elle vraiment ancrée en vous ?

« QUAND L'INFRASTRUCTURE BOUGE, TOUT LE RESTE SUIT »

En partant du principe que l'Habitude n° 2 est désormais assimilée, ce que nous devons considérer maintenant, c'est l'environnement troublé dans lequel nous nous efforçons de naviguer.

Dans le prologue, nous avons rapidement évoqué quelques grandes tendances. À présent, penchons-nous plus en détail sur la société dans laquelle nous vivons. Examinons quelques-uns des changements qui se sont produits au cours des quarante à cinquante dernières années dans quatre domaines – culturel, législatif, économique et technologique – et analysons l'impact de ces changements sur notre famille et nous-mêmes. Les informations que je vais vous donner sont tirées d'études réalisées aux Etats-Unis, mais reflètent des tendances observées dans le monde entier.

La culture

Dans les années cinquante, aux Etats-Unis, les enfants regardaient peu la télévision, voire pas du tout. Ils y voyaient des familles stables, avec deux parents communiquant généralement avec respect. Aujourd'hui, les enfants regardent la télévision en moyenne sept heures par jour. Entre le début et la fin de l'école primaire, ils voient plus de 8 000 meurtres et 100 000 actes de violence[8]. Pendant cette période, ils passent en moyenne cinq minutes par jour avec leur père et vingt minutes avec leur mère, très souvent au moment du dîner ou devant la télévision[9].

---

8. Robert G. DeMoss, Jr., *Learn to discern* (Zondervan Publishing House, 1992).
9. Ibid.

Imaginez : sept heures de télévision et cinq minutes avec leur père ! Consternant ! En France, rappelons-le, le chiffre est de trois heures par jour devant la télévision.

Les enfants ont également de plus en plus accès à des cassettes vidéo comportant des scènes de violence et de sexe, voire de pornographie. Et, comme nous l'évoquions dans le prologue, ils fréquentent des écoles dont le principal problème n'est plus l'indiscipline, mais la drogue, les viols, les agressions et la multiplication des grossesses chez les adolescentes et des suicides.

Outre ces influences, de nombreux foyers vivent désormais à un rythme équivalent à celui du monde des affaires. Dans sa remarquable analyse *The Time Bind* (La Dictature du temps), la sociologue Arlie Hochschild montre comment de nombreuses personnes ont inversé leur vie au foyer et leur vie au travail. Le foyer est devenu le centre d'une course effrénée contre la montre : les membres de la famille prennent à peine un quart d'heure pour manger, avant de se précipiter chacun de leur côté sur des activités personnelles, et ne s'efforcent de communiquer les uns avec les autres que dans la dernière demi-heure de la journée, de manière à ne pas perdre de temps. Au travail, au contraire, les gens prennent le temps de créer des liens et de se détendre pendant les pauses. Le travail semble être devenu un refuge – un havre de sociabilité entre adultes, d'affirmation des compétences et de relative liberté. C'est ainsi que certains prolongent leur journée de travail parce qu'ils préfèrent être au bureau que chez eux. Hochschild écrit : « Dans ce nouveau modèle de vie familiale et professionnelle, les parents fatigués fuient les conflits non résolus et le linge sale pour l'ordre, l'harmonie et les quelques encouragements qu'ils peuvent trouver au travail [10]. »

Mais il ne s'agit pas uniquement d'un changement de climat dans l'environnement familial. On s'affirme énormément dans le travail, qui offre de nombreuses récompenses extrinsèques – reconnaissance, promotion, compensation. Celles-ci stimulent l'estime de soi et exercent une attraction puissante qui détourne de la vie familiale et du foyer. Elles créent la vision séduisante d'une destination différente, d'une utopie idyllique, qui combinerait la satisfaction d'avoir durement travaillé et la justification apparente – dès lors qu'on a tout fait pour respecter un emploi du temps impossible – de la négligence dont on fait preuve à l'égard de ce qui compte vraiment.

---

10. Arlie R. Hochschild, *The Time Bind* (Metropolitan Books, 1997).

Les récompenses que l'on trouve dans son foyer et sa famille, à l'inverse, sont presque toutes intrinsèques. **La société actuelle ne valorise pas le rôle de parent**. On n'est pas payé pour le faire, ni encouragé à persévérer. On n'en retire aucun prestige. On y trouve une seule compensation : la satisfaction d'influencer positivement une vie, en jouant un rôle unique, que personne d'autre ne peut jouer à notre place. C'est un choix proactif, qui ne peut venir que du cœur.

La législation

L'évolution culturelle a entraîné de profonds changements dans la volonté politique et dans la législation qui en résulte. Par exemple, de tout temps, le mariage a été reconnu comme le « fondement d'une société stable ». C'est ce qu'avait déclaré, il y a des années, la Cour suprême des Etats-Unis, ajoutant que, sans le mariage, il n'y aurait « ni civilisation ni progrès [11] ». C'était un engagement, une alliance entre trois parties – un homme, une femme et la société. Pour beaucoup, il y avait une quatrième partie : Dieu.

Wendell Berry a écrit :

S'ils ne devaient tenir compte que d'eux-mêmes, un homme et une femme qui s'aiment n'auraient pas besoin de se marier. Mais ils doivent penser aux autres et à leur environnement. Ils prêtent serment devant la communauté comme l'un envers l'autre. Et la communauté les entoure pour les écouter et leur souhaiter d'être heureux, en son nom et au nom de chacun de ses membres. Elle les entoure, parce qu'elle sait combien cette union est nécessaire, porteuse d'espoir et de crainte à la fois. Ces amants qui s'engagent « jusqu'à ce que la mort les sépare » font don d'eux-mêmes l'un à l'autre et sont plus unis par ce serment que ne pourra jamais les unir aucune loi, ni aucun contrat. Ils « meurent » dans cette union avec l'autre, comme une âme « meurt » dans son union avec Dieu. Ainsi, au cœur même de la vie communautaire se trouve un don magnifique. Si la communauté n'est pas en mesure de le protéger, elle ne saura rien sauvegarder…

Le mariage de deux personnes qui s'aiment les unit l'un à l'autre, à leurs ancêtres, à leurs descendants, à la communauté, à la Terre et au

---

11. Court Suprême des Etats-Unis, *Zablocki v. Redhail*, n° 76-879, janvier 1978.

Ciel. C'est le lien fondamental sans lequel rien ne tient. La confiance est sa nécessité[12].

Mais **aujourd'hui, le mariage n'a souvent plus rien d'un engagement ou d'une alliance. C'est un simple contrat entre deux adultes consentants – un contrat que l'on considère parfois comme superflu, que l'on rompt aisément** quand il devient gênant et qu'il nous arrive même de souscrire en anticipant son échec possible par un accord prénuptial. Très souvent, la société et Dieu n'en sont même plus témoins. Et la législation, loin de continuer à le soutenir, le dessert, en pénalisant le choix d'une paternité responsable et en dissuadant les femmes de se marier puisqu'elles reçoivent des aides sociales.

Le résultat est désastreux. Selon Lawrence Stone, historien de la famille à l'université de Princeton : « Le phénomène du divorce en Occident a atteint, depuis les années soixante, une ampleur sans précédent… En deux mille ans, peut-être même plus, on n'avait jamais rien vu de tel. » Pour Wendell Berry : « En dépréciant le caractère sacré et solennel du mariage, en tant que lien non seulement entre deux personnes mais aussi entre ces deux personnes et leurs ancêtres, leurs enfants et leurs semblables, on fait le lit d'une épidémie de divorces, d'une mauvaise prise en charge des enfants, de la solitude – on prépare la ruine de la communauté[13]. »

L'économie

Depuis 1950, le revenu moyen aux Etats-Unis a été multiplié par dix. Mais, dans la même période, le coût moyen d'une maison a été multiplié par quinze et les prix ont augmenté de 600 %. Cette seule réalité oblige de plus en plus de parents à travailler pour joindre les deux bouts. Dans sa critique de *The Time Bind* (cité page 156), Betsy Morris combat l'opinion de Hochschild selon laquelle les parents passent plus de temps à leur travail que chez eux parce qu'ils y trouvent plus de plaisir qu'à affronter les difficultés de la vie familiale. « Il est beaucoup plus probable, écrit-elle, qu'ils se tuent à la tâche parce qu'ils ont vraiment besoin de travailler. »

En France, au cours des trente dernières années, le revenu brut disponible des ménages a été multiplié par 2,3. Mais, avec le déve-

12. Wendell Berry, *Sex, Economy, Freedom, and Community : Eight Essays* (Pantheon Books, 1993).
13. Ibid.

loppement du chômage et de la précarité, l'endettement des ménages s'est accru. En moyenne, un ménage sur deux est endetté. L'endettement total des ménages était de 2 500 milliards de francs en 1995, soit en moyenne 110 000 francs par ménage. Notamment, 30 % des ménages ont à rembourser des prêts immobiliers. Et le surendettement concerne 300 000 familles (c'est le cas lorsque le ménage doit faire face à des remboursements supérieurs à 60 % de ses revenus) [14].

Pour cette raison et pour d'autres, notamment le désir de maintenir un certain niveau de vie, le pourcentage de familles américaines où seul l'un des parents travaille tandis que l'autre reste à la maison pour s'occuper des enfants est passé de 67 % en 1940 à 17 % en 1994. Aujourd'hui, 14,6 millions d'enfants, dont 90 % issus de familles monoparentales, vivent dans la pauvreté [15]. Les parents s'impliquent moins dans l'éducation de leurs enfants. La vérité, c'est que, pour beaucoup, la famille passe au second plan.

La structure même du monde économique dans lequel nous vivons a été redéfinie. Quand le gouvernement, après la Grande Dépression, a décidé de prendre en charge les personnes âgées et sans ressource, le lien économique entre les générations a été rompu. Et cette rupture a affecté tous les autres liens familiaux. La survie dépend entièrement des conditions économiques. En supprimant ce sens de la solidarité économique entre générations, on a tranché dans la matière vive qui les unissait, notamment les liens sociaux et spirituels. Une solution à court terme a ainsi créé un problème à long terme. Dans la plupart des cas, on ne considère plus la famille comme une structure intergénérationnelle où l'on se soutient les uns les autres. La famille se réduit désormais à une structure nucléaire parents-enfants. Et même cette unité réduite est menacée.

Nous vivons aujourd'hui dans un monde qui valorise plus la liberté personnelle et l'indépendance que la responsabilité et l'interdépendance, un monde d'une extrême mobilité, où le confort matériel (particulièrement la télévision) rend possible l'isolement social et le divertissement individuel. La vie sociale se morcelle. Les familles et les

14. Betsy Morris, critique de Arlie R. Hochschild, *The Time Bind* (Fortune, mai 1997). Gérard Mermet, Francoscopie 1997- Comment vivent les Français (Larousse, 1996).

15. Ministère du commerce des Etats-Unis, Service du recensement, « Statistiques sur la population », 1994.

individus sont de plus en plus isolés. Il est devenu aisé de fuir les responsabilités et de ne rendre aucun compte à personne.

La technologie

Les évolutions technologiques ont amplifié l'impact des changements effectués dans tous les autres domaines. Grâce aux technologies modernes, on peut communiquer avec le monde entier, on a un accès immédiat à un grand nombre de sources fiables d'information, mais aussi un accès non contrôlé à toute une série d'images fortes, y compris des images pornographiques ou de violence. Financées par les annonceurs publicitaires et donc saturées de publicité, ces technologies nous placent dans un état de surcharge matérialiste, avec pour résultat une révolution dans nos attentes. Il nous est certes plus facile de joindre les autres, notamment les membres de notre famille, et d'établir des contacts avec des personnes du monde entier. Mais, d'un autre côté, cela nous détourne de notre famille et nous empêche d'interagir de manière constructive dans notre propre foyer.

On peut réaliser des études sur ce sujet, mais il existe sans doute un meilleur moyen. **Que vous dit votre cœur concernant les effets de la télévision sur vous-même et vos enfants? Est-ce que la regarder vous rend plus gentil? plus attentionné? plus aimant? Est-ce qu'elle vous aide à consolider vos liens familiaux?** Ou est-ce qu'elle vous abêtit, vous fatigue, vous isole, vous perturbe, vous rend mesquin et cynique?

Lorsqu'on réfléchit à l'influence des médias sur notre vie de famille, il faut bien se rendre compte que ceux-ci peuvent véritablement dicter la culture familiale. Pour prendre au sérieux ce que la télévision nous montre (idylles à l'eau de rose, promiscuité sexuelle, combats de robots, cynisme, violence, brutalité), nous devons accepter de mettre notre incrédulité entre parenthèses. Nous devons renoncer à ne pas croire à des choses dont nous savons, en tant qu'adultes, qu'elles ne sont pas réelles. En d'autres termes, nous devons réprimer notre jugement adulte et, pendant trente minutes ou une heure, nous laisser entraîner dans un voyage pour voir quelles sensations cela procure.

Que se passe-t-il alors? Nous commençons à croire, particulièrement les enfants, que même ce qu'on nous montre au journal télévisé fait partie de la vie courante. Une mère me disait par exemple que, après avoir vu les informations, sa petite fille de six ans lui avait demandé : « Maman, pourquoi est-ce que tout le monde tue tout le monde? » Cette enfant croyait que ce qu'elle avait vu était normal et courant!

Il est vrai qu'il y a beaucoup de bonnes choses à la télévision – des informations de qualité, des divertissements agréables et de bon niveau. Mais, pour la plupart d'entre nous et de nos familles, c'est comme chercher un fruit frais dans une cagette pourrie. On peut tomber sur des fruits excellents, mais il n'est vraiment pas facile de faire le tri.

Cette pollution sournoise peut graduellement nous désensibiliser, non seulement à sa nocivité, mais aussi à ce que nous perdons en échange. Si nous consacrions le temps passé devant la télévision aux membres de notre famille, pour renforcer nos liens, apprendre, travailler et échanger des choses avec eux, nous pourrions en retirer un bénéfice énorme!

Dans un sondage réalisé récemment aux Etats-Unis par le *US News & World Report*, il est apparu que 90 % des sondés avaient le sentiment que la nation s'enfonçait dans un déclin moral. 62 % estimaient par ailleurs que la télévision était contraire à leurs valeurs morales et spirituelles [16]. Alors, pourquoi tant de gens la regardent-ils autant? En France, le camp entre ceux qui considèrent que la télévision a une influence positive et leurs adversaires est très équitablement réparti (50 % pour et 48 % contre) [17].

Tandis que les statistiques relatives au crime, à la toxicomanie, au sexe, ou à la violence suivent une courbe ascendante presque sans plateaux, il ne faut pas oublier que, pour toute société, le premier indicateur reste l'engagement de chaque parent à aimer, élever et guider les personnes les plus importantes de sa vie : ses enfants. Les leçons fondamentales de la vie, ce n'est pas en regardant Rambo ou Nounours que les enfants les apprennent, mais dans une famille qui les aime, les écoute, prend le temps de lire, de discuter, de travailler et de jouer avec eux. Les enfants s'épanouissent quand ils se sentent aimés, vraiment aimés.

Réfléchissez un instant : quels sont les meilleurs moments que vous avez passés en famille? **Supposez que vous soyez sur votre**

---

16. Eve Arnold, « In God We Trust : Testing Personal Faith in a Cynical Age », *U.S. News & World Report*, avril 1994.
17. Gérard Mermet, Francoscopie 1997- Comment vivent les Français (Larousse, 1996).

lit de mort. Est-ce que vous vous diriez : « Si seulement j'avais passé plus de temps devant la télévision »?

Dans leur livre *Time for Life* (Du temps pour la vie), les sociologues John Robinson et Geoffrey Godbey signalent que, sur quarante heures de temps libre par semaine, les Américains en passent en moyenne quinze devant la télévision. Nous ne serions donc peut-être pas aussi occupés qu'il y paraît[18].

Comme le soulignait Marilyn Ferguson dans son ouvrage de référence *The Aquarian Conspiracy* (La Conspiration du verseau) : « Avant de choisir nos outils et notre technologie, nous devons choisir nos rêves et nos valeurs, car certaines technologies les servent, tandis que d'autres les placent hors de notre portée[19]. »

Il devient de plus en plus clair que les glissements qui s'opèrent au niveau des métastructures disloquent l'ensemble de la société. On réorganise, on restructure presque toutes les entreprises pour les rendre plus compétitives. La mondialisation des technologies et des marchés menace la survie même de ces entreprises, mais aussi des gouvernements et des systèmes de santé et d'éducation. Toutes les institutions, y compris la famille, subissent plus fortement que jamais l'impact du changement.

Ce changement correspond à un glissement en profondeur des fondements de notre société. Or, comme l'a déclaré Stanley M. Davis, ami et collègue travaillant sur le leadership : « Quand l'infrastructure bouge, tout le reste suit[20]. » Les changements au niveau des métastructures font tourner les grandes roues d'un engrenage qui, à leur tour, entraînent des roues plus petites, et ainsi de suite, jusqu'à transmettre un mouvement extrêmement rapide aux rouages sociaux les plus infimes. Toute organisation, notamment la famille, en est bouleversée.

En passant de l'ère industrielle à l'ère informationnelle, notre société s'est disloquée. Nous devons lui donner de nouveaux fondements. Beaucoup, pourtant, ne sont absolument pas conscients de ce qui se passe. Ils voient des changements qui les angoissent, mais sont incapables de les identifier, n'en connaissent pas les causes et ne savent pas quoi faire.

---

18. John Robinson et Geoffrey Godbey, *Time for Life* (Pennsylvania State University Press), voir Newsweek, 12 mai 1997.
19. Marilyn Ferguson, *The Aquarian Conspiracy : Personal and Social Transformation in the 1980's* (St. Martin's Press, 1980).
20. Discours de l'auteur Stanley M. Davis à la conférence à laquelle nous avons tous les deux participé en Asie.

UN EXERCICE DE HAUTE VOLTIGE... SANS FILET !

C'est dans nos familles, dans nos foyers, que ce glissement de l'infrastructure sociale nous affecte tous de la manière la plus personnelle et la plus profonde. Aujourd'hui, vouloir bien élever ses enfants, cela ressemble un exercice de haute voltige – une performance qui requiert énormément de maîtrise et un degré quasi inégalable d'interdépendance – *sans filet!*

Ce filet existait. Des lois défendaient la famille. Les médias l'encourageaient. La société l'honorait, la soutenait. Et la famille, en retour, consolidait la société. Mais il n'y a plus de filet. La culture, l'économie, la législation, ont défait ses mailles. Et l'innovation technologique accélère cette désintégration.

Dans une déclaration de 1992, le département américain de la Justice et de la Prévention de la délinquance juvénile a résumé des centaines d'études sur les changements intervenus dans notre environnement au cours des dernières années.

Malheureusement, la conjoncture économique, les normes culturelles et la législation fédérale ont contribué à créer un environnement qui engendre difficilement des familles stables et solides... [et], parallèlement à ces changements économiques, le système de solidarité familiale intergénérationnelle s'est érodé[21].

Tout cela s'est produit de manière si progressive que beaucoup n'en ont même pas pris conscience. C'est comme l'histoire que raconte l'auteur et journaliste Malcom Muggeridge sur ces grenouilles tuées sans résistance dans un chaudron d'eau bouillante. Normalement, une grenouille plongée dans l'eau bouillante saute immédiatement pour se sauver. Les grenouilles dont parle Muggeridge ne l'ont pas fait. Elles n'ont même pas résisté. Pourquoi? Parce que, quand elles ont été introduites dans le chaudron, l'eau était tiède. Petit à petit, la température a été élevée. L'eau est devenue chaude... très chaude... puis bouillante. Le changement a été si progressif que les grenouilles ont pu s'habituer à leur nouvel environnement jusqu'à ce qu'il soit trop tard.

---

21. Ministère de la Justice des Etats-Unis, *Strengthening America's Families : Promising Parenting and Family Strategies for Delinquency Prevention* (Office of Justice Programs, 1992).

C'est exactement ce qui se passe avec toutes ces forces qui sévissent dans le monde. Nous nous y habituons, nous les intégrons dans notre environnement – bien qu'elles nous détruisent littéralement, ainsi que nos familles. Selon Alexander Pope :

Le vice est un monstre si affreux
Qu'il n'est que de le voir pour l'abhorrer;
Mais vu trop souvent, ses traits devenus familiers,
Nous le tolérons, le prenons en pitié, et finissons par l'étreindre[22].

C'est un processus de désensibilisation progressive, qui se produit précisément quand on commence à subordonner ses principes aux normes sociales en vigueur. Ces forces culturelles puissantes modifient fondamentalement notre sens moral ou éthique de ce qui est bien. On en vient même à faire de ces normes sociales des principes et à inverser le sens du bien et du mal. Nos ondes radio sont brouillées; les parasites nous empêchent de recevoir un message clair de notre système de téléguidage.

Pour reprendre la métaphore de l'avion, c'est le vertige, c'est-à-dire ce qui peut arriver à un pilote qui vole sans système de guidage et traverse une zone de turbulence. Il perd ses repères, au point parfois de ne plus savoir situer le sol à partir des informations véhiculées par les terminaisons nerveuses de ses muscles et de ses articulations ou par les organes de son oreille interne – parce que ces deux systèmes nécessitent une orientation correcte par rapport à la force de gravité. Ainsi, le cerveau, qui s'efforce de décoder les messages sensoriels sans les indices fournis normalement par la vision, peut en faire une interprétation incorrecte ou plusieurs interprétations contradictoires. Le résultat de cette confusion est un sentiment d'étourdissement qu'on appelle le vertige.

De la même manière, **lorsque, dans la vie, nous sommes soumis à des influences extrêmement puissantes, telles qu'une culture sociale forte, des personnes charismatiques ou des phénomènes de groupe, nous sommes pris d'une sorte de vertige moral ou spirituel**. Nous sommes désorientés. Sans même que nous nous en rendions compte, notre boussole morale se dérègle.

---

22. Alexander Pope, The Best of Pope (The Ronald Press Co., 1940).

LA MÉTAPHORE DE LA BOUSSOLE

Lors de mes conférences, pour démontrer ce phénomène – et souligner cinq points importants qui y sont liés –, je me mets souvent debout devant mes auditeurs et leur demande de fermer les yeux. Puis je dis : « Que chacun, sans regarder, indique le nord. » Il y a alors un petit moment de confusion, tandis qu'ils essaient tous de choisir la direction qu'ils pensent être la bonne.

Je leur demande ensuite d'ouvrir les yeux pour voir ce qu'indiquent les uns et les autres. C'est souvent l'éclat de rire général, parce qu'ils s'aperçoivent qu'ils montrent tous des directions différentes, y compris au-dessus d'eux.

Je sors alors une boussole et montre l'aiguille qui indique le nord. J'explique que le nord est invariable : il représente une force magnétique terrestre. J'ai fait cette démonstration dans le monde entier – notamment sur des bateaux en pleine mer et même au cours d'émissions diffusées par satellites, avec des centaines de milliers de participants disséminés sur l'ensemble du globe. C'est l'une des manières les plus efficaces que j'aie trouvées pour faire comprendre cette réalité du nord magnétique.

J'utilise cette démonstration pour faire valoir un premier argument : *de la même manière qu'il y a un « nord absolu » – une réalité constante, indépendante de nous-mêmes, qui ne changera jamais –, il existe des lois naturelles ou des principes immuables. Et ce sont ces principes qui, en dernier ressort, gouvernent tout comportement et ses conséquences.* A partir de là, j'utilise la métaphore du « nord absolu » pour désigner ces principes ou lois naturelles.

Puis je m'emploie à démontrer la différence entre « principes » et « comportement ». Je place une boussole transparente sur un rétroprojecteur, de manière à ce que mes auditeurs voient à la fois le nord et la flèche indiquant la direction suivie. Je déplace alors la boussole sur le rétroprojecteur, pour leur montrer que, quelle que soit cette direction, l'aiguille qui indique le nord ne bouge pas. Pour aller à l'est, il suffit donc d'orienter la flèche à quatre-vingt-dix degrés à droite de l'aiguille et de suivre cette direction.

J'explique ensuite tout l'intérêt de l'expression « direction suivie », qui figure parfaitement ce que *font* les gens. En d'autres termes, leur comportement est dicté par les valeurs qu'ils considèrent essentielles ou ce qu'ils jugent important. S'ils estiment important d'aller à l'est, ils se comporteront en conséquence. Mais s'ils peuvent évoluer en fonction de leurs propres désirs et volontés, l'aiguille qui indique le nord en reste totalement indépendante.

J'en arrive ainsi à mon deuxième argument : *il y a une différence entre les principes (le nord absolu) et le comportement (la direction suivie).*

Cette démonstration me permet d'introduire mon troisième argument : *il y a une différence entre les systèmes naturels (fondés sur les principes) et les systèmes sociaux (fondés sur les valeurs et le comportement).* Pour illustrer ce point, je demande à mes auditeurs : « Combien d'entre vous ont-ils un jour « mis les bouchées doubles » avant un examen? » La grande majorité lève la main. Puis je demande : « Pour combien d'entre vous cela a-t-il payé? » Le même nombre ou presque lève à nouveau la main. Autrement dit, le bachotage est rentable.

Je demande ensuite : « Combien d'entre vous ont déjà travaillé dans une ferme? » J'obtiens en général de 10 à 20 % de réponses positives. J'interroge alors ces personnes : « Combien d'entre vous ont-ils mis les bouchées doubles à la ferme? » Ma question fait toujours rire, parce que les gens reconnaissent aussitôt que, dans une ferme, on ne peut pas se permettre de travailler ainsi. Ça ne marche pas. Il est inimaginable d'oublier de semer au printemps, puis de se tourner les pouces tout l'été, pour en mettre un coup à l'automne et espérer faire la moisson.

J'interroge mes auditeurs : « Comment se fait-il qu'on puisse mettre les bouchées doubles à l'école et pas dans une ferme? » Ils comprennent alors qu'une ferme est un système naturel gouverné par des lois ou des principes naturels, tandis que l'école est un système social, une création sociale, gouvernée par des règles ou des normes sociales.

Je demande ensuite : « Est-il possible d'avoir de bonnes notes à l'école, et même de bonnes références, sans avoir d'éducation pour autant? » La très grande majorité répond affirmativement. Autrement dit, quand il s'agit de développement personnel, c'est plus la loi de la ferme que la loi de l'école qui prévaut – le système naturel plus que le système social.

Puis j'applique cette analyse à d'autres domaines dans lesquels les gens peuvent se sentir concernés, par exemple le corps. À la question : « Combien d'entre vous ont-ils essayé des milliers de fois de perdre du poids? », un grand nombre lève la main. Je leur demande :

« Quel est véritablement le secret pour y parvenir? » Tout le monde en vient à reconnaître que, pour perdre du poids de manière saine et définitive, il faut aligner la direction suivie – habitudes et modes de vie – sur les lois naturelles ou principes qui permettront d'atteindre le résultat désiré, tels qu'une alimentation équilibrée et une activité sportive régulière. Le système de valeurs sociales valorise peut-être une perte de poids immédiate grâce à un régime draconien, mais le corps finit par mettre la volonté en échec. Il ralentit le métabolisme et active le système de stockage des graisses. Le corps revient au poids initial, voire à un poids plus élevé. Les gens réalisent ainsi que les lois naturelles gouvernent non seulement les fermes, mais aussi l'esprit et le corps.

Puis j'applique ce raisonnement aux relations humaines. Je demande : « À long terme, les relations humaines sont-elles gouvernées par la loi de la ferme ou la loi de l'école? » Les gens reconnaissent tous qu'elles sont gouvernées par la loi de la ferme – c'est-à-dire par des lois naturelles et des principes plutôt que par des valeurs sociales. Autrement dit, il ne suffit pas de parler des problèmes qu'on s'est créés par son comportement pour s'en sortir, et on ne peut espérer une relation de confiance si on n'en est pas digne. J'amène mes auditeurs à prendre conscience que les principes de loyauté, d'intégrité et d'honnêteté sont les fondements de toute relation durable. On peut tricher pendant un certain temps, on peut « bluffer » les autres, mais les choses finissent par se retourner contre nous. La violation des principes détruit la confiance. Peu importe qu'il s'agisse de relations entre des personnes ou des organisations, entre la société et le gouvernement ou entre deux nations : au bout du compte, on est soumis au verdict d'une loi morale, d'un sens moral – un savoir intériorisé, un ensemble de principes universels, atemporels et incontestables.

J'étends ensuite la réflexion aux problèmes de notre société : « Si nous devions sérieusement envisager une réforme de notre système de santé, quelle devrait en être la priorité? » Presque tout le monde évoque la prévention – l'alignement du comportement des individus, de leur système de valeurs, de la direction qu'ils suivent sur la loi naturelle. Mais en matière de santé, notre système de valeurs sociales – la direction que suit notre société – valorise essentiellement le diagnostic et le traitement de la maladie, plutôt que la prévention et le changement des modes de vie. En fait, il arrive souvent qu'on dépense beaucoup plus d'argent pour prolonger, par des efforts surhumains, les dernières semaines d'un mourant qu'on n'en a dépensé, tout au long de sa vie, pour une prévention efficace. C'est ce que veut notre système de valeurs sociales, et il a pratiquement réduit la médecine à ce seul rôle. C'est pourquoi le budget de la santé sert presque intégralement à financer l'établissement de diagnostics et le traitement des maladies.

J'applique ensuite cette analyse à la réforme du système éducatif, de la protection sociale et des institutions politiques. Mes auditeurs comprennent alors mon quatrième argument : *la clé du bonheur et du véritable succès est de conformer son comportement aux lois ou principes naturels.*

Enfin, je montre l'impact énorme que peuvent avoir les traditions, les tendances et les valeurs culturelles sur notre perception même du nord absolu. Je souligne que même les bâtiments dans lesquels nous nous trouvons peuvent la déformer, en raison de leur force magnétique propre. Quand on sort d'un bâtiment pour aller dans la nature, on voit que l'aiguille de la boussole dévie légèrement. Je compare cette déviation au pouvoir qu'exerce la culture de masse : ses grandes traditions, tendances et valeurs faussent si imperceptiblement notre jugement que nous ne nous en rendons même pas compte, à moins de nous isoler dans la nature pour prendre le temps de réfléchir, de rentrer en nous-mêmes et d'écouter notre conscience.

Je peux montrer cette déviation de l'aiguille en plaçant la boussole sur le rétroprojecteur, parce que celui-ci produit aussi un champ magnétique. Je compare le phénomène à la sous-culture d'une personne – par exemple sa culture familiale, la culture de son entreprise ou d'un groupe d'amis. Il existe de nombreux niveaux de sous-culture. L'exemple de la manière dont un appareil peut fausser la boussole est très efficace : on voit aisément comment certaines personnes peuvent renoncer à un comportement moral et être déracinées par un besoin d'appartenance et d'acceptation.

Je prends ensuite un stylo, je l'applique sur la boussole et je montre comment je peux faire tourner l'aiguille à mon gré, et totalement l'inverser de manière à ce que le sud semble être le nord. Mon but est d'expliquer comment certains peuvent en venir à inverser le sens du bien et du mal, sous l'influence d'une très forte personnalité avec laquelle ils entrent en contact ou à la suite d'une expérience émotionnelle extrême – comme des mauvais traitements ou un abandon. Ces traumatismes peuvent être si violents et si destructeurs qu'ils ébranlent tout le système de valeurs de la personne.

J'en arrive à mon cinquième et dernier argument : *il peut arriver que notre connaissance profonde, intérieure, des choses – notre sens moral ou éthique des lois naturelles ou des principes – soit altérée, subordonnée, voire éclipsée par des traditions ou la violation répétée de notre propre conscience.*

En dépit du travail accompli pour rédiger notre charte familiale, si nous ne l'intériorisons pas dans notre cœur et notre esprit, si nous ne l'intégrons pas dans notre culture familiale, les courants culturels finiront par nous désorienter. Ils ébranleront notre sens de la moralité de telle sorte que ce qui sera « mal » ne sera plus de mal agir, mais de se faire prendre.

C'est pourquoi il est si important que les pilotes soient entraînés à utiliser leurs appareils de guidage – que les conditions de vol exigent ou non d'y recourir. Et c'est pourquoi il est si important d'entraîner les enfants à utiliser les leurs – les quatre dons qui leur permettent de garder le cap (conscience de soi, éthique, imagination, volonté indépendante). C'est peut-être la part la plus importante du rôle de parent : plus que de diriger les enfants et de leur dire quoi faire, il s'agit de les aider à « se connecter » à leurs propres dons – particulièrement l'éthique – de manière à ce qu'ils soient suffisamment entraînés pour pouvoir établir cette connexion vitale qui leur permettra de garder le cap. Sans cette connexion, nous sombrons. Nous nous laissons séduire par la culture.

ATTAQUEZ LE MAL À LA RACINE

Un jour, je suis allé à une conférence intitulée « Les religions s'unissent contre la pornographie ». Des leaders d'organisations religieuses, des groupes de femmes, des groupes ethniques et des éducateurs parlaient d'une seule voix pour lutter contre ce fléau pernicieux dont sont principalement victimes les femmes et les enfants. Il est devenu clair que, bien que la décence et la vertu inciteraient à ne pas parler d'un sujet aussi répugnant, il faut en discuter, parce que cette réalité fait partie de notre culture.

Lors de cette conférence, on nous a montré des interviews, notamment de jeunes hommes et de jeune couples. Il ne s'agissait pas de délinquants, de drogués, ni de criminels, mais d'Américains moyens qui considéraient la pornographie comme un divertissement. Certains disaient qu'ils regardaient des films ou des revues pornographiques tous les jours, parfois plusieurs fois par jour. En écoutant ces interviews, nous nous sommes vraiment rendu compte que la pornographie était profondément ancrée dans la culture de nombreux jeunes.

Je suis intervenu pour parler de la façon dont on pouvait engendrer un changement culturel. Puis j'ai assisté à l'intervention des leaders du groupe de femmes. Elles ont expliqué que l'association *Mères contre l'ivresse au volant* a eu un véritable impact sur les normes culturelles de la société américaine à partir du moment où un nombre décisif de femmes, alarmées par le problème de l'alcoolisme, se sont impliquées dans cette cause. Elles nous ont ensuite donné des brochures qui décrivaient, plutôt qu'elles ne montraient, le genre de pornographie qui faisait partie de notre culture. J'ai lu, et cela m'a rendu littéralement malade.

Lors de ma seconde intervention, j'ai fait part aux participants de cette sensation. J'ai affirmé que j'étais convaincu que la clé du changement culturel était d'immerger les gens dans cette réalité, afin qu'ils ressentent profondément ses conséquences pernicieuses et sinistres sur la nature morale des gens et se rendent compte des répercussions à l'échelle de la société. La solution, c'est de *rendre les gens malades*, au sens littéral du terme, comme je l'ai été moi-même. Il faut les impliquer dans cette réalité jusqu'à ce qu'ils soient véritablement répugnés et motivés, puis leur montrer qu'*il y a un espoir*. Nous devons chercher des solutions et trouver ce qui a marché dans d'autres domaines. Il faut travailler sur la conscience de soi et sur l'éthique, avant de faire intervenir l'imagination et la volonté, c'est-à-dire solliciter à l'extrême nos deux premiers dons, avant de libérer l'énergie des deux autres. Puis nous devons chercher ensemble des modèles, des gens ou des organisations exemplaires, qui auront une bonne influence, et créer des lois qui stimuleront ce qu'il y a de bon en l'homme et protégeront l'innocent.

Mais avant tout – avant de légiférer, avant tout effort pour influencer la culture –, nous devons travailler au sein de notre famille. Comme l'a dit Henry David Thoreau : « **Pour faire tomber mille feuilles de l'arbre du mal, il suffit d'un coup de hache à la racine.** » Le foyer et la famille constituent la racine. C'est là qu'il faut apporter des armes morales pour attaquer les influences pernicieuses que la technologie a rendues possibles et faire en sorte que cette technologie devienne le vecteur de vertus et de valeurs.

Pour que la législation soit efficace, il faut qu'il y ait une volonté sociale (un ensemble de mœurs) qui la fasse respecter. Emile Durkheim, éminent sociologue, résume cela en ces termes : « Lorsque les mœurs sont suffisantes, les lois sont inutiles. Lorsque les mœurs sont insuffisantes, les lois sont inapplicables. » S'il n'y a pas de volonté sociale, il y aura toujours des échappatoires légales et des moyens de se soustraire à la loi. Dans ces conditions, les enfants peuvent vite perdre leur innocence, être rongés de l'intérieur et devenir insensibles, sarcastiques et cyniques. Ils peuvent alors avoir un comportement violent et être la proie d'une nouvelle « famille », où ils trouvent reconnaissance et approbation sociale. Vous devez donc entretenir les quatre dons de chaque enfant et établir des relations de confiance et d'amour inconditionnel, afin de transmettre aux membres de votre famille un mode de vie fondé sur des principes.

À la fin de la conférence, il était intéressant de voir que tous les intervenants, toutes religions confondues, avaient un sentiment différent. Un changement de culture avait déjà commencé à germer. En deux jours, les participants sont passés d'une relation de courtoisie à un sentiment d'amour sincère, d'unité profonde et de véritable communication, grâce à l'émergence d'une mission commune, transcendante. Ils ont découvert qu'en ces temps difficiles nous devons nous concentrer sur ce qui nous unit, et non sur ce qui nous divise.

QUI VA ÉLEVER NOS ENFANTS ?

En l'absence d'une connexion intérieure avec les quatre dons propres à l'homme et d'une forte influence familiale, quelles répercussions le genre de culture que nous venons de décrire – exacerbé par la technologie – va-t-il avoir sur l'état d'esprit des enfants ? Est-il réaliste de penser que les enfants vont être imperméables aux meurtres, aux tueries et à la cruauté qu'ils voient sept heures par jour à la télévision ? Pouvons-nous vraiment croire les directeurs de chaînes télévisées lorsqu'ils prétendent qu'il n'y a aucune preuve scientifique du lien entre la violence et l'immoralité de notre société et les scènes qu'ils choisissent de faire passer sur le petit écran – alors qu'ils s'appuient sur des preuves scientifiques pour décrire l'impact d'une publicité de vingt secondes sur le comportement des téléspectateurs[23] ? Est-il raisonnable de penser que de jeunes adultes exposés régulièrement à des scènes purement sexuelles peuvent

23. Attribué au psychologue Victor Cline.

s'épanouir avec un sens réaliste et holistique des principes qui génèrent une relation durable et une vie heureuse?

Dans un environnement aussi troublé, comment pouvons-nous penser qu'il est encore possible de fonder une famille comme avant? Si nous ne bâtissons pas de meilleurs foyers, nous devrons bâtir plus de prisons, car la « famille de substitution » engendrera des délinquants. Le code social s'articulera autour de la drogue, du crime et de la violence. Les prisons et les tribunaux seront saturés. Le mot d'ordre sera « Incarcération et relaxation ». Et les enfants, privés d'affection, deviendront des adultes aigris, avançant péniblement dans la vie en quête d'amour, de respect et d'échange.

Dans une étude historique, Edward Gibbon, grand historien, identifie les cinq principales causes du déclin et de la chute de la civilisation romaine[24].

1. *L'effondrement de la structure familiale;*
2. *Le fléchissement du sens de la responsabilité individuelle;*
3. *Une fiscalité et une intervention gouvernementales excessives;*
4. *Une recherche du plaisir, qui est devenu de plus en plus hédoniste, violent et immoral;*
5. *Le déclin de la religion.*

Ses conclusions offrent une perspective édifiante, à travers laquelle nous pourrions regarder notre culture actuelle. Il en émerge une question clé dont notre avenir et l'avenir de nos enfants dépendent : *qui va élever mes enfants : la culture terriblement destructrice d'aujourd'hui ou moi?*

Comme je l'ai dit dans l'Habitude n° 2, si nous n'assumons pas la première création, quelqu'un ou quelque chose d'autre s'en chargera. Et ce « quelque chose », c'est un environnement puissant, troublé, amoral et hostile à la famille. C'est ce qui modèlera votre famille si vous ne le faites pas.

On ne peut plus procéder de l'extérieur vers l'intérieur

Comme je l'ai évoqué dans le prologue, il y a quarante ans on pouvait fonder une famille « de l'extérieur vers l'intérieur ». Mais cette démarche n'est plus valable. Nous ne pouvons plus compter sur le soutien de la société. Aujourd'hui, il faut procéder de l'intérieur vers

24. Edward Gibbon, *The Decline and Fall of the Roman Empire, Great Works of the Western World*, vol. 37-38 (Encyclopédie Britannica, 1990).

l'extérieur. Nous pouvons et devons devenir des acteurs du changement et apporter une certaine stabilité en créant des structures qui serviront de bases à nos familles. Nous devons être hautement proactifs. Nous devons créer. Nous devons réinventer.

Nous ne pouvons plus nous rattacher à la société ni à ses institutions. Nous devons élaborer un nouveau plan de vol. Nous devons voler au-dessus de la zone de turbulence et nous faire un chemin vers le nord, qu'indique notre boussole.

Observez les changements qui ont eu lieu dans la culture familiale durant les cinquante dernières années. Songez à l'impact que ces changements ont eu sur votre propre vie de famille. En comparant notre époque avec les années quarante ou cinquante, je ne prétends pas préconiser un retour en arrière vers un passé idéalisé. Je veux simplement montrer que les choses ont changé. Et, en raison même de ce changement et de son impact considérable sur la famille, nous devons adapter notre réponse.

L'histoire montre clairement que la famille est le fondement de la société. C'est la racine de chaque nation. C'est la source du ruisseau de la civilisation. C'est l'énergie qui assure la cohésion. Et le principe de la famille trouve son origine dans la nature humaine même.

Mais la situation des familles n'est plus la même, et les problèmes auxquels elles doivent faire face ont changé. Il faut savoir que, plus qu'à tout autre époque de l'histoire, le rôle des parents est absolument essentiel et irremplaçable. Nous ne pouvons plus nous reposer sur les modèles de la société pour enseigner à nos enfants les principes qui gouvernent la vie. Nous devons prendre en main notre famille. Nos enfants ont terriblement besoin de nous. Ils ont besoin de notre soutien et de nos conseils, de notre jugement et de notre expérience, de notre force de caractère et de notre esprit de décision. Plus que jamais, ils ont besoin qu'on les oriente.

Mais comment répondre à leurs besoins? Comment donner la priorité à notre famille et la guider de manière efficace et positive?

CRÉEZ UNE STRUCTURE AU SEIN DE VOTRE FAMILLE

Réfléchissez une nouvelle fois aux propos de Stan Davis : « Lorsque l'infrastructure bouge, tout le reste suit. »

Les profonds bouleversements technologiques et autres changements dont nous avons parlé ont eu des répercussions sur tous les

L'ENVIRONNEMENT FAMILIAL IL Y A QUARANTE OU CINQUANTE ANS

MÉDIAS

- Surtout écoute de la radio
- Durant les premières années d'existance de la télévision (1949-1956), presque personne ne la regarde (il n'y a qu'une seule chaîne)

CHANCES DE GRANDIR AVEC SES DEUX PARENTS
90 %

TRAVAIL
- Journée de 8 heures (dès (1919)
- Semaine de 40 heures (1936)
- Congés payés : 12 jours (en 1936), puis 18 jours (en 1938)
- Durée annuelle du travail : 2 022 heures (en 1938)

ÉCOLE

- Respect des maîtres
- Leçons de morale dans les écoles publiques
- Principaux problèmes disciplinaires : chewing-gum, bruit, tenue vestimentaire (port de la blouse), courir dans les couloirs

RITES FAMILIAUX
- Déjeuners et dîners en commun, notamment le dimanche
- Peu ou pas de télévision

RELIGION
- Omniprésence de la religion

FAMILLE AU SENS LARGE
- Forte proximité des générations : grands-parents, parents et enfants

AGRESSIONS COMMISES PAR DES MINEURS
Non significatif

L'ENVIRONNEMENT FAMILIAL AUJOURD'HUI

CHANCES D'UN ENFANT DE GRANDIR AVEC SES DEUX PARENTS : 50 À 70 %
- Un couple sur trois divorce
- Un couple sur deux se sépare à Paris
- En viron 1 million de foyers monoparentaux (80 % avec la mère)

PARENTS AU TRAVAIL
- Semaine de 39 heures (1982), bientôt 35
- 65 % des deux personnes d'un couple travaillent, y compris lorsque l'un d'eux est à temps partiel ou au chômage
- Durée annuelle du travail : 1 642 heures (en 1991) 

MÉDIAS
- Télévision : 3 heures par jour 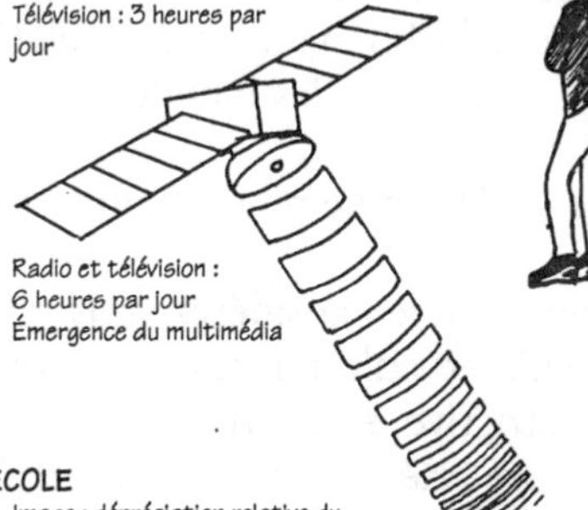
- Radio et télévision : 6 heures par jour
- Émergence du multimédia

ÉCOLE
- Image : dépréciation relative du métier d'enseignant
- Discipline : 40 % des nouveaux enseignants rencontrent des problèmes 
- Niveau : plus de la moitié des enseignants considèrent que les élèves du secondaire ont un niveau faible
- Violence physique ou verbale : 17 % des professeurs recrutés en 1993 estiment que leur établissement rencontre des problèmes graves

RELIGION
- 75 % des Français se disent catholiques, 19,5 % sans religion 
- 12 % se rendent aux services religieux au moins une fois par semaine (26 % en Europe)
- 26 % des Français considèrent que la religion est importante (39 % en Europe)

RITES FAMILIAUX
- 87 % des 15-24 ans estiments que leurs relations avec leurs parents sont bonnes
- Entre 20 et 24 ans, 60 % des hommes et 49 % des femmes vivent encore chez leurs parents

DÉLITS
- Taux de criminalité : 67 délits pour 1 000 habitants (contre 57 aux États-Unis)
- Croissance de la délinquence : + 19 % entre 1989 et 1993

FAMILLE AU SENS LARGE
- Éclatement de la cellule familiale (divorce, éloignement, etc.)
- 72 % considèrent que la famille est en danger
- Mais la vie de couple est plébiscitée par 80 % des Français

Sources principales de données :
- Gérard Mermet, *Comment vivent les Français – Francoscopie 1997*, Larousse, 1996.
- *La Société française, données sociales 1996*, INSEE, 1996.

types d'organisations. La plupart des organisations et des professions sont reconsidérées et restructurées pour être adaptées à une nouvelle réalité. Or cette restructuration n'a pas eu lieu au sein de la famille. Bien que la démarche qui consiste à aller de l'extérieur vers l'intérieur ne soit plus valable, et bien que seulement 4 à 6 % des familles américaines correspondent encore à l'ancien modèle (mari au travail, femme à la maison et pas de divorce)[25], les familles ne se restructurent pas. Elles vivent avec des repères dépassés ou, lorsqu'elles essaient de créer de nouveaux modèles, ceux-ci ne sont pas en harmonie avec les principes qui apportent le bonheur et des relations familiales durables. Dans l'ensemble, la réponse des familles n'est pas à la hauteur du changement.

Aussi, nous devons réinventer. La seule bonne réponse au changement structurel est la structure.

Pensez au terme « structure ». Comment le considérez-vous? Êtes-vous conscient que notre environnement culturel rejette l'idée de structure et la considère comme restrictive et contraignante. Mais référez-vous à votre boussole intérieure. Réfléchissez à ce qu'a dit Winston Churchill : « Pendant les vingt-cinq premières années de ma vie, j'ai voulu de la liberté. Au cours des vingt-cinq années qui ont suivi, j'ai voulu de l'ordre. Et au cours des vingt-cinq années suivantes, j'ai compris que l'ordre, c'est la liberté. » C'est la structure du couple et de la famille qui donne une stabilité à la société. Un père de famille, dans une émission télévisée qui passait dans les années cinquante, a dit la chose suivante : « Certains hommes voient les règles du mariage comme une prison; d'autres, plus heureux, les voient comme les liens qui enserrent tout ce qui leur est cher. » S'engager à créer une structure, c'est établir des relations de confiance.

Réfléchissez un instant. Quand tout va mal dans votre vie, vous vous dites : « Il faut que je m'organise. Il faut que je mette de l'ordre dans tout ça! » Cela signifie créer une structure et définir des priorités. Si votre chambre est mal rangée, vous mettez vos affaires dans des armoires et dans des penderies. Vous les organisez à l'intérieur d'une structure. Quand on dit de quelqu'un qu'il sait ce qu'il veut, cela revient à dire qu'il a ordonné sa vie en fonction de ses priorités. Il vit en fonction de ce qui est important. Lorsque l'on conseille à

25. F. Byron Nahser et Susan E. Mehrtens, *What's Really Going On?* (Corporantes, 1993).

quelqu'un qui se trouve dans la phase terminale d'une maladie de « mettre ses affaires en ordre », on lui suggère de régler tout ce qui concerne son budget, son assurance, ses relations, etc.

Dans une famille, l'ordre signifie lui donner la priorité et mettre en place une structure qui facilite la hiérarchisation que l'on a choisie. L'Habitude n° 2 – la création d'une charte familiale – apporte une structure de base à la famille, en procédant de l'intérieur vers l'extérieur. En outre, pour donner concrètement la priorité à votre famille dans votre vie de tous les jours, vous pouvez avoir recours à deux pratiques : le « rendez-vous familial » et les moments en tête à tête.

Comme l'a dit William Doherty, spécialiste du couple et de la famille : « Les forces qui s'exercent sur les familles, dans le monde moderne, sont très fortes. Nous avons le choix entre tenir le gouvernail ou aller où la rivière nous entraîne. Pour bien gouverner, il faut consacrer du temps aux rites familiaux[26]. »

LE RENDEZ-VOUS FAMILIAL HEBDOMADAIRE

Mis à part les liens du mariage, la structure qui vous aidera le mieux à donner la priorité à votre famille est le « rendez-vous familial ». Vous pouvez appeler ça une « heure familiale », un « conseil familial » ou une « soirée familiale », peu importe. Ce qui compte, c'est de réserver, chaque semaine, un moment pour se retrouver en famille.

Voici le témoignage d'une femme de trente-quatre ans.

Ma mère prévoyait chaque semaine des activités en famille. C'était nous, les enfants, qui choisissions ce que nous allions faire. Un jour, on allait faire du patin à glace; un autre, on allait au bowling ou au cinéma. On adorait ça! On finissait toujours en beauté en allant dans notre restaurant préféré. Ces activités m'ont laissé un sentiment de complicité et d'appartenance à un tout : ma famille.

J'ai de si bons souvenirs de cette époque-là! Ma mère est décédée lorsque j'étais adolescente, et j'en ai terriblement souffert. Mais mon père a veillé à ce que, chaque année, depuis son décès, nous nous retrouvions tous – enfants, gendres, belles-filles – au moins une semaine, pour retrouver ce sentiment.

---

26. William Doherty, *The Intentional Family : How to Build Family Ties in Our Modern World* (Addison-Wesley, 1997).

Lorsque tous les membres de la famille repartent chez eux, je me sens triste et pourtant considérablement enrichie. Il y a un lien si fort entre des personnes qui ont vécu ensemble sous le même toit. Et les nouveaux membres de notre famille n'ont rien changé à ce sentiment – au contraire, ils l'ont enrichi.

Ma mère nous a laissé un merveilleux héritage. Je ne me suis pas mariée, mais mes frères et sœurs le sont et restent fidèles à ce rendez-vous familial hebdomadaire avec leurs enfants. Et le restaurant où nous allions étant enfants est resté notre point de ralliement à tous.

Voyez quels souvenirs merveilleux cette femme garde de ces rendez-vous familiaux. Ceux-ci ont eu un impact considérable sur sa vie d'adulte et ses relations avec ses frères et sœurs et tous les membres de sa famille. Percevez-vous le genre de lien que peut créer un rendez-vous familial hebdomadaire? Sentez-vous à quel point le Compte émotionnel de la famille s'en trouve consolidé?

Une Suédoise m'a également fait part de son expérience.

Lorsque j'avais environ cinq ou six ans, mes parents ont rencontré quelqu'un qui leur a parlé de l'importance de passer régulièrement des moments en famille. Alors ils ont commencé à le faire.

Je me souviens de la première fois où mon père nous a enseigné un des principes de la vie. Cela m'a beaucoup marquée, car je n'avais jamais vu mon père dans le rôle d'enseignant et j'étais très impressionnée. Mon père était un homme d'affaires talentueux et très occupé. Il n'avait pas passé beaucoup de temps avec nous. Je me souviens à quel point j'ai apprécié de voir qu'il nous accordait suffisamment d'importance pour nous consacrer du temps et nous parler de la vie.

Je me souviens également du jour où mes parents ont invité un célèbre chirurgien américain à se joindre à notre rendez-vous familial. Ils lui ont demandé de nous faire part de son expérience de la médecine et de la façon dont il avait pu aider les gens dans le monde entier.

Ce chirurgien nous a raconté en quoi les décisions qu'il avait prises au cours de sa vie lui avaient finalement permis d'atteindre ses objectifs au-delà de ses espérances. Je me souviens qu'il pensait qu'il était important de relever chaque défi l'un après l'autre. Je n'ai jamais oublié ses paroles. Mais surtout, j'ai vraiment apprécié que mes parents aient le désir d'inviter des gens à la maison, pour qu'ils nous fassent part de leurs expériences.

Aujourd'hui, j'ai cinq enfants et, presque tous les mois, nous invitons à la maison quelqu'un qui nous parle de sa vie, nous instruit et nous enrichit. Je sais que cette pratique me vient directement de ce que j'ai vécu chez mes parents. Dans notre travail ou à l'école, nous avons l'occasion de rencontrer des gens qui proviennent d'autres pays. Leurs visites nous ont beaucoup apporté et ont débouché sur de solides amitiés dans le monde entier.

Cette femme a été profondément influencée par les rendez-vous familiaux dont elle a bénéficié pendant son enfance et a transmis cet héritage à ses enfants. Songez à l'avantage qu'auront ceux-ci lorsque, à leur tour, ils fonderont une famille dans un environnement troublé et hostile à la structure familiale.

Sandra et moi avons réservé une soirée par semaine à notre famille depuis le début. Quand les enfants étaient tout petits, nous mettions cette soirée à profit pour communiquer tous les deux et nous organiser. Au fur et à mesure qu'ils ont grandi, nous avons consacré cette soirée à leur enseigner des principes, à jouer avec eux et à les impliquer dans des activités instructives et dans les décisions relatives à notre famille. Il est arrivé que l'un de nous deux ou l'un des enfants soit absent, mais nous avons toujours essayé de nous fixer au moins un rendez-vous familial par semaine.

Certains soirs, nous revoyions notre planning familial de sorte que chaque membre puisse en être informé. Puis nous formions un conseil familial et discutions de nos problèmes. Chacun faisait des suggestions et nous prenions des décisions ensemble. Parfois, les enfants faisaient une démonstration de musique ou de danse, pour nous montrer leurs talents. Puis nous leur enseignions quelques principes, nous réalisions une activité en famille et nous leurs servions un goûter. Nous priions toujours ensemble et chantions l'une de nos chansons préférées : « Love at home », de John Hugh McNaughton.

C'est ainsi que nous combinions les quatre ingrédients qui nous paraissent indispensables pour un rendez-vous familial réussi : *organisation*, *enseignement*, *résolution de problèmes* et *divertissement*.

Cette structure satisfait à elle seule quatre types de besoins – physiques, sociaux, mentaux et spirituels – et peut devenir un élément essentiel d'organisation au sein de la famille.

Mais un rendez-vous familial peut avoir une tout autre forme. Au début, vous pouvez vous contenter de faire ce genre d'activités lors d'un dîner en famille. Faites marcher votre imagination. Faites en sorte que ce soit un moment agréable pour tous. Au bout d'un certain temps, les membres de votre famille se rendront compte que la nourriture qu'ils reçoivent ne se trouve pas seulement dans leurs assiettes, et vous pourrez passer à des rendez-vous familiaux plus formels. Tout le monde, surtout les jeunes enfants, aime partager avec les membres de sa famille des moments de complicité. Ces moments nous rapprochent les uns des autres et permettent à chacun de témoigner son affection. Plus vous multiplierez ce genre de moments privilégiés, plus vous y serez à l'aise.

Vous ne pouvez pas imaginer les bénéfices qu'en retirera votre famille. Un de mes amis a fait sa thèse de doctorat sur l'effet des moments passés en famille sur l'image qu'ont les enfants d'eux-mêmes. Outre les conséquences positives pour les enfants, cette étude a révélé des résultats inattendus concernant les pères. Un père raconte qu'il se sentait très mal à l'aise et qu'il s'était tout d'abord montré réticent devant ce type de rassemblement familial. Mais au bout de trois mois, les choses ont commencé à changer :

Lorsque j'étais enfant, les membres de ma famille n'ont jamais beaucoup parlé ensemble, excepté pour se rabaisser et se disputer. J'étais le plus jeune et il semblait que tout le monde pensait que je ne ferais jamais rien de bien. J'ai fini par m'en convaincre, alors je n'ai pas fait grand-chose à l'école. Je n'ai même jamais eu suffisamment confiance en moi pour entreprendre n'importe quelle tâche intellectuelle.

Je ne voulais pas participer à ces soirées en famille parce que je ne m'en sentais tout simplement pas capable. Mais lorsque ma femme a ouvert un débat, puis ma fille, j'ai décidé d'essayer à mon tour.

J'ai dû prendre mon courage à deux mains, mais je me suis lancé. C'était comme si je défaisais un nœud douloureux que j'avais en moi depuis l'enfance. Les mots semblaient venir directement de mon cœur. J'ai dit à mes enfants combien j'étais content d'être leur père et que je savais qu'ils réussiraient leur vie. Puis j'ai fait quelque chose que je n'avais jamais fait auparavant : j'ai dit à chacun, l'un après l'autre, combien je les aimais. Pour la première fois, je me suis véritablement senti père – le genre de père que j'aurais aimé avoir.

Depuis ce soir-là, je me sens plus proche de ma femme et de mes enfants. C'est difficile à expliquer, mais de nombreuses portes se sont ouvertes et tout a changé à la maison.

Un rendez-vous familial hebdomadaire constitue une réponse proactive à la hauteur du défi à relever par les familles d'aujourd'hui. Cet engagement montre aux enfants l'importance que vous accordez à la famille. Il consolide les Comptes émotionnels et construit d'excellents souvenirs. Il vous aide à créer un garde-fou contre ce qui vous éloignerait de votre famille. Il vous permet également de satisfaire plusieurs types de besoins : physiques, économiques, sociaux, mentaux, esthétiques, culturels et spirituels.

Cela fait maintenant vingt ans que j'enseigne ce principe, et de nombreux parents m'ont dit que le rendez-vous familial est une pratique très intéressante et très bénéfique, qui leur a permis de véritablement donner la priorité à la famille. Rien ne les a jamais autant rapprochés.

TRANSFORMEZ VOTRE CHARTE EN CONSTITUTION GRÂCE AU RENDEZ-VOUS FAMILIAL

Le rendez-vous familial offre une occasion de discuter et d'élaborer votre charte familiale. Une fois que celle-ci est établie, ce rendez-vous aide à la transformer en véritable Constitution de votre vie de famille et à satisfaire quatre types de besoins quotidiens : spirituels (s'organiser), mentaux (enseigner), physiques (résoudre les problèmes) et sociaux (se divertir).

Sandra

Lors d'une de nos soirées en famille, nous avons discuté du genre de famille que nous voulions être et que nous avions décrit dans notre charte. Nous avons parlé de l'importance de rendre service aux autres – à la famille, aux voisins et à la société en général.

Aussi, pour le rendez-vous familial suivant, j'ai décidé de préparer une discussion sur la serviabilité. Nous avons loué une cassette vidéo : L'Obsession merveilleuse. *C'est l'histoire d'un riche play-boy qui provoque un accident de voiture. Au cours de ce drame, une jeune fille devient aveugle. Il se sent terriblement coupable et se rend compte que son imprudence a bouleversé à jamais la vie de cette fille. Il essaie de se rapprocher d'elle et de l'aider à faire face à sa nouvelle situation. Il rend visite à un ami, un artiste, qui essaie de lui apprendre à rendre service aux autres de façon anonyme. Au départ, il a beaucoup de mal à comprendre pourquoi il devrait se comporter de cette façon. Mais finalement, il apprend à être attentif aux besoins des autres et à s'investir dans leur vie, pour créer un changement positif, de manière anonyme.*

Tout en commentant ce film, nous avons parlé de nos voisins. Nous les trouvions attentionnés, responsables et agréables. Nous voulions tous le leur faire savoir et leur rendre service ou faire quelque chose pour eux. Alors, nous avons créé ce que nous avons appelé la « famille Fantôme ». Pendant environ trois mois, à chaque rendez-vous familial, nous avons fait quelque chose pour eux : du pop-corn, des pommes au four, des petits gâteaux, etc. Nous choisissions une famille dans le voisinage. Puis nous déposions notre cadeau sur le pas de la porte, avec une note qui disait : « La famille Fantôme a encore frappé ! » Nous sonnions et nous nous sauvions à toutes jambes.

Chaque semaine, nous recommencions. Nous n'avons jamais été démasqués, bien qu'un jour on nous ait mis la police aux trousses, croyant que nous étions des cambrioleurs !

Bientôt, tout le voisinage s'est mis à parler de la famille Fantôme. Nous faisions comme si de rien n'était et faisions semblant de nous demander aussi qui pouvait bien être cette famille Fantôme. Puis les voisins ont fini par avoir des soupçons. Et un soir, nous avons trouvé un cadeau avec une note : « À la famille Fantôme, de la part de ses voisins soupçonneux. »

Toute cette mise en scène et le mystère qui l'entourait ont été une véritable aventure ! Et nous avons appris à rendre service de manière anonyme et à intégrer ainsi une partie importante de notre charte familiale dans notre vie.

Nous avons découvert que chaque point de notre charte pouvait faire l'objet de discussions et d'activités lors d'un rendez-vous familial. Ainsi, nous avons pu appliquer concrètement notre mission à notre vie de famille. Si on sait y mettre de la joie et de la bonne humeur, tout le monde s'amuse et apprend. **En créant une charte et en vivant selon ses principes, on peut établir progressivement une autorité morale au sein de la famille**. Autrement dit, ces principes s'imprègnent dans la structure et dans la culture familiales, et tout le monde se rend compte qu'ils sont le garant d'une famille unie, proche et fidèle à ses choix. Dès lors, la charte devient la Constitution de la famille – la Loi suprême. Les principes sur lesquels elle se fonde et le système de valeurs qui en découle créent une volonté sociale empreinte d'une autorité morale ou éthique.

UN TEMPS POUR S'ORGANISER

Un homme, marié et père de famille, fait le témoignage suivant.

Il y a quelques années, ma femme et moi nous sommes rendu compte que nous étions de plus en plus occupés pendant l'été et que nous ne passions pas autant de temps que nous le voulions avec nos enfants pendant leurs vacances. Aussi, dès la fin de l'année scolaire, nous avons passé une soirée en famille et avons demandé aux enfants de nous dire ce qu'ils aimaient le plus faire pendant l'été. Ils ont mentionné toutes sortes de choses : aller à la piscine ou manger des glaces, mais aussi des activités plus longues comme faire des excursions en montagne ou aller dans un parc aquatique. Chacun a fait part de ce qu'il aimait vraiment faire.

Après avoir pris connaissance de toutes les activités, nous nous sommes efforcés de réduire la liste. Nous ne pouvions évidemment pas tout faire. Alors nous avons essayé de ne retenir que celles qui plaisaient le plus à tout le monde. Puis nous avons pris un grand agenda et nous nous sommes fait un programme. Nous avons retenu certains samedis pour les activités qui prendraient toute une journée et des soirées pour celles qui étaient plus courtes. Nous avons également réservé une semaine pour partir en vacances en famille.

Les enfants étaient très contents de voir que nous nous étions véritablement organisés pour faire les choses qui étaient importantes pour eux. Et nous nous sommes rendu compte, au cours de l'été, que toute la famille se réjouissait d'avoir tout programmé à l'avance. Les enfants ne demandaient plus constamment quand est-ce que nous allions faire telle ou telle chose, puisqu'ils le savaient dès le début des vacances. Tout était indiqué sur l'agenda de la famille. Et nous avons respecté notre programme. Nous en avons tous fait une priorité dans notre vie. C'est devenu une sorte d'engagement collectif, et ce sentiment d'engagement nous a considérablement rapprochés et liés.

Cette organisation m'a beaucoup apporté parce qu'elle m'a permis de m'engager à faire ce que j'avais vraiment envie de faire et que, bien souvent, je ne faisais pas à cause de la pression du moment. Parfois, j'étais tenté de travailler tard pour terminer un projet, mais je me rendais compte que manquer à l'engagement que j'avais pris envers ma famille aurait eu un impact émotionnel très important. Je devais le respecter, et c'est ce que j'ai fait. Je ne me suis pas senti coupable, parce qu'il s'agissait d'un engagement que j'avais pris délibérément.

Comme l'a découvert cet homme, un rendez-vous familial est le moment idéal pour s'organiser. Tout le monde est là et participe. Vous pouvez décider ensemble de la façon dont vous allez mettre à profit vos prochains rendez-vous familiaux. Ainsi, chacun connaît le programme.

De nombreuses familles font une sorte de planning hebdomadaire pendant leur rendez-vous familial. Voici l'exemple d'une mère.

Nous consacrons une grande partie de notre rendez-vous familial hebdomadaire à l'organisation. Nous passons en revue les activités de chacun et les inscrivons sur un tableau accroché à la porte. Cela nous permet de programmer des activités en famille et de savoir ce que les autres font dans la semaine, de sorte que nous pouvons les encourager. Grâce à ce planning, nous pouvons nous organiser pour les transports, le baby-sitting, et éviter les imprévus.

Disposer d'un agenda familial est très appréciable lorsque nous recevons des coups de fil. Quand quelqu'un demande un des membres de la famille, n'importe lequel d'entre nous peut dire : « Je suis désolé, elle n'est pas là. Elle est à une répétition de théâtre. Elle devrait être à la maison vers cinq heures. » Nous apprécions de savoir où se trouvent les enfants et de pouvoir communiquer facilement avec leurs amis quand ils téléphonent. Et nous sommes contents de savoir qu'ils peuvent également répondre à nos appels de manière efficace.

Si vous tenez un agenda familial, vous pouvez programmer les moments que vous consacrez à la famille – rendez-vous familial hebdomadaire, moments en tête à tête et autres. Grâce à cet agenda, chacun se sent véritablement partie intégrante de la famille. L'agenda n'est pas juste celui de maman ou de papa ; il reflète les priorités et les décisions de tous.

Lorsque le temps que vous souhaitez passer en famille est prévu à l'avance, vous avez l'esprit plus libre. Vos priorités sont fixées. Vous pouvez vous consacrer plus pleinement à votre famille – ainsi qu'à votre travail et à vos diverses activités –, car vous savez que vous avez mis du temps de côté pour les choses qui vous importent le plus. Pour cela, il vous suffit de tenir un agenda et de réunir régulièrement votre famille pour faire votre planning.

UN TEMPS POUR ENSEIGNER

J'ai également découvert que le rendez-vous familial offre une bonne occasion d'enseigner les principes essentiels de la vie. Sandra et moi avons passé des moments très agréables à enseigner à nos enfants les principes qui sous-tendent les « 7 Habitudes ».

Sandra

Il y a quelques années, un grand centre commercial s'est construit à Salt Lake City. Le but était d'attirer les gens dans la ville en leur proposant magasins, théâtres, restaurants et autres commerces. Un soir où nous étions tous réunis, Stephen a annoncé qu'il avait rencontré l'un des architectes et qu'il avait prévu de tous nous emmener sur le site de construction pour que cet architecte nous explique tous les détails et la complexité d'un tel projet.

Il nous a emmenés sur le toit d'un building avoisinant et nous avons pu voir l'immensité du site de construction. Nous étions en admiration devant l'organisation, la vision, la technologie et la compétence qu'impliquait la réalisation d'un tel projet. L'architecte nous a expliqué le concept de vision, qu'il est indispensable d'avoir dès le départ. Toute chose devait être créée deux fois. Il avait dû rencontrer les propriétaires, les entrepreneurs et d'autres architectes, et décrire dans le moindre détail la taille, l'espace, la fonction, le design, l'usage et le coût de chaque parcelle.

Nous sommes restés époustouflés lorsqu'il nous a montré sur son ordinateur chaque partie du bâtiment en nous expliquant ce qu'il y aurait ici ou là. Puis nous l'avons suivi dans une grande pièce où il nous a montré des centaines et des centaines de plans. Certains se rapportaient aux systèmes de chauffage et de climatisation, d'autres à l'éclairage intérieur et extérieur, d'autres encore aux cages d'escaliers, aux sorties, aux ascenseurs, aux installations électriques, aux colonnes, aux fenêtres, etc.

Il a poursuivi avec le design : les peintures, les papiers peints, les assemblages de couleurs, les revêtements de sol, le carrelage et les accessoires d'ambiance. Nous étions ébahis par autant de précision, d'anticipation, d'imagination et d'organisation.

Lorsque le soir est tombé, la ville s'est animée sous les ombres et les lumières. Tandis que nous repérions notre chemin, Stephen et moi avons pensé que c'était le moment de montrer aux enfants que le principe de la vision – sachez dès le départ où l'on veut aller – s'appliquait également à la vie de tous les jours. Nous devions nous aussi prendre des décisions en fonction de nos projets.

Par exemple, si l'on veut aller à l'université, il faut aller à l'école. Il faut bien travailler, se préparer pour les examens, rendre des devoirs, apprendre à s'exprimer à l'écrit, suivre tout le cursus. Si l'on veut exceller en musique, on doit être déterminé et avoir du talent. Il faut beaucoup de pratique. Il faut s'y consacrer entièrement, se concentrer pour progresser. Pour être bon en sport, il faut développer ses aptitudes physiques. Il faut s'entraîner et participer à des compétitions. Il faut se surpasser, croire en soi, supporter ses blessures, se réjouir de ses victoires et apprendre de ses défaites. Rien n'arrive au hasard. Il faut avoir une vision claire de ses objectifs. Les planifier. En évaluer le prix. Et en payer le prix pour les atteindre.

Cette sortie en famille nous a permis de faire part à nos enfants d'un principe important. Nous n'oublierons jamais ce jour-là.

Vous pouvez également mettre à profit vos rendez-vous familiaux pour enseigner quelques questions pratiques, comme en témoigne le récit de cette femme.

Un jour, lors d'un rendez-vous familial, nous avons fait un jeu que nos enfants n'ont jamais oublié. Son but était de leur enseigner quelques principes concernant la gestion d'un budget.

Nous avons affiché des écriteaux en divers endroits de la pièce : « Banque », « Magasin », « Société de crédit » et « Association caritative ». Puis nous avons donné à chacun des enfants quelques objets représentant le travail qu'ils pouvaient faire pour gagner de l'argent. Notre fille de huit ans avait des serviettes qu'elle pouvait plier et notre fils de dix ans avait un balai pour balayer la maison. Chacun avait du travail et pouvait gagner sa vie.

Lorsque le jeu a démarré, tout le monde a commencé à travailler. Au bout de quelques minutes, nous avons fait sonner une cloche et chacun a été « payé ». Nous avons donné aux enfants chacun dix francs pour leur travail. Ensuite, ils ont dû décider de ce qu'ils allaient faire de l'argent. Ils pouvaient le déposer à la banque, faire un don à l'association caritative ou acheter quelque chose au magasin, où nous avions déposé une quantité de ballons de couleur portant le nom de différents jouets et une étiquette indiquant le prix. En outre, dans le cas où ils auraient terriblement envie d'acheter un jouet et n'auraient pas assez d'argent pour l'acheter, ils pouvaient aller à la société de crédit et emprunter de l'argent.

Nous avons effectué ce cycle plusieurs fois : travail, gain, dépense; travail, gain, dépense. Puis nous avons donné un coup de sifflet : « C'est l'heure des intérêts! » Ceux qui avaient placé leur argent à la banque ont perçu des intérêts et ceux qui avaient emprunté à la société de crédit ont dû payer des intérêts. Les enfants ont vite été convaincus qu'il était bien plus intéressant de percevoir des intérêts que d'en payer.

Petit à petit, ils se sont également rendu compte que ceux qui choisissaient de faire un don à l'association caritative permettaient de donner de la nourriture, des vêtements et autres biens de première nécessité à des gens du monde entier. Et comme nous avons fait éclater quelques ballons en guise d'intérêts, ils ont également compris que les biens matériels pour lesquels nous travaillons si dur et allons jusqu'à nous endetter ne durent pas éternellement.

Lorsque nous avons demandé à nos enfants quels étaient les rendez-vous familiaux dont ils se souvenaient, celui-ci est arrivé en tête de liste. Et lorsqu'ils sont devenus adultes, ils ont su être vigilants face aux pièges du « Achetez maintenant, payez plus tard ». Parmi nos quatre enfants mariés, aucun n'a actuellement des intérêts à payer. Et ils n'ont emprunté de l'argent que pour leurs maisons et les études de leurs enfants.

Ces enfants ont appris très tôt les principes de base de la gestion d'un budget. Vous rendez-vous compte du bénéfice qu'ils en ont tiré à l'âge adulte – d'autant que les problèmes liés à la gestion du budget constituent l'une des causes principales de divorce[27]?

Vous pouvez également profiter d'un rendez-vous familial pour apporter à vos enfants un enseignement sur la famille elle-même, comme l'a fait cette femme.

L'un des rendez-vous familiaux qui nous ont le plus marqués remonte au jour où mon mari et moi avons ramené un bébé à la maison. Ce fut l'occasion d'enseigner les choses essentielles de la vie à nos enfants.

Nous avions déjà parlé de sexe ensemble, lors d'autres soirées en famille. Nous leur avions expliqué que c'était une part importante de la vie d'un couple, qu'on ne devait pas prendre à la légère.

Mais, ce soir-là, alors que nous étions tous rassemblés autour de ce nouveau petit être, nous avons pu leur dire, tout simplement : « Voilà ce que c'est. C'est tout l'amour que partagent un homme et une femme.

27. Patricia Voydanoff, « Economic Distress and Family Relations : A Review of the Eighties », Journal of Marriage and the Family, 52 (Novembre 1990). Voir aussi Lynn K. White, « Determinants of Divorce : A Review of Research in the Eighties », Journal of Marriage and the Family, 52 (Novembre 1990).

C'est le bonheur de pouvoir accueillir un nouveau-né au sein d'une famille où il sera aimé, chéri et choyé. C'est l'engagement que l'on prend de protéger et de prendre soin de ce petit être jusqu'à ce qu'il soit adulte et prêt à créer une famille à son tour. »

Je crois que rien n'aurait pu les toucher aussi profondément, ni influencer aussi fortement leur comportement à l'égard de l'intimité des êtres humains.

L'enseignement fait partie des rôles essentiels de la famille. Le changement considérable qui a eu lieu au sein de la société le rend encore plus indispensable. **Si nous ne prenons pas cette responsabilité, la société s'en chargera. Et nos enfants – et nous-mêmes – en subiront les conséquences.**

UN TEMPS POUR RÉSOUDRE LES PROBLEMES

Une Danoise m'a fait part de son expérience.

Depuis que nos enfants sont tout petits, nous avons toujours essayé de passer un moment en famille au moins une fois par semaine. Parfois, lors de ces rassemblements, nous parlions de nos problèmes personnels et de la façon dont nous y faisions face.

Un jour, mon mari a perdu son travail. Lors de notre rendez-vous familial, nous avons donc expliqué aux enfants ce qui s'était passé. Nous leur avons montré notre compte en banque, puis nous leur avons précisé qu'il fallait généralement six mois pour retrouver du travail. Il fallait donc diviser notre capital en six parties – une pour chaque mois. Nous avons ensuite divisé chaque partie en fonction de nos besoins pour payer le loyer, la nourriture, le gaz, l'électricité, etc.

Ainsi, les enfants ont pu voir clairement à quoi l'argent était destiné et le peu qu'il restait. Ils auraient pu paniquer si nous ne leur avions pas dit que c'était pour nous un défi et que nous allions le relever. Nous voulions qu'ils sachent où passerait l'argent, afin d'éviter de leur briser le cœur à chaque fois que nous refuserions de leur offrir quelque chose que nous ne pouvions pas nous permettre d'acheter.

Nous avons parlé du stress que cette situation engendrerait pour leur père et de ce que nous pouvions faire, à la maison, pour le détendre. Nous avons décidé de maintenir la maison propre et d'éviter de faire tout ce qui pourrait l'irriter : laisser traîner cartables, manteaux et chaussures par terre, par exemple. Tout le monde a été d'accord et nous nous sommes sentis très unis face à l'épreuve difficile qui nous attendait.

Au cours des six mois qui ont suivi, nous avons fait beaucoup de gâteaux pour nous donner du courage. Nous n'avons fait des dépenses que pour le strict nécessaire. Les enfants encourageaient sans cesse leur père, en lui disant qu'ils savaient qu'il trouverait bientôt du travail. Ils ont fait des efforts pour lui montrer qu'ils avaient confiance en lui, car nous savions tous, par expérience, que la confiance était un atout qui risquerait de lui manquer.

Quand il a fini par trouver du travail, la joie des enfants a presque dépassé la nôtre. Nous avons fêté la nouvelle et nous ne sommes pas près d'oublier ce moment. Je n'ose même pas imaginer le nombre de problèmes que nous avons évités en prenant le temps d'expliquer aux enfants la situation dans laquelle nous nous trouvions et les efforts qu'il fallait faire pour s'en sortir.

Il est indispensable de parler des problèmes auxquels nous sommes confrontés en famille. Lors d'un rendez-vous familial, vous pouvez indiquer à vos enfants quels sont vos besoins essentiels et essayer de trouver ensemble des moyens de les satisfaire. En impliquant tous les membres de la famille dans vos problèmes, vous pouvez chercher la solution ensemble, de sorte que tout le monde puisse comprendre et s'engager à tout mettre en œuvre pour parvenir à cette solution.

Maria (fille)

Lors d'un rendez-vous familial, papa a fait une liste de toutes les responsabilités qui devaient être prises dans la famille. Puis il a énoncé chaque responsabilité une à une, en demandant qui voulait la prendre :

« Bon, qui veut gagner l'argent ? » Personne ne s'est porté volontaire. « Je suppose que c'est à moi de prendre cette responsabilité, a-t-il dit. D'accord. Et qui veut payer les impôts ? » Cette fois encore, personne ne s'est manifesté. Il a donc dit qu'il s'en chargerait également. « Qui veut nourrir le bébé ? » Maman était la seule à pouvoir effectuer cette tâche. « Alors, qui veut s'occuper de la pelouse ? »

Il a continué à passer en revue toutes les choses à faire, et il est apparu très clairement que lui et maman faisaient beaucoup pour la famille. Ce fut un excellent moyen de nous préparer à accepter les tâches qui nous incomberaient. Nous avons compris que chacun devait faire sa part de travail.

Je connais une femme qui a pris en charge de nombreux enfants dont le comportement était considéré comme « incorrigible ». Ces enfants avaient eu toutes sortes de problèmes. Ils avaient presque tous eu des démêlés avec la police. Mais cette femme a fixé des rendez-vous familiaux qui ont permis à chacun de discuter de ses problèmes.

Au fil des ans, en essayant d'élever nos propres enfants et ceux que nous avions pris en charge, nous nous sommes rendu compte que les enfants ont besoin d'avoir des relations de complicité. Ces relations peuvent s'établir progressivement, au cours des rendez-vous familiaux. Les enfants aiment se sentir impliqués. Ils aiment avoir la responsabilité de faire quelque chose : préparer un jeu, un cadeau, une activité. Et ils apprécient d'être dans un climat de confiance, qui leur permet de s'exprimer.

Récemment, nous avons pris en charge un garçon qui avait de graves problèmes – physiques, mentaux et affectifs. Alors qu'il était à l'hôpital, nous avons profité de nos rendez-vous familiaux pour mettre les autres enfants au courant de ce à quoi ils devaient s'attendre lorsqu'il serait de retour à la maison. Ils s'inquiétaient de son comportement et nous les avons laissés exprimer cette inquiétude. Nous les avons mis en confiance et encouragés à parler franchement. Ils étaient à l'aise avec nous, ce qui leur a permis d'être moins anxieux. L'un des enfants a même dit qu'il ne voulait pas qu'il revienne à la maison. Ayant pris connaissance de ses appréhensions, nous étions mieux armés pour faire face à la situation.

La création d'un forum familial, où l'on peut discuter ouvertement des problèmes, instaure un climat de confiance favorable aux relations familiales et à la capacité à résoudre ces problèmes.

UN TEMPS POUR SE DIVERTIR

Sandra

Je crois que les plus belles soirées en famille que nous ayons passées sont celles où Stephen nous entraînait dans de véritables aventures. Il en inventait au fur et à mesure, et personne ne savait jamais à quoi s'attendre. On jouait au volley derrière la maison, puis on allait piquer une tête à la piscine et finir la soirée à la pizzeria. Ou bien on allait jouer au golf, puis on allait au cinéma et on rentrait prendre un verre de limonade à la maison. On jouait aussi parfois au minigolf, puis on faisait du trampoline dans le jardin. Quand le soir tombait, on se racontait des histoires de fantômes et on dormait à la belle étoile. Ou bien on partait en randonnée avec d'autres familles, on faisait un feu de camp et on faisait griller de la guimauve. On allait au bowling ou dans des musées. On louait des cassettes vidéo ou on regardait des films que nous avions réalisés en mangeant du pop-corn.

L'été, on allait nager ou patauger dans les rivières. L'hiver, on allait skier, faire de la luge, des batailles de boules de neige ou du patin à glace sur le lac. Nous ne savions jamais ce que Stephen nous préparait, et le mystère faisait partie de l'aventure.

Parfois, une autre famille ou des oncles, tantes et cousins se joignaient à nous. Nous faisions du sport toute la journée : tir à l'arc, ping-pong, tennis, basket, etc.

Dans la famille, il est essentiel de savoir s'amuser. En s'amusant, les membres de la famille créent des liens. Ils sont heureux d'être ensemble, comme en témoigne ce père :

Les rendez-vous familiaux sont pour nous l'occasion de faire quelque chose que nous ne pouvons pas faire facilement dans le tumulte de notre vie : nous amuser ensemble. Il semble qu'on soit toujours débordé. On a du travail au bureau, à la maison; il faut préparer le dîner, mettre les enfants au lit. On ne prend pas le temps de se détendre et de passer un moment ensemble. Et pourtant, c'est tellement important, surtout quand on est sous pression.

Nous avons découvert que le simple fait de rire ensemble, de raconter des blagues ou de chahuter a un effet thérapeutique. Cela crée un climat de confiance où l'on peut se chamailler, se taquiner sans crainte. Les enfants se sentent aimés et appréciés.

Lorsque l'on est toujours sérieux, je crois que les enfants se posent des questions : « Papa et maman m'apprécient-ils vraiment? Est-ce qu'ils aiment être avec moi? » Mais lorsque l'on passe régulièrement des moments ensemble, on se laisse aller et on s'amuse. Alors, les enfants savent qu'on aime être avec eux. Ils associent « être apprécié » à s'amuser.

C'est comme si le rendez-vous familial nous aidait à être spontanés. C'est peut-être simplement qu'il nous en donne le temps. Les enfants l'attendent toujours avec impatience. Nous nous amusons si bien ensemble que ce sont eux qui font toujours en sorte d'être amusants.

Même si vous ne faites rien d'autre que vous amuser pendant votre rendez-vous familial, la simple joie d'être ensemble et de faire des choses ensemble sera très bénéfique pour le Compte émotionnel de la famille. Et lorsque vous y ajoutez d'autres ingrédients, ce rendez-vous devient l'une des structures les plus salutaires de la famille.

ENGAGEZ-VOUS

Vous vous souvenez peut-être ou vous avez peut-être vu une rediffusion du voyage d'Appolo 11 sur la Lune. Ceux d'entre nous qui l'ont vu en direct en sont restés estomaqués. Lorsque nous avons vu des hommes marcher sur la Lune, nous ne pouvions pas en croire nos yeux. Ce fut un moment qu'aucun superlatif ne suffirait à décrire.

À votre avis, à quel moment a-t-on utilisé le plus d'énergie? Lors du trajet vers la Lune, du retour vers la Terre, de la séparation et du réassemblage des modules lunaires et des modules de contrôle ou du décollage de la Lune?

Rien de tout cela. Pas même l'ensemble de toutes ces manœuvres. Ce qui a demandé le plus d'énergie, c'est le décollage de la Terre. Il a fallu plus d'énergie pendant les premières minutes, au cours des premiers kilomètres, qu'au cours des millions de kilomètres parcourus pendant les jours entiers qui ont suivi.

L'effet de la pesanteur était énorme au cours des premiers kilomètres. L'atmosphère terrestre était considérablement pesante. Il a fallu une poussée supérieure à la pesanteur et à la résistance atmosphérique pour mettre la fusée sur orbite. Mais ensuite, on n'a utilisé que très peu d'énergie. Lorsqu'un journaliste a demandé à l'un des astronautes quelle quantité d'énergie a été nécessaire pour séparer le module lunaire du module de contrôle, afin de descendre sur la Lune, il a répondu : « Moins que le souffle d'un bébé[28]. »

Ce voyage sur la Lune constitue une bonne métaphore pour illustrer les efforts qu'il faut faire pour se débarrasser de nos vieilles habitudes et en créer de nouvelles, comme se fixer un rendez-vous familial hebdomadaire. La pesanteur représente les habitudes profondément ancrées en nous, les tendances liées à notre environnement, à la famille dont nous sommes issus, etc. L'atmosphère terrestre représente l'environnement troublé et hostile à la famille qu'est la société actuelle. Ces deux forces sont extrêmement puissantes, et

28. Cette citation est attribuée à la fois à John Glenn et Neil Armstrong.

il faut développer une volonté sociale supérieure à celles-ci pour provoquer le décollage.

Mais, une fois que le décollage aura eu lieu, vous serez étonné de la liberté dont vous et votre famille jouirez. Pendant le décollage, les astronautes n'ont aucune liberté. Tout ce qu'il peuvent faire, c'est mener à bien le programme. Mais, dès qu'ils se libèrent de la pesanteur et de l'atmosphère terrestre, ils disposent d'une liberté incroyable. Et ils ont de nombreuses possibilités.

Comme l'a dit William James, grand philosophe et psychologue américain, lorsque l'on essaie de changer les choses, il faut en prendre résolument la décision, saisir la première occasion d'appliquer cette décision et ne faire aucune exception. **Le plus important, c'est de s'engager à le faire** : « **Une fois par semaine, quoi qu'il arrive, nous aurons un rendez-vous familial**. » Si possible, réservez un certain soir de la semaine. Ainsi, il sera bien plus facile de le faire régulièrement. Vous pouvez toujours avoir un empêchement mais, dans ce cas, prévoyez immédiatement un autre rendez-vous dans la semaine. En outre, il faut que vous communiquiez à vos enfants l'importance d'un rendez-vous familial lorsqu'ils sont petits, avant que l'adolescence ne vienne accaparer tout leur temps.

Quoi qu'il arrive au cours de votre rendez-vous familial, ne vous découragez pas. Il est arrivé que deux de nos enfants (des adolescents, bien sûr) soient affalés sur le canapé, à moitié endormis, pendant que d'autres étaient infernaux. Certains de nos rendez-vous familiaux ont commencé par une querelle et se sont terminés par une prière. Parfois, certains enfants ont été si bruyants et si irrespectueux qu'il nous est arrivé de dire : « Bon, ça suffit comme ça! Vous n'aurez qu'à venir nous chercher quand vous serez prêts à coopérer. » En général, ils nous demandaient de rester. Mais quand nous partions, nous revenions toujours en leur demandant de nous excuser.

Ce que j'essaie de vous dire, c'est que ce n'est pas toujours facile. Parfois, on se demande même si les enfants en retirent quelque chose. En fait, vous ne verrez peut-être pas de résultat pendant des années.

Mais c'est comme l'aiguillage d'un train. Une toute petite modification au niveau de la voie ferrée, et le train change complètement de trajectoire. Tout changement de direction, aussi infime soit-il, entraîne au bout du compte un changement radical de destination.

Maria (fille)
Je me souviens que, pendant certains rendez-vous familiaux, Sean et David étaient allongés sur les canapés, complètement endormis. Catherine n'arrêtait pas de dire : « Mon petit ami est en train d'essayer de m'appeler et le téléphone est décroché! » Je suis sûre que, pendant ces moments-là, mes parents se demandaient s'ils retireraient quoi que ce soit de ces rendez-vous.

Catherine (fille)
Je me souviens de m'être parfois mal comportée pendant ces rendez-vous familiaux. Mais lorsque je suis devenue adulte et que je suis partie de la maison, j'ai souvent pensé à certaines choses que j'avais apprises lors de ces soirées. Ma vie en a été profondément influencée. C'est très encourageant pour moi parce que, maintenant, quand je regarde mes enfants, je me dis : « En retirent-ils quelque chose? » Et je me rends compte que, même si tout cela semble inutile, ça ne l'est pas. Ils passent inconsciemment sur l'aiguillage qui les mettra sur la bonne voie. Le simple fait que nous fassions quelque chose ensemble, que nous essayions de le faire, est extrêmement important.

Cela fait maintenant trente ans que nous avons des rendez-vous familiaux, et quand je regarde en arrière, quand j'en discute avec mes enfants aujourd'hui adultes, je suis absolument convaincu que ces rassemblements ont constitué l'une des principales forces qui nous ont aidés à garder le cap.

LES MOMENTS EN TÊTE-À-TÊTE

Abandonnez-vous. Faites don de vous-même à votre conjoint, votre enfant, pour une journée, un après-midi, une soirée. Cet abandon implique que vous laissiez l'autre faire ce qu'il veut avec vous, que vous soyez tout à lui, complètement disponible. Pour cela, vous devez avoir l'esprit libre et être vraiment présent pour l'autre. Il ne s'agit pas de renoncer à ses propres principes, ni de se montrer trop indulgent ou laxiste et de céder à tous les caprices. Il faut transcender ses intérêts personnels, ses préoccupations, ses appréhensions, ses besoins et son ego pour s'abandonner à ceux de son mari, de sa femme, de son fils ou de sa fille et permettre à cette personne d'exprimer et de réaliser ses désirs. Dans ces moments-là, vous devez vous mettre entièrement à la disposition de l'autre.

Les moments en tête à tête ont été si importants et si décisifs dans notre famille que je crois pouvoir dire sans hésiter qu'ils constituent la *seconde structure familiale de base* qu'il est essentiel de créer. **C'est lors de ces moments en tête à tête que se tissent la plupart des relations familiales**. On s'apporte plus que jamais, on effectue un véritable échange, on touche profondément le cœur et l'esprit de l'autre.

Comme l'a si bien dit Dag Hammarskjöld, ancien secrétaire général de l'Organisation des Nations Unies : « Il est plus noble de se donner tout entier à un individu que de s'efforcer de sauver tout un peuple. » Les moments en tête à tête sont pour vous l'occasion de vous donner à un individu.

LES MOMENTS EN TÊTE-À-TÊTE AU SEIN DU COUPLE

Je ne saurais décrire à quel point les moments que j'ai passés seul à seul avec Sandra ont été importants dans ma vie. Depuis des années, nous passons un moment ensemble chaque jour. Lorsque nous sommes tous deux en ville, nous allons faire un tour de scooter. Nous nous retrouvons, loin des enfants, du téléphone, du bureau, de la maison, des autres gens et de tout ce qui pourrait nous détourner l'un de l'autre. Nous nous évadons et parlons de notre vie, de nos préoccupations, des problèmes auxquels nous nous trouvons confrontés dans notre famille et que nous devons résoudre. Quand nous ne pouvons pas nous voir, nous nous parlons au téléphone – souvent plusieurs fois par jour. Cette communication profonde, ce lien, consolide notre couple et le renforce, si bien que, lorsque nous nous retrouvons dans l'arène de la famille, notre amour, notre profond respect l'un pour l'autre et ce sentiment d'unité qui nous lie nous aident à rester soudés.

Nous connaissons un couple qui organise ses moments en tête à tête de manière différente. Chaque vendredi soir, ils font garder leurs enfants et passent plusieurs heures ensemble pour se consacrer uniquement à leur relation. Ils sortent dîner, vont au cinéma, au théâtre ou marcher en montagne et prendre des photos de fleurs sauvages. Ils font cela depuis près de trente ans. Ils partent aussi en amoureux une ou deux fois par an. Ils vont en Californie et marchent pieds nus sur la plage, regardent les vagues, revoient leur charte conjugale et se fixent des objectifs pour l'année suivante. Puis ils reprennent leur vie de famille, ressourcés et reconcentrés. Ils attachent tellement d'importance à ces moments en tête à tête qu'il leur arrive de garder leurs petits-enfants pour que leurs enfants mariés et leurs conjoints puissent eux aussi en bénéficier.

Ce genre d'isolement à deux est essentiel pour le couple et pour la famille. **Maris et femmes ont vraiment besoin de passer régulièrement du temps seul à seul pour s'organiser et, d'une certaine manière, créer mentalement ou spirituellement leur propre avenir**. Il n'est pas facile de s'organiser. Cela requiert une profonde réflexion. Or beaucoup d'entre nous sont pris dans des emplois du temps infernaux, harcelés par le téléphone et enlisés dans des crises passagères. Ainsi, nous restons de grandes périodes sans véritablement communiquer avec notre conjoint. Pourtant, l'organisation est d'une importance capitale dans la vie, surtout lorsque l'on fonde une famille. On doit lui accorder un rôle essentiel, car on en retire beaucoup de bénéfices. Lorsque les conjoints se retrouvent pour discuter de questions dont ils partagent la responsabilité, notamment lorsqu'il s'agit des enfants, ils créent un effet de synergie, une vision, et aboutissent à un résultat plus satisfaisant que s'ils y avaient travaillé chacun de son côté. Ils ont une perspective plus claire et leurs solutions sont plus adaptées. De plus, cette démarche les rapproche énormément et les unit.

Je me suis rendu compte, en interrogeant certaines personnes, que de nombreux couples aiment se retrouver seuls régulièrement. Tous s'y prennent de différentes manières. Voici le témoignage d'une femme, mère d'enfants déjà grands.

Trois ou quatre soirs par semaine, ce sont nos enfants qui nous mettent au lit. Nous allons dans notre chambre avant qu'ils aillent se coucher et nous décompressons. Nous parlons, nous écoutons de la musique ou nous regardons la télévision. Nous nous racontons notre journée, nous parlons de certaines choses concernant la famille. Nous trouvons un équilibre ensemble.

Ce temps que nous passons seul à seul est très important pour notre famille. Lorsque nous rentrons du travail, nous ne laissons pas nos propres besoins supplanter ceux de nos enfants. Nous nous laissons faire, car nous savons qu'à partir de 22 h 30 nous aurons du temps pour nous. Nous nous consacrons à la famille et aux enfants, nous mettons de l'ordre dans la maison, nous nous occupons du linge, du chien, etc. d'autant plus volontiers que nous savons qu'à la fin de la journée nous aurons un moment privilégié, rien que pour nous.

Les enfants comprennent notre besoin d'être seuls et le respectent. À moins qu'il ne se passe quelque chose d'important, ils ne viennent jamais frapper à notre porte. Ils ne nous appellent pas, n'entrent pas et ne s'en plaignent jamais, parce qu'ils savent à quel point ce moment privilégié est important pour un couple. Et ils savent que, si nous formons un couple uni, nous serons une famille unie.

Pour nous, cette façon de faire est plus satisfaisante que de se donner un rendez-vous dans un restaurant, où le serveur et les gens que l'on rencontre viennent troubler notre intimité. C'est d'ailleurs plus qu'un rendez-vous, c'est un engagement à se retrouver en tant que couple, régulièrement, une façon de réaffirmer pourquoi nous sommes ensemble, pourquoi nous sommes tombés amoureux l'un de l'autre et pourquoi nous nous sommes choisis.

Je pense que se rappeler tout cela tous les jours est le plus beau don qu'un couple puisse se faire. Il est facile de tomber dans la routine. On est tellement occupé et accaparé par d'autres choses que le temps passe et on ne voit même pas à côté de quoi on passe. Mais les moments en tête à tête nous permettent de nous retrouver et de voir ce que l'on risque de perdre.

Et finalement, on ne passe pas à côté de l'essentiel.

Mes moments en tête à tête avec Sandra ont considérablement renforcé les liens entre tous les membres de la famille. **La meilleure chose que vous puissiez faire pour vos enfants est d'aimer votre conjoint**. La force du lien qui unit un couple crée un sentiment de sécurité dans l'ensemble de la famille, car la relation la plus importante au sein d'une famille est de loin celle qui existe entre mari et femme. La qualité de la vie de famille dépend de la qualité de cette relation. Même lorsque les parents se séparent, il est très important que chacun d'eux reste courtois envers l'autre et ne le critique jamais devant les enfants ni même en leur absence. Dans le cas contraire, les enfants ressentent ces « ondes négatives » et s'en sentent responsables. Ils s'identifient au problème, surtout lorsqu'ils sont jeunes et impressionnables.

Je me souviens d'avoir un jour manifesté mon aversion pour quelqu'un. Joshua, mon fils de six ans, m'a immédiatement demandé : « Papa, et moi, tu m'aimes bien? » Cela voulait dire : « Si tu es capable de nourrir ce genre de sentiment envers quelqu'un, tu peux aussi l'avoir envers moi. Je voudrais être sûr que ce n'est pas le cas. »

Les enfants tirent une grande partie de leur sentiment de sécurité de la façon dont leurs parents se comportent l'un envers l'autre. Il est donc incontestable que la relation du couple a un effet très important sur toute la culture familiale.

LES MOMENTS EN TÊTE-À-TÊTE AVEC LES ENFANTS

Il est également essentiel d'avoir des moments en tête à tête avec chaque enfant, pendant lesquels celui-ci décide de ce qu'il veut faire. Un tête-à-tête, cela signifie un parent et un enfant. N'oubliez pas que, lorsqu'une troisième personne intervient, la dynamique change. Il peut y avoir des relations entre les deux parents et un enfant ou bien entre l'un des deux parents et deux enfants mais, en général, pour construire une relation forte avec chaque membre de la famille, il vaut mieux se voir en tête à tête. Cette pratique, si l'on s'y adonne de manière consciencieuse et régulière, tue dans l'œuf les rivalités fraternelles.

Lors de vos moments en tête-à-tête, vous pouvez sortir, vous donner des rendez-vous privés au cours desquels vous faites profiter à votre enfant de votre expérience dans une dynamique affective et sociale profonde, qui développe un sentiment d'amour inconditionnel, un regard positif et un respect inaltérable. Ces moments privilégiés donnent l'assurance que, lorsque surgiront des problèmes, cette relation constituera un appui certain et fiable. Ils contribuent à la création d'un noyau immuable – fondé sur des principes eux-mêmes immuables – qui facilite la vie dans un milieu inconstant.

Catherine (fille)

Lorsque j'avais une dizaine d'années, j'adorais La Guerre des étoiles. *C'était tout pour moi. Aussi, quand ce fut mon tour de passer une soirée en tête à tête avec papa, j'ai voulu voir* La Guerre des étoiles, *bien que je l'aie déjà vu quatre fois.*

J'avais peur que papa préfère se faire arracher une dent plutôt que de voir de la science-fiction mais, lorsqu'il m'a demandé ce que je voulais faire avec lui, il était vraiment prêt à tout faire selon mes désirs : « On fera tout ce que tu voudras, Catherine, a-t-il dit. C'est ta soirée. »

Pour un enfant de dix ans, c'est comme un rêve qui se réalise : une soirée rien que tous les deux, et on va voir mon film préféré en plus! Alors je lui ai fait part de mon projet. J'ai pu voir une légère hésitation sur son visage avant qu'un sourire ne l'éclaire : « La Guerre des étoiles*!*

Ça doit être bien! Tu me raconteras de quoi ça parle? » Et nous sommes partis au cinéma.

Lorsque nous nous sommes installés dans nos fauteuils, après avoir fait une réserve de pop-corn et de bonbons, j'ai eu le sentiment d'être importante pour mon père. Lorsque la musique a commencé et que les lumières se sont éteintes, je me suis mise à lui expliquer tout bas de quoi il retournait. Je lui ai parlé de « la force », c'est-à-dire les bons, et de « l'empire », les méchants. Je lui ai raconté que ces deux puissances se livraient une bataille sans fin. J'ai parlé des planètes, des créatures, des vaisseaux spatiaux, etc. – et mon père m'écoutait en silence, en hochant de la tête.

Quand la séance a été terminée, nous sommes allés manger une glace et j'ai continué à expliquer le film avec passion, en répondant aux nombreuses questions que mon père me posait.

À la fin de la soirée, il m'a remerciée de ce tête-à-tête et de lui avoir fait connaître la science-fiction. En m'endormant cette nuit-là, j'ai sincèrement remercié Dieu de m'avoir donné un père aussi attentionné et attentif, qui me donnait le sentiment d'être importante à ses yeux. Je n'ai jamais su s'il avait vraiment aimé La Guerre des étoiles, *mais je savais qu'il m'aimait, moi. Et c'était tout ce qui comptait.*

Il n'y a rien de tel pour communiquer la valeur que vous accordez à votre enfant ou à votre relation avec lui que de lui consacrer du temps.

Une femme m'a raconté que le meilleur souvenir qu'elle garde de son enfance, c'est d'être allée prendre son petit déjeuner chez McDonald's avec son père tous les quinze jours pendant dix ans. Ensuite, il la déposait à l'école et allait travailler.

Voyez comment cette mère de cinq garçons a établi de fortes relations au sein de sa famille en consacrant à chacun des moments en tête à tête.

L'autre jour, je suis sortie déjeuner avec Brandon, mon fils de vingt-deux ans. Pendant le repas, nous avons parlé de certains aspects de sa vie, y compris de ses cours à l'école, des projets qu'il avait avec sa femme, etc. Puis, au bout d'un certain temps, il m'a dit sur le ton de la plaisanterie : « Maman, je ne sais vraiment pas ce que je veux faire quand je serai grand! »

Je lui ai répondu : « Moi non plus! La vie change au fur et à mesure que l'on vieillit. Il faut simplement se consacrer à quelque chose de particulier et rester ouvert au changement. »

Nous avons eu une grande discussion et nous avons considéré diverses possibilités concernant son avenir. Nous avons pensé à des choses qui ne nous avaient jamais traversé l'esprit auparavant : il pouvait préparer un diplôme de commerce international et apprendre le portugais pour aller travailler au Brésil.

Nous avons passé un très bon moment ensemble. Plus tard, je me suis rendu compte que ce n'était pas un hasard. Il y a quelques années, en écrivant ma charte personnelle, j'avais décidé de passer des moments en tête à tête avec chacun de mes enfants une fois par mois. J'ai commencé à le faire lorsqu'ils étaient à l'école primaire, et tout n'était pas parfait. Mais cela nous a vraiment rapprochés. Je ne pense pas que j'aurais pu avoir ce genre de tête-à-tête avec un fils de vingt-deux ans si nous n'avions pas commencé depuis son enfance. Il y a quelque chose entre nous qui nous met à l'aise dans notre façon de vivre l'un avec l'autre.

Il me semble que, lorsque les enfants grandissent, on doit passer de la condition de « parent » à celle de « meilleur ami » Tous les moments que j'ai passés en tête à tête avec mes enfants ont énormément facilité cette transition, car nous étions déjà amis.

Cette femme a également observé que l'on ne peut pas toujours prévoir le moment où le besoin d'un tête-à-tête se fait jour.

Mon mari et moi nous rendions parfois compte que l'un de nos fils avait besoin de soutien. En tant que parents, nous essayions de détecter ce besoin et de lui consacrer du temps, en plus des moments en tête à tête que nous avions déjà prévus. Dave l'emmenait à la pêche ou bien je l'emmenais déjeuner au restaurant. Nous nous relayions. Nous n'intervenions pas tous les deux, car nous ne voulions pas que nos fils aient l'impression que leurs parents se liguaient contre eux.

Lorsqu'ils se sentaient à l'aise, nos fils nous confiaient généralement ce qui les tenait en souci. Il pouvait s'agir de querelles avec des garçons qu'ils n'aimaient pas, de problèmes à l'école – ils avaient le sentiment qu'un de leurs professeurs ne les aimait pas, ou bien ils étaient en retard dans leurs devoirs et ne savaient pas comment s'en sortir.

Nous leur proposions alors de rentrer à la maison et d'en discuter. Nous leur offrions notre aide, mais leur laissions toujours le choix de décider. Nous savions qu'il fallait qu'ils apprennent à prendre des décisions et à régler leurs problèmes eux-mêmes. Mais nous étions aussi conscients que tout le monde a besoin de parler, d'entendre un point de vue extérieur, pour entrevoir les différentes possibilités.

On ne peut pas toujours tout prévoir. Il faut être attentif. Notre cœur doit être ouvert aux besoins du moment. Les choses viennent naturellement si l'on s'intéresse à ses enfants. On se rend compte que quelque chose ne va pas et qu'il faut passer un moment en tête à tête. Notre enfant a besoin de nous.

Ce qui compte avant tout, c'est de donner la priorité à la famille, quoi qu'il arrive. Nous sommes convaincus qu'en respectant ce principe on évite les longues crises que l'on met des mois ou même des années à essayer de résorber. On tue chaque problème dans l'œuf.

Plus qu'une question d'organisation, il s'agit en réalité de donner véritablement la priorité à la famille. C'est un état d'esprit, un désir de ne pas perdre de vue l'importance que l'on accorde à la famille et d'agir fidèlement à ce principe, au lieu de réagir en fonction de situations passagères.

« PEU M'IMPORTE CE QUE TU SAIS TANT QUE JE NE SAIS PAS COMBIEN JE T'IMPORTE »

Je n'oublierai jamais ce qui s'est passé lors d'un tête-à-tête avec l'une de nos filles. Elle avait l'air très en colère, très irritable, et elle s'était conduite de façon désagréable avec tous les membres de la famille. Lorsque je lui ai demandé ce qui n'allait pas, elle m'a répondu : « Oh, rien. »

Sandra et moi avions fixé une règle fondamentale en ce qui concerne nos moments en tête-à-tête avec les enfants : les laisser parler s'ils veulent parler. Mais ils pourront rouspéter et se plaindre tout leur soûl, nous ne leur donnerons pas de conseil tant qu'ils n'en demanderont pas. Autrement dit, en tant que parents, nous cherchons simplement à comprendre.

J'ai donc écouté ma fille. Aujourd'hui, elle porte un regard d'adulte sur cette expérience. Voici ce qu'elle en a retenu.

Cynthia (fille)

Lorsque j'avais cinq ans, mes parents sont allés vivre à Belfast, en Irlande, pendant trois ans. J'ai pris l'accent irlandais de mes camarades et, lorsque nous sommes retournés aux Etats-Unis, cet accent était très prononcé.

Ayant vécu en Irlande, je ne connaissais pas tous les jeux américains, comme le base-ball, et je ne me sentais pas dans le coup. Les enfants de ma classe pensaient que je n'étais pas comme les autres, car ils me comprenaient à peine quand je parlais et je ne pouvais pas jouer avec eux.

Mon instituteur m'a fait suivre des séances d'orthophonie pour que je me débarrasse de mon accent et a essayé de m'aider sur le plan scolaire, car j'étais très en retard sur mes camarades. J'avais des difficultés, notamment en maths, mais j'avais peur d'avouer qu'il me manquait certaines bases. J'en avais assez d'être à l'écart; j'avais envie d'être acceptée et d'avoir des amis.

Ainsi, au lieu de demander de l'aide en maths, j'ai choisi une autre solution : j'avais découvert que toutes les réponses de nos exercices étaient répertoriées sur des fiches qui se trouvaient au fond de la classe. Alors j'ai commencé à « emprunter » ces fiches et à recopier les réponses en cachette. Pendant un moment, tous mes problèmes semblaient résolus. Au fond de moi, je savais que c'était mal, mais il me semblait que la fin justifiait les moyens. Mon instituteur et mes camarades ont commencé à s'intéresser à moi. J'étais donnée en exemple. J'étais devenue l'élève modèle qui travaillait beaucoup, effectuait ses exercices rapidement et obtenait invariablement la meilleure note de la classe.

C'était merveilleux. J'étais devenue populaire et tout le monde m'aimait bien. Mais je n'avais pas la conscience tranquille, car je savais que je me trahissais moi-même et que j'allais à l'encontre de ce que mes parents m'avaient appris concernant l'honnêteté. Je voulais arrêter. J'avais tellement honte de tricher. Mais je m'étais laissé prendre au piège et je ne savais pas comment m'en sortir sans m'infliger une cruelle humiliation. J'étais obligée de continuer à tricher, car l'instituteur s'attendait à ce que je continue à avoir de bons résultats. J'étais profondément malheureuse. Pour une fillette de mon âge, ce problème semblait insurmontable.

Je savais que je devais dire à mes parents ce qui se passait, mais j'avais trop honte, car j'étais la plus âgée. J'ai commencé à être désagréable et nerveuse à la maison. Devoir faire face seule à ce problème me mettait beaucoup de pression. Mes parents m'ont dit plus tard qu'ils sentaient que quelque chose n'allait pas, mais qu'ils ne savaient pas quoi.

En Irlande, nous avions commencé à passer des moments en tête à tête une fois par mois. À cette occasion, chacun pouvait dire ce qu'il voulait, se plaindre des tâches ménagères qui lui incombaient ou des injustices dont il avait le sentiment d'être victime, parler de ses amis, suggérer des activités, faire part de ses problèmes, etc. La règle était la suivante : papa ou maman ne pouvaient qu'écouter. Ils n'avaient pas le droit de parler, de critiquer ou de donner des conseils ou des suggestions sans y avoir été invités. Nous attendions tous ces moments en tête à tête avec impatience.

Pendant l'un de ces tête-à-tête, j'ai dit à mon père que je trouvais que lui et maman étaient injustes avec moi. Il m'a laissée parler sans se défendre ni se fâcher. Il sentait que le problème n'était pas là et faisait en sorte que je puisse parler. Au bout d'un moment, lorsque je me suis sentie acceptée et non condamnée, j'ai commencé à m'ouvrir peu à peu pour tester sa réaction. Il m'a demandé si tout allait bien à l'école, si je m'y sentais bien. Sur la défensive, je me suis exclamée : « Si tu savais, tu penserais que je suis abominable ! Je ne peux pas t'en parler. »

Pendant quelques minutes, il m'a témoigné son amour inconditionnel et j'ai senti qu'il était sincère. Je m'étais confiée à lui à d'autres occasions, et il ne m'avait pas fait de reproches. J'ai donc eu le sentiment que je pouvais lui avouer la terrible vérité.

D'un seul coup, je me suis mise à pleurer et c'est sorti tout seul : « JE TRICHE EN MATHS ! *» Et je me suis laissée tomber dans ses bras. Ce fut un tel soulagement ! Je ne voyais toujours pas de solution et j'avais peur des conséquences, mais je m'étais enlevé un énorme poids au cœur. J'avais dit mon terrible secret à mon père et, malgré tout, je sentais toujours son amour et son soutien.*

Je me souviens de ce qu'il m'a dit alors : « Oh, comme ça a dû être dur de garder ça pour toi pendant si longtemps ! Si seulement tu m'en avais parlé avant, j'aurais pu t'aider. » Il m'a demandé s'il pouvait faire entrer ma mère pour que je leur raconte toute l'histoire. Je ne voyais pas comment m'en sortir mais, à ma grande surprise, ils m'ont aidée à trouver une solution qui ne m'humilierait pas complètement. Nous irions voir le professeur. Puis je prendrais des cours de maths particuliers.

Mes parents m'ont soutenue et ont compris ce qui s'était passé. Aujourd'hui encore, je me souviens du soulagement que j'ai ressenti à ce moment-là. Dieu sait quelles habitudes j'aurais prises et sur quelle voie je me serais engagée si j'avais continué à être malhonnête. Mais j'ai pu faire part de mon problème à mes parents, car ils avaient déjà établi avec moi une relation de confiance, d'amour inconditionnel et d'encouragement. Ils avaient fait tant de dépôts sur mon Compte émotionnel, pendant toutes ces années, que mon immense retrait ne m'avait pas complètement mise en faillite. Au contraire, ce jour-là, j'ai perçu des intérêts.

Je repense souvent à ce jour-là, et je me demande ce qui se serait passé si j'avais été si occupé, si pressé, si préoccupé par un rendez-vous ou par quelque chose de « plus important » que je n'aurais pas pris le temps de véritablement écouter. Qu'aurait fait ma fille ? Quels autres choix aurait-elle faits ?

Je suis vraiment heureux que nous ayons réservé ce moment pour être ensemble et pour consolider notre relation. Cette heure que nous avons passée ensemble a profondément marqué notre vie.

Être parents offre la possibilité d'enseigner aux enfants les principes qui leur permettront de réussir leur vie et d'être heureux. Mais pour cela, il faut établir de bonnes relations. « Peu m'importe ce que tu sais tant que je ne sais pas combien je t'importe. »

Jenny (fille)
Au cours de l'été 1996, j'ai passé mes plus beaux moments en tête à tête avec mon père. Tous les matins, papa me réveillait à neuf heures et nous allions faire du vélo sur une route de montagne. Nous passions une heure côte à côte à discuter et à nous raconter des histoires. Il m'apprenait tant de choses ! Et je pouvais tout lui dire. Arrivés en haut, nous buvions de l'eau d'une source fraîche. Je pense souvent à ces balades à vélo, et je me souviens à quel point c'était merveilleux.

Lors de ces moments en tête à tête, vous pourrez établir une relation qui vous permettra de faire passer ce que vous voulez enseigner à vos enfants. Vous consoliderez leur Compte émotionnel. Sandra et moi avons découvert que, lorsque nous prenons un enfant à part, lorsque nous l'emmenons dans un endroit tranquille, où nous pouvons lui consacrer toute notre attention – être complètement disponible –, l'enseignement et la communication sont beaucoup plus efficaces. À l'inverse, lorsque nous sommes pris par le temps ou préoccupés par des questions d'ordre pratique, nous sommes généralement inefficaces.

Je suis convaincu que les enfants savent ce qu'ils doivent faire, mais que leurs esprits ne sont pas prêts à le faire. Nous n'agissons pas en fonction de ce que nous savons, mais en fonction du sentiment que nous avons sur ce que nous savons et sur nous-mêmes. Si nous nous sentons bien avec nous-mêmes et dans notre relation avec autrui, nous sommes encouragés à agir en fonction de ce que nous savons.

LES GROSSES PIERRES D'ABORD

Les rendez-vous familiaux et les moments en tête à tête sont essentiels – et même fondamentaux – pour la satisfaction des principaux besoins de la famille, la consolidation des Comptes émotionnels et la création de toute la culture familiale.

Alors, comment s'y prendre? Comment trouver du temps pour avoir des rendez-vous familiaux hebdomadaires et passer des moments en tête à tête de manière profitable et régulière avec les membres de votre famille?

Faites travailler votre imagination un instant. Vous vous trouvez devant une table sur laquelle est posé un grand seau presque rempli de cailloux. Sur la table, à côté de ce seau, se trouvent plusieurs grosses pierres.

Supposez que ce seau représente votre emploi du temps de la semaine prochaine. Les cailloux contenus dans le seau symbolisent toutes les choses que vous faites habituellement. Les grosses pierres représentent un rendez-vous familial, un tête-à-tête ou d'autres choses véritablement importantes pour vous – travailler sur votre charte familiale ou simplement vous détendre avec les membres de votre famille. Autrement dit, ces grosses pierres illustrent tout ce qu'au fond de vous-même vous savez que vous devriez faire, mais que vous n'avez toujours pas réussi à « caser » dans votre emploi du temps.

Votre tâche consiste à faire tenir le plus possible de grosses pierres dans le seau. Vous essayez de forcer au maximum pour faire entrer les grosses pierres. Mais vous ne pouvez en mettre qu'une ou deux. Alors vous les retirez. Vous observez toutes les pierres, examinez leur taille, leur forme, et vous vous dites que, si vous en prenez d'autres, il en tiendra peut-être plus. Vous réessayez et réussissez finalement à en mettre trois. Mais pas plus. Vous avez beau faire d'autres essais, vous ne pouvez pas faire mieux.

Qu'en pensez-vous? Le seau est plein à ras bord, et de nombreuses pierres, représentant des choses importantes, ne tiennent pas dedans. Toutes les semaines, c'est la même chose. Peut-être est-il temps d'avoir une approche différente.

Retirez les trois grosses pierres et videz tous les cailloux dans un autre récipient. Maintenant, mettez *d'abord les grosses pierres* dans le seau! Combien de grosses pierres tiennent dans le seau? Beaucoup plus, évidemment. Lorsque votre seau sera plein de grosses pierres, *alors seulement* vous pourrez verser les cailloux par-dessus. Et vous verrez que tout rentre!

N'oubliez pas : si vous ne placez pas les grosses pierres d'abord, elles ne rentreront peut-être même pas! Mettez-les toujours en premier.

Cynthia (fille)

Papa était en déplacement assez souvent quand j'étais petite, mais nous avons fait plus de choses en famille, j'ai passé plus de moments en tête à tête avec lui que tous mes amis n'en ont passé avec leurs pères, qui avaient pourtant des horaires moins contraignants.

Je pense qu'il y avait deux raisons à cela. La première, c'est qu'il prévoyait toujours tout à l'avance. Il croyait vraiment en la proactivité. Il pensait qu'il avait le choix de vivre comme il l'entendait, en fonction de la vision qu'il avait eue depuis le début de notre famille. Dès le début de chaque année scolaire, il demandait : « Quand auront lieu les matchs de foot des garçons? Et les activités des filles? » Et il ne ratait jamais quelque chose d'important. Il était toujours là le lundi, jour du rendez-vous familial. Il était toujours à la maison les week-ends, afin que nous puissions faire des activités et aller à l'église ensemble.

Parfois, les gens me disaient : « Oh, ton papa n'est encore pas là! » Mais la plupart de mes amis dont les parents étaient là étaient assis devant la télé tous les soirs et ne communiquaient pas avec eux.

Je me rends compte maintenant de l'organisation qu'il nous a fallu pour passer régulièrement des moments en famille. Avec un travail aussi prenant et neuf enfants dans cinq écoles différentes, mes parents ont dû vraiment tout mettre en œuvre pour y arriver. Et ils y sont parvenus. C'était important pour eux, alors ils s'y sont accrochés et ont trouvé un moyen de le faire.

La seconde raison pour laquelle nous avons toujours passé du temps ensemble tient aux règles que nous avions établies. Personne ne va nulle part le dimanche : c'est un jour que l'on passe en famille et où l'on va à l'église. On ne rate jamais un lundi soir : c'est le soir du rendez-vous familial. Nous faisions aussi quelque chose en famille l'un des soirs du week-end. C'était la règle. Lorsque nous étions adolescents, cela nous déplaisait parfois, mais nous l'acceptions comme une chose faisant partie de notre culture familiale et nous finissions par nous y soumettre sans réticence.

J'ai ressenti une telle peine et une telle frustration après avoir raté certaines activités importantes pour nos enfants que j'ai vite pris l'habitude d'essayer de leur donner la priorité. Au début de chaque année scolaire, Sandra et moi prenons connaissance du calendrier des événements auxquels nos enfants et petits-enfants sont susceptibles de prendre part. Nous les marquons d'une pierre blanche. Nous encourageons aussi les enfants à assister aux activités auxquelles participent leurs frères et sœurs. Nous sommes maintenant presque cinquante dans notre famille (enfants, conjoints et petits-enfants) et nous ne pouvons pas assister à tous les événements. Mais nous faisons de notre mieux et essayons toujours de montrer à tous les membres de la famille l'importance que nous attachons à tout ce qui les concerne. Nous organisons aussi des vacances en famille, deux, trois ou même quatre ans à l'avance. Et les rendez-vous familiaux et les moments en tête à tête sont toujours sacrés chez nous.

Rien n'égale le bonheur que l'on ressent dès lors que l'on donne la priorité à la famille. Dans la vie, nous subissons beaucoup de pressions, qui nous écartent de notre chemin. Ce n'est pas toujours facile de faire toutes ces petites choses pour notre famille. *Mais c'est encore plus difficile de ne pas le faire!* Si vous ne prévoyez pas de consacrer du temps à l'établissement de relations profondes, si vous ne vous investissez pas pour unir votre famille, vous passerez beaucoup plus de temps plus tard à essayer de rétablir des relations rompues, de sauver votre couple ou de ramener à la raison un enfant qui subit de mauvaises influences.

À ceux qui diront : « Nous n'avons pas le temps de faire ce genre de choses! » je réponds : « Vous n'avez pas le temps de ne pas le faire! » ***Le secret, c'est de prévoir à l'avance et d'être déterminé.*** « Quand on veut, on peut. »

Si vous donnez la priorité à la famille, vous serez en paix avec vous-même. Vous ne vous sentirez pas tiraillé entre la famille et le travail. De plus, vous vous rendrez compte que vous pouvez faire aussi d'autres choses.

En bâtissant ces structures familiales, vous vivrez en fonction des principes qui feront de vous et des vôtres une famille heureuse. Vous créerez une culture familiale épanouissante qui vous protégera de la tentation d'entrer dans le système de reconnaissance extrinsèque qu'offre la société actuelle. Si vous restez sur la tangente, si vous ne vous investissez pas vraiment pour cette culture familiale épanouissante, vous vous en détournerez facilement. Mais si vous vous y immergez véritablement, vous verrez qu'il n'y a rien de mieux au monde.

ORGANISEZ-VOUS EN FONCTION DE VOS RÔLES

Sandra et moi nous sommes rendu compte qu'il ne suffit pas d'organiser ses activités. La meilleure façon de donner la priorité à la famille, c'est de s'organiser en fonction de ses divers rôles et de se fixer des objectifs pour chacun de ces rôles. Certaines semaines, nous savions que nous allions être très pris par un ou deux objectifs. Aussi, nous prenions la décision de n'en fixer aucun pour nos autres rôles. Par exemple, lorsque Sandra passe une semaine à aider l'une de nos filles à s'occuper de son bébé, elle choisit de ne faire que cela. Mais elle prend cette décision de manière consciente, en toute sérénité, car elle sait que la semaine suivante elle s'organisera de nouveau en fonction de tous ses rôles et se fixera de nouveaux objectifs. Ce système de « rôles et objectifs » nous a permis d'équilibrer notre vie. Nous ne négligeons aucun de nos rôles et nous laissons moins facilement influencer par les pressions quotidiennes.

BILAN ET PERSPECTIVE

Avant de continuer, je vous propose de faire un bilan des trois premières habitudes et d'en faire une analyse plus large.

L'Habitude n° 1 – être proactif – est la prise de décision la plus fondamentale. C'est le choix d'être une personne responsable ou, au contraire, une victime.

Si vous choisissez d'être responsable – de prendre des initiatives, d'être le créateur de votre propre vie –, vous devez faire un autre choix : décider de ce que vous allez faire de votre vie. C'est l'Habitude n° 2 – savoir dès le départ où l'on veut aller –, qui consiste à rédiger votre charte familiale. C'est une décision stratégique, car toutes celles que vous prendrez par la suite en découleront.

L'Habitude n° 3 – donner la priorité aux priorités – est plus secondaire, plus tactique. Elle vous aide à hiérarchiser votre vie. Deux principales structures, le rendez-vous familial hebdomadaire et les moments en tête à tête, rapprochent les membres de la famille, dans un monde où la démarche qui consiste à aller « de l'extérieur vers l'intérieur » n'est plus valable. Cette démarche, lorsqu'on pouvait encore l'appliquer, rendait ces structures moins nécessaires, parce qu'elles s'imposaient d'elles-mêmes. Mais plus la société s'éloigne de ce qui était auparavant naturel, plus la mondialisation de la technologie et des marchés modifie le paysage économique global, plus la sécularisation de la culture nous écarte de nos principes, plus les lois et la volonté sociale s'érodent, plus la politique et les élections deviennent une lutte pour la popularité, construite autour de phrases toutes faites et du désir de passer devant une caméra, plus nous devons être déterminés et décidés à créer de nouvelles structures qui nous aident à ne pas nous écarter de notre chemin.

Tandis que vous envisagez la manière dont vous pouvez ancrer ces habitudes dans votre famille, je vous rappelle que *vous seul connaissez votre famille* et votre situation.

Lors d'un récent voyage en Argentine, j'ai discuté avec de nombreux parents qui venaient de toute l'Amérique latine pour assister à une de mes conférences. Je leur ai demandé ce qu'ils pensaient de ce livre. Ils ont eu un jugement très positif et encourageant, mais il leur a semblé inutile d'organiser un rendez-vous familial hebdomadaire et des moments en tête à tête. En effet, ils vivent dans une culture très favorable à la famille, et presque toutes leurs soirées se passent en famille. Quant aux moments en tête à tête, ils font partie de leur vie quotidienne.

Pour d'autres familles, la simple idée de rédiger une charte familiale et de créer de nouvelles structures, telles que le rendez-vous familial et le tête-à-tête, les rebute. Elles n'acceptent aucune forme de structure. Peut-être se sentent-elles emprisonnées par celles qui font déjà partie de leur vie. Elles ont le sentiment que celles-ci les privent de leur liberté et de leur individualité. Ces structures sont perçues de manière tellement négative que tout type de structure est rejeté par association. Ce rejet est lié à leur vécu social et psychique.

Si c'est votre cas, cela ne vous empêche pas d'avoir envie de donner la priorité à votre famille. L'établissement d'une charte familiale et de structures de ce type vous paraît peut-être intéressant, mais il vous semble que c'est aller un peu trop loin pour vous pour le moment. Très bien : commencez là où bon vous semblera. Ne vous sentez pas coupable de ne pas vous investir dans une telle interdépendance si vous n'y êtes pas prêt.

Vous pouvez commencer par appliquer certaines de ces idées dans votre propre vie. Par exemple, faites une promesse et tenez-la, ou fixez-vous un objectif et faites en sorte de vous y tenir. Ce sera déjà un bon début. Ensuite, vous pourrez passer à des tâches ou à des objectifs plus importants. Et **finalement, à force de faire et de tenir**

des promesses, votre sens de l'honneur primera sur votre humeur ou sur toute expérience négative. Vous serez alors prêt à vous investir dans de nouveaux défis, comme ces activités interdépendantes que sont la rédaction d'une charte personnelle, l'organisation d'un rendez-vous familial hebdomadaire et de tête-à-tête.

L'essentiel est de savoir où vous en êtes et de commencer à ce niveau-là. On ne peut faire du calcul avant de maîtriser l'algèbre, ni courir avant de savoir marcher. Il ne faut pas brûler les étapes. Soyez patient avec vous-même. Je dirais même plus : ayez la patience de gérer votre propre impatience.

Mais vous allez peut-être me dire : « Pour moi, ce n'est pas pareil ! Je ne vois pas comment je pourrais faire ça, c'est trop difficile ! » Si c'est votre cas, je vous encourage à vous imprégner de l'histoire de l'amiral James B. Stockdale, qu'il raconte dans son livre *A Vietnam Experience* (Tranche de vie au Viêt-nam). Prisonnier au Viêt-nam pendant plusieurs années, l'amiral Stockdale raconte comment les prisonniers de guerre américains, qui vivaient en prison cellulaire, complètement isolés les uns des autres, pendant de longues périodes, ont su développer une volonté sociale très puissante pour créer une culture, avec leurs propres règles et leurs propres processus de communication. Sans échanger un seul mot, ils communiquaient les uns avec les autres en tapant sur les murs et en utilisant des signaux lumineux. Ils enseignaient même ce mode de communication aux nouveaux prisonniers, qui ne connaissaient pas le code.

Voici un extrait de ce livre.

Le pouvoir communiste nous a mis au régime cellulaire dans le but de rompre les liens qui nous unissaient les uns aux autres et à notre héritage culturel. Au bout de quelques mois, cela devient très dur, surtout lorsque l'on subit torture et extorsion. En proie à une profonde dépression, l'homme touche le fond et se rend compte que, s'il n'a pas un minimum de structures, de rites, de poésie dans sa vie, il va devenir un animal.

Dans ces conditions, nous avons improvisé un système de communication en tapant sur les murs et en émettant des signaux lumineux. Nos vies et nos rêves ont commencé à s'unir. Puis nous avons rapidement ressenti le besoin de communiquer régulièrement, d'associer notre résistance. À la longue, un code a émané de la cellule du plus ancien prisonnier. Ce réseau de communication a renforcé les liens de camaraderie et, au fil des mois et des années, une culture faite de coutumes, de loyauté et de valeurs communes a pris forme[29].

Rendez-vous compte : ils ne se voyaient pratiquement pas. Et pourtant, en utilisant brillamment leurs quatre dons (conscience de soi, éthique, imagination et volonté indépendante), ces prisonniers ont bâti une véritable civilisation – une solide culture née d'une volonté sociale prodigieuse. Ils ont ainsi créé un sentiment de responsabilité sociale et d'obligation morale envers les autres, qui leur a permis de s'encourager mutuellement et de s'entraider pour survivre à une épreuve terrible.

« Quand on veut, on peut » : c'est tellement vrai ! Surtout lorsque l'on puise dans l'intarissable source de la volonté sociale – l'esprit du « nous ». Les Habitudes n° 4, 5 et 6 vous aideront à développer cet esprit du « nous » dans votre famille.

Application entre adultes et adolescents

Donnez la priorité à la famille

- Posez les questions suivantes aux membres de votre famille : À quel point la famille est-elle importante pour nous ? Combien de temps avons-nous passé en famille la semaine dernière ? En sommes-nous satisfaits ? La famille est-elle une priorité dans notre vie ?
- Revoyez les pages 155 à 173. Quelles sont les forces, au sein de la société, qui tendent à détruire la famille ? Comment pouvons-nous triompher de ces forces ?
- Discutez de l'idée de fixer un rendez-vous familial : En quoi un rendez-vous familial pourrait être utile à notre famille ? En quoi cette structure pourrait-elle favoriser l'organisation, l'enseignement, la résolution de problèmes, la détente en famille ? Proposez aux membres de votre famille de s'engager à avoir un rendez-vous familial par semaine. Cherchez ensemble des idées d'activités que vous pourrez réaliser en famille.
- Commentez l'idée de passer des moments en tête à tête. Encouragez chacun à raconter un tête-à-tête avec l'un des membres de la famille. Demandez-vous quel genre de tête-à-tête vous aimeriez avoir avec votre conjoint et avec vos enfants.

---

29. James B. Stockdale, *A Vietnam Experience : Ten Years of Reflection* (Hoover Institution, Stanford University, 1984).

- Revoyez l'histoire des « grosses pierres », pages 205 à 206, et faites cette expérience en famille. Définissez vos « grosses pierres » en tant qu'individus et en tant que famille.

Approfondissez

- Commentez cette idée : « C'est peut-être la part la plus importante du rôle de parent : aider les enfants à « se connecter » à leurs propres dons – particulièrement l'éthique. » Comment pouvez-vous aider chacun de vos enfants à faire appel à ses quatre dons (conscience de soi, éthique, imagination et volonté indépendante) ?

Application avec les enfants

Faites ces activités avec vos enfants

- Rassemblez toute votre famille et programmez ensemble des activités pour le mois prochain. Prévoyez, par exemple, de rendre visite à des membres de la famille, de passer des moments en tête à tête, d'aller voir des événements sportifs, d'aller vous balader ensemble. Demandez à vos enfants de faire part de leurs idées.
- Rendez visite à un parent et montrez à vos enfants l'importance qu'a chaque membre de la famille étendue. Lorsque vous serez en route pour rendre cette visite, racontez des anecdotes et des bons moments que vous avez passés avec votre famille lorsque vous étiez enfant.
- Demandez à vos enfants de vous aider à faire un tableau indiquant leurs tâches et les activités que vous ferez ensemble chaque semaine.
- Faites l'expérience des « grosses pierres », pages 205 à 206, et demandez à chaque enfant d'identifier sa ou ses grosses pierres – la chose la plus importante qu'il doit faire cette semaine. Cette activité peut être le football, les leçons de piano, la natation, l'anniversaire d'un ami ou les devoirs. Vous pouvez utiliser des noix pour représenter les grosses pierres, et des noisettes pour les cailloux. Les enfants peuvent aussi ramasser de vraies pierres, et les peindre et les décorer.
- Rassemblez des photos de famille.

- Engagez-vous à fixer des rendez-vous familiaux, des moments où vous pourrez vous organiser et faire des activités ensemble. Les enfants seront encore plus contents et fiers de faire partie de leur famille si vous revoyez toutes les semaines les activités qu'ils ont réalisées et programmez celles de la semaine suivante.
- Montrez aux enfants qui savent écrire comment tenir un agenda. Demandez-leur de réserver sur cet agenda des moments où vous pourrez faire certains types d'activités qui renforceront vos relations. Rappelez-leur de toujours apporter leur agenda aux rendez-vous familiaux.
- Demandez à chaque membre de la famille quel type de tête-à-tête il aimerait avoir. Prévoyez chaque semaine une date pour un tête-à-tête avec l'un de vos enfants. Vous pouvez l'appeler : « Moment privilégié avec Catherine ». Faites en sorte de montrer que c'est un moment réservé à cette personne.
- Racontez l'histoire de la « famille Fantôme », pages 181 à 182, et cherchez un moyen de rendre service à vos voisins et à vos amis de manière astucieuse et originale.

Habitude n° 4

Pensez gagnant-gagnant

AVANT d'entrer dans le vif du sujet, j'aimerais vous donner un panorama des Habitudes n° 4, 5 et 6. En effet, ces trois habitudes sont intimement liées. Ensemble, elles créent un processus qui vous sera d'une aide précieuse pour accomplir tout ce dont nous avons parlé jusqu'à maintenant. En fait, j'enseigne souvent ces habitudes en premier parce que, une fois que vous avez saisi la nature de ce processus, vous avez tous les éléments en main pour travailler ensemble efficacement et résoudre vos problèmes ou atteindre vos objectifs.

Pour illustrer l'efficacité de ce processus, je vais vous raconter la démonstration que je fais lors de mes conférences : je choisis dans la salle un homme jeune, grand, fort et manifestement en bonne santé. Je l'invite à me rejoindre pour faire un bras de fer avec moi. Pendant qu'il s'approche, je lui affirme que je n'ai jamais perdu et que je n'ai pas l'intention de commencer maintenant. Je lui dis de se préparer à perdre, car il va perdre. Lorsqu'il arrive près de moi, je le regarde droit dans les yeux et lui répète les mêmes choses. Je me comporte de manière arrogante, agressive et détestable. J'ajoute, d'un ton exagéré, que dans quelques secondes il se retrouvera étendu sur le sol. Je lui dis que, bien qu'il fasse deux fois ma taille, je vais l'écraser. Presque inévitablement, ce type de confrontation perturbe mon partenaire et lui ôte toute volonté de me battre.

Puis je demande aux gens qui sont assis au premier rang s'ils sont d'accord pour financer cette opération : si je gagne, ils me donneront un franc; si mon partenaire gagne, c'est lui qui recevra un franc. Ils sont toujours d'accord. Je demande à une autre personne de la salle de compter les points. Chaque fois que l'un de nous fera toucher la table à l'autre, il gagnera un franc. Puis je demande à l'assemblée de compter trente secondes et de nous donner le départ. Je saisis la main droite de mon partenaire, je me tiens tout près de lui en le regardant d'un air intimidant jusqu'à ce qu'on nous donne le signal du départ.

Généralement, au moment du départ, mon partenaire a pratiquement perdu tous ses moyens. Le signal est donné et, d'un seul coup, je relâche la tension. Il gagne. Sa première réaction est d'essayer de m'empêcher de remonter. Puis, se sentant un peu confus, il me laisse remonter et recommence à pousser. Je le laisse gagner encore une fois. J'essaie de reprendre le dessus et la lutte reprend. Lorsque nous arrivons au sommet, il pousse et gagne encore une fois.

Cela dure généralement quelques secondes, puis je dis à mon partenaire : « Et si nous gagnions tous les deux? » En général, il comprend le message et me laisse gagner. Mais il lutte encore. Puis je relâche complètement mon bras et le laisse gagner. Et bientôt, nous basculons rapidement d'un côté à l'autre presque sans effort, gagnant chacun une fois sur deux.

Puis, m'adressant au premier rang, je demande : « Bon, combien vous nous devez? » Tout le monde comprend et éclate de rire.

Saisissez-vous l'énorme différence entre ce qui se passe au début et ce qui passe à la fin? Au début, un sentiment d'adversité anime les deux partenaires. C'est le système « gagnant-perdant » : « Je gagne, tu perds. » Il n'y a aucun effort de compréhension, de coopération. Aucun des partenaires ne cherche une solution qui leur soit favorable à tous les deux. Ils sont en compétition et leur seul désir est de gagner et d'anéantir l'autre. Êtes-vous conscient que cet esprit « gagnant-perdant » correspond à celui qui nous anime lors de nos querelles familiales – lors de nos disputes entre mari et femme, parents et enfants, et entre membres de notre famille au sens large?

À la fin de la confrontation, l'état d'esprit a complètement changé. Nous ne pensons plus : « Je gagne, tu perds », mais : « Nous pouvons gagner tous les deux – et gagner gros! » Grâce à une compréhension mutuelle et à une coopération créatrice, nous passons à un enjeu complètement différent, qui nous rapporte beaucoup plus que si seul l'un de nous avait été gagnant. Saisissez-vous la liberté, la créativité, le sentiment d'unité et d'accomplissement commun qui émanent de ce type d'approche lorsqu'on l'applique à la vie de famille?

Dans une certaine mesure, nos interactions entre membres de la famille ressemblent à ce qui se passe au début de ce bras de fer. Mais plus nous tendrons vers une interaction créatrice et synergique, dans laquelle tout le monde gagne, plus notre culture familiale sera épanouissante et notre famille heureuse.

J'appelle souvent ces trois habitudes : la *racine*, la *tige* et le *fruit*.

- L'Habitude n° 4 – penser gagnant-gagnant – est la *racine*. C'est le paradigme fondamental qui consiste à rechercher un bénéfice mutuel. C'est la « règle d'or », le motif profond, l'attitude qui favorise la compréhension et la synergie.
- L'Habitude n° 5 – chercher d'abord à comprendre, ensuite à être compris – est la *tige*. C'est la méthode, la voie, qui conduit à une interaction riche et interdépendante. C'est l'aptitude à sortir de son cadre de référence pour se mettre dans la tête, dans le schéma de pensée, de l'autre.
- L'Habitude n° 6 – créer un effet de synergie – est le *fruit*. C'est le résultat, le produit fini, la récompense après l'effort. C'est la création d'une troisième option, qui transcende les autres. C'est la fin de « ma façon de voir », « ta façon de voir » et la naissance d'une nouvelle vision des choses, plus éclairée.

Ensemble, ces trois habitudes créent le processus qui conduit au phénomène le plus magique de la vie de famille : la capacité à travailler ensemble pour engendrer de nouvelles idées, de nouvelles solutions, meilleures que toutes celles que pourrait imaginer n'importe lequel des membres de la famille à lui seul. En outre, ces habitudes contribuent à la création d'une autorité morale au sein de la culture, en y intégrant les principes de respect mutuel, de compréhension mutuelle et de coopération créatrice dans les structures mêmes de la famille. Cela va bien au-delà de la bonté des personnes et de la qualité de leurs relations. Cet engagement entraîne la perpétuation, l'internalisation et l'institutionnalisation de ces principes dans les normes, les mœurs et les traditions de la culture elle-même.

Et ça change tout ! Reprenons la métaphore de l'avion : s'il est difficile d'atteindre sa destination lorsqu'il y a des phénomènes de turbulence à l'*extérieur* de l'avion, c'est encore bien pire lorsque la turbulence a lieu à l'*intérieur* de l'avion – contestations, querelles, plaintes, critiques entre les pilotes ou entre les pilotes et l'équipage.

La création d'un bon climat social à l'intérieur du cockpit est l'objet des Habitudes n° 4, 5 et 6. Le but est d'aider les membres de la famille à se poser la bonne question et à prendre un engagement.

Cette question est la suivante : « **Voulez-vous vraiment chercher une solution meilleure que ce chacun de nous est en mesure de proposer?** »

Et **voici quel doit être votre engagement : « Laisse-moi t'écouter d'abord » ou « Aide-moi à comprendre »**.

Si vous êtes suffisamment en confiance avec vous-même, si vous avez la volonté de faire ces deux choses, avec sincérité et constance, vous serez capable de vivre selon les Habitudes n° 4, 5 et 6.

La majeure partie de ce processus se situe à l'intérieur de votre Cercle d'influence. Si l'on en revient à la démonstration du bras de fer, notez que, pour changer la situation, il suffit qu'une personne pense gagnant-gagnant – pas deux, seulement une. C'est un point très important, car la plupart des gens sont prêts à penser gagnant-gagnant à condition que les autres le fassent aussi. Mais il suffit qu'une personne soit proactive et veuille réellement aboutir à une solution où tout le monde trouve son compte. Pensez gagnant-gagnant – et non gagnant-perdant ou perdant-gagnant – même si, et même *parce que*, les autres ne le font pas.

Il suffit aussi qu'une personne cherche d'abord à comprendre l'autre. Dans le bras de fer, cela consiste à relâcher le bras. Dans la vie, cela signifie chercher d'abord l'intérêt de l'autre, comprendre ses besoins, ses désirs et ses préoccupations. Les Habitudes n° 4 et 5 peuvent donc être appliquées par une seule personne proactive.

En revanche, pour l'Habitude n° 6 – créer un effet de synergie –, il faut être deux. Cette habitude permet de créer quelque chose de nouveau avec quelqu'un, grâce au schéma de pensée gagnant-gagnant et à la compréhension que l'on acquiert en appliquant les Habitudes n° 4 et 5. Ce que la synergie a de merveilleux, c'est qu'elle génère non seulement de nouvelles possibilités, mais aussi des liens très étroits entre les personnes, puisque celles-ci créent quelque chose ensemble. C'est ce qui se passe entre les parents qui créent un enfant ensemble. Cet enfant devient un lien puissant dans leur relation. Il les rapproche. Il leur donne une vision commune, un devoir et un intérêt communs, qui transcendent et subordonnent tous les autres. La synergie renforce les liens entre les membres de la famille.

Ces trois habitudes représentent l'essence de la famille – l'évolution profonde du « moi » vers le « nous ». Voyons donc plus en détail ce qu'elles recouvrent, en commençant par l'Habitude n° 4 – penser gagnant-gagnant.

PERSONNE N'AIME PERDRE

Un père de famille explique comment il a compris pourquoi son fils était si mécontent.

Nos deux fils étaient toujours en compétition l'un avec l'autre. Ils se querellaient souvent. Lorsque l'aîné avait douze ans et le plus jeune dix, nous avons pris des vacances longtemps attendues. Mais, au moment même où nous pouvions enfin en profiter, le conflit entre les deux garçons est devenu tel qu'il a eu des conséquences négatives sur toute la famille. Il me semblait que l'aîné y était plus pour quelque chose que le petit, alors je suis allé faire une balade avec lui afin que nous puissions parler. Lorsque je me suis mis à critiquer son comportement, il a lancé : « Ce que tu ne comprends pas, c'est que je ne supporte pas mon frère! »

Lorsque je lui ai demandé pourquoi, il m'a répondu : « Il me dit toujours des choses qui m'énervent. Pendant ces vacances, on est toujours l'un avec l'autre, dans la voiture ou partout ailleurs, et je ne supporte même plus d'être près de lui. J'aimerais que tu m'achètes un ticket de bus et que tu me laisses rentrer à la maison. Comme ça, je n'aurai plus à le voir. »

J'étais choqué par l'intensité de son ressentiment envers son frère. Rien de ce que je lui disais ne l'aidait à voir les choses différemment.

Nous sommes retournés à la tente et j'ai demandé à mon second fils de venir faire un tour avec nous. Il n'a pas voulu venir dès qu'il a su que son frère serait de la balade. En réalité, aucun des deux ne voulait voir l'autre, mais je les ai encouragés à essayer d'arranger les choses. Ils ont fini par être d'accord et nous avons marché jusqu'à une corniche, où nous nous sommes assis pour parler.

Je me suis tourné vers mon fils aîné : « Tu m'as dit certaines choses à propos de ton frère. Maintenant qu'il est là, j'aimerais que tu lui dises en face ce que tu m'as dit. »

Il a parlé sans détour : « Je déteste ces vacances et j'ai envie de rentrer à la maison rien que pour ne plus te voir! »

Son petit frère était blessé par ces paroles acerbes. Les yeux pleins de larmes, il a regardé par terre en demandant d'une voix calme : « Pourquoi? »

La réponse était toute prête : « Parce que tu me dis toujours des choses qui me rendent fou. Je ne veux plus te voir. »

Dans un soupir, son frère a répondu :

« Je fais ça parce qu'à chaque fois que nous faisons un jeu c'est toujours toi qui gagnes.

– Evidemment je gagne tout le temps! Je suis meilleur que toi », a rétorqué l'aîné.

Après ça, le petit pouvait à peine parler. Mais, le plus sincèrement du monde, il a dit : « Oui, mais à chaque fois que tu gagnes, je perds. Et je ne supporte pas de perdre tout le temps. Alors je dis des choses pour t'embêter... Je ne veux pas que tu rentres à la maison. J'aime bien être avec toi. C'est juste que je ne supporte pas de toujours perdre. »

Ces paroles entrecoupées de sanglots sont allées droit au cœur de son frère. Le ton de sa voix s'est adouci :

« D'accord, je ne vais pas rentrer à la maison. Mais veux-tu s'il te plaît arrêter de dire et de faire ces stupidités qui me rendent fou de colère contre toi?

– D'accord, a répondu le petit. Et toi, est-ce que tu vas arrêter de penser qu'il faut toujours que tu gagnes? »

Cette petite conversation a sauvé nos vacances. Tout n'est pas devenu parfait, mais l'ambiance était tolérable. Je ne crois pas que mon fils aîné oubliera un jour les paroles de son petit frère : « Je ne supporte pas de toujours perdre. »

En ce qui me concerne, je sais que je ne les oublierai jamais. Toujours perdre peut nous amener à dire et à faire des choses stupides qui énervent les autres et finissent par nous agacer nous-mêmes.

Personne n'aime perdre – surtout contre un membre de la famille. Mais nous abordons toujours chaque situation avec un état d'esprit gagnant-perdant. Et, la plupart du temps, nous ne nous en rendons même pas compte.

La plupart d'entre nous sommes issus de familles où nous étions toujours comparés à un frère ou à une sœur. À l'école, nous étions notés par rapport aux autres, ce qui signifie que, si un élève avait 18, c'est parce qu'un autre avait eu 12. Notre société est littéralement saturée par l'esprit gagnant-perdant – à l'école, sur le marché de l'emploi, dans les domaines politiques, sportifs ou esthétiques, au cours de jeux télévisés ou de procès.

Cet état d'esprit fait également partie de notre vie de famille. Les enfants en âge préscolaire luttent pour leur autonomie. Les adolescents sont en quête d'identité, la rivalité fraternelle sévit. Les parents essaient de maintenir l'ordre et la discipline, et les conjoints d'imposer leur façon de voir les choses. Et dans toutes ces situations, chacun adopte naturellement un comportement correspondant au schéma gagnant-perdant.

LES CONSÉQUENCES DE L'ESPRIT GAGNANT-PERDANT

Je me souviens du jour où je suis rentré à la maison pour fêter l'anniversaire de ma petite fille de trois ans. Je l'ai trouvée dans un coin du salon, cramponnée à ses cadeaux avec un air de défi, pour empêcher les autres enfants d'y toucher. La première chose que j'ai remarquée en entrant, c'étaient les parents des autres enfants qui regardaient l'attitude égoïste de ma fille. J'étais doublement embarrassé parce qu'à l'époque je donnais des cours à l'université sur les relations humaines. Et je savais, ou du moins je croyais savoir, ce qu'attendaient ces parents.

L'atmosphère était très tendue. Tous les enfants étaient agglutinés autour de ma fille, les mains tendues, lui demandant de leur prêter les jouets qu'ils venaient de lui offrir, et ma fille refusait catégoriquement. Je me suis dit : « Il faut que j'apprenne à ma fille à partager. Le partage est une des valeurs auxquelles nous attachons le plus d'importance. »

J'ai commencé par lui demander gentiment : « Chérie, veux-tu s'il te plaît partager avec tes amis les jouets qu'ils t'ont donnés ? »

« Non ! » C'était on ne peut plus clair...

Alors j'ai essayé de la raisonner : « Chérie, si tu leur prêtes tes jouets quand tu es à la maison, ils te prêteront leurs jouets quand tu seras chez eux. »

« Non ! » lança-t-elle une seconde fois.

J'étais de plus en plus embarrassé, car il était évident que je n'avais aucune influence sur elle. J'ai alors essayé de la soudoyer. D'une voix très douce, je lui ai dit : « Chérie, si tu partages, tu auras un chewing-gum. »

Elle a explosé : « Je ne veux pas de chewing-gum ! »

Je commençais à être exaspéré. J'ai alors eu recours à la menace :

« Si tu ne partages pas, ça va barder !

– Je m'en fiche ! a-t-elle crié. Ce sont mes jouets ! Je n'ai pas à les prêter ! »

Finalement, j'en suis arrivé à utiliser la force. J'ai empoigné quelques jouets au hasard et les ai répandus aux pieds des autres enfants en leur disant : « Voilà, les enfants ! Jouez avec ceux-ci. »

Après l'anniversaire de notre fille, Sandra et moi avons mis longtemps à comprendre que les enfants passent par diverses étapes de développement. Nous savons maintenant qu'il n'est pas réaliste d'attendre d'un enfant âgé de moins de cinq ou six ans qu'il maîtrise la notion de partage. Et même plus tard, la fatigue, le trouble ou divers problèmes liés à la propriété rendent le partage difficile.

Mais quand on se trouve au cœur d'une situation comme celle-là – avec toute la pression qui nous pèse sur les épaules –, il est difficile d'être compréhensif ! On pense qu'**on a raison** alors qu'on a tort. **On est plus grand, plus fort. C'est tellement plus facile de penser gagnant-perdant, d'imposer sa façon de voir les choses**.

Mais quelle est la conséquence de ce choix pour nos relations, pour notre Compte émotionnel ? Et que va-t-il se passer, au bout du compte, si nous continuons à penser gagnant-perdant ? Et que se passe-t-il lorsque ce schéma prédomine dans un couple ?

Je connais un homme qui avait un métier qui ne présentait pas beaucoup d'intérêt aux yeux de sa femme. Elle n'aimait pas ce qu'il faisait, ni les gens avec qui il travaillait. Ce n'était pas « son genre » de personnes. Quand ses collègues de travail ont organisé une soirée pour Noël, il lui a demandé, plein d'espoir mais sans trop y croire, si elle voulait venir. Elle a refusé catégoriquement, disant qu'elle n'irait sûrement pas à une soirée avec des gens qui faisaient des activités qui lui déplaisaient au plus haut point. Il est donc allé à cette soirée tout seul. Elle a gagné. Il a perdu.

Deux mois plus tard, elle devait aller à une conférence. Un auteur renommé allait intervenir et il y aurait une réception avant la conférence. Elle serait hôtesse et pensait que son mari irait avec elle. Elle a été scandalisée d'apprendre, le matin même, qu'il ne l'accompagnerait pas. L'air contrarié, elle lui a demandé : « Et pourquoi ? » Et il lui a répondu sèchement : « Je n'ai pas plus envie d'être avec tes amis que tu as eu envie d'être avec les miens pour Noël. » Il a gagné. Elle a perdu.

Elle ne lui a pas parlé ce soir-là lorsqu'il est rentré du travail. Elle est partie à la réception sans lui dire au revoir et il a allumé la télévision pour regarder un match de foot.

Quelles sont les conséquences de ce type de lutte pour un couple et pour une famille ? Lorsque l'ego prime sur la relation, lorsque les partenaires sont plus soucieux de faire les choses à leur façon que de consolider leur relation, y a-t-il vraiment un gagnant?

LES CONSÉQUENCES DE L'ESPRIT PERDANT-GAGNANT

À l'inverse, que se passe-t-il lorsque l'on a l'esprit perdant-gagnant? Voici le témoignage d'une femme à ce propos.

J'étais très douée à l'école – rédactrice en chef du journal de l'école, première clarinette de l'orchestre... Il semblait que j'excellais dans tout ce que j'entreprenais. Mais lorsque je suis allée à l'université, je savais que je n'avais pas envie de faire carrière. J'avais le sentiment qu'être épouse et mère était ce qu'il pouvait y avoir de plus important dans ma vie.

Après ma première année d'université, j'ai épousé Steve, un jeune homme que je fréquentais depuis l'âge de quatorze ans. J'ai eu plusieurs enfants à peu d'intervalle. Je me sentais submergée par toutes les tâches que j'avais à faire avec tous ces enfants en bas âge.

De plus, mon mari ne m'aidait pratiquement pas. Il était souvent sur la route pour son travail et, même lorsqu'il était à la maison, il pensait que ce n'était pas à lui de s'occuper des enfants, ni de la maison.

Moi, je voyais les choses complètement différemment. Je pensais que nous ferions les choses ensemble. Je comprenais que ce soit à moi de nourrir les enfants et de satisfaire leurs besoins physiques, mais je croyais que nous interviendrions ensemble, en tant que mari et femme, sur le cours que nous voulions donner à notre vie. Et ça ne se passait pas du tout comme ça.

Certains jours, je regardais la pendule et je me disais : « Bon, il est neuf heures. Je peux faire ça dans le quart d'heure qui vient. » Je m'organisais par créneaux de quinze minutes, parce que si j'avais une vue d'ensemble de la journée j'avais peur de ne pas m'en sortir.

Mon mari avait placé la barre très haut pour moi : il fallait que je sois une maîtresse de maison, une cuisinière et une mère parfaites. En général, il rentrait à la maison après une semaine d'absence et trouvait une maison immaculée. Les enfants étaient couchés et je lui offrais une part de tarte au cerises que j'avais faite spécialement pour lui. C'était sa tarte préférée. Il se mettait à table, la regardait et disait : « La pâte est un peu brûlée. » J'avais l'impression de n'être bonne à rien. Je prenais cela comme un échec. Quoi que je fasse, ça n'était jamais assez bien. Il ne faisait jamais de compliments. Il ne faisait que critiquer, et il s'est même mis à me maltraiter.

Il est devenu de plus en plus violent. Puis il m'a été infidèle. Lors de ses voyages d'affaires, il menait une vie de débauche. J'ai même découvert plus tard qu'il avait des cartes d'adhérent de plusieurs clubs privés dans huit villes du pays.

Je lui ai demandé de suivre des séances de psychothérapie avec moi. Il a fini par accepter, mais ne s'y investissait absolument pas. Un soir, il était particulièrement en colère. Lorsque nous sommes entrés dans le cabinet du psychologue, celui-ci lui a demandé : « Vous avez l'air vraiment contrarié ce soir. Est-ce que quelque chose vous tracasse? »

Mon mari a répondu : « Oui. Je suis écœuré et fatigué de devoir toujours nettoyer derrière les autres. » J'étais effondrée. Je pensais aux années de travail, d'énergie et d'efforts que j'avais passées à créer la maison parfaite. J'avais fait moi-même les rideaux, les oreillers et tous les habits des enfants. Je faisais la cuisine, je maintenais la maison très propre, je m'occupais sans arrêt du linge, etc. Qu'est-ce que j'avais fait de mal?

Le psychologue a alors demandé à Steve : « Pouvez-vous m'aider à comprendre ce que vous devez faire derrière les autres? » Il y eut un long silence. Steve réfléchissait. Il n'en finissait plus de réfléchir et, finalement, très énervé, il a lancé : « Ce matin, lorsque j'ai pris ma douche, j'ai trouvé le bouchon du flacon de shampooing ouvert! »

Je me faisais de plus en plus petite dans mon fauteuil. Je me disais : « Quelque chose ne tourne pas rond. »

Puis le psychologue lui a posé une autre question : « Steve, qu'est-ce que vous avez dû faire d'autre aujourd'hui? » Steve a encore longuement réfléchi et, après cette interminable pause, il a dit : « Ça m'a suffit! »

Pour la première fois, j'ai compris que, quoi que je fasse, il me critiquerait toujours. Pour la première fois, j'ai commencé à me rendre compte que le problème venait de lui – pas de moi.

J'ai lutté avec moi-même pendant des années. J'ai passé ma vie à essayer de le satisfaire. Je suis même allée aux urgences pour me faire admettre à l'hôpital. Lorsqu'on m'a demandé pourquoi je voulais entrer à l'hôpital, j'ai dit que j'avais trouvé une solution à mon problème et que cette solution me faisait peur.

« Que voulez-vous dire? » m'a-t-on demandé.

Et je me suis expliquée : « J'ai pris la décision de tuer chacun de mes enfants lorsqu'ils rentreraient de l'école et de retourner l'arme contre moi, parce que la vie est insupportable. J'ai déjà acheté une arme. » À ce moment-là, je pensais que le monde était abominable et que la meilleure chose que je pouvais faire pour mes enfants était de les emme-

ner avec moi. Lorsque je me suis rendu compte de la décision que j'avais prise, j'ai eu peur. Heureusement, j'ai été suffisamment lucide pour aller à l'hôpital et dire ce que j'avais en tête : « J'ai décidé de le faire. J'ai le matériel pour le faire. Et j'ai l'intention de le faire. Mais je sais que je ne dois pas. S'il vous plaît, aidez-moi. »

Lorsque j'y repense aujourd'hui, je me rends compte que je n'avais pas l'intention de le tuer, lui. C'était moi. C'était toujours moi.

Cette femme a fait preuve d'un grand courage proactif pour réaliser que le problème venait de son mari. Elle a fini par obtenir un diplôme universitaire, déménager et construire une nouvelle vie – sans Steve. Mais regardez ce qui s'est passé pendant toutes ces années où elle a pensé perdant-gagnant et où elle a été codépendante d'un mari machiste et irresponsable.

Pour la plupart des gens, l'attitude perdant-gagnant consiste à dire : « Je suis un martyr. Vas-y, écrase-moi. Fais ce que tu veux de moi. Tout le monde le fait. » Mais quelle est la conséquence de ce genre d'état d'esprit sur la relation des personnes ? Est-il possible d'établir, dans ces conditions, une relation de confiance et d'amour durable ?

GAGNANT-GAGNANT : LA SEULE SOLUTION VIABLE À LONG TERME

La seule solution viable à long terme est vraiment l'esprit gagnant-gagnant. En réalité, c'est l'essence même d'une culture épanouissante. À l'inverse, si vous pensez gagnant-perdant ou perdant-gagnant, vous aboutirez inévitablement à un résultat perdant-perdant.

Si vous êtes parent, ne pensez pas gagnant-perdant, sans quoi vous ruinerez le Compte émotionnel de la famille. Vous vous en sortirez peut-être tant que vos enfants seront petits. Vous êtes plus grand, plus fort. Mais, lorsqu'ils deviendront adolescents, seront-ils prêts à faire eux-mêmes les bons choix ou seront-ils tellement engagés dans cette lutte réactive pour l'identité, tellement désireux d'être « gagnants » dans leurs relations avec vous, qu'ils n'auront aucune chance de se connecter à leur dons ni avec vous en tant que véritable source de soutien ?

D'un autre côté, si vous pensez perdant-gagnant, vous serez peut-être populaire auprès de vos enfants sur le court terme, car vous n'opposerez aucune résistance et vous vous laisserez mener par le bout du nez. Mais il n'y aura entre vous ni vision, ni norme, ni respect. Et vos enfants subiront les conséquences de prises de décision aveugles, dépourvues de perspective et de conseils éclairés. À long terme, ils souffriront d'avoir grandi sans certaines valeurs, fondées sur des principes, et sans avoir établi une relation de respect avec leurs parents. Parents et enfants pâtiront de cette relation fondée sur la manipulation et la popularité, et non sur la confiance.

C'est la même chose dans un couple. Que se passe-t-il lorsque les partenaires luttent continuellement pour satisfaire leur ego, lorsqu'ils sont plus soucieux de savoir qui a raison que ce qui est raisonnable ? Qu'arrive-t-il lorsque l'un des conjoints devient une carpette, un martyr ? Personne n'est gagnant. Tout les membres de la famille sont perdants.

Cela fait maintenant vingt ans que je travaille sur l'habitude de penser gagnant-gagnant, et de nombreuses personnes m'ont demandé si elle est toujours applicable, notamment dans le cadre de la famille. D'après mon expérience, je pense qu'il est toujours possible d'essayer d'établir une relation gagnant-gagnant. En revanche, toutes les décisions et tous les accords ne correspondent pas toujours à ce schéma de pensée.

Parfois, on est amené à prendre une décision gagnant-perdant, donc impopulaire, concernant un enfant, parce qu'on sait qu'il n'a pas la sagesse nécessaire pour que l'on agisse autrement. On sait qu'il n'est pas dans l'intérêt d'un enfant de ne pas aller à l'école, de ne pas se faire vacciner ou de jouer sur la route au lieu de rester dans la cour – même si l'enfant à très envie de faire tout cela. S'il le faisait, il n'en ressortirait pas gagnant, comme il pourrait le penser. Mais vous pouvez expliquer les décisions impopulaires de façon à ne pas manquer de respect envers l'enfant. Dès lors, ce genre de décisions ne constitue pas un retrait émotionnel du Compte émotionnel. S'il s'agit de quelque chose de très important pour l'enfant, il vous faudra peut-être passer plus de temps à essayer de le comprendre et à expliquer les choses, afin qu'il finisse par ressentir votre esprit gagnant-gagnant, même si votre décision ne lui plaît pas.

Vous pouvez également adopter l'esprit perdant-gagnant dans certaines circonstances : en période de tension ou lorsque le problème est secondaire, par exemple. Le principe est le suivant : **ce qui est important pour une autre personne doit être aussi important pour vous que la personne elle-même**. Autrement dit, vous devez vous dire : « Mon amour pour toi est si grand et notre bonheur mutuel dépend aussi bien de l'un que de l'autre que je ne serais pas heureux si je t'imposais quelque chose qui te rende malheureux – surtout si tu ressens profondément ce malaise. »

Certains diront que cette façon d'agir constitue un renoncement, une capitulation ou, pour le moins, un compromis. Je ne crois pas que ce soit le cas. Il s'agit simplement de subordonner l'importance que l'on accorde à notre vision des choses à celle que l'on accorde à la personne et à la qualité des relations que l'on a avec cette personne. Ce changement d'état d'esprit transforme ce qui peut paraître perdant-gagnant en gagnant-gagnant.

Il est possible, enfin, que l'autre personne soit autant attachée à sa façon de voir que vous l'êtes à la vôtre. Dans ce cas, il faut chercher une solution synergique – trouver une valeur ou un objectif transcendant, qui vous unisse et vous permette de libérer une énergie créatrice pour trouver une meilleure façon de concrétiser cette valeur ou d'atteindre cet objectif. Mais, comme vous pouvez le voir dans tous ces exemples, l'esprit – et le résultat final – reste gagnant-gagnant.

L'esprit gagnant-gagnant est le seul fondement solide d'une vie de famille épanouissante. C'est le seul schéma de pensée qui favorise l'établissement de relations de confiance et d'amour inconditionnel durables.

DU « MOI » AU « NOUS »

Un homme m'a fait part de son expérience.

Un jour, il y a déjà plusieurs années, ma femme et moi avons appris que ma mère et mon beau-père étaient morts dans un accident d'avion. Nous étions anéantis. Toute la famille s'est rassemblée pour assister aux funérailles. Puis nous avons commencé à emballer toutes leurs affaires.

À ce moment-là, il est apparu que la plupart de mes frères et sœurs avaient la ferme intention de récupérer certaines choses, et le faisaient savoir. Les querelles ont commencé :

« Qui te crois-tu pour penser que ce coffre te revient ? »

« Je n'en reviens pas qu'il veuille s'approprier ce tableau ancien ! »

« Non mais regarde-la ! Elle s'empare de tout ce qu'elle trouve. Et elle n'est de la famille que par alliance ! »

Je me suis moi-même laissé emporter par cet état d'esprit mesquin et me suis vite rendu compte que le partage de l'héritage risquait de diviser toute la famille et de provoquer blessures et isolement. Pour empê-

cher cela, j'ai décidé de me concentrer sur ce que je pouvais influencer de manière positive.

Tout d'abord, j'ai suggéré que nous nous laissions un peu de temps – quelques semaines ou quelques mois si nécessaire – avant de décider de la façon dont nous procéderions au partage. Pendant ce temps-là, nous stockerions toutes les affaires.

Puis j'ai proposé de partager l'héritage en faisant en sorte que nous puissions nous rapprocher et que les liens entre nous se resserrent. Chacun aurait des choses dont il avait vraiment besoin ou qui lui faisaient vraiment plaisir et lui rappelaient maman et John. Tout le monde semblait d'accord.

Mais tout n'a pas été aussi simple. Dans les mois qui ont suivi, j'ai parfois été tenté de penser : « Eh, moi aussi je veux ça! » Mais je revenais toujours à mon objectif : « Bon, le plus important, c'est de maintenir de bonnes relations. Alors, comment pouvons-nous parvenir à cela? » J'ai toujours affirmé qu'il fallait que nous fassions en sorte que tout le monde y trouve son compte.

Nous avons finalement fait une liste de tous les biens, afin que tout le monde sache ce qu'il y avait à partager. Nous avons donné à chacun un exemplaire de cette liste, qui comportait une petite note rappelant notre objectif en tant que famille. Puis nous avons demandé à chaque personne d'indiquer sur cette liste les cinq objets qu'elle voulait emporter, par ordre de préférence, en tenant compte des autres membres de la famille, car nous voulions que tout le monde soit content.

Nous avons demandé à tous d'être prêts, s'ils voyaient qu'un autre membre de la famille n'osait pas exprimer un souhait, à être réceptifs et à faire en sorte que cette personne obtienne ce qu'elle voulait.

Lorsque le jour du partage est arrivé, je me suis rendu compte que, malgré nos bonnes intentions, cette rencontre s'annonçait plutôt explosive. Sentant que nous avions besoin de nous reconnecter à notre objectif, j'ai pris la parole : « Souvenez-vous, nous sommes ici parce que nous aimons les deux êtres qui nous ont quittés et nous nous aimons les uns les autres. Nous voulons ressortir de cette expérience heureux. Nous voulons que, si maman et John pouvaient nous voir, ils se réjouissent de ce que nous allons faire. »

Nous sommes tous tombés d'accord : « Nous ne partirons pas d'ici tant que nous n'aurons pas le sentiment que chacun est satisfait de ce qu'il a. » Nous avons puisé dans notre amour pour les personnes que nous avions perdues, dans notre sens de la responsabilité, pour maintenir un esprit d'amour, de gentillesse et de considération à l'égard de tous les membres de la famille. Nous avons fait appel à nos qualités les plus nobles. Et le résultat a été stupéfiant.

Chacun a énuméré à tour de rôle les choses qu'il avait inscrites sur sa liste, en expliquant pourquoi il y tenait tant. À force de nous rappeler des souvenirs autour de ces objets, nous avons fini par évoquer de nombreux moments passés avec maman et John. Nous nous sommes mis à rire et à plaisanter. Nous avons vraiment apprécié d'être ensemble.

Quand toutes les listes ont été lues, nous nous sommes rendu compte que, finalement, peu de personnes voulaient la même chose. Et lorsque deux membres de la famille exprimaient le souhait d'obtenir un même objet, il y en avait toujours un qui disait : « C'était sur ma liste, mais je comprends parfaitement pourquoi tu y tiens tellement. Ça me ferait plaisir que ce soit toi qui l'aies. »

Au bout du compte, nous avons ressenti beaucoup d'amour les uns pour les autres et beaucoup de gratitude pour maman et John. Cette expérience a été une sorte d'hommage à leur vie.

Cet homme est devenu une véritable personne de transition dans sa famille. Il a fait le choix proactif de donner la priorité au bien-être de tous les membres de la famille. Il a véritablement pensé gagnant-gagnant.

La plupart des gens ont, dans cette situation, ce qu'on pourrait appeler une *mentalité de pénurie* : « Il n'y a qu'un gâteau donc, si tu as une grosse part, j'en aurai une petite. » Dans ce cas, on tombe dans le schéma gagnant-perdant.

Mais cet homme a su développer une *mentalité d'abondance*, l'idée qu'il y a bien assez pour tout le monde et qu'il y a une infinité de possibilités pour que tout le monde soit gagnant.

Cette mentalité d'abondance est le véritable esprit de famille, l'esprit du « nous ». C'est ça un vrai couple, une vraie famille.

Certains disent : « Ce qu'il y a de plus dur quand on se marie ou quand on a des enfants, c'est que ça change complètement notre mode de vie. On ne peut plus se contenter de se consacrer à son propre emploi du temps, à ses propres priorités. Il faut faire des sacrifices. Il faut toujours penser aux autres, à satisfaire leurs besoins, à les rendre heureux. »

Et c'est vrai. Dans un couple ou une famille, il faut se mettre au service des autres et faire des sacrifices. Mais, lorsque l'on s'aime vraiment et que l'on partage un objectif commun, transcendant, qui consiste à créer le « nous » – comme élever un enfant –, le sacrifice n'est rien de plus que de renoncer à quelque chose de secondaire pour quelque chose d'essentiel. Le sentiment d'accomplissement vient du sacrifice. C'est précisément ce passage du « moi » au « nous » qui fait de la famille une vraie famille!

Comme l'ont dit J.S. Kirtley et Edward Bok :

Qui traverse la vie de couple avec un cœur aigri, rempli d'égoïsme, ou y trouve un cœur aigri et égoïste, trouvera la vie de couple futile, exaspérante et insupportable [...] Qui s'attend à être assisté dans son couple agit d'une façon qui pervertit toute la vie de couple. Qui se marie dans le but de recevoir et non de donner fait fausse route [...] La vie de couple ne peut être ce qu'elle doit être tant que le mari ou la femme donne la priorité à son propre bonheur[1].

Vouloir ce qu'il y a de mieux pour tout le monde, aimer et faire des sacrifices pour y parvenir, c'est là l'essence même de l'esprit gagnant-gagnant.

La vie de couple et la vie de famille – non pas malgré, mais à cause de leurs défis – forgent le caractère qui permet de connaître joie et plénitude. Comme l'a observé Michael Novak :

Le mariage est une agression à l'encontre de notre ego solitaire et explosif. C'est une menace pour l'individu. Il impose des responsabilités extrêmement lourdes, rabaissantes, déconcertantes et frustrantes. Cependant, si l'on part du principe que tout cela est une condition préalable à la véritable libération, le mariage n'est pas l'ennemi du développement moral des adultes. Bien au contraire...

Depuis que je me suis marié et que j'ai eu des enfants, j'ai beaucoup appris et j'en suis très heureux. J'en ai tiré des leçons sur la difficulté et la contrainte. La plupart des choses que j'ai été contraint d'apprendre sur moi-même m'ont été déplaisantes [...] Ma dignité en tant qu'être humain dépend peut-être plus de ma qualité de mari et de père que de ma vie professionnelle. Mes liens [avec ma famille], surtout avec ma femme, m'empêchent de faire beaucoup de choses. Et pourtant, je ne les ressens pas comme des liens, en ce sens où je ne me sens pas lié, mais libéré. Je sens qu'ils font de moi un autre homme. Et je veux, et je dois être contraint à être cet homme[2].

---

1. J.S Kirtley et Edward Bok, *Half Hour Talks on Character Building by Self-Made Men and Women* (A. Hemming, 1910).
2. Michael Novak, « The Family Out of Favor » (*Harper's Magazine*, avril 1976).

Il est vraiment surprenant et terriblement triste de voir de magnifiques mariages, entourés de joie, de reconnaissance sociale, de beauté et de charme, et des personnes autrefois si proches, si chaleureuses, si soudées, sombrer dans l'amertume et l'esprit de vengeance.

Pourtant, lorsqu'on y réfléchit, les deux personnes qui forment un couple ne changent pas tellement au fil des ans. C'est le passage de l'indépendance à l'interdépendance qui constitue le véritable changement. Avec l'arrivée des enfants et des responsabilités, la rigueur et les exigences de l'interdépendance affective, intellectuelle, sociale et spirituelle dépassent de loin la vision qu'avaient à l'origine les jeunes mariés. S'il y a une évolution continuelle de la part des deux partenaires – une évolution commune –, les responsabilités et les obligations croissantes les uniront et créeront des liens très étroits entre eux. Dans le cas contraire, ces responsabilités les sépareront.

Dans une rupture, il y a toujours deux parties. Chacune est convaincue d'avoir raison et donne tort à l'autre. Et pourtant, chacune est généralement une personne de bon caractère et qui au fond n'a pas changé. Mais les états d'esprit indépendants ne sont simplement pas adaptés à une relation et à un environnement interdépendants. La vie de couple et la vie de famille sont véritablement l'« école » de la moralité.

Voici le témoignage d'un homme qui s'est marié à trente ans.

Lorsque je me suis marié, je pensais que j'étais très généreux, gentil, ouvert et altruiste. Mais j'ai fini par me rendre compte que j'étais très égoïste, narcissique et égocentrique. Je suis donc constamment confronté à ce défi : faire ce que je sais que je devrais faire et ne pas faire ce que je fais à court terme.

Lorsque je rentre du travail, la journée a été longue et je suis fatigué. Je me replie sur moi-même, je fuis. Je n'ai pas envie de m'occuper des autres ni de quoi que ce soit. Je m'immerge dans une activité pour laquelle je n'ai pas à réfléchir.

Et pourtant, je sais pertinemment que je devrais me consacrer à ma relation avec ma femme et passer du temps avec elle. Il faudrait que je sois attentif à ses besoins, à ses attentes, que je l'écoute.

Pendant trente ans, j'ai bâti ma vie autour de moi. Il n'y avait personne d'autre. Et maintenant que je suis marié, je me rends compte qu'il ne s'agit plus que de moi, mais de nous. Si je veux vraiment que mon mariage soit une réussite, je dois véritablement m'engager. Ma vie ne s'articule pas autour de moi, mais de nous. Bien sûr, le développement personnel est important, et il faut avoir du temps pour soi. Mais il y a aussi cette relation et, si elle est vraiment importante pour moi, je dois y consacrer du temps et des efforts – même si je n'en ai pas envie sur le moment, même si je suis fatigué et grincheux.

Dans son livre *Lucky in Love : The Secrets of Happy Couples and How Their Marriages Thrive* (Chanceux en amour : les secrets des couples heureux et de la réussite de leur mariage), Catherine Johnson nous fait part des facteurs qui favorisent un mariage heureux et durable. Parmi ces facteurs, elle insiste sur ces deux belles idées.

1. Les partenaires ne sont plus célibataires au fond d'eux-mêmes. Leurs âmes se confondent, et chacun voit l'autre comme son meilleur ami.

2. Ils attachent plus d'importance à la qualité de leur relation qu'à avoir le dernier mot dans une discussion. Ils sont conscients de leurs actes et savent écouter et s'autoévaluer par rapport au point de vue de l'autre [3].

En faisant des sacrifices et en se mettant au service d'autrui, on génère une culture familiale épanouissante, dans laquelle tout le monde est gagnant en termes de caractère et d'accomplissement, tant ceux qui aiment que ceux qui sont aimés. C'est ce qui constitue l'esprit gagnant-gagnant. En fait, le résultat est même gagnant-gagnant-gagnant : le premier gagnant est l'individu, le deuxième le couple et la famille, et le troisième la société, qui bénéficie de ces individus accomplis et de ces familles soudées.

COMMENT CULTIVER L'ESPRIT GAGNANT-GAGNANT

Penser gagnant-gagnant signifie avoir cet état d'esprit dans toutes les interactions familiales. Vous devez toujours rechercher ce qu'il y a de mieux pour toutes les personnes concernées.

En tant que parent, vous savez que parfois vos enfants voudront des choses qui ne les feront pas ressortir gagnants à terme. La plupart des personnes jeunes, qui ont peu d'expérience, agissent en fonction de leurs désirs et non de leurs besoins. Ceux qui s'occupent de ces personnes sont généralement plus matures, plus expérimentés, plus sages, et donnent la priorité aux besoins plutôt qu'aux désirs. Par

---

3. Catherine Johnson, *Lucky in Love : The Secrets of Happy Couples and How Their Marriages Thrive* (Viking Penguin, 1992).

conséquent, ils prennent souvent des décisions qui sont impopulaires et semblent être gagnant-perdant.

Mais **le rôle de parent ne consiste pas à être populaire, ni à céder à tous les caprices et désirs d'un enfant. Il s'agit de prendre des décisions qui aboutissent à un résultat véritablement gagnant-gagnant – bien que l'enfant ne s'en rende pas compte sur le moment.**

Gardez toujours à l'esprit que le rôle de parent engendre beaucoup d'insatisfaction. Les parents doivent avoir beaucoup de maturité et prendre un véritable engagement pour comprendre leur rôle et adapter leurs attentes. N'oubliez pas que, ce qui rend les enfants heureux, ce n'est pas forcément l'inverse de ce qui les rend malheureux ou insatisfaits. Le manque d'air, par exemple, est un facteur d'insatisfaction. L'air ne vous satisfait pas vraiment mais, si vous n'en avez pas, vous êtes extrêmement insatisfait. Dans une famille, l'« air », c'est ce que vous apportez en tant que parent en termes de compréhension, de soutien, d'encouragement, d'amour et de cohérence. Manquer de tout cela serait très insatisfaisant pour les enfants. Ils ne seraient pas heureux. Mais en jouir ne les rend pas non plus heureux, du moins à court terme. Les parents doivent donc adapter leurs attentes en fonction de cette insatisfaction.

Frederick Herzberg a été le premier à introduire le concept de satisfaction/insatisfaction dans sa « théorie de la motivation pour l'hygiène de vie », qui a des conséquences stupéfiantes pour les parents.

1. N'espérez pas trop de louanges ni de reconnaissance de la part de vos enfants. Si vous en bénéficiez, c'est la cerise sur le gâteau, mais ne comptez pas en avoir.
2. Soyez heureux et éliminez tous les facteurs d'insatisfaction possibles.
3. Ne définissez pas des satisfactions pour vos enfants. Vous ne pouvez pas forcer les processus naturels[4].

En tant que parent, vous devrez faire face à toutes sortes d'expressions d'insatisfaction de la part de vos enfants. Mais n'oubliez pas que tout ce que vous faites pour pourvoir à leur bonheur et à leur sécurité reste généralement dans l'ombre. Aussi, ne faites pas l'erreur de croire que ces expressions d'insatisfaction reflètent la qualité de votre travail de parent.

---

4. Frederick Herzberg, *Work and the Nature of Man* (New York : World Publishing Co., 1956).

Il faut soigner les relations. Vos enfants vous laisseront satisfaire leurs besoins plutôt que leurs désirs s'ils ont confiance en vous et savent qu'ils sont importants à vos yeux. Si vous cultivez l'esprit gagnant-gagnant à chaque fois que vous le pouvez, ils auront un contexte qui leur permettra de comprendre et d'accepter ces décisions d'apparence perdant-gagnant.

Vous pouvez procéder de plusieurs façons.

Laissez-les être gagnants sur les choses qui importent peu. Lorsque les enfants sont petits, 90 % de ce qu'ils veulent faire n'a guère d'importance. Dans notre famille, lorsque les enfants voulaient installer une balançoire dans la maison, aller dehors, se salir ou laisser un circuit au milieu du salon pendant des semaines, nous les laissions faire. Ils étaient gagnants, et nous aussi. Cela renforçait nos relations. En général, nous essayions de distinguer les questions de principes des questions de préférences. Nous ne nous montrions fermes que sur ce qui comptait vraiment.

Discutez avec eux des choses vraiment importantes. Ainsi, ils sauront que c'est leur bien-être qui vous motive et que votre but n'est pas de satisfaire votre ego ou de donner la priorité à vos préoccupations personnelles. Ouvrez-vous à leur influence. Autant que possible, impliquez-les dans le problème et cherchez une solution ensemble. Ils auront peut-être une meilleure idée que vous. Ou peut-être qu'en interagissant vous créerez un effet de synergie et trouverez de nouvelles possibilités, plus adaptées que celles que chacun d'entre vous avait proposées.

Essayez d'atténuer l'esprit de compétition. Un jour, je suis allé voir un match de foot auquel participait ma petite-fille. Elle jouait bien et nous étions tous très excités car il s'agissait d'un match clé entre les équipes des deux villes. De chaque côté, les parents étaient très attentifs au jeu, qui était plutôt serré. Finalement, ce fut un match nul – ce qui, pour l'entraîneur, n'était pas aussi mauvais qu'une défaite mais presque.

Comme d'habitude, à la fin du match, les joueurs des deux équipes se sont serré la main en disant : « C'était un bon match. » Mais l'équipe de ma petite-fille était démoralisée. Ça se voyait sur leurs visages. L'entraîneur essayait de leur remonter le moral, mais les joueurs savaient que lui aussi était déçu. Et ils ont traversé le terrain la tête basse.

Lorsqu'ils sont passés près de moi, je leur ai dit avec enthousiasme : « Bravo, les enfants! C'était un beau match! Vous aviez cinq objectifs : faire de votre mieux, vous amuser, travailler en équipe, apprendre et gagner. Et vous avez atteint quatre objectifs et demi. Ça fait 90 % de réussite ! C'est superbe ! Félicitations ! » Leurs yeux se sont mis à briller. Peu de temps après, joueurs et parents célébraient ce merveilleux succès.

Une adolescente m'a fait part de son expérience.

Lorsque j'étais au collège, je jouais dans l'équipe de basket de l'école. J'étais plutôt bonne pour mon âge et suffisamment grande pour jouer en première catégorie, bien que j'étais encore jeune. Ma copine, Pam, qui était dans la même classe que moi, est aussi entrée dans cette équipe.

Je ne tirais pas mal. Je pouvais facilement faire un panier à trois mètres. J'ai commencé à faire quatre ou cinq paniers par match, et j'ai gagné l'admiration de mes camarades. Mais il est bientôt devenu clair que Pam n'appréciait pas que l'on me porte autant d'attention et, consciemment ou non, elle a arrêté de me passer le ballon, que je sois bien placée ou non.

Un soir, après un match épouvantable au cours duquel Pam avait évité de me passer le ballon, j'étais folle de rage. J'ai passé des heures à discuter avec mon père, à tout lui raconter et à exprimer ma colère envers cette amie qui était devenue une ennemie. Après cette longue discussion, mon père m'a dit que la meilleure chose à faire était de passer le ballon à Pam à chaque fois que je l'avais. À chaque fois. Je me suis dit que c'était le conseil le plus stupide qu'il m'ait jamais donné. Pourtant, il m'a assuré que ça marcherait et m'a laissée seule pour que j'y réfléchisse. Mais je n'ai même pas pris la peine de le faire, étant persuadée que ça ne marcherait pas.

Pour le match suivant, j'avais déjà décidé que je ferais tout pour empêcher Pam de jouer. Mais, dès que j'ai eu le ballon, j'ai entendu la voix de mon père dans la foule. Sa voix portait beaucoup et, bien que je m'isolais complètement lorsque je jouais, j'entendais toujours cette voix. Au moment où j'ai saisi le ballon, il a hurlé : « Passe-le-lui ! » J'ai hésité une seconde, puis j'ai fait ce qui me semblait juste. J'étais bien placée pour tirer, mais j'ai vu Pam et je lui ai passé le ballon. Elle a été surprise un instant, puis elle a tourné sur elle-même, tiré et marqué un panier.

Tout en courant pour me mettre à la défense, j'ai ressenti quelque chose que je n'avais jamais ressenti auparavant : une joie sincère pour le succès d'un autre être humain. De plus, je me suis rendu compte que cette tactique nous mettait en avant dans le jeu. C'était bon de sentir que l'on gagnait. J'ai continué à passer le ballon à Pam à chaque fois que je l'avais. À chaque fois. Je ne tirais que si j'étais vraiment bien placée pour le faire.

Nous avons gagné le match. Et, lors des matchs suivants, Pam a commencé à me passer le ballon aussi souvent que je le lui passais. Notre travail d'équipe était de plus en plus efficace, et notre amitié de plus en plus grande. Cette année-là, nous avons gagné presque tous les matchs et nous sommes devenues un duo légendaire. Le journal local a même fait un article sur notre capacité à nous passer mutuellement le ballon et à sentir la présence de l'autre. C'était comme si nous pouvions communiquer sans nous voir. Sur l'ensemble des matchs, j'ai totalisé plus de points que jamais. Lorsque je marquais, je sentais qu'elle était vraiment contente pour moi. Et lorsqu'elle marquait plus que moi, je me réjouissais de son succès.

Même dans une situation typiquement gagnant-perdant, comme en sport, vous pouvez faire en sorte de créer un esprit gagnant-gagnant, et ainsi insister sur les avantages de cet état d'esprit en général. Dans notre famille, nous avons découvert que tout se passe bien mieux si nous marquons des points en tant qu'équipe.

Sandra

Lorsque nous avions à la maison des enfants et des adolescents, il était difficile de trouver une activité qui plaise à tout le monde. Parfois, nous allions au bowling. Chacun pouvait participer à son niveau, mais les gagnants étaient toujours les mêmes : les plus grands, les plus forts, les plus expérimentés.

Nous voulions essayer de faire en sorte que tout le monde soit gagnant et avons fini par trouver un système. Au lieu de faire le total des points de chacun et de déclarer gagnant celui qui avait le total le plus élevé, nous avons ajouté les points de tous les membres de la famille. Nous avons fixé arbitrairement un plancher que nous devions atteindre pour que notre famille soit déclarée gagnante. Si nous atteignions ce plancher, nous gagnions glaces, limonades ou banana-splits en guise de récompense. Ainsi, au lieu de nous énerver lorsque quelqu'un faisait un strike, nous nous félicitions tous d'avoir fait de notre mieux pour que la famille totalise le nombre de points requis.

Tout le monde était gagnant, et cette solution favorisait la synergie entre les membres de la famille. Il n'y avait plus les gagnants et les perdants, mais seulement des joueurs qui faisaient de leur mieux pour faire gagner leur équipe. Nous nous encouragions mutuellement. Nous avions un objectif commun. Un seul point de plus, et nous allions prendre une glace au lieu de rentrer à la maison.

Nous avons également constaté que, lorsqu'un enfant encourage un autre enfant, la rivalité fraternelle diminue entre eux. Chacun respecte et se réjouit de la réussite de l'autre, car chacun y trouve son compte.

Sandra

Sean et David n'avaient que dix-huit mois d'écart. Parfois, il y avait beaucoup de rivalité entre eux. Ils avaient l'esprit de compétition. Par exemple, lorsque David apprenait à lire, Sean l'imitait et le faisait pleurer. Lentement et de façon hachée, David lisait en butant sur les mots : « Mary... va... au... magasin. » Sean, caché derrière nous, répétait sur le même ton hésitant : « Mary... va... au... magasin », en riant et en se moquant de David, jusqu'à ce que celui-ci se mette à pleurer.

Nous essayions de le raisonner : « Sean, David essaie d'apprendre à lire. Toi aussi tu as appris à lire. C'est difficile au début. Arrête de te moquer de lui. C'est ton petit frère, tout de même ! Ne le fais pas pleurer. Laisse-le tranquille. »

Ça a duré pendant quelque temps, jusqu'à ce que nous trouvions une meilleure solution. Nous avons pris Sean à part un moment : « Sean, ça te plairait de remplir une mission ? Tu es plus âgé que David, tu sais lire. Penses-tu que tu pourrais lui apprendre à lire ? Ça serait vraiment gentil de ta part. Passe une demi-heure avec lui chaque jour et essaie de voir si tu ne pourrais pas l'aider mieux que nous. »

Sean a réfléchi à cette proposition et a accepté. Au bout de quelques jours, il est venu nous voir en tirant David par la main : « Écoutez comme David lit bien. Je lui ai appris à lire tous les jours et il s'en tire très bien. » David a ouvert son livre et s'est mis à lire : « Mary... va... au... magasin » de la même voix hésitante et aussi lentement qu'il l'avait fait quelques jours auparavant.

Nous nous sommes exclamés : « Félicitations, Sean ! Grâce à toi, David sait lire. » Sean était rayonnant, fier d'être le professeur de cet excellent élève. David, quant à lui, était ravi de voir que son frère était satisfait de ses progrès et fier de sa réussite. Ils ont été gagnants tous les deux.

Il y a mille façons de favoriser l'esprit gagnant-gagnant – même chez les tout-petits. Nous avons vu clairement, lors de l'anniversaire de notre fille, que les jeunes enfants passent par de nombreuses étapes de développement, y compris le besoin de posséder leurs jouets avant de vouloir les prêter. Dès lors que nous avons compris ce genre de concepts, en tant que parents, nous pouvons aider nos enfants à évoluer vers un état d'esprit gagnant-gagnant :

« Qu'est-ce qui se passe? Oh, regarde, Johnnie a l'air triste. Qu'est-ce qui lui arrive? Tu ne crois pas que c'est parce qu'il n'a pas de jouets pour jouer avec toi? Ce sont tes jouets. Ils t'appartiennent. Qu'est-ce que tu peux faire pour que Johnnie soit content et que tu sois contente de lui faire plaisir? Tu veux lui prêter tes jouets? Quelle bonne idée! Comme ça, vous serez contents tous les deux. »

Sandra

Je me souviens que notre fille de deux ans était un peu jalouse du temps que je passais à nourrir son jeune frère. Finalement, je lui ai fait cette proposition : « Pourquoi ne vas-tu pas vite chercher ton livre préféré pour que je te le lise pendant que je nourris le bébé? Ton frère est si petit qu'il ne demande qu'à manger et à dormir. Pendant ce temps-là, nous pouvons faire plein de choses ensemble. » Nous avons pris l'habitude de lire pendant que je nourrissais le bébé, et tout le monde était content.

NÉGOCIEZ DES ACCORDS GAGNANT-GAGNANT

Selon le principe du Compte émotionnel, les dépôts et les retraits émotionnels les plus importants dépendent de la façon dont vous gérez les attentes. Parfois, on a tendance à penser que certaines choses sont normales dans une relation. Aussi, on ne parle jamais de ces choses qui semblent évidentes. Mais nous avons certaines attentes. Et lorsqu'elles ne sont pas satisfaites, cela génère un retrait émotionnel.

Pour s'en sortir, il faut être très clair sur ses attentes. Les « accords gagnant-gagnant » négociés en famille vous aideront à y parvenir. Voyez comment cette femme a négocié un accord gagnant-gagnant avec sa fille qui était sur la mauvaise pente.

Notre fille a toujours été très sociable. Elle aime faire toutes sortes d'activités, de la danse, du sport, du théâtre et de la musique.

Lorsqu'elle est entrée au collège, elle s'est investie dans de nombreuses activités. C'était le paradis pour elle, surtout qu'elle pouvait y rencontrer des garçons. Mais ses notes n'ont pas tardé à chuter, et la maison est bientôt devenue un hôtel. On aurait dit qu'elle avait perdu tout son bon sens dans son désir d'entrer dans la « vraie vie ».

Nous étions très inquiets, car nous voyions notre fille, pourtant si intelligente, s'engager sur une voie malsaine et peu productive. Aussi, un soir, nous sommes allés auprès d'elle pour lui expliquer en détail ce qu'était un accord gagnant-gagnant et comment cela fonctionnait. Nous lui avons demandé d'y réfléchir et nous avons prévu de nous retrouver le lendemain soir pour conclure un accord qui conviendrait à tout le monde.

Le lendemain, nous nous sommes retrouvés dans le salon avec de quoi prendre des notes. Nous lui avons d'abord demandé de nous faire part de ses besoins. Ils étaient nombreux. Elle avait besoin de plus de liberté, de faire plus d'activités au collège, de rentrer plus tard le soir, de monter en voiture avec des garçons, d'argent pour aller danser, de cours dans des domaines où elle avait envie de se perfectionner, d'habits plus à la mode, de parents plus compréhensifs et pas aussi « ringards », etc. Alors que nous l'écoutions, nous nous rendions compte que tout cela était très important pour elle à ce stade de sa vie.

Nous lui avons ensuite demandé si nous pouvions lui faire part de nos souhaits. Ils étaient tout aussi nombreux que ses besoins. Nous voulions qu'elle ait des notes acceptables, qu'elle réfléchisse à son avenir, qu'elle aide à la maison, qu'elle rentre à l'heure le soir, qu'elle lise régulièrement, qu'elle soit gentille avec ses frères et sœurs, et qu'elle ne fréquente que des garçons corrects.

Naturellement, elle avait de nombreuses objections. Mais elle semblait heureuse de voir que nous avions décidé d'en discuter ensemble, de tout mettre sur le papier et de tout faire pour aboutir à une solution satisfaisante pour tout le monde. Nous sommes finalement parvenus très vite à un accord, qui prenait en compte tous les aspects de sa vie. Chacun a fait des concessions. Elle a insisté pour que tous signent cet accord et l'a emporté dans sa chambre.

Depuis ce soir-là, elle est devenue beaucoup plus détendue. C'est comme si elle n'avait plus à prouver à qui que ce soit qu'elle grandit et qu'elle a besoin de se créer de nouveaux liens. Elle ne cherche plus à s'imposer.

Elle se réfère souvent à notre accord – toujours parce que nous oublions certains de nos engagements. Elle est en paix avec elle-même. Elle sait où elle en est. Et elle a beaucoup apprécié que nous ayons réellement envie de négocier, de changer les choses et d'essayer de comprendre où elle en est dans sa vie.

Voici comment une mère divorcée a conclu un accord gagnant-gagnant avec son fils toxicomane.

Mon mari et moi avons divorcé lorsque notre fils avait seize ans, et ça a été très dur pour lui. Il en a beaucoup souffert et est tombé dans la drogue, entre autres problèmes. Lorsque j'ai eu l'occasion de suivre une conférence sur les « 7 Habitudes », j'ai invité mon fils à m'accompagner. Il a accepté. Toute sa vie en a été changée.

En réalité, au début, il s'est encore plus enfoncé. Mais il a finalement réussi à appliquer ces « 7 Habitudes » pour refaire surface. Nous avons négocié ensemble un accord gagnant-gagnant. De mon côté, j'ai accepté de l'aider à acheter une voiture, car il en avait vraiment besoin. Étant donné qu'il avait des difficultés financières, il ne pouvait pas faire d'emprunt, mais j'en ferais un pour lui. De son côté, il suivrait une thérapie. Nous avons été très clairs sur cinq ou six points et nous avons conclu notre accord. Il l'a écrit lui-même et nous l'avons signé. C'était pour nous un véritable engagement.

Il a parfois perdu espoir, traversé des épreuves très dures, mais il est devenu entièrement responsable de son passé et a courageusement commencé à prendre une nouvelle voie. Il a honoré chacun de ses engagements. En l'espace de trois mois, il a complètement changé de vie.

Aujourd'hui, il a un bon travail et va à l'université. C'est le meilleur élève de sa classe. Il veut être médecin et s'en est donné les moyens, alors qu'il semblait qu'il n'atteindrait jamais son objectif.

Dans chacune de ces situations, ces accords ont alimenté l'esprit gagnant-gagnant au sein de la culture familiale.

Ces accords ont également permis de consolider les Comptes émotionnels. Ils se fondent sur une compréhension mutuelle. Ils ont contribué à créer une vision commune. Ils ont éclairci les attentes. Ils ont impliqué un véritable engagement et accru la confiance. Tout le monde en est ressorti gagnant.

LAISSEZ VOTRE ACCORD RÉGIR VOTRE VIE

Une mère a expliqué comment elle avait pu, grâce à un accord gagnant-gagnant, apprendre la responsabilité à ses enfants et les inciter à se débrouiller seuls.

Lorsque nos enfants étaient petits, je faisais toujours attention à ce que leurs habits soient propres, soigneusement pliés et rangés. Quand ils ont grandi, je leur ai montré comment trier le linge et ranger leurs propres habits. Mais quand ils ont été adolescents, il nous a semblé qu'il était temps qu'ils s'en occupent eux-mêmes. Aussi, lors de l'un de nos rendez-vous familiaux, juste avant la rentrée scolaire, nous en avons discuté tous ensemble. Nous avons réfléchi à ce qui pouvait convenir à tout le monde et avons négocié un accord gagnant-gagnant.

Nous avons décidé que nous leur donnerions chaque semaine une certaine somme comme « argent de poche pour le linge », que nous les emmènerions acheter des vêtements et que je les aiderais à faire les travaux de couture. En retour, ils se sont engagés à laver, plier et ranger leur linge chaque semaine, à tenir en ordre leurs commodes et leurs armoires et à ne pas laisser traîner d'habits. Nous avons placé dans un coin un « panier antidésordre », où nous mettrions tout ce qui traîne. Chaque vêtement déposé dans ce panier engendrerait une retenue de deux francs sur l'argent de poche de la personne concernée.

Nous avons également décidé que, chaque semaine, nous aurions un rendez-vous comptable. Les enfants rempliraient une feuille où ils détailleraient leurs tâches, et ils recevraient leur argent de poche. Sur cette feuille, ils noteraient s'ils avaient lavé leur linge ou non.

L'année a très bien commencé. Nous leur avons montré comment se servir de la machine à laver. Ils étaient très excités à l'idée de pouvoir s'acheter eux-mêmes leurs habits et, pendant plusieurs semaines, leur linge a été propre et bien rangé. Mais, au fur et à mesure qu'ils se sont investis dans des activités, ils ont commencé à manquer une semaine ici ou là. À un certain moment, ils ont perdu plus qu'ils n'ont gagné.

J'étais très tentée de leur faire des remarques, et je leur en faisais parfois. Ils étaient toujours désolés et projetaient de faire mieux la semaine suivante. Mais, au bout de quelque temps, je me suis rendu compte que je leur avais donné une responsabilité et que j'étais en train de la reprendre. Si je leur rappelais ce qu'ils avaient à faire, c'était mon problème, pas le leur.

Alors j'ai tenu ma langue et laissé l'accord régir notre vie. Chaque semaine, j'attendais sereinement leurs feuilles. S'ils s'étaient occupés de leur linge, je leur donnais leur argent de poche; sinon, je ne le leur donnais pas. Semaine après semaine, ils étaient confrontés à leur performance.

Bientôt, les habits ont commencé à être usés. Les chaussures sont devenues trop petites. Je commençais à entendre : « J'ai vraiment besoin de nouveaux habits! »

« Très bien, ai-je déclaré, vous avez votre argent de poche. Quand voulez-vous que je vous emmène faire les magasins? »

La réalité leur a sauté aux yeux. Ils se sont soudain rendu compte que leur façon de s'organiser n'était peut-être pas la bonne. Mais ils ne pouvaient pas se plaindre. Ils avaient pleinement participé à la négociation de l'accord. Ils n'ont pas mis longtemps à s'intéresser de près à leur linge.

Ce que j'ai le plus apprécié dans cette expérience, c'est que notre accord m'a permis de rester calme et de les laisser apprendre. Ils ont choisi; ils ont subi les conséquences. J'étais aimable, encourageante, mais je me suis déchargée du problème qui était le leur. Personne n'est venu me demander : « Maman, s'il te plaît, achète-moi un nouveau tee-shirt! » ou « Pouvons-nous aller au centre commercial acheter de nouveaux jeans? » L'accord était accepté. Ils savaient qu'ils ne pouvaient pas me demander d'argent pour leurs habits.

Cette femme a laissé l'accord gagnant-gagnant régir la vie de la famille. Elle a pu ainsi se montrer moins réactive lorsque les problèmes ont surgi. Cet accord lui a donné un sentiment de sécurité et la possibilité d'être plus aimable lorsque ses enfants avaient des problèmes, parce qu'elle n'était pas soumise à leurs caprices.

Cette approche a fortement renforcé les liens de la famille. La relation entre les membres de la famille n'est pas devenue une lutte pour le pouvoir, parce qu'un accord avait été préalablement conclu. Cette femme a laissé ses enfants tirer les leçons des conséquences de leurs choix.

Elle a également pu leur enseigner plusieurs principes importants à travers cet accord gagnant-gagnant. Elle leur a donné l'exemple : ils ont eu des habits propres et bien rangés pendant des années. Elle leur a donné l'éducation et les conseils dont ils avaient besoin pour réussir : elle leur a montré comment trier le linge et utiliser la machine à laver. Elle leur a donné une responsabilité en passant un accord et ne l'a pas reprise : elle les a patiemment laissés apprendre, en se montrant toujours aimable.

LES CINQ INGRÉDIENTS D'UN ACCORD GAGNANT-GAGNANT

Il y a quelques années, Sandra et moi avons eu une expérience intéressante qui nous a beaucoup appris sur la négociation d'accords gagnant-gagnant avec nos enfants. La chose la plus importante que nous ayons apprise est la suivante : **on ne peut donner à**

quelqu'un la responsabilité d'un résultat si on supervise sa méthode.

J'ai souvent raconté l'histoire qui va suivre. Différents groupes s'en sont servis pour leurs conférences. Au fur et à mesure que vous la lirez, essayez de voir les cinq ingrédients qui interviennent dans un accord gagnant-gagnant : résultat désiré, conseils, ressources, responsabilité et conséquences.

Vert et propre

Notre petit Stephen s'était porté volontaire pour s'occuper du gazon. Avant de lui donner du travail, je l'ai consciencieusement préparé à cette tâche.

[Identification du résultat désiré] *Je voulais que Stephen ait clairement à l'esprit ce qu'était un gazon bien entretenu. Alors je lui ai montré celui de notre voisin :*

« Regarde, tu vois comme le gazon des voisins est vert et propre? C'est le résultat que nous voulons obtenir : vert et propre. Maintenant, regarde le nôtre. Tu vois toutes ces couleurs? Ce n'est pas ce que nous voulons; ce n'est pas vert. Or nous voulons qu'il soit vert et propre. [Conseils] *C'est à toi de décider comment t'y prendre pour qu'il soit vert. Tu es libre de faire ce que tu veux, sauf de le peindre. Mais je vais te dire ce que je ferais si j'étais à ta place.*

– Comment t'y prendrais-tu, papa?

– Je mettrais en marche les arroseurs. Mais tu peux utiliser un arrosoir ou un tuyau d'arrosage. Tu peux même cracher dessus toute la journée si le cœur t'en dit. Ça m'est égal. Tout ce qui nous intéresse, c'est que ce gazon soit vert, d'accord?

– D'accord.

– Bon, maintenant, voyons ce que « propre » veut dire. Propre signifie pas de saletés – pas de papiers, de ficelles, d'os, de morceaux de bois, etc. Je vais te dire ce qu'on va faire : on va nettoyer la moitié du gazon, comme ça on verra la différence. »

Nous avons pris chacun un sac et avons ramassé tout ce qui traînait sur un côté du gazon.

« Bon, regardons cette partie. Regardons l'autre. Tu vois la différence? Voilà pour ce qui est de la propreté.

– Attends, s'est-il exclamé, je vois un papier derrière ce buisson!

– Bien vu, mon garçon! Je ne m'en étais pas aperçu.

– *Avant que tu décides d'accepter cette tâche, je vais te dire encore quelque chose – parce qu'après je ne te dirai plus rien. Ce sera ton travail. C'est ce qu'on appelle l'intendance. Tu seras mon intendant. J'aurai donc en toi une confiance absolue. Je considère que ce travail sera fait. Qui sera ton patron?*

– *Toi, papa?*

– *Non, pas moi. C'est toi le patron. Ça te plaît que maman et papa te disent constamment ce que tu dois faire?*

– *Non.*

– *Ça ne nous plaît pas non plus. Ça crée parfois une atmosphère désagréable, non? Alors, tu seras ton propre patron.* [Définition des ressources] *Maintenant, devine qui sera ton assistant?*

– *Qui?*

– *Moi. Tu seras mon patron.*

– *Ah oui?*

– *Oui. Mais le temps pendant lequel je peux aider est limité. Parfois, je ne suis pas à la maison. Mais quand je serai là, c'est toi qui me diras comment t'aider. Je ferai tout ce que tu me demanderas de faire.*

– *D'accord!*

– *Devine qui te jugera?*

– *Qui?*

– *Tu seras ton propre juge.*

– *Moi?*

– *Oui.* [Définition des responsabilités] *Deux fois par semaine, nous irons voir le gazon ensemble, et tu me montreras comment ça se présente. Comment vas-tu juger le résultat?*

– *Vert et propre.*

– *Exact!* »

Nous avons discuté autour de ces deux termes clés pendant deux semaines et, lorsque j'ai senti qu'il était prêt, je lui ai demandé :

« *Marché conclu?*

– *Marché conclu!*

– *Quel est le but de cette tâche?*

– *Vert et propre.*

– *Que signifie vert?*

– *C'est la couleur du gazon du voisin.*

– *Que signifie propre?*

– *Pas de saletés.*

– *Qui est le patron?*

– *C'est moi.*

– Qui est ton assistant?

– C'est toi, quand tu as le temps.

– Qui est le juge?

– C'est moi. Nous irons voir le gazon deux fois par semaine et je te montrerai comment les choses se passent.

– Et quel est le résultat que nous voulons obtenir?

– Vert et propre.

À ce moment-là, je n'ai pas voulu qu'interviennent des conséquences extrinsèques, comme de l'argent de poche. J'ai au contraire essayé de lui faire comprendre la satisfaction intrinsèque qu'il en retirerait et les conséquences naturelles d'un travail bien fait. [Reconnaissance et explication des conséquences]

Deux semaines, deux mots. Je pensais qu'il était prêt.

C'était samedi et, ce jour-là, il n'a rien fait. Dimanche, rien. Lundi, rien. En partant travailler, mardi, j'ai regardé le gazon jaune et sale, et le soleil de juillet qui s'élevait dans le ciel. « Il va sûrement s'en occuper aujourd'hui », me suis-je dit. Je pouvais comprendre qu'il n'ait pas commencé samedi parce que c'était le jour où nous avions conclu notre accord. Je pouvais comprendre pour dimanche : le dimanche n'était pas fait pour travailler. Mais je ne m'expliquais pas qu'il n'ait rien fait lundi. Aujourd'hui, c'était mardi. Il s'y mettrait certainement aujourd'hui. C'étaient les vacances. Il n'avait rien d'autre à faire.

Toute la journée, j'ai été impatient de rentrer à la maison pour voir s'il y avait du changement. En arrivant, j'ai vu la même image que celle que j'avais vue le matin. Et mon fils était en train de jouer dans le parc d'en face.

C'était inacceptable. En arriver là après deux semaines de préparation et tous ces engagements... J'étais contrarié et déçu. Nous avions fait beaucoup d'efforts, nous avions investi beaucoup d'argent pour ce gazon. Nous en étions fiers, et je le voyais périr. À côté, celui de mon voisin était immaculé et magnifique. Cette situation commençait à devenir embarrassante.

J'étais sur le point de reprendre le rôle du patron : « Stephen, tu vas venir ramasser toutes ces saletés, oui ou non? » Mais je me suis repris en pensant que, si j'agissais ainsi, je ne lui permettrais pas de tenir son engagement personnel.

Alors j'ai fait semblant de sourire et j'ai crié en direction du parc :

« Bonjour, fiston! Comment ça va?

– Ça va, m'a-t-il répondu.

– Et comment va le gazon? »

Dès l'instant où j'ai dit cela, j'ai su que j'avais rompu notre accord. Ce n'était pas ainsi que nous avions défini les responsabilités. Ce n'était pas ce qui était convenu.

Alors il s'est senti en droit de le rompre lui aussi : « Ça va, papa. »

Je n'ai pas insisté et j'ai attendu que nous ayons dîné. Puis je lui ai dit : « Stephen, faisons ce que nous avions prévu : allons voir le gazon et tu me montreras comment ça se passe. »

Au moment où nous sommes sortis, j'ai vu son menton trembler et les larmes lui monter aux yeux. À mi-chemin entre la maison et le gazon, il s'est mis à pleurnicher : « C'est tellement dur, papa! »

Je me suis demandé : « Qu'est-ce qui est dur? Tu n'as pas levé le petit doigt! » Mais je le savais : ce qui est dur, c'est l'autogestion, l'autosurveillance. Alors je lui ai demandé :

« Y a-t-il quelque chose que je puisse faire pour t'aider?

– Tu veux bien, papa? a-t-il dit en reniflant.

– Quel était notre accord?

– Tu as dit que tu m'aiderais si tu avais le temps.

– Eh bien, j'ai le temps. »

Il a couru chercher deux sacs et m'en a tendu un : « Est-ce que tu veux bien ramasser ces saletés, m'a-t-il demandé en montrant les ordures qui dataient du barbecue du samedi. Ça me dégoûte! »

J'ai accepté et fait exactement tout ce qu'il m'a demandé. C'est à ce moment-là qu'il a vraiment intégré notre accord. Le gazon est devenu sa tâche, sa responsabilité.

Il ne m'a demandé de l'aide que deux ou trois fois. Il a vraiment pris soin de ce gazon. Il l'a maintenu plus propre et plus vert qu'il ne l'avait jamais été quand je m'en occupais moi-même. Il réprimandait même ses frères et sœurs dès qu'ils laissaient traîner le moindre papier de chewing-gum.

Cela n'a pas été facile de ne pas rompre notre accord. Mais j'ai appris qu'il était important de ne pas interférer. Il est aussi essentiel qu'un accord gagnant-gagnant comporte les cinq ingrédients que nous avons décrits – résultat désiré, conseils, ressources, responsabilité et conséquences – car, tôt ou tard, on y sera confronté. Et mieux vaut bien se préparer au départ que de devoir reconsidérer l'ensemble en période de crise :

« Ah, c'est ça que je devais faire? Je n'avais pas compris. »

« Pourquoi ne m'as-tu pas dit qu'il ne fallait pas que je le fasse comme ça? »

« Je ne savais pas quelles étaient les instructions. »

« Tu n'as jamais dit qu'il fallait que je le fasse pour aujourd'hui! »

« Comment ça, je n'ai pas le droit de sortir? Tu n'as jamais dit que je ne pourrais pas sortir si mon travail n'était pas fait. Sharon n'a pas fait le sien, et tu l'as laissée sortir! »

Au départ, si l'on veut être clair sur les cinq ingrédients de notre accord, cela prend du temps. Mais il est bien plus efficace d'y consacrer du temps au départ que de subir les conséquences d'une mauvaise préparation par la suite.

LA « VUE D'ENSEMBLE » : CLÉ DE L'ESPRIT GAGNANT-GAGNANT

Il va sans dire que l'esprit gagnant-gagnant est indispensable dans la vie de famille. Mais lorsque l'on est pris dans le feu de l'action, on agit sous l'impulsion du moment, et il est terriblement difficile de garder cet état d'esprit. Aussi, nous devons toujours nous accorder un délai de réflexion entre ce qui nous arrive et notre réponse.

Sandra et moi avons découvert que, pour vivre selon l'Habitude n° 4 (penser gagnant-gagnant), nous devons nous accorder un délai de réflexion pour garder notre « vue d'ensemble ».

Il y a plusieurs années, Sandra a couvert les murs du salon de photos représentant les membres de la famille à tous les stades de leur vie. Il y a des photos de nos parents, grands-parents et arrière-grands-parents; des photos en noir et blanc prises juste après notre mariage; des photos de bébés, d'école, de nos neufs enfants, à tous les âges : sans dents, avec des taches de rousseur, des boutons, des appareils dentaires; des photos de l'époque du collège, de l'université et des photos de mariage. Il y a des photos de groupes et un mur consacré aux petits-enfants. Il y a même des photos de moi à l'époque où j'avais des cheveux!

Sandra a affiché toutes ces photos car elle voulait que tous les membres de la famille puissent se voir comme elle les avait vus. Par exemple, lorsqu'elle voit notre fils de trente-trois ans, marié avec quatre enfants, elle voit encore son petit garçon de quatre ans qui venait demander un pansement pour un genou écorché et se faire consoler. Elle le revoit à douze ans, faisant face à sa peur le jour de sa rentrée au collège; à dix-sept ans, s'armant de courage pour faire face à une défaite lors d'un championnat de foot; à dix-neuf ans, quittant la maison pour passer deux ans à l'étranger; à vingt-trois ans, embrassant son épouse; et à vingt-quatre ans, tenant dans ses bras son premier enfant.

Voyez-vous, pour Sandra, chaque membre de la famille est tellement plus que ce d'autres peuvent voir qu'elle a voulu communiquer à tous sa vision des êtres qu'elle aime.

Sandra

C'est merveilleux de voir les gens qui entrent dans notre maison se précipiter vers les murs couverts de photos. Ils remarquent les ressemblances entre les membres de la famille et nous disent que l'un de nos petits-enfants est le portrait craché de sa mère ou de son père. Nos enfants et nos petits-enfants adorent ces photos.

« Oh, je me souviens de cette robe rose – c'était ma préférée! »

« Elle n'était pas belle ta maman? »

« Tu vois, moi aussi, j'ai eu un appareil dentaire. »

« Cette photo a été prise le jour où mon équipe a gagné le championnat de foot. »

« C'est la robe que je portais quand j'ai été élue reine. »

J'avais une photo de nos fils montrant les muscles qu'ils s'étaient faits en faisant du ski nautique. J'ai l'ai fait retirer en grand format et leur en ai offert une à chacun pour Noël. Tout fiers, ils ont dit à leurs fils : « Tu vois comme j'étais musclé! » Et j'ai affiché cette photo sur le mur : « C'est ton papa, là, disent-ils à leurs enfants. J'ai soulevé des poids pendant trois ans pour avoir tous ces muscles! »

Lorsque je pense à mes enfants, je ne les vois pas comme ils sont aujourd'hui. Je me souviens d'expressions qu'ils utilisaient souvent, de leurs tenues préférées. Je les revois bébés, enfants, adolescents, jeunes adultes – toutes ces images me reviennent à l'esprit lorsque que je les vois tels qu'ils sont aujourd'hui. Je me souviens des différentes étapes de leur vie, de leur visage, des éclats de rire, des larmes, des échecs et des triomphes.

Un seul regard sur le mur couvert de photos, et toute notre vie se déroule devant mes yeux en quelques secondes. Je suis remplie de souvenirs, de nostalgie, de fierté, de joie et d'énergie. La vie continue, et c'est tellement merveilleux. Nous avons aussi beaucoup d'albums, et c'est bien aussi. Mais ce mur de photos, c'est toute notre famille – toute notre vie – qui m'entoure. J'adore ça.

J'ai souvent souhaité que l'on puisse aussi afficher sur ce mur des photos de l'avenir – que l'on puisse se voir, voir nos conjoints et nos enfants dix, vingt, ou même cinquante ans après. Comme ce serait enrichissant de voir les défis qu'ils devront relever, la force de caractère qu'ils vont acquérir, les contributions qu'ils vont faire ! Cela changerait tout dans nos interactions si nous pouvions voir au-delà de notre comportement actuel – si nous traitions chacun en fonction de ce qu'il a été, de ce qu'il peut devenir avec notre aide et de ce qu'il peut faire à tout moment.

Lorsque l'on est parent, il est essentiel d'agir en fonction de ce genre de vision, au lieu de se laisser emporter par l'émotion du moment. Prenons une question fondamentale, comme la discipline, par exemple : grâce à la vue d'ensemble que nous nous efforçons de garder à l'esprit, Sandra et moi avons compris la différence entre la *punition* et la *discipline*. Je vais essayer d'illustrer mon propos avec cette pratique courante qui consiste à envoyer un enfant dans sa chambre.

Lors des crises de colère de nombreuses personnes envoient leurs enfants dans leur chambre ou dans une autre pièce jusqu'à ce qu'ils se calment. La façon dont on utilise cette méthode représente clairement la distinction entre punition et discipline. La punition consisterait à dire à l'enfant : « Bon, va dans ta chambre et n'en ressors pas avant une demi-heure. » La discipline voudrait que l'on dise : « Bon, tu vas aller dans ta chambre et tu en ressortiras quand tu auras décidé de vivre selon notre accord. » Que l'enfant reste seul dans son coin pendant une minute ou une heure n'a aucune importance, pourvu qu'il se comporte de manière proactive pour faire le bon choix.

Si un enfant se comporte mal, il a besoin d'être seul jusqu'à ce qu'il décide de se comporter autrement. S'il revient et continue à se comporter de la même façon, c'est qu'il n'a pas réfléchi pour faire son choix. Dans ce cas, vous devez avoir une discussion approfondie avec lui. Mais si vous agissez au nom de la discipline, vous lui témoignez du respect et lui montrez qu'il a le pouvoir de choisir le comportement qui correspond aux principes de votre accord. La discipline n'a rien d'affectif. Vous devez la faire respecter de manière très directe, neutre, en fonction de votre accord.

Lorsqu'un enfant se conduit mal, il est important de se rappeler l'Habitude n° 2 – savoir dès le départ où l'on veut aller – et d'avoir clairement en tête ce que vous essayez de faire. Votre objectif en tant que parent est d'aider votre enfant à apprendre, à mûrir, de faire de lui une personne responsable. Le but de la discipline est d'aider l'enfant à développer une discipline interne – sa capacité à faire les bons choix malgré les mauvaises influences.

Dès lors que vous avez compris cela, votre objectif principal devra être d'ancrer l'Habitude n° 1 – être proactif – chez votre enfant dès son plus jeune âge, pour affirmer son aptitude à être responsable. Soyez clair : ce n'est pas l'enfant qui est mis en question, c'est son comportement. Affirmez la capacité de votre enfant à faire des choix au lieu d'en douter. Vous pouvez l'aider à aiguiser cette faculté en l'encourageant à tenir un journal intime. Ainsi, il pourra développer ses quatre dons en observant ses actes avec recul et en développant son sens moral. Les accords gagnant-gagnant de l'Habitude n° 4 vous aideront aussi à lui faire comprendre les règles que vous avez établies et les conséquences de ses actes.

Sandra et moi avons découvert que, lorsque les enfants connaissent ce genre de discipline, ils ont un tout autre état d'esprit. Ils consacrent leur énergie à affronter leur propre conscience, et non leurs parents. Ils sont plus ouverts, et il est plus facile de leur enseigner des principes. En outre, la discipline consolide souvent le Compte émotionnel. La bonne volonté remplace la sévérité et le rejet dans les relations. Les enfants continuent parfois à faire de mauvais choix, mais ils commencent à avoir confiance en ce sentiment de sécurité et de stabilité que leur donnent les principes qui règnent dans leur famille.

La capacité à avoir une « vue d'ensemble » est essentielle dans la vie de famille. Peut-être que, lorsque nous regardons les membres de notre famille (y compris nous-mêmes), nous devrions imaginer que chacun est vêtu d'un tee-shirt portant la mention : « Deux secondes, je n'ai pas encore fini ! » Nous devrions toujours penser que chacun y met de la bonne volonté. Si nous partons du principe que chaque personne essaie de faire de son mieux, à sa façon, nous pouvons exercer plus facilement notre influence pour réveiller le meilleur d'elle-même.

Si nous voyons en l'autre une personne en perpétuelle évolution, pleine de bonne volonté, et si nous gardons à l'esprit le but final de notre relation, notre « destination », nous aurons toute la motivation nécessaire pour nous engager à toujours penser gagnant-gagnant.

Application entre adultes et adolescents

Apprenez à penser gagnant-gagnant

- Commentez l'histoire du bras de fer, pages 215 à 216. Pourquoi l'esprit gagnant-gagnant est-il plus souhaitable dans les relations familiales ?
- Discutez de la façon dont une seule personne ayant l'esprit gagnant-gagnant peut changer une situation.
- Posez la question suivante aux membres de votre famille : Pourquoi le ressentiment intérieur est-il plus destructeur pour une famille que les pressions de l'environnement extérieur ?

Définissez votre objectif : l'interdépendance

- Demandez aux membres de votre famille : Que devons-nous faire pour être capables de travailler ensemble et trouver des solutions plus adaptées que celles proposées par chacun d'entre nous ? En quoi la question et l'engagement cités à la page 218 peuvent-ils nous être utiles ?
- Discutez des conséquences de l'esprit gagnant-perdant et perdant-gagnant. Posez la question suivante : Y a-t-il une situation dans laquelle l'une de ces deux possibilités vous paraît plus appropriée qu'un résultat gagnant-gagnant ?

Passez du « moi » au « nous »

- Revoyez l'histoire de l'héritage, pages 227 à 229, pour montrer comment une situation très délicate peut aboutir à un résultat gagnant-gagnant grâce à un homme doté d'une vision et d'un plan. Essayez de voir comment vous pourriez avoir une attitude correspondant au modèle gagnant-gagnant dans une certaine situation de votre vie.
- Commentez la différence entre une *mentalité de pénurie* et une *mentalité d'abondance* (page 229). Identifiez une situation dans laquelle une mentalité d'abondance serait bénéfique à votre famille. Essayez d'avoir cette mentalité pendant une semaine. Discutez du changement que cela entraîne dans votre culture familiale.

Négociez des accords gagnant-gagnant

- Commentez les témoignages des personnes qui ont négocié des accords gagnant-gagnant (pages 235 à 247). Discutez du changement que ces accords ont apporté pour les enfants et les parents. Essayez de négocier un accord gagnant-gagnant avec un des membres de votre famille. Vivez selon cet accord pendant une semaine. Parlez ensemble des défis à relever et des bénéfices que vous en retirez.

- Discutez de la différence entre discipline et punition. Posez la question suivante : Comment peut-on faire respecter la discipline sans infliger de punition ?
- Commentez l'idée de « vue d'ensemble ». Si un membre de la famille est désagréable, en quoi votre tentative de voir au-delà de son comportement actuel peut-elle vous aider à penser gagnant-gagnant ?

Application avec les enfants

Assez pour tout le monde

- Passez un après-midi au soleil avec vos enfants. Allez à la plage, dans un parc ou à la montagne et montrez-leur comme le soleil est agréable. Insistez sur le fait que tout le monde peut en profiter. En outre, il y en a toujours autant, que l'on soit un ou un million à en profiter. Comme il y a une abondance de soleil, il y a une abondance d'amour. L'amour que l'on porte à une personne ne nous empêche pas d'aimer aussi d'autres personnes.
- Faites un jeu. Dites aux enfants que, pour gagner dans ce jeu, il faut que tout le monde soit gagnant. Établissez des règles selon lesquelles la gentillesse et la considération à l'égard des autres joueurs sont plus importantes que les points que l'on marque. Observez ce qui se passe. Les enfants vont peut-être décider de passer leur tour de temps en temps, de mettre en commun l'argent ou les bonbons qu'ils auront gagnés, de totaliser leurs scores ou de donner des conseils aux autres joueurs. Lorsque le jeu sera fini, demandez-leur ce qu'ils ressentent après avoir aidé tout le monde à gagner. Aidez-les à comprendre que le monde peut abriter de nombreux gagnants.
- Allez voir un sport collectif en famille et expliquez aux enfants que le but est de prendre des notes sur « ce qu'il y a de mieux » dans le match : le meilleur jeu, le meilleur travail d'équipe, le meilleur esprit sportif et la meilleure coordination – non seulement dans l'équipe qu'ils soutiennent, mais aussi dans l'équipe

adverse. Après le match, lisez les notes de chacun et énumérez toutes les bonnes choses qui ont été observées. Demandez aux membres de la famille de faire part de leurs points de vue et de leurs sentiments.

- Lisez à vos enfants l'histoire des deux frères qui avaient un tel rapport de force qu'ils ne s'appréciaient pas l'un l'autre. Montrez-leur comment l'esprit gagnant-gagnant que ceux-ci ont développé pourrait les aider à résoudre d'éventuels problèmes de ce genre.
- Choisissez un problème qui a été une cause de dispute entre vous et vos enfants. Discutez-en ensemble. Mettez cartes sur table. Essayez de voir ce qui pourrait satisfaire chaque personne concernée et faites en sorte d'aboutir à un résultat gagnant-gagnant. Lorsque vous aurez trouvé une solution, demandez à chacun comment il se sent.
- Choisissez des domaines de votre vie de famille qui nécessitent le plus de coopération, de travail d'équipe et de discipline. Notez chacun de ces domaines sur un morceau de papier et mettez tous les papiers dans un chapeau. Faites-les tirer un par un par les enfants et demandez-leur d'expliquer ce qu'ils pourraient faire pour que tout le monde soit gagnant dans chacun de ces domaines.

Habitude n° 5

Cherchez d'abord à comprendre, ensuite à être compris

CHERCHEZ d'abord à comprendre, ensuite à être compris, et tous les membres de votre famille vous ouvriront leur cœur. Comme le dit le renard dans *Le Petit Prince* : « Je vais te dire un secret. Et ce secret le voici : on ne voit bien qu'avec le cœur. L'essentiel est invisible pour les yeux. »

Pour commencer, j'aimerais vous faire faire un test. Regardez ce dessin pendant quelques secondes.

Maintenant, regardez cet autre dessin et décrivez en détail ce que vous voyez.

Vous voyez un Indien ? À quoi ressemble-t-il ? Comment est-il coiffé ? De quel côté regarde-t-il ? Vous me répondrez sans doute que l'Indien a un nez proéminent, porte une coiffe à plumes et regarde vers la gauche.

Et si je vous disais que c'est faux ? Si je vous disais que ce que vous voyez n'est pas un Indien, mais un Esquimau ? Cet Esquimau porte un manteau, est coiffé d'une capuche, tient une lance, vous tourne le dos et regarde vers la droite.

Qui a raison ? Regardez à nouveau l'image. Voyez-vous l'Esquimau ? Si vous n'y arrivez pas, essayez encore. Voyez-vous la lance et le manteau à capuche ?

Si nous étions ensemble, nous pourrions en discuter. Vous pourriez me décrire ce que vous voyez, et moi ce que je vois. Nous pourrions continuer à communiquer jusqu'à ce que chacun réussisse à montrer à l'autre ce qu'il voit.

Comme ce n'est pas possible, reportez-vous au dessin de la page 306. Puis regardez une nouvelle fois le dessin ci-dessus. Voyez-vous l'Esquimau maintenant ? Il est très important que vous le voyiez clairement avant de poursuivre votre lecture.

Depuis des années, j'utilise ce type de test pour faire prendre conscience aux gens que les autres n'ont pas nécessairement la même perception du monde qu'eux. En fait, **nous ne voyons pas le monde *tel qu'il est*, mais *tel que nous sommes* ou tel que nous avons été conditionnés.**

Ceux qui font ce test deviennent presque toujours plus humbles, plus ouverts, plus à l'écoute et beaucoup plus respectueux.

Quand j'enseigne l'Habitude n° 5, je vais dans l'assistance, je prends une paire de lunettes à quelqu'un et j'essaie de persuader quelqu'un d'autre de les porter. En général, je précise que, pour convaincre cette personne, je vais recourir aux différentes méthodes que nous utilisons pour influencer les autres.

Lorsque je pose les lunettes sur le nez d'une femme, par exemple, elle a en général un mouvement de recul, particulièrement si les verres sont forts. J'essaie alors de la motiver : « Essayez encore! » Elle se rétracte encore plus. Ou, si je l'intimide, elle finit par m'obéir, mais n'en a aucune envie. À ce moment-là, j'ajoute : « Je sens, à votre attitude, que vous vous rebellez. Vous devez être positive. Pensez de manière plus positive. Vous pouvez le faire! » Elle essaie de sourire, mais ça ne marche pas, et elle le sait très bien. Elle finit par me dire : « Ça n'est vraiment pas pour moi. »

J'essaie alors d'exercer sur elle une certaine pression ou de l'intimider d'une manière ou d'une autre. Je me mets dans le rôle de son père : « As-tu la moindre idée de tous les sacrifices que ta mère et moi avons faits pour toi? De tout ce dont nous nous sommes privés pour t'aider? Et aujourd'hui, tu te rebelles? Maintenant, mets ces lunettes! » Le sentiment de rébellion est encore plus fort. J'entre ensuite dans le rôle du patron et j'exerce une pression économique : « Au fait, de quelle expérience professionnelle pouvez-vous justifier? » Je passe à une pression sociale : « Ne voulez-vous pas faire partie de ce groupe? » Je flatte sa vanité : « Mais ces lunettes vous vont si bien! »

Je fais donc appel à sa motivation, je critique son attitude, je flatte sa vanité et j'exerce une pression économique et sociale. J'essaie de l'intimider, de la culpabiliser. Je lui dis de penser de manière positive, de faire des efforts. Mais aucune de ces méthodes ne parvient à l'influencer. Pourquoi? Parce que tout vient de moi, et non d'elle. Et je ne tiens aucun compte de son point de vue.

D'où l'importance de chercher à comprendre avant de chercher à influencer – d'établir un diagnostic avant de prescrire, comme le fait un optométriste. Sans cela, c'est comme si vous parliez à un mur.

Votre effort satisfait peut-être votre ego sur le moment, mais vous n'exercez aucune influence sur l'autre.

Nous regardons tous le monde à travers notre propre paire de lunettes. Ces lunettes nous viennent du milieu dont nous sommes issus et de notre vécu, et déterminent notre système de valeurs, nos aspirations et notre croyance implicite de ce qu'est le monde et de ce qu'il devrait être. Repensez un instant à l'expérience de l'Indien et de l'Esquimau. Vous avez été conditionné par le premier dessin, de sorte que vous avez « vu » ou interprété le second de la même manière. Mais on pouvait le voir tout à fait différemment.

Les problèmes de communication sont souvent liés à une interprétation différente des choses, chaque personne étant conditionnée par son caractère et son vécu. Si nous interagissons sans en tenir compte, nous avons tendance à porter des jugements de façon précipitée. Prenons un exemple tout simple : la température ambiante. Le thermomètre accroché sur le mur du salon affiche vingt et un degrés. L'un se plaint d'avoir trop chaud et ouvre la fenêtre. L'autre se plaint d'avoir froid et la ferme. La logique voudrait que, lorsque deux personnes sont en désaccord, l'une a forcément raison et l'autre tort. Mais ce n'est pas logique – c'est psycho-logique. Les deux ont raison, chacune de son point de vue.

En projetant notre vécu sur le monde, nous pensons le voir tel qu'il est. C'est faux. Nous le voyons tel que nous sommes ou tel que nous avons été conditionnés. Et tant que nous ne sommes pas capables de dépasser notre vécu – d'enlever nos lunettes pour voir le monde à travers les yeux des autres –, nous ne pouvons pas espérer établir des relations profondes et authentiques et exercer une influence positive.

D'où l'intérêt d'appliquer l'Habitude n° 5.

LA SOUFFRANCE NAIT SOUVENT DE L'INCOMPRÉHENSION

C'est avec ma femme, Sandra, que j'ai compris la véritable signification de l'Habitude n° 5. Après avoir eu avec elle un problème d'une importance particulière, j'en ai humblement tiré les leçons.

Nous étions en congé sabbatique depuis environ quinze mois à Hawaï et c'est là que nous avons pris l'habitude de faire ce qui allait devenir une véritable tradition dans notre vie. Je passais la prendre un peu avant midi sur un vieux scooter rouge. Nous emmenions nos deux plus jeunes enfants avec nous – l'un assis entre nous deux, l'autre sur mon genou gauche. Nous passions à travers les champs de canne à sucre. Nous roulions lentement pendant une heure et nous parlions. En général, nous nous arrêtions sur une plage isolée. Nous garions la moto et marchions vers un endroit désert pour pique-niquer. Puis, pendant que les enfants jouaient dans les vagues, nous parlions de toutes sortes de choses. Nous discutions de presque tout.

Un jour, nous avons abordé une question sensible entre nous. Sandra m'avait toujours agacé avec ce que je considérais comme un attachement irrationnel aux appareils ménagers de la marque Frigidaire. C'était, à mon avis, une véritable obsession, qu'il m'était impossible de comprendre. Sandra n'envisageait même pas d'acheter une autre marque. Même à l'époque où nous démarrions dans la vie avec un budget très serré, elle insistait pour que nous fassions les soixante-dix kilomètres qui nous séparaient de la ville la plus proche où on trouvait des appareils Frigidaire, parce qu'il n'y en avait pas dans notre petite ville universitaire.

Ce qui me dérangeait le plus, ce n'était pas qu'elle aime cette marque, mais qu'elle s'entête dans des arguments illogiques, indéfendables, sans aucun fondement. Si seulement elle avait reconnu que son comportement était irrationnel et purement émotionnel, je crois que je l'aurais accepté. Mais ses justifications étaient véritablement irritantes. En fait, ce sujet était si délicat qu'à cette occasion nous avons continué à rouler et retardé le moment où nous arriverions à la plage. Je crois que nous voulions éviter le regard de l'autre.

Mais nous étions dans un état d'esprit favorable à la discussion. Nous avons commencé à parler de notre électroménager à Hawaï : « Je sais que tu aurais sans doute préféré Frigidaire. »

« C'est sûr, a-t-elle reconnu, mais nos appareils semblent quand même bien fonctionner. » Elle a alors commencé à se confier. Petite fille, elle s'était rendu compte que son père travaillait très dur pour faire vivre sa famille. Cela faisait déjà des années qu'il était professeur d'histoire et répétiteur dans un lycée quand, pour joindre les deux bouts, il s'était lancé dans l'électroménager. Frigidaire était l'une des principales marques qu'il vendait. Quand il rentrait le soir après une journée au lycée et une longue soirée au magasin, il s'allongeait sur le canapé, et Sandra venait lui masser les pieds et chanter pour lui. C'était un moment privilégié, qu'ils ont passé ensemble presque quotidiennement, pendant des années. Son père se laissait souvent aller à parler des soucis que lui causait le magasin et disait à Sandra tout le bien qu'il pensait de Frigidaire. Lors d'une période de crise, il avait connu de graves difficultés financières et, s'il n'avait pas fait faillite, c'était parce que Frigidaire avait financé son fonds de commerce.

Sandra marquait de longues pauses dans son récit. Je sentais qu'elle était au bord des larmes. Elle était très émue par tous ces souvenirs. La communication entre son père et elle s'était instaurée de manière spontanée, naturelle, comme se vivent les expériences les plus fortes. Peut-être Sandra avait-elle oublié tout cela jusqu'à ce que, sécurisée par le contexte de cette année sabbatique, elle puisse l'exprimer de manière tout aussi naturelle et spontanée.

Mes yeux se sont emplis de larmes. J'avais enfin compris. Je ne lui avais jamais permis d'en parler librement. Je n'avais jamais su être à l'écoute. Je m'étais contenté de juger. J'étais resté dans ma propre logique. Je n'avais fait que conseiller, ou même critiquer, mais je n'avais jamais fait l'effort de comprendre. Mais, comme l'a dit Pascal : « Le cœur a ses raisons que la raison ne connaît point. »

Ce jour-là, nous avons passé un long moment à rouler à travers les champs de canne à sucre. Quand nous sommes finalement arrivés à la plage, nous nous sentions si régénérés, si proches l'un de l'autre, si déterminés à préserver tout ce qui rendait notre relation si précieuse, que nous nous sommes simplement enlacés. Nous n'avions même plus besoin de parler.

Les relations familiales ne peuvent être profondes, épanouissantes, sans véritable compréhension. Ces relations peuvent être superficielles. Elles peuvent être fonctionnelles ou transactionnelles. Mais elles ne peuvent être transformationnelles – et profondément satisfaisantes – si elles ne sont pas fondées sur une compréhension mutuelle.

En fait, les problèmes qui surgissent entre les membres d'une famille sont souvent liés à l'incompréhension.

Un jour, un père m'a raconté une histoire vraiment révélatrice. Il punissait régulièrement son petit garçon, qui ne cessait de lui désobéir : malgré son interdiction d'aller jusqu'au coin de la rue, son fils n'en faisait qu'à sa tête. À chaque fois qu'il le punissait, il lui répétait de ne pas aller au carrefour. Rien n'y faisait, jusqu'au jour où l'enfant, qu'il venait de punir, lui a demandé les yeux pleins de larmes : « Papa, qu'est-ce que ça veut dire « carrefour »? »

Catherine (fille)

Pendant longtemps, je n'ai pas compris pourquoi notre petit garçon de trois ans refusait d'aller jouer chez le petit voisin. Celui-ci venait chez nous plusieurs fois par semaine, et ils s'entendaient bien. Puis il invitait à son tour notre fils à aller jouer dans son jardin, où il y avait un bac à sable, une balançoire, des arbres et une grande pelouse. Chaque fois, notre fils disait qu'il irait, mais il s'arrêtait à mi-chemin et revenait en courant les yeux pleins de larmes.

J'ai alors pris le temps de l'écouter pour découvrir ce qu'il redoutait. Et il a fini par se confier : il avait peur de devoir aller aux toilettes chez son ami. Il ne savait pas où elles étaient et craignait de mouiller sa culotte.

Je l'ai pris par la main, et nous sommes allés ensemble chez le voisin. Nous avons parlé à sa mère, et elle a montré à notre fils où étaient les toilettes et comment en ouvrir la porte. Elle lui a aussi proposé de l'aider à les trouver en cas de besoin. Grandement soulagé, il a décidé de rester jouer et n'a pas eu de problème depuis.

L'un de nos voisins nous a raconté une anecdote concernant l'une de ses filles, alors à l'école primaire. Tous ses autres enfants étaient brillants et réussissaient très bien à l'école. Il avait donc été surpris de découvrir que sa fille avait des problèmes en mathématiques. Elle étudiait la soustraction et semblait ne rien y comprendre. Elle revenait toujours de l'école déçue et en larmes.

Il a donc décidé de passer une soirée avec elle pour essayer de résoudre ce problème. Il lui a longuement expliqué le concept de soustraction et lui a fait faire quelques exercices. Mais pourtant elle ne faisait pas de progrès. Elle ne comprenait pas.

Il a alors aligné cinq belles pommes rouges, puis en a retiré deux. Le visage de sa fille s'est soudain éclairé, comme si une lumière s'était allumée en elle. Elle s'est exclamée : « Mais on ne m'avait pas dit qu'il fallait enlever! » Personne n'avait réalisé qu'elle n'avait absolument pas compris que « soustraire » signifiait « enlever ».

Cette fois, c'était bien clair dans son esprit. Il est indispensable de comprendre le cheminement de la pensée des jeunes enfants, parce qu'ils n'ont souvent pas les mots pour exprimer ce qu'ils pensent.

Si nous commettons des erreurs avec nos enfants, notre conjoint et tous les membres de notre famille, ce n'est pas parce que nous sommes mal intentionnés. C'est simplement que nous ne les comprenons pas vraiment. Nous ne savons pas lire dans leur cœur.

Si nous y parvenions – si toute la famille pouvait acquérir cette faculté de compréhension –, plus de 90 % des problèmes pourraient être résolus.

UNE PRISE DE CONSCIENCE QUI SE GÉNÉRALISE

Les gens commencent à prendre conscience que la plupart des problèmes qui surgissent au sein d'une famille sont liés à un manque de compréhension. En feuilletant la plupart des livres américains sur la famille, on peut constater l'ampleur du problème et de cette prise de conscience.

Si des ouvrages comme *You Just Don't Understand* (Tu ne comprends pas), de Deborah Tannen, ou *Les hommes viennent de Mars, les femmes de Vénus*, de John Gray, ont eu un tel succès, c'est parce qu'ils touchent du doigt la souffrance des familles. Ils viennent couronner tout un mouvement de reconnaissance du problème. Dernièrement, un grand nombre d'auteurs ont identifié ce problème et essayé de le résoudre. Il y a donc de multiples témoins de la nécessité de chercher à comprendre [1].

Le succès de ces ouvrages et la pérennité de ce mouvement montrent à quel point les gens aspirent à être compris.

NOS SATISFACTIONS ET NOS JUGEMENTS SONT LIÉS À NOS ATTENTES

Tous ces ouvrages nous font prendre conscience que, en comprenant les différences entre les gens, nous pouvons ajuster nos attentes en conséquence. On entend souvent parler des différences entre les sexes, mais il y en a bien d'autres, liées au vécu et à la situation familiale et professionnelle des personnes. Si nous comprenons ces différences, nous pouvons ajuster nos attentes.

Nos satisfactions dépendent fondamentalement de nos attentes. Si nous en sommes conscients, nous pouvons ajuster nos attentes, et par là même nos satisfactions. Prenons un exemple : j'ai des amis qui se sont mariés avec des attentes radicalement différentes. La femme attendait « la vie en rose » et « des lendemains qui chantent ». Confrontée à la réalité du mariage et de la vie de famille, elle s'est sentie la plupart du temps déçue, frustrée et insatisfaite. Le mari, quant à lui, savait par avance qu'il devrait faire face à un certain

1. Deborah Tannen, *Décidément, tu ne me comprends pas* (Laffont, 1993). John Gray, *Les hommes viennent de Mars, les femmes de Vénus* (Éditions Michel Lafon, 1997).

nombre de difficultés. Aussi, chaque moment de bonheur était pour lui une merveilleuse surprise, dont il se réjouissait sincèrement.

Comme l'a dit Gordon B. Hinckley :

La vie de famille n'est pas toujours rose, c'est évident. Un jour ou l'autre, tout le monde traverse une période de crise, qui s'accompagne de beaucoup de souffrance – morale, physique et émotionnelle –, de stress, de luttes, de craintes et de soucis. Pour beaucoup, il y a l'obsession permanente de la survie économique. Il semble qu'il n'y ait jamais assez d'argent pour satisfaire les besoins de la famille. La maladie frappe à intervalles réguliers. La mort nous enlève un être cher. Tout ceci fait partie de la vie de famille. Rares sont ceux qui la traversent sans faire l'une ou l'autre de ces expériences[2].

Comprendre cette réalité – et ajuster nos attentes en fonction –, cela revient, dans une large mesure, à contrôler notre propre satisfaction.

Nos attentes déterminent également nos jugements. Si vous savez, par exemple, que les enfants de six ou sept ans ont une forte tendance à exagérer, vous n'aurez pas de réaction extrême face à ce comportement, parce que vous le comprendrez. C'est pourquoi il est si important de comprendre les différentes phases de développement de l'enfant, ses besoins émotionnels non satisfaits et l'influence de son environnement sur son comportement. La plupart des experts estiment que presque tout ce que l'enfant exprime peut être expliqué en termes de phases de développement, de besoins émotionnels non satisfaits, de changements dans son environnement, de pure ignorance ou d'une combinaison de ces facteurs.

Quand on comprend, on ne juge pas. Nous le disons d'ailleurs parfois : « Si seulement tu comprenais, tu ne jugerais pas. » La compréhension est source de sagesse. À défaut, nos actes sont dépourvus de sagesse, même si, dans notre propre cadre de référence, ils nous semblent parfaitement sensés.

Si on juge, c'est pour se protéger : au lieu de se confronter à quelqu'un, on se contente de lui coller une étiquette. En outre, quand on n'attend rien, on ne peut pas être déçu.

Mais le problème, quand on juge ou quand on colle des étiquettes, c'est qu'on commence à tout interpréter d'une manière qui confirme ce jugement. C'est ce qu'on appelle un « préjugé ». Si vous avez jugé

---

2. Gordon B. Hinckley, « What God Hath Joined Together » (*Ensign*, mai 1991).

un enfant ingrat, par exemple, inconsciemment, vous chercherez des preuves de son ingratitude dans son comportement. Une autre personne, face au même comportement, y trouvera des témoignages de gratitude et de reconnaissance. En agissant en fonction de votre jugement, dont vous avez cherché confirmation, vous aggravez encore le problème. Vos prédictions finissent par se réaliser.

Si vous pensez que votre enfant est paresseux, et si vous agissez en fonction de l'étiquette que vous lui avez collée, il vous trouvera sans doute autoritaire, dominateur et trop critique. Votre propre comportement entraînera une résistance de sa part, que vous interpréterez comme une nouvelle preuve de sa paresse. Vous trouverez donc toutes les raisons de vous montrer encore plus autoritaire, dominateur et critique. Vous serez pris dans un engrenage infernal, une forme de codépendance qui s'autoalimentera, chacun étant persuadé d'avoir raison, tout en ayant besoin du comportement négatif de l'autre pour avoir des preuves.

La propension à juger est donc un obstacle majeur à l'établissement de relations saines : on interprète tout pour confirmer son jugement. Et s'il y avait une incompréhension au départ, elle est multipliée par dix par cette relation de codépendance.

Les deux principaux problèmes de communication sont liés à la perception (comment les gens interprètent une même idée) et à la sémantique (comment ils définissent le même mot). Pour surmonter ces deux difficultés, le secret est de chercher à comprendre l'autre.

CHERCHEZ À COMPRENDRE L'AUTRE POUR L'AIDER

Lisez bien le récit qui va suivre. Ce père a cherché à comprendre sa fille, et sa démarche les a profondément influencés l'un et l'autre.

Lorsque notre fille Karen a atteint l'âge de seize ans, elle a commencé à se comporter de manière très irrespectueuse envers nous. Elle faisait de nombreux commentaires sarcastiques et désobligeants. Et son attitude rejaillissait sur ses plus jeunes frères et sœurs.

Je ne suis pas intervenu jusqu'à ce qu'un soir elle dépasse les limites. Nous étions dans notre chambre, lorsque Karen a laissé échapper quelques remarques tout à fait déplacées. J'en avais assez et je me suis vraiment fâché : « Karen, écoute-moi bien ! Laisse-moi te dire comment les choses doivent se passer dans cette maison ! » Et je lui ai fait un sermon, persuadé que je la convaincrais ainsi de traiter ses parents avec respect. Je lui ai rappelé tout ce que nous avions fait récemment pour son anniversaire. De plus, nous lui avions acheté une robe, payé des leçons de conduite et lui prêtions la voiture. Après lui avoir rafraîchi la mémoire, je m'attendais presque à voir Karen tomber à nos pieds. Au lieu de cela, sur un ton belliqueux, elle m'a répondu : « Et alors? »

J'étais furieux et lui ai lancé avec colère : « Va dans ta chambre! Ta mère et moi allons discuter des conséquences de ton comportement. Nous t'en informerons. » Karen est sortie comme un ouragan, en claquant la porte. Je bouillais tellement que j'arpentais la pièce à grands pas. Et tout à coup, je me suis rendu compte que je n'avais rien fait pour essayer de la comprendre. Je n'avais vraiment pas pensé gagnant-gagnant. J'étais resté complètement enfermé dans ma vision des choses. Après cette prise de conscience, ma façon de penser et mes sentiments à l'égard de Karen ont complètement changé.

Quand je suis allé dans sa chambre quelques minutes plus tard, je l'ai immédiatement priée de m'excuser pour mon comportement. Je n'ai pas excusé le sien, mais je lui ai demandé pardon d'avoir été trop abrupt. Gentiment, je lui ai dit : « Écoute, je crois qu'il se passe quelque chose que je ne comprends pas. » J'ai ajouté que je voulais vraiment la comprendre et, finalement, j'ai réussi à créer un climat de confiance qui lui a permis de s'exprimer.

Avec un peu d'hésitation, elle a commencé à me dire qu'elle avait du mal à s'adapter au lycée, même si elle faisait de son mieux pour avoir de bonnes notes et se faire de nouvelles amies. Elle m'a avoué qu'elle n'était pas très à l'aise au volant de la voiture. C'était quelque chose d'entièrement nouveau pour elle, et elle ne se sentait pas en sécurité. De plus, elle venait de prendre un travail à mi-temps et se demandait ce que son chef pensait d'elle. Et puis, elle prenait des leçons de piano et en donnait. Bref, elle était surchargée.

Quand j'ai eu l'impression qu'elle m'avait tout dit, je lui ai demandé : « Karen, tu te sens complètement débordée, c'est ça? » J'avais vu juste. Elle s'est sentie comprise. Elle devait gérer trop de choses à la fois. En fait, ses commentaires sarcastiques et son manque de respect à l'égard de la famille étaient simplement un appel à l'aide : « Écoutez-moi, s'il vous plaît! »

J'ai essayé d'approfondir les choses :

« Quand je t'ai demandé de nous traiter avec un peu plus de respect, tu as eu le sentiment que ça te faisait une chose de plus à faire?

– Exactement, m'a-t-elle répondu, une chose de plus, alors que j'ai déjà du mal à m'en sortir. »

J'ai appelé ma femme, et nous avons réfléchi ensemble à la manière dont Karen pouvait alléger son emploi du temps. Finalement, elle a décidé de laisser tomber le piano – et elle s'est sentie beaucoup mieux après cette décision. Au bout de quelques semaines, c'était une autre personne.

Après cette expérience, Karen a su qu'elle était capable de faire des choix. Elle savait que ses parents la comprenaient et la soutenaient. Et peu de temps après, elle a décidé de quitter son travail, qui ne correspondait pas vraiment à ce qu'elle attendait. Elle a trouvé depuis un très bon emploi, où elle a une fonction bien plus intéressante.

En y repensant, je crois que, si Karen a eu confiance en elle, c'est parce que nous ne lui avons pas dit : « Il n'y a aucune excuse pour se comporter de la sorte ! » Nous avons, au contraire, vraiment chercher à la comprendre.

Le père de Karen a su dépasser sa colère à l'égard du comportement de sa fille pour chercher à comprendre ce qui lui arrivait. Ce n'est qu'après avoir fait cet effort qu'il a pu déceler le véritable problème.

Le conflit entre Karen et ses parents était superficiel. Le comportement de la jeune fille cachait sa véritable inquiétude. Tant que ses parents se sont arrêtés à son comportement, ils n'ont pas pu voir plus loin. Mais son père a su sortir de son rôle de juge pour s'intéresser sincèrement à sa fille et l'écouter comme un ami. Lorsque Karen a senti que son père voulait vraiment la comprendre, elle a commencé à se sentir suffisamment en confiance pour se confier à lui. Il est possible qu'elle n'ait même pas eu conscience de ce qui la préoccupait vraiment avant que quelqu'un lui montre son désir de l'écouter et de l'aider à trouver une solution. Une fois que le problème a été identifié et qu'elle s'est sentie comprise, Karen a ensuite *recherché* l'aide et les conseils de ses parents.

Tant que nous jouons le rôle de juge, nos efforts sont vains. Rappelez-vous l'histoire de l'homme qui a « retrouvé son fils », page 25. (Je vous conseille de la relire, car elle illustre parfaitement l'Habitude n° 5.) La relation de cet homme avec son fils était superficielle, tendue et dépourvue de toute communication profonde. Il s'agissait, en fait, d'une de ces relations parent-enfant où le manque de communication empêche de résoudre des problèmes douloureux. Là encore, c'est seulement lorsque le père a cessé de juger, lorsqu'il a réellement cherché à comprendre son fils, qu'il a pu commencer à faire évoluer les choses.

Dans ces deux cas, les parents ont été capables de retourner la situation parce qu'ils ont fait le plus grand don que l'on puisse faire à une autre personne : ils ont cherché à comprendre.

UNE « BOUFFÉE D'AIR PSYCHOLOGIQUE »

En cherchant à comprendre l'autre, on lui offre une « bouffée d'air psychologique ». Ne vous est-il jamais arrivé d'avoir la sensation d'étouffer et d'avoir besoin d'air? À ce moment-là, y avait-il quoi que ce soit de plus important pour vous qu'une simple bouffée d'air? N'était-ce pas tout ce qui comptait?

Cette image montre en quoi il est si essentiel de chercher à comprendre. Se sentir compris, c'est l'équivalent émotionnel et psychologique d'une « bouffée d'air ». Quand quelqu'un a besoin d'air – ou d'être compris –, rien d'autre ne compte. Rien.

Sandra

Un jour, j'ai téléphoné à Stephen, alors qu'il était au bureau, pour lui demander de rentrer le plus vite possible à la maison. C'était un samedi matin. J'avais un rendez-vous en ville et j'allais être en retard. J'avais besoin d'aide.

Il m'a suggéré de m'adresser à notre fille Cynthia :

« Elle peut prendre la relève pendant que tu seras à ton rendez-vous.

– Elle ne m'aidera pas. Elle refuse. Il faut que tu rentres.

– Il a dû se passer quelque chose entre vous. Essaie de voir ce qui ne va pas, et tout va s'arranger.

– Écoute! Je n'ai pas le temps. Il faut que j'y aille. Je vais être en retard. Rentre, s'il te plaît!

– Sandra, je ne serais pas là avant un quart d'heure, alors qu'il ne te faudra pas plus de cinq ou dix minutes pour résoudre ce problème si tu prends la peine d'en discuter avec elle. Essaie de savoir ce que tu as bien pu faire pour qu'elle t'en veuille. Puis demande-lui pardon. Si tu ne vois vraiment pas ce que tu as pu faire, dis-lui simplement : « Chérie, je n'ai pas cessé de courir à droite et à gauche, et je n'ai pas vraiment pris le temps de t'écouter. Mais je vois bien que quelque chose te tracasse. Qu'est-ce qu'il y a? »

– Je ne vois vraiment pas ce que j'ai pu lui faire.

– Justement, écoute-la. »

Je suis donc allée voir Cynthia. Au début, elle a refusé de me parler. Elle était comme absente. Il n'y avait rien à faire pour la sortir de son mutisme. J'ai alors décidé de parler la première : « Chérie, je n'ai pas arrêté de courir, et je ne t'ai pas écoutée. J'ai le sentiment que quelque chose de très important te préoccupe. Est-ce que tu veux m'en parler? »

Pendant quelques minutes encore, Cynthia a refusé de se confier, puis elle a fini par éclater : « Ce n'est pas juste! Ce n'est pas juste! » Et elle m'a expliqué qu'on lui avait promis qu'elle pourrait dormir chez ses amies, comme sa sœur, et qu'elle ne l'avait jamais fait.

Je n'ai rien dit, je l'ai simplement écoutée. À ce moment-là, je n'ai même pas cherché à résoudre le problème. Mais au fur et à mesure qu'elle disait ce qu'elle avait sur le cœur, elle se détendait.

Puis soudain, elle m'a dit : « Vas-y, maman. Il faut que tu partes. Je m'occupe de tout. » Elle savait comme j'avais du mal à tout gérer avec les enfants, alors que personne n'y mettait du sien. Mais jusqu'à ce qu'elle ait eu cette « bouffée d'air psychologique », rien d'autre ne comptait pour elle. Une fois qu'elle a eu l'esprit libre, elle a pu être attentive aux besoins de la famille et faire le nécessaire pour m'aider.

N'oubliez pas : « Peu m'importe ce que tu sais tant que je ne sais pas combien je t'importe. » Les autres se moquent de ce que vous pouvez dire tant que n'est pas comblé leur besoin d'être compris. Chercher à comprendre est la première des marques d'attention.

Réfléchissez à cette question : pourquoi élève-t-on la voix dès que l'on se dispute avec quelqu'un? Parce que l'on veut être compris. Au fond, ce que l'on crie, c'est : « Comprends-moi! Écoute-moi! Respecte-moi! » Malheureusement, on est tellement agressif et irrespectueux que l'autre a une réaction de défense. Sa colère augmente et il entre dans un état d'esprit vindicatif. Dès lors, on se trouve dans un cercle vicieux. Tout est exacerbé, et il devient définitivement impossible de se comprendre. La relation en pâtit, et il faut ensuite beaucoup plus de temps et d'efforts pour résoudre le conflit que si l'on s'était efforcé d'appliquer dès le début l'Habitude n° 5 – si l'on avait eu suffisamment de patience et de maîtrise de soi pour être capable d'écouter d'abord.

Notre instinct le plus fort, après la survie physique, est la survie psychologique. **Le cœur humain est avide de compréhension**. En comprenant l'autre, on affirme, on reconnaît sa valeur intrinsèque. Lorsque l'on écoute vraiment, on a conscience de ce besoin et on y répond.

SOYEZ ATTENTIF À CE QUI COMPTE VRAIMENT POUR L'AUTRE

J'ai une amie qui est très heureuse dans son couple. Pendant des années, son mari n'a cessé de lui dire « Je t'aime » et de lui offrir, à toute occasion, une belle rose. Elle adorait cette façon particulière qu'il avait de lui témoigner son amour. Il faisait tout pour lui faire plaisir.

Cependant, mon amie était parfois un peu déçue lorsqu'il montrait peu d'enthousiasme à faire certaines choses dans la maison : accrocher des rideaux, repeindre une pièce, monter un placard... Lorsqu'il finissait par exécuter ces travaux, elle était en réalité bien plus heureuse que lorsqu'il lui offrait une rose.

Pendant des années, ils ne se sont pas vraiment rendu compte de ce qui se passait. Puis un soir, alors qu'ils discutaient, elle a commencé à évoquer son père, qui passait son temps à bricoler, à réparer les objets cassés, à peindre ou à fabriquer toutes sortes de petites choses qui agrémentaient la maison. En se rappelant ces souvenirs, elle a soudain réalisé que tout cela représentait, à ses yeux, l'amour de son père pour sa mère. Il faisait toujours quelque chose pour aider sa femme, pour lui faire plaisir en embellissant la maison. Il ne lui offrait pas de roses, mais il plantait des rosiers. Les services qu'il lui rendait étaient une façon de lui communiquer son amour.

Sans s'en rendre compte, mon amie avait transféré l'importance de cette forme de communication à son propre mariage. Chaque fois que son mari ne faisait pas immédiatement les travaux qu'il fallait faire dans la maison, elle en était inconsciemment contrariée. Et tous les « Je t'aime » et toutes les roses, même si elle était sensible à ces marques d'affection, ne suffisaient pas à combler ces attentes.

Après cette discussion avec son mari, elle a su utiliser ce don qu'est la conscience de soi pour comprendre l'impact qu'avait eu sur elle la culture familiale de son enfance. Elle a fait appel à son éthique et à son imagination créative pour envisager sa situation sous un jour nouveau. Enfin, grâce à sa volonté indépendante, elle a appris à accorder plus de valeur aux témoignages d'amour de son mari.

De son côté, son mari a aussi sollicité ses quatre dons (conscience de soi, éthique, imagination, volonté indépendante). Il a compris que les gestes qu'il avait eus pour elle pendant des années ne comptaient pas autant que les petits services qu'il pouvait rendre. Et il a commencé à lui communiquer son amour en fonction de ses attentes.

Cette histoire nous donne une autre raison de chercher d'abord à comprendre : *tant que nous ne comprenons pas l'autre, nous ne saurons jamais ce qui compte vraiment pour lui.*

Maria (fille)
Un jour, j'ai fait une surprise à mon mari. Je lui ai organisé une grande fête d'anniversaire, et je m'attendais à ce que ça lui fasse vraiment plaisir. Ce fut loin d'être le cas! En fait, il a détesté. Il n'avait pas envie d'une grande fête, de tout ce remue-ménage autour de lui. Ce qu'il aurait vraiment aimé, c'était un dîner tranquille, en tête à tête avec moi, et une soirée au cinéma. La pilule a été dure à avaler, mais j'ai appris qu'il vaut mieux chercher à savoir ce qui compte vraiment pour l'autre avant d'essayer de lui faire plaisir.

Tout le monde a tendance à projeter ses sentiments sur les autres. On se dit : « Si c'est important pour moi, cela doit être important pour eux. » Mais on ne peut pas savoir ce qui leur fait plaisir tant que l'on n'a pas compris ce qui compte vraiment pour eux. Nous vivons tous dans notre monde. Mais ce qui est essentiel pour nous n'est parfois qu'un détail pour les autres. C'est peut-être même le cadet de leurs soucis.

Parce que chaque personne est unique, **chacun a besoin d'être aimé à sa façon. Il est donc indispensable de chercher à comprendre – et à parler – le langage d'amour de l'autre**.

Chercher d'abord à comprendre ne peut avoir qu'une influence bénéfique sur la vie de famille. Ce père en témoigne.

J'ai une fille de dix ans, Amber, qui aime les chevaux plus que tout au monde. Récemment, son grand-père l'a invitée à assister à un rassemblement de chevaux. Elle était tout excitée à l'idée de vivre un tel événement et de passer toute une journée avec son grand-père, qui partage cette passion pour les chevaux.

La veille au soir, lorsque je suis rentré à la maison après un voyage d'affaires, j'ai trouvé Amber au lit avec la grippe. Je lui ai demandé comment ça allait.

Elle a levé les yeux en disant : « Oh papa, je suis si malade! » Et elle a fondu en larmes.

« Ma pauvre chérie, tu dois te sentir mal!

– Ce n'est pas ça, m'a-t-elle dit en reniflant. Je ne pourrai pas aller au rassemblement de chevaux. »

Et elle s'est remise à pleurer.

J'ai pensé à toutes ces choses que peut dire un père dans ces circonstances : « Ne t'en fais pas. Tu auras d'autres occasions d'y aller. Nous ferons autre chose à la place. » Mais, au lieu de cela, je me suis assis sur son lit, je l'ai serrée contre moi et je n'ai rien dit. Je me souvenais de moments où j'avais moi-même été amèrement déçu. Alors, je l'ai simplement prise dans mes bras et j'ai compati à sa douleur.

Elle a laissé libre cours à son chagrin et pleuré toutes les larmes de son corps. Je la sentais trembler dans mes bras. Peu à peu, elle s'est calmée. Et elle m'a embrassé sur la joue : « Merci papa. » C'était fini.

J'ai continué à penser à toutes ces choses merveilleuses que j'aurais pu dire, à tous ces conseils que j'aurais pu donner. Mais ce n'était pas ce dont elle avait besoin. Elle voulait simplement qu'on lui montre que c'était normal d'avoir du chagrin et de pleurer quand on est déçu.

Ce père s'est mis à l'écoute de sa fille, et c'est ainsi qu'il a véritablement pu la réconforter. Parce qu'il a cherché à la comprendre, il a su lui apporter ce dont elle avait besoin.

NOUS SOMMES TOUS SENSIBLES ET VULNÉRABLES

Il y a quelques années, une personne qui a voulu rester anonyme m'a envoyé une très belle lettre. À chaque fois que je l'ai lue, lentement, en public, mes auditeurs ont été incroyablement émus. Cette lettre résume toute la force de l'Habitude n° 5. Je vous suggère de la lire lentement et attentivement, en essayant de vous imaginer que celui ou celle qui se livre ainsi est une personne à laquelle vous tenez beaucoup.

Ne te trompe pas sur moi. Ne te laisse pas abuser par le masque que je porte. Car je porte un masque. Je porte des milliers de masques, des masques que j'ai peur d'enlever – mais ce n'est pas moi. Je fais semblant. C'est une seconde nature. Mais ne t'y trompe pas.

Je donne l'impression d'être paisible. Je suis l'incarnation de la confiance en soi, et le flegme est mon costume de scène. Je navigue en eaux calmes. J'ai la barre bien en main et je n'ai besoin de personne. Ne crois pas cela. Je t'en prie.

À la surface, tout semble harmonieux, mais c'est le masque que je porte – les multiples visages que j'arbore pour mieux me dissimuler. Sous ce masque pourtant, aucune suffisance, aucun flegme, aucune vanité. Dessous se cache ma vraie nature – dans le trouble, l'angoisse et la solitude. Mais je la cache. Personne ne doit la connaître. Je panique à l'idée que ma faiblesse apparaisse au grand jour. Voilà pourquoi je m'acharne à me fabriquer un masque, une indolence de façade qui m'aide à faire semblant, à échapper au regard qui sait. Pourtant, ce regard est mon salut – mon seul salut. Je le sais. C'est la seule chose qui puisse me libérer de moi-même, de la prison que j'ai construite autour de moi, des barrières que j'ai élevées avec tant d'efforts. Mais je ne t'en dis rien. Je n'ose pas. J'ai peur.

J'ai peur que ton regard ne soit pas suivi d'amour et de compréhension. J'ai peur que tu me retires ton estime, que tu ries et que ton rire me tue. Je crains de n'être rien, de ne valoir rien, et je crains que tu le découvres et que tu me rejettes. Alors je joue les rôles que je me suis inventés, comme un pauvre clown désespéré. Je feins l'assurance pour dissimuler l'enfant qui tremble en moi. Ainsi va le défilé des masques, étincelant mais vide de sens. Et ma vie même est vide de sens.

Je discute avec toi dans les tons suaves des conversations superficielles. Je te dis tout, sauf ce qui importe – sauf ce que j'ai envie de crier. Alors, quand je fais mon numéro quotidien, n'écoute pas ce que je dis. Sois attentif et essaie d'entendre CE QUE JE NE DIS PAS, *ce que je voudrais être capable de dire, ce que j'ai besoin de dire pour survivre et que je ne peux pas exprimer. Je n'aime pas dissimuler. Sincèrement. La comédie que je joue ne me plaît pas. J'aimerais être moi.*

J'aimerais vivre sans artifice, avec spontanéité. Mais il faut que tu m'aides. Il faut que tu m'aides en me tendant la main, même s'il te semble que c'est la dernière chose dont j'aie besoin ou envie. À chaque fois que tu te montres gentil et encourageant, que tu essaies de me comprendre – car je sais que tu essaies –, tu donnes des ailes à mon cœur, de petites ailes fragiles, mais des ailes. Si tu m'offres ta compassion, ta compréhension, j'y arriverai. Tu peux insuffler la vie en moi. Ce ne sera pas facile. Quand on est convaincu depuis si longtemps de ne rien valoir, les murs à détruire sont bien épais. Mais l'amour est plus fort que les murs les plus épais, et c'est ce qui me donne de l'espoir. Je t'en prie, abats ces murs, avec détermination mais sans brusquerie, car un enfant est très fragile, et je suis un enfant.

Qui suis-je? Tu te le demandes sans doute. Tu me connais bien. Car je suis n'importe quel homme, n'importe quelle femme, n'importe quel enfant… n'importe quel être humain sur ta route.

Nous sommes tous tendres et sensibles. Certains ont appris à se protéger contre leur vulnérabilité en se déguisant, en jouant un rôle, en portant un masque sécurisant. Mais l'amour inconditionnel, la gentillesse, les marques d'attention, sont souvent capables de transpercer leur carapace. Ils se sentent alors en confiance et mettent leur cœur à nu.

C'est pourquoi il est si important de créer un environnement familial où chacun se sente aimé et puisse s'épanouir – un environnement où l'on peut se sentir vulnérable et se livrer sans crainte. Les spécialistes de la famille, du couple et de l'enfant sont presque unanimes : **créer un environnement chaleureux et sécurisant est probablement la chose la plus importante que l'on puisse faire pour sa famille**.

Et cela ne vaut pas seulement pour les enfants, mais aussi pour le conjoint, les petits-enfants, oncles et tantes, neveux et nièces, cousins : tout le monde. Il est indispensable d'instaurer un tel climat si l'on veut créer une culture familiale épanouissante.

DÉPASSEZ VOS EXPÉRIENCES NÉGATIVES

La création d'une telle culture n'est pas toujours facile, surtout si vous avez dû faire face à des expériences difficiles par le passé et nourrissez encore des sentiments négatifs.

Mais voyez vous-même comment cet homme a su surmonter une situation difficile.

Lorsque j'ai rencontré ma future femme, Jane, elle avait un petit garçon de six mois nommé Jared. Jane avait épousé Tom alors qu'ils étaient tous deux très jeunes. Ils n'étaient pas prêts pour le mariage. Les réalités et les pressions de la vie de couple les ont frappés de plein fouet. Il s'est mis à être violent avec elle et l'a quittée alors qu'elle était enceinte d'environ cinq mois.

Lorsque je suis entré dans la vie de Jane, elle était dans une situation compliquée : Tom avait demandé le divorce et la garde conjointe de l'enfant qu'il n'avait jamais vu. Il y avait beaucoup d'amertume entre eux et aucune communication. Le juge a tranché sans hésitation en faveur de Jane.

Quand Jane et moi nous sommes mariés, j'ai accepté un travail qui nous a obligés à déménager dans un autre Etat. Tous les mois, Tom venait rendre visite à Jared ou nous envoyions Jared le voir en Californie.

Les choses ont commencé à s'arranger, du moins superficiellement. Mais Tom et Jane ne communiquaient presque jamais directement, et c'était moi qui leur servait d'intermédiaire. Souvent, lorsque Tom téléphonait, Jane raccrochait. Lorsqu'il venait rendre visite à Jared, elle partait, et c'était moi qui devait préparer Jared. Parfois, au téléphone, il me demandait s'il devait parler de telle ou telle chose avec moi ou avec Jane. C'était très inconfortable pour moi.

Au printemps dernier, Tom m'a téléphoné et m'a dit : « Jared va avoir cinq ans au mois d'août. C'est l'âge minimum requis pour prendre l'avion tout seul. Au lieu de venir lui rendre visite dans cette ville où je n'ai pas d'amis, pas de voiture, et où je dors à l'hôtel, je pourrais lui payer un aller-retour pour la Californie, non? » J'ai répondu que j'en parlerais à Jane.

« Pas question! a-t-elle déclaré catégoriquement. C'est impossible! Ce n'est qu'un petit garçon. Il ne peut même pas aller aux toilettes tout seul dans un avion. » Elle ne voulait même pas en discuter avec moi – et encore moins avec Tom. Elle a simplement ajouté : « Laisse-moi faire, je m'en occupe. » Mais les mois ont passé et elle n'est pas revenue sur le sujet. Finalement, Tom m'a rappelé : « Alors, qu'en est-il? Est-ce que Jared va prendre l'avion? Où en sommes-nous? »

J'étais convaincu qu'au fond les deux étaient capables d'une entente. Je savais que, s'ils recherchaient ce qu'il y avait de mieux pour Jared, ils pourraient communiquer, se comprendre et trouver une solution. Mais il y avait tellement d'animosité et d'amertume entre eux qu'ils ne parvenaient pas à voir au-delà de leurs sentiments.

J'ai essayé de les encourager à avoir une discussion, en évitant toute attaque verbale ou agression de ce genre. Ils m'ont tous deux fait confiance et ont accepté. Mais j'ai bientôt pensé que je ne serais pas capable de diriger cette discussion : j'étais trop concerné. J'avais peur que l'un d'entre eux – ou même les deux – finisse par me haïr pour une raison ou pour une autre. Habituellement, lorsque Jane et moi avions une discussion et essayions de considérer les choses de manière objective, elle m'accusait d'être du côté de Tom. Quant à Tom, il avait le sentiment que Jane et moi avions déjà tout comploté contre lui. Je ne savais pas quoi faire.

J'ai finalement décidé d'appeler Adam, un ami et collègue de travail qui connaît bien les « 7 Habitudes ». Celui-ci a accepté de discuter avec Jane et Tom. Il leur a enseigné le principe de l'écoute empathique. Il leur a montré comment faire abstraction de leur vécu et vraiment écouter les paroles et les sentiments qui étaient exprimés. Jane a commencé à faire part de certains de ses sentiments, et Adam a demandé à Tom : « Qu'est-ce que Jane vient de te dire? » Et il a répondu : « Elle a peur de moi. Elle a peur qu'un jour je sorte de mes gonds et que je frappe Jared. » Tom avait su écouter au-delà des mots qu'elle avait prononcés. Jane n'en revenait pas : « C'est exactement ce que je ressens au fond de moi. J'ai peur qu'un jour cet homme perde le contrôle de lui-même et fasse du mal à Jared. »

Puis Tom s'est exprimé à son tour. Adam s'est tourné vers Jane : « Qu'est-ce que Tom vient de dire ? » Et elle a répondu : « Il a dit qu'il avait peur d'être rejeté, d'être seul, de ne compter pour personne. » Elle le connaissait depuis quinze ans et n'avait jamais su que son père l'avait abandonné quand il était petit et qu'il était fermement décidé à ne pas faire la même chose avec Jared. Elle n'avait pas remarqué à quel point sa propre famille l'avait rejeté après leur divorce. Tom s'était senti abandonné une deuxième fois. Elle a commencé à entrevoir la solitude dans laquelle il se trouvait depuis cinq ans. Elle a soudain compris que la faillite de son affaire ne lui avait pas permis d'avoir une carte de crédit, si bien que, lorsqu'il venait voir Jared, il n'avait pas de voiture. Il était seul dans une chambre d'hôtel, sans moyen de transport, sans ami. Nous ne faisions que déposer Jared à son hôtel.

Quand Jane et Tom ont eu le sentiment de s'être vraiment compris, ils ont découvert que leur désaccord portait sur de nombreuses choses. Ils ont discuté pendant trois heures et demie, et la question de la visite n'a même pas été soulevée. Plus tard, ils m'ont tous deux dit, chacun de son côté, que le problème ne concernait pas directement Jared mais la confiance qu'ils avaient l'un en l'autre. Une fois que ce problème serait réglé, tout irait bien avec Jared.

Après cette rencontre avec Adam, l'atmosphère était bien plus détendue et agréable. Nous sommes allés au restaurant ensemble, et Jane a dit à Tom : « Tu sais, je n'ai pas toujours le temps de discuter, mais lorsque tu reviendras le mois prochain, nous pourrions prendre un peu de temps pour parler tous les deux. »

Je me suis dit : est-ce bien Jane qui vient de parler ? Je ne l'avais jamais entendue lui dire ce genre de choses auparavant.

Lorsque nous avons déposé Tom à son hôtel, avec Jared, Jane a demandé :

« À quelle heure veux-tu qu'on vienne chercher Jared demain ?

– Eh bien, mon avion est à seize heures, a-t-il répondu.

– On peut t'emmener à l'aéroport, si tu veux.

– Ça serait vraiment sympa, si tu es d'accord.

– Pas de problème. »

Cette fois encore, je me suis dit : quel revirement !

Parmi tous les griefs qu'elle avait contre Tom, Jane lui en voulait de n'avoir jamais reconnu tout le mal qu'il lui avait fait. Mais lors de la visite suivante, ils ont discuté et, pour la première fois, Tom s'est excusé pour tout ce qu'il avait fait, dans les moindres détails : « Pardon de t'avoir tiré les cheveux, d'avoir pris de la drogue, de t'avoir rabaissée. » Et elle a fini par s'excuser elle aussi.

À partir de ce moment-là, Tom a commencé à dire merci, ce qui était plutôt rare chez lui. Ses conversations étaient remplies de « mercis ». Une semaine après cette visite, il nous a envoyé une lettre à chacun. Voici ce que disait sa lettre à Jane :

Chère Jane, je ressens le besoin de te transmettre par écrit mes remerciements. Nous avons eu tellement de sentiments négatifs l'un envers l'autre par le passé... Mais les premiers pas que nous avons faits ensemble samedi dernier pour les effacer doivent être marqués d'une pierre blanche. Alors, merci. Merci d'avoir accepté de rencontrer Adam. Merci d'avoir dit ce que tu as dit. Merci de m'avoir écouté. Merci pour l'amour dont est issu notre fils. Merci d'être sa mère. Je te remercie du fond du cœur. Tom.

Voici la lettre qu'il m'a envoyée :

Cher Mike, je voulais te remercier par écrit d'avoir mis Jane et moi en contact avec Adam. Il n'y a pas de mots pour te dire combien cela a changé ma façon de voir ma relation avec Jared et avec Jane... Ton désir de bien faire, à la fois aujourd'hui et par le passé, est vraiment louable. Sans ton aide, Dieu sait à quel point les choses auraient dégénéré entre Jane et moi... Toute ma reconnaissance. Tom.

Nous avons été très surpris de recevoir ces lettres. Lorsque Tom téléphonait, Jane me disait : « Nous avons parlé comme deux copains de classe. » Cela a été un tel soulagement pour eux de se comprendre, de se laisser aller et de se pardonner.

Tout va beaucoup mieux entre eux. Jane est même allée jusqu'à suggérer de prêter une de nos voitures à Tom la prochaine fois qu'il viendrait. J'y avais souvent pensé, mais je n'avais jamais osé en parler de peur qu'elle m'accuse d'être du côté de Tom. Je pensais qu'elle me reprocherait de lui proposer mon aide. Et maintenant, c'était elle qui le suggérait. Elle m'a même demandé si j'étais d'accord pour que nous le logions dans notre chambre d'ami afin qu'il réduise ses frais. Je ne la reconnaissais plus.

Je sais qu'il y aura probablement d'autres problèmes, mais ils sont repartis sur des bases saines. Ils peuvent enfin communiquer. Ils partagent maintenant un profond respect et beaucoup d'intérêt l'un pour l'autre et pour nos enfants.

Cette remise en question a parfois été très dure, mais je suis persuadé que, sans cela, tout le monde en aurait souffert encore plus.

Tom et Jane ont réussi à dépasser la haine, le ressentiment et le besoin de chercher un coupable. Ils ont su dissiper le conflit en agissant en fonction de principes au lieu de réagir l'un par rapport à l'autre. Comment y sont-ils parvenus ?

Ils ont cherché à se comprendre mutuellement. Ainsi, au lieu de se combattre, ils se sont connectés à leurs propres dons, notamment l'éthique et la conscience de soi. Ils se sont ouverts et sont devenus vulnérables. Chacun d'eux a su reconnaître sa part de responsabilité dans la situation, demander pardon et pardonner. Ce processus de cicatrisation leur a permis d'avoir des relations plus authentiques, de créer un effet de synergie grâce auquel ils ont pu faire ce qu'il y avait de mieux pour leur fils, pour eux-mêmes et pour toutes les personnes concernées.

Comme vous pouvez le voir, si l'on ne cherche pas à comprendre, on juge inévitablement (mal, la plupart du temps), on rejette et on manipule. À l'inverse, lorsque l'on cherche à comprendre, on comprend, on accepte et on participe à la vie de l'autre. Seule cette dernière approche, fondée sur des principes, aboutit à une vie de famille de qualité.

SURMONTEZ VOTRE COLÈRE ET VOTRE RANCUNE

Ce qui nuit probablement le plus aux familles et les empêche de créer un effet de synergie, c'est cette tendance à nourrir des sentiments négatifs, notamment la colère et la rancune. **Notre mauvaise humeur nous plonge dans les problèmes, et notre fierté nous y maintient**. Comme l'a dit C.S. Lewis : « L'orgueil est compétitif par nature. L'orgueil n'est pas de posséder quelque chose, mais de posséder plus qu'autrui... C'est toujours par comparaison que l'on est orgueilleux, par plaisir d'être au-dessus du lot. Dès lors qu'il n'y a plus de raison d'être en compétition, il n'y a plus d'orgueil[3]. » L'une des

3. C.S. Lewis, *Mere Christianity* (Macmillan, 1976).

formes les plus courantes et les plus déplorables de l'orgueil est le besoin d'avoir raison, de faire les choses à sa façon.

Encore une fois, n'oubliez pas que, même si vous ne manifestez de la colère que rarement, vos relations s'en trouveront affectées, car les autres auront toujours peur de la provoquer.

Je connais un homme qui était d'un naturel agréable, mais qui perdait parfois son sang-froid. Ses relations avec les membres de sa famille étaient superficielles, car ils essayaient tous d'éviter de provoquer sa colère. Ils se gardaient de lui dire des choses susceptibles de l'inquiéter ou de l'embarrasser. Ils marchaient toujours sur des œufs et manquaient totalement de spontanéité avec lui. Ils ne se confiaient pas à lui et ne se risquaient jamais à lui faire la moindre remarque de peur qu'il sorte de ses gonds. N'ayant jamais eu de véritable contact avec sa famille, cet homme ne s'est pas rendu compte du malaise qui s'installait.

Lorsque l'on perd le contrôle de soi, les autres se sentent tellement blessés, intimidés, menacés et dominés qu'ils sont complètement désorientés. Soit ils réagissent avec la même violence, ce qui ne fait qu'aggraver le problème, soit ils capitulent et renoncent devant cet esprit gagnant-perdant. Et même dans ce cas, il est peu probable d'arriver à un compromis. En général, ils s'isolent et mènent leur vie à leur façon, en refusant de communiquer, surtout lorsqu'il s'agit de sujets importants. Ils essaient de vivre avec les satisfactions que leur procure l'indépendance, puisque l'interdépendance leur semble trop difficile, hors de portée, voire irréaliste. Et personne n'a l'état d'esprit ni le savoir-faire nécessaires pour changer le cours des choses.

C'est pourquoi il est si important, lorsque que ce genre de culture familiale s'est installé, d'aller chercher des solutions au fond de soi-même. Il faut que chacun travaille sur soi pour reconnaître ses tendances négatives, les surmonter et demander pardon aux autres. Ainsi, nous pouvons véritablement nous débarrasser des étiquettes qui nous collent à la peau et rétablir des relations de confiance.

Il est évident que le travail le plus important que l'on puisse faire sur soi est préventif : faire le choix de ne pas dire ou de ne pas faire ce qui risque de vexer les autres, apprendre à surmonter sa colère ou à l'exprimer à un moment plus opportun et de manière plus productive. Pour cela, il faut être profondément honnête avec soi-même et se rendre compte que la colère est souvent l'expression d'un excédent de culpabilité lorsqu'elle est provoquée par la faiblesse des autres. On peut également choisir de ne pas se vexer face aux reproches des autres. Se vexer est un choix. On peut être blessé, mais pas vexé pour autant. Ce sont deux choses différentes. Être blessé, c'est ressentir une douleur – avoir mal pendant un certain temps. Être vexé, c'est choisir d'agir en fonction de cette douleur, c'est-à-dire revenir en arrière, se venger, se plaindre aux autres ou juger celui qui nous a vexé.

La plupart des offenses ne sont pas faites intentionnellement. Mais même dans le cas contraire, n'oubliez pas que *pardonner* – comme *aimer* – est un verbe. C'est choisir de passer de la réactivité à la proactivité, de faire le premier pas vers la réconciliation – que vous ayez vexé quelqu'un ou que vous soyez vexé vous-même. C'est aussi choisir de cultiver vos ressources personnelles et d'y puiser votre sentiment de sécurité, afin de ne pas être sensible aux « agressions » extérieures.

C'est surtout choisir de donner la priorité à la famille, se rendre compte que celle-ci est trop importante pour que les membres de la famille ne se parlent plus à cause d'une offense. Rien ne peut être de taille à empêcher les frères et sœurs de se rendre aux réunions de famille ou à desserrer ou rompre les liens si précieux de la famille au sens large.

L'interdépendance n'est pas facile. Elle demande beaucoup d'efforts – des efforts constants – et de courage. À court terme, il est bien plus facile de vivre de manière indépendante au sein d'une famille – faire les choses dans son coin, venir quand on en a envie, ne s'occuper que de soi et communiquer aussi peu que possible avec les autres. Mais on passe à côté de toutes les joies de la vie de famille. Lorsque les enfants vivent dans ce genre d'atmosphère, ils pensent que c'est ainsi que doit être une famille, et le cycle continue. L'effet dévastateur de ces guerres froides cyniques est presque aussi nuisible qu'une véritable déclaration de guerre.

Il est important de travailler sur ses expériences négatives – en discuter, avoir une écoute empathique, résoudre les problèmes, demander pardon et pardonner. Lorsque vous êtes enlisé dans un problème, vous pouvez vous en sortir en reconnaissant votre part de responsabilité et en écoutant l'autre de façon empathique pour comprendre comment il voit ce problème et comment il le ressent. Autrement dit, en dévoilant votre propre vulnérabilité, vous pouvez aider l'autre à révéler la sienne. C'est à partir de cette vulnérabilité commune que se créent les liens les plus étroits. Vous estompez les cicatrices psychiques et sociales, et laissez la voie libre à une synergie fertile.

DEVENEZ UN « TRADUCTEUR FIDÈLE »

Véritablement écouter en se mettant à la place de l'autre, c'est pratiquer ce que l'on appelle l'écoute « empathique ». C'est écouter avec empathie. C'est essayer de voir le monde à travers les yeux de quelqu'un d'autre. Ce type d'écoute, parmi les cinq que je cite ci-dessous, est le seul qui permette de se placer dans le cadre de référence de l'autre.

Vous pouvez ignorer l'autre, faire semblant de l'écouter, l'écouter de manière sélective ou attentive. Mais tant que vous ne l'écoutez pas de façon empathique, vous restez dans votre propre cadre de référence. Dès lors, vous ne pouvez pas aboutir à un résultat gagnant-gagnant, puisque vous ne savez pas ce que signifie être gagnant pour l'autre. Vous ne savez pas comment il voit les choses, comment il se voit lui-même et comment il vous voit.

5 Écoute empathique DANS LE CADRE DE RÉFÉRENCE DE L'AUTRE
4 Écoute attentive 3 Écoute sélective 2 Écoute feinte 1 Indifférence DANS SON PROPRE CADRE DE RÉFÉRENCE

Lors d'une conférence sur le principe de l'écoute empathique, à Jakarta, en Indonésie, j'ai remarqué que de nombreuses personnes avaient des écouteurs. Aussi, j'ai dit à mes auditeurs : « Si vous voulez avoir une bonne illustration de ce qu'est l'écoute empathique, songez à ce qu'est en train de faire l'interprète qui vous parle en ce moment. » Les interprètes faisaient une traduction simultanée de mes propos. Autrement dit, ils devaient écouter ce que j'étais en train de dire, tout en reformulant ce que je venais de dire. Cela leur demandait un effort intellectuel et une concentration incroyables. Ils étaient deux et se relayaient, à cause de la fatigue causée par un tel exercice. Ces deux interprètes sont venus me voir après la conférence et m'ont dit que c'était le plus beau compliment qu'on leur avait jamais fait.

Même si ce qui se passe entre un membre de la famille et vous vous touche particulièrement, vous avez toujours la possibilité de vous accorder un délai entre cet événement et votre réponse. Vous pouvez prendre du recul par rapport à vos sentiments dès lors que vous changez votre façon de voir votre rôle. Si vous vous mettez dans la peau d'un « traducteur fidèle », votre rôle est de comprendre et de reformuler ce qu'a exprimé cette personne (de manière verbale et non verbale). Ainsi, vous ne prenez pas position. Vous vous contentez de réexprimer ce que l'on vous a dit, en substance.

Voici ce que dit le psychologue John Powell concernant l'écoute.

Écouter, dans un dialogue, c'est écouter ce qui se cache derrière les mots [...] Lorsque l'on écoute véritablement, on va au-delà des mots, on voit au travers d'eux, pour trouver la personne qui s'y révèle. Écouter, c'est essayer de véritablement connaître la personne, telle qu'elle se révèle verbalement et non verbalement. Bien sûr, il y a un problème sémantique. Les mots ont des connotations différentes selon les personnes.

Par conséquent, je ne peux pas te dire ce que tu as dit, *mais seulement* ce que j'ai entendu. *Je dois reformuler ce que tu as dit et vérifier avec ton aide que ce que ton esprit et ton cœur ont exprimé est arrivé intact et sans distorsion dans mon esprit et dans mon cœur.*

LES PRINCIPES DE L'ÉCOUTE EMPATHIQUE

Prenons un exemple qui vous aidera à comprendre ce qu'est l'écoute empathique et comment devenir un « traducteur fidèle ».

Depuis plusieurs jours, vous sentez que votre fille, adolescente, est malheureuse. Lorsque vous l'avez questionnée, elle vous a répondu : « Rien. Tout va bien. » Mais, un soir, elle commence à se confier.

« Cette règle familiale qui m'interdit de sortir avec des garçons tant que je ne serai pas plus âgée me met dans une situation vraiment embarrassante. Je n'en peux plus. Toutes mes copines sortent avec des garçons, et elle ne savent parler que de ça. Je ne me sens pas dans le coup. John n'arrête pas de me demander si je veux sortir avec lui, et je dois lui dire que je suis trop jeune. Je sais qu'il va me proposer d'aller avec lui à la boum de vendredi, et je vais encore devoir lui dire non. Il va finir par me laisser tomber. Et mes copines aussi. Tout le monde me montre du doigt. »

Que répondriez-vous ?

« Ne t'inquiète pas pour ça, chérie. Personne ne va te laisser tomber. »

« Ne te laisse pas influencer. Ne t'occupe pas de ce que disent ou pensent les autres. »

« Dis-moi ce qu'on raconte sur toi. »

« Ils disent ça parce qu'en fait ils t'admirent de rester fidèle à tes principes. Ce que tu éprouves est un sentiment normal d'insécurité. »

Ce type de réponses est très courant, mais aucune ne correspond à un désir de comprendre.

« Ne t'inquiète pas pour ça, chérie. Personne ne va te laisser tomber. » C'est une **estimation**, un jugement fondé sur *vos* propres valeurs et *vos* propres besoins.

« Ne te laisse pas influencer. Ne t'occupe pas de ce que disent ou pensent les autres. » C'est un **conseil**, que vous donnez en fonction de *votre* point de vue et de *vos* besoins.

« Dis-moi ce qu'on raconte sur toi. » C'est une **recherche d'information**, sur ce qui, à *votre* avis, est important.

« Ils disent ça parce qu'en fait ils t'admirent de rester fidèle à tes principes. Ce que tu éprouves est un sentiment normal d'insécurité. » C'est une **interprétation**, la *vôtre*, de ce qui arrive à votre fille et de ce qu'elle ressent.

En général, nous cherchons d'abord à être compris avant d'essayer de comprendre. Tout en « écoutant », nous préparons déjà notre réponse. Nous *estimons*, *conseillons*, *cherchons à en savoir plus* ou *interprétons* en fonction de notre point de vue. Ces réponses ne visent pas à comprendre l'autre. Elles correspondent à notre vécu, à notre monde, à nos valeurs.

Mais quelle attitude avoir pour comprendre l'autre ?

Tout d'abord, reformulez ce que votre fille exprime et ressent, afin qu'elle voie que vous essayez de la comprendre. Par exemple : « Tu es partagée entre deux sentiments. Tu comprends cette règle mais, d'un autre côté, tu te sens embarrassée de ne pas pouvoir sortir avec des garçons quand d'autres le font. C'est ça? »

Elle vous répondra peut-être : « Oui, c'est ça » et continuera à se confier : « Mais ce qui me fait vraiment peur, c'est que je ne saurai pas comment me comporter quand je pourrai enfin sortir avec des garçons. Tout le monde est en train d'acquérir de l'expérience, et moi pas. »

Encore une fois, reformulez les propos de votre fille : « Tu penses que, le moment venu, tu ne sauras pas comment t'y prendre, et ça te fait peur? »

Elle confirmera peut-être et finira par confier ses sentiments les plus profonds, ou bien elle dira : « Pas exactement. Ce que je veux dire, c'est... » Et elle essaiera de vous faire comprendre ce qu'elle ressent et ce à quoi elle est confrontée.

Si vous reconsidérez les autres réponses, vous verrez qu'aucune n'aboutira au même résultat qu'une réponse qui vise à comprendre. En outre, en cherchant à comprendre votre fille, vous l'aidez elle aussi à comprendre ce qu'elle pense et ressent véritablement. Vous la mettez à l'aise, et elle se confie plus facilement. Vous lui permettez de se connecter à ses propres dons, afin qu'elle puisse analyser elle-même le problème. Vous resserrez vos liens avec elle, ce qui sera très appréciable pour le développement de votre relation.

Prenons un autre exemple, illustrant la différence entre l'attitude classique et l'empathie. Voici deux dialogues entre une mère et sa fille Cindy. Dans le premier, la mère de Cindy cherche d'abord à être comprise.

CINDY : *Oh, maman, j'ai une mauvaise nouvelle à t'annoncer. Meggie s'est fait renvoyer du lycée.*

SA MÈRE : *Pourquoi?*

CINDY : *Elle était dans la voiture de son petit ami, dans l'enceinte de l'école, et il buvait. Lorsqu'on boit dans l'enceinte de l'école, on risque de s'attirer de gros ennuis. En fait, ce n'est pas juste, parce que ce n'était pas Meggie qui buvait. C'était son petit ami.*

SA MÈRE : *Eh bien, Cindy, je pense que ça lui apprendra à ne pas avoir de mauvaises fréquentations. Je t'ai déjà dit que les gens nous jugent en fonction de nos amis. Je te l'ai dit cent fois. Je ne comprends pas pourquoi toi et tes amis n'êtes pas conscients de ça. J'espère que tu en tireras une bonne leçon. On a assez de problèmes dans la vie. Ce n'est pas la peine de s'en attirer d'autres en traînant avec ce genre de types. Pourquoi n'était-elle pas en cours? J'espère que toi, tu y étais, quand tout cela est arrivé. Tu y étais, hein?*

CINDY : *C'est bon, maman! Du calme. Je ne te parlais pas de moi, mais de Meggie. Vraiment, c'est incroyable! Tout ce que je voulais, c'était te raconter quelque chose concernant quelqu'un d'autre, et j'ai droit à un sermon sur mes mauvaises fréquentations. Ça va comme ça, je vais me coucher.*

Maintenant, observez ce qui se passe lorsque la mère de Cindy cherche d'abord à comprendre.

CINDY : *Oh, maman, j'ai une mauvaise nouvelle à t'annoncer. Meggie s'est fait renvoyer du lycée.*

SA MÈRE : *Oh, chérie, tu as l'air bouleversée.*

CINDY : *Ça me fait beaucoup de peine, maman. Ce n'était pas de sa faute. C'était de la faute de son petit ami. C'est un pauvre type.*

SA MÈRE : *Hmm, tu n'as pas l'air de l'aimer.*

CINDY : *Je le déteste, maman. Il s'attire toujours des ennuis. Meggie est une fille bien, et il l'entraîne sur la mauvaise pente. Ça me rend triste.*

SA MÈRE : *Tu penses qu'il a une mauvaise influence sur elle, et ça te fait de la peine car c'est ton amie.*

CINDY : *J'aimerais qu'elle laisse tomber ce type et qu'elle sorte avec quelqu'un de bien. Les mauvaises fréquentations nous attirent toujours des ennuis.*

Dans cette seconde version, on sent vraiment le désir de comprendre chez cette mère. Elle n'a pas essayé de faire part de sa propre expérience ou de ses idées personnelles – même si elle avait envie de rappeler certaines valeurs. Elle n'a pas fait d'estimation, cherché à en savoir plus, donné de conseil, ni interprété les propos de sa fille. Elle ne s'en est pas prise à Cindy, bien qu'elle ait pu être en désaccord avec ce que celle-ci semblait dire.

Elle a essayé d'éclaircir ce que disait sa fille pour mieux la comprendre. Puis elle lui a montré qu'elle la comprenait. Cindy n'a pas eu à faire face à un esprit gagnant-perdant, ce qui lui a permis de prendre conscience de ses propres dons et de se rendre compte par elle-même du véritable problème.

LA PARTIE CACHÉE ET LA PARTIE VISIBLE DE L'ICEBERG

L'empathie ne nécessite pas forcément de reformuler ce que l'autre exprime ou ressent. Le principe de l'empathie, c'est d'essayer de comprendre comment l'autre voit les choses, comment il les ressent et ce qu'il essaie vraiment de dire. Il ne s'agit pas de se contenter de répéter, ni nécessairement de résumer. Il n'est même pas utile de reformuler dans certains cas : une simple expression de votre visage suffit parfois à montrer que vous comprenez. Ne focalisez pas sur la technique de la reformulation, mais mettez-vous dans un véritable état d'esprit empathique. Et la technique viendra d'elle-même.

Certains confondent parfois la technique et l'empathie elle-même. Ils répètent les phrases telles qu'elles ont été dites, ce qui devient insultant et donne l'impression d'être manipulé. Cela me rappelle l'histoire du militaire qui racontait à l'aumônier à quel point il détestait l'armée. L'aumônier lui a répondu :

« Oh, vous n'aimez pas l'armée.

– Non. Et le commandant, je ne peux pas le supporter!

– Vous avez le sentiment de ne pas pouvoir supporter le commandant.

– Oui. Et la nourriture est infecte.

– Vous trouvez la nourriture vraiment infecte.

– Et les bidasses ne sont pas très finauds.

– Vous avez l'impression que les bidasses ne sont pas très finauds.

– Oui... Mais qu'est-ce qu'il y a? Vous n'aimez pas ma façon de le dire? »

Cela peut être profitable de pratiquer cette technique. Le désir de comprendre peut s'en trouver accru. Mais n'oubliez pas que **la technique n'est que la partie visible de l'iceberg. La partie cachée est un désir profond et sincère de comprendre l'autre**.

Si vous n'avez pas ce désir, vos efforts pour avoir une écoute empathique seront perçus comme une tentative de manipulation, et on ne vous croira pas sincère. Lorsqu'il y a manipulation, le véritable motif est caché. Et même si la technique est bonne, celui qui se sent manipulé ne s'engage pas dans le processus de communication. Il peut dire « oui » tout en pensant « non » – ce qui se ressentira par la suite dans son comportement. La pseudo-démocratie finit par révéler son vrai visage. En outre, lorsque l'on se sent manipulé, on ne fait plus confiance à l'autre.

Aussi, tous les efforts, même sincères, que vous pourrez faire ensuite seront perçus comme une autre forme de manipulation.

En revanche, dès lors que vous reconnaissez ce qui vous motive, la manipulation cède la place à l'authenticité et à la sincérité. Même si vous mettez le doigt sur des désaccords, vous avez le mérite d'être franc. Et pour triompher de la duplicité de l'autre, il n'y a rien de tel que l'honnêteté.

Si l'on est motivé par un réel désir de comprendre, il n'est pas forcément nécessaire d'appliquer la technique de la reformulation. La recherche d'information peut également être empathique. Si vous êtes vraiment à l'écoute de l'autre, vous pouvez parfois vous rendre compte qu'il a envie que vous lui posiez des questions. Il espère avoir une nouvelle perspective, un autre point de vue, à travers les questions que vous lui poserez. C'est exactement ce qui se passe lorsque l'on va chez le médecin. Vous voulez que celui-ci vous questionne sur vos symptômes. Vous savez que ses questions sont celles d'un expert et sont nécessaires pour obtenir un diagnostic fiable. Dans ce cas, cette attitude est empathique. Il n'y a aucun désir de contrôler, ni d'imposer sa vision des choses.

Lorsque vous sentez que l'autre veut vraiment que vous l'interrogiez pour l'aider à se confier, vous pouvez lui poser les questions suivantes :

Qu'est-ce qui te préoccupe?
Qu'est-ce qui compte vraiment pour toi?
Quelles sont les valeurs auxquelles tu es le plus attaché?
Quels sont tes besoins les plus importants?
Quelles sont tes priorités dans cette situation?
Quelles peuvent être les conséquences involontaires d'une telle approche?

Ce genre de questions peut être accompagné d'une reformulation des réponses :

J'ai l'impression que, ce qui t'inquiète vraiment, c'est...
Corrige-moi si je me trompe, mais je pense que...
J'essaie de voir les choses de ton point de vue, et je crois que...
Si je comprends bien ce que tu dis...
J'ai le sentiment que...
Il me semble que, ce que tu veux dire, c'est...

Dans un contexte approprié, ces questions et ces réponses peuvent montrer votre désir de comprendre et votre empathie. L'essentiel est d'abord de vouloir comprendre et de le montrer par son attitude. La technique est secondaire et émerge de ce désir.

L'EMPATHIE : QUESTIONS/RÉPONSES

Depuis que j'enseigne l'Habitude n° 5, on m'a posé de nombreuses questions. J'en ai retenu trois, que vous êtes susceptible de vous poser vous aussi.

L'empathie est-elle appropriée dans toutes les situations?

Ma réponse est : « Oui! Sans exception. » Mais reformuler, résumer et refléter ce qui est exprimé est parfois maladroit et insultant. Cette approche peut même être perçue comme une manipulation. Aussi, n'oubliez pas que l'essentiel est d'avoir le véritable désir de comprendre l'autre.

Que faire si l'autre a du mal à se confier?

Souvenez-vous que l'essentiel de la communication (70 à 80 %) est non verbal. Il est donc impossible de ne pas communiquer. Si vous écoutez avec votre cœur, **si vous désirez vraiment comprendre, vous serez toujours capable de déchiffrer les signes non verbaux**. Vous serez attentif au langage du corps et du visage, au ton de la voix et au contexte en général. L'inflexion de la voix et du ton permettent de lire dans le cœur d'une personne, même au téléphone. Vous allez être tenté de pénétrer l'esprit et le cœur de l'autre, mais ne brûlez pas les étapes. Soyez patient. Vous vous rendrez peut-être compte que vous devrez demander pardon ou réparer certaines erreurs. Alors, faites-le. Agissez en fonction de votre compréhension des choses. Autrement dit, si vous avez le sentiment que vous devez vous racheter, montrez que vous en êtes conscient et agissez en conséquence.

Mis à part les techniques de reformulation, quelles sont les autres formes d'empathie?

Encore une fois, le secret est d'écouter son cœur. Laissez-vous guider par votre compréhension de la personne, des besoins et de la situation. Poser des questions et mettre à profit son expérience pour montrer sa maîtrise de certains concepts peut être une approche empathique. Un simple mot, un hochement de tête ou même le silence peuvent être des signes d'empathie. L'empathie est une démarche sincère, souple et humble. Vous devez vous rendre compte que vous êtes sur un terrain sacré et que l'autre est peut-être encore plus vulnérable que vous.

Ces conseils vous seront peut-être également utiles :

- Plus vous êtes en confiance avec la personne qui vous parle, plus il vous sera facile de mettre de côté votre vision des choses et d'avoir une écoute empathique. Si vous avez de bonnes relations, vous ne chercherez pas tant à en savoir plus qu'à montrer votre compréhension. Vous pouvez généralement sentir si l'énergie qui passe entre vous est positive ou négative et en déduire le degré de confiance dont vous bénéficiez.
- Si vous êtes totalement en confiance, vous pourrez être tout à fait sincère. Dans ce cas, votre interaction sera très efficace. Mais si vos relations sont plutôt difficiles, l'autre n'osera peut-être pas dévoiler sa vulnérabilité. Aussi, il vous faudra être patient et faire preuve d'empathie pendant plus longtemps.
- Si vous n'êtes pas sûr de comprendre, ou si vous craignez que l'autre ne se sente pas compris, faites part de vos doutes et poursuivez vos efforts.
- Essayez de comprendre l'autre au-delà des mots. Les sentiments, les attitudes vous en diront beaucoup plus. « Écoutez » avec les yeux et avec votre cœur.
- La méthode la plus appropriée dépend essentiellement de la qualité de votre relation avec l'autre. N'oubliez pas que les relations familiales exigent une attention constante, car le besoin d'un soutien affectif est constant. Les problèmes commencent lorsque nous considérons ces relations comme acquises et traitons n'importe quel étranger avec plus d'égards que les personnes qui nous sont les plus chères. Au sein d'une famille, il faut sans cesse faire des efforts pour demander pardon et exprimer son amour, son estime et la valeur que l'on attache aux autres.
- Tâtez le terrain afin de pouvoir adapter votre méthode. Veillez à ce que vos efforts ne soient pas mal interprétés. Il faut parfois être très explicite : « Je vais essayer de comprendre ce que tu essaies de me dire. Je n'ai pas l'intention de juger, de montrer mon adhésion ou mon désaccord. Mon but n'est pas de te faire parler de choses dont tu ne veux pas parler. Je veux simplement comprendre ce que tu veux me faire comprendre. » Pour comprendre, il faut que vous ayez une idée claire du contexte dans lequel va s'inscrire votre conversation.

Lorsque vous avez une écoute empathique, vous êtes en mesure d'évaluer la qualité de votre relation avec l'autre et de la communication qui s'établit entre vous. Vous appliquez l'empathie à tout le contexte et à tout ce que l'autre communique au-delà des mots. Vous pouvez donc agir en fonction de votre compréhension de ce contexte.

Par exemple, si vous avez eu depuis toujours un rôle de juge, l'autre inscrira votre effort pour avoir une écoute empathique dans ce contexte. Pour pouvoir repartir sur de bonnes bases, vous devrez probablement demander pardon et faire un profond travail d'introspection pour être sûr que votre attitude est à la mesure de votre repentir. Ensuite, vous devrez saisir toutes les occasions de montrer votre désir de comprendre.

Je me souviens d'une période où Sandra et moi étions un peu préoccupés par les résultats scolaires de l'un de nos fils. Il y avait déjà plusieurs semaines que cela nous tenait en souci. Un soir, nous lui avons demandé s'il voulait sortir dîner avec nous. Il a accepté en demandant qui d'autre viendrait. « Personne, lui avons-nous répondu, c'est un dîner rien que pour toi. » Il a alors refusé d'y aller.

Nous avons quand même réussi à le convaincre, mais il a très peu parlé, malgré nos efforts pour nous montrer ouverts. Vers la fin du dîner, nous nous sommes mis à parler d'un sujet indirectement lié à l'école. Il y avait une telle tension entre nous que nous en sommes venus à ses résultats scolaires presque involontairement. Tout le monde était mal à l'aise et sur la défensive. Un peu plus tard, nous nous sommes excusés auprès de notre fils, qui nous a dit : « Voilà pourquoi je ne voulais pas aller à ce dîner. » Il savait qu'il serait jugé une nouvelle fois. Il nous a fallu du temps pour le remettre en confiance.

Nous en avons tiré une bonne leçon : les repas devraient toujours être des moments de détente où l'on discute de choses agréables ou de sujets intellectuels ou spirituels enrichissants. Ils ne devraient jamais être l'occasion de faire respecter la discipline ou de juger. Lorsque l'on est très occupé, il arrive qu'on ne se retrouve en famille qu'au moment des repas. Aussi, lorsque tout le monde est autour de la table, on en profite pour parler de ce qui nous semble important. Mais il y a d'autres moments pour ça. Lorsque les repas sont agréables, tous les membres de la famille les attendent avec impatience et apprécient de s'y retrouver. Organisez-vous et obligez-vous à ne pas juger les autres lors de ces moments privilégiés, afin de préserver le bonheur de se retrouver et de se détendre en famille.

Lorsque l'on a de très bonnes relations, on se comprend facilement, car on peut communiquer avec franchise. Quelques hochements de tête suffisent parfois à montrer que l'on a compris. Dans ce cas, on peut atteindre très vite un niveau de communication profond. Quelqu'un qui observerait une telle interaction sans connaître la qualité des relations qu'ont les deux personnes pourrait croire qu'il n'y a pas de véritable écoute, pas d'empathie, ni de compréhension. Et pourtant, il s'agit d'un échange profondément empathique et constructif.

Sandra et moi avons pu atteindre ce niveau de communication dans notre couple lorsque nous avons passé notre année sabbatique à Hawaï. Au fil des ans, il nous est arrivé de perdre cette faculté. Mais en y travaillant, nous pouvons l'acquérir facilement. Tout dépend de la nature du sujet, de la charge émotionnelle dont il s'accompagne, du moment de la journée, de la fatigue et des dispositions dans lesquelles chacun se trouve.

De nombreuses personnes ont du mal à pratiquer l'écoute empathique parce qu'il ne s'agit pas d'un savoir-faire. L'empathie s'acquiert après un travail sur soi en profondeur, toujours avec l'idée d'aller de l'intérieur vers l'extérieur. Il ne faut pas espérer obtenir des résultats si cette pratique ne trouve pas un écho dans votre cœur.

LA SECONDE MOITIÉ DE L'HABITUDE N° 5

Chercher d'abord à comprendre ne signifie pas chercher *uniquement* à comprendre. Cela ne veut pas dire que vous vous contentez de donner aux autres. Cela veut simplement dire que vous écoutez et que vous comprenez *d'abord*. Comme vous avez pu le voir dans les exemples que je vous ai cités, c'est la meilleure façon d'avoir une influence positive sur les autres. En effet, lorsque vous êtes ouvert à leur influence, celle que vous avez sur eux est encore plus grande.

Mais vous aussi, vous devez chercher à être compris. Vous pouvez faire part aux autres de la façon dont vous voyez les choses, donner votre avis, enseigner des principes à vos enfants, avoir le courage de vous confronter à eux avec amour. Dans votre tentative de vous faire comprendre, vous trouverez une autre bonne raison de chercher d'abord à comprendre : lorsque vous comprenez vraiment quelqu'un, il est bien plus facile de lui faire part de votre point de vue, car vous connaissez son langage et savez comment lui parler.

Cette femme en a fait l'expérience.

Pendant des années, mon mari et moi n'avons pas été d'accord sur la façon de gérer notre budget. Ils avait toujours envie d'acheter des choses qui me paraissaient inutiles et trop chères. Je n'arrivais pas à lui faire comprendre que j'étais très préoccupée par l'accumulation de nos dettes. Une grande part de notre revenu était destinée aux intérêts que nous devions payer sur nos emprunts.

Finalement, je me suis rendu compte qu'il fallait que je trouve un autre moyen de lui faire comprendre mon point de vue et d'influencer la situation. J'ai essayé de l'écouter plus attentivement, de comprendre son schéma de pensée. Je me suis aperçue qu'en général il voyait les choses de manière globale. Mais, parfois, il n'y avait pas de rapport entre son désir d'acheter quelque chose et le bénéfice qu'on en retirerait.

Aussi, lorsqu'il me disait qu'il avait envie de telle ou telle chose, au lieu de me disputer avec lui, je lui disais : « Oui, ça pourrait être bien d'avoir ça. Réfléchissons à ce que ça nous apporterait. Essayons d'examiner la situation dans sa globalité. » Je lui montrais le budget que nous avions et ajoutais : « Bon, si nous dépensons tant pour ceci, nous n'aurons pas d'argent pour cela. » Je me suis rendu compte que, lorsqu'il pouvait appréhender concrètement les conséquences de ses décisions, il en arrivait lui-même à la conclusion qu'il ne valait mieux pas acheter le produit en question.

Grâce à ma nouvelle démarche, j'ai également pu constater que certains des achats qu'il voulait faire avaient plus d'avantages que d'inconvénients. Par exemple, il voulait acheter un ordinateur. Au début, j'étais plutôt réticente à faire une telle dépense mais, lorsque j'ai essayé d'évaluer les bénéfices que l'on pourrait en retirer, je me suis aperçue que ma réticence était devenue une vraie manie et ne se fondait pas sur un raisonnement logique.

J'ai également découvert que cette habitude d'examiner notre budget nous a évité de nombreuses disputes. En décidant ensemble de la manière dont nous voulions le gérer, il nous a été bien plus facile de prendre nos décisions au jour le jour.

La compréhension mutuelle a permis à ce couple de prendre de meilleures décisions. Voyez-vous en quoi la compréhension du schéma de pensée de son mari a permis à cette femme d'être mieux comprise? Elle a trouvé un moyen efficace de communiquer avec lui à partir du moment où elle a su exprimer ses idées dans le langage qu'il comprenait.

DIRE CE QUE VOUS PENSEZ DE QUELQU'UN

Un de mes amis, dont les enfants étaient mariés, avait la réputation d'être facile à vivre et tolérant. Un jour, pourtant, sa femme lui a confié ceci : « Les enfants m'ont dit qu'ils avaient le sentiment que tu contrôlais trop leur vie. Ils t'adorent, mais ils n'aiment pas que tu essaies de gérer leurs activités et de canaliser leur énergie. »

Mon ami était effondré. Sa première réaction a été plutôt négative :

« Comment peuvent-ils dire une chose pareille! Tu sais bien que ce n'est pas vrai. Je ne me mêle jamais de leurs affaires. Ce n'est même pas la peine d'en discuter. C'est ridicule, tu le sais très bien!

– Le fait est que c'est l'impression qu'ils ont, a-t-elle répondu. Et je dois dire que je suis aussi de cet avis. Tu leur mets toujours la pression pour qu'ils fassent les choses à ta façon.

– Quand? Quand? Dis-moi quand j'ai fait ça? Vas-y, dis-moi!

– Tu veux vraiment le savoir?

– Non, je ne veux rien savoir! De toute façon, ce n'est pas vrai.

Parfois, pour être compris, il faut dire ce qu'on pense de quelqu'un. Et ce n'est pas toujours facile. En général, les gens n'aiment pas qu'on leur dise ce qu'on pense d'eux. Cela ne correspond pas toujours à l'image qu'ils ont d'eux-mêmes, et ils préfèrent ne pas connaître l'opinion des autres.

Nous ne sommes pas toujours à même d'avoir une image fidèle de nous-mêmes. Nous avons tous des défauts dont nous n'avons pas conscience, et qu'il faut essayer d'atténuer. Aussi, lorsque nous aimons vraiment quelqu'un, nous devons lui démontrer ses défauts. C'est dans son intérêt. Mais bien sûr, il faut le faire de manière positive et avec respect. La critique n'est pas une fin en soi; il faut qu'elle soit constructive.

Lorsque vous sentez que vous devez donner votre avis sur quelqu'un pour vous faire comprendre et mettre le doigt sur un problème, vous pouvez suivre ces quelques conseils.

1. Posez-vous toujours cette question : mon avis va-t-il vraiment être utile à la personne ou ne servira-t-il qu'à satisfaire mon propre besoin de remettre cette personne à sa place? Si vous êtes en colère, ce n'est probablement pas le moment de donner votre avis. Attendez d'être calme.

2. Cherchez d'abord à comprendre. Recherchez ce qui est important pour la personne et voyez en quoi votre avis pourra l'aider à se remettre en question pour atteindre ses objectifs. Efforcez-vous de toujours parler dans le langage que comprend cette personne.
3. Faites la distinction entre la personne et son comportement. C'est une chose essentielle. Nous ne devons jamais juger la personne. Nous pouvons juger son comportement, en fonction de nos critères et de nos principes. Nous pouvons faire part de nos sentiments face à ce comportement et en décrire les conséquences. Mais nous devons nous interdire de mettre une étiquette sur une autre personne. C'est le pire que nous puissions faire vis-à-vis de cette personne et de notre relation avec elle. Au lieu de dire de quelqu'un qu'il est paresseux, stupide, égoïste, dominateur ou macho, il est toujours préférable de faire part des conséquences de son comportement pour les autres. Nous devons nous contenter d'exprimer nos préoccupations et les sentiments que nous inspire ce comportement.
4. Soyez particulièrement prudent et patient avec les problèmes dont la personne ne se rend pas compte. Si celle-ci n'en a pas conscience, c'est parce qu'il s'agit de problèmes si délicats qu'elle les refoule. Demander à quelqu'un de faire des efforts pour atténuer un défaut qu'il connaît est beaucoup moins périlleux. Mais, dans le cas d'un problème inconscient, la personne peut se sentir menacée si vous êtes trop direct. *A fortiori*, n'intervenez pas sur des difficultés contre lesquelles elle ne peut rien.
5. Parlez à la première personne. Lorsque vous donnez votre avis, n'oubliez pas que vous faites part de votre façon personnelle de voir les choses. Dites plutôt : « C'est comme ça que je vois les choses. », « Ce qui m'inquiète, c'est... », « C'est l'impression que j'ai », « C'est ce que je ressens », « Il me semble que... » Dès lors que vous parlez à la deuxième personne – « Tu ne penses qu'à toi! », « Tu nous crées les pires problèmes! » –, vous vous mettez dans le rôle de juge. Vous jugez la personne, non son comportement. C'est comme si vous disiez que cette personne est toujours égocentrique et difficile à vivre. En agissant ainsi, vous lui faites beaucoup de mal. En effet, ce qui blesse le plus les gens, surtout quand leur comportement ne reflète pas leur véritable personnalité, c'est le sentiment d'être catalogué. On

leur colle une étiquette, car on pense que, de toute façon, ils ne changeront pas. Et c'est précisément ce qui les empêche d'évoluer. **En parlant à la première personne, vous vous placez au même niveau que l'autre. Vous êtes sur un pied d'égalité. En revanche, en parlant à la deuxième personne, vous vous placez au-dessus de l'autre. Vous donnez l'impression que vous valez mieux que l'autre.**

À une certaine période de sa vie, l'un de nos fils a eu un comportement qui nous paraissait égoïste. Sandra et moi étions très préoccupés, car cela faisait déjà longtemps qu'il avait cette attitude, et toute la famille en pâtissait. Nous aurions pu le lui faire remarquer directement, en espérant qu'il changerait. Cela nous était arrivé de le faire en d'autres circonstances. Mais cette fois, je me suis dit qu'il fallait vraiment faire les choses en profondeur. Cette tendance était profondément ancrée en lui, mais ce n'était pas sa vraie nature. Ce n'était pas lui. Il était tellement plus aimable et altruiste. Il fallait qu'il sache ce que nous ressentions face à son comportement.

À ce moment-là, nous étions en vacances en famille au bord d'un lac. J'ai demandé à notre fils s'il voulait venir faire un tour en moto autour du lac. Nous avons fait une longue promenade. Nous avons pris notre temps. Puis nous nous sommes arrêtés pour boire à une source d'eau fraîche. Cela faisait déjà près de trois heures que nous étions partis, et nous avions passé un très bon moment. Nous avons ri ensemble, nous nous sommes amusés, ce qui nous a vraiment rapprochés.

Finalement, je lui ai fait part de nos préoccupations :

« Tu sais, si j'ai eu envie de passer un moment en privé avec toi, c'est parce que ta mère et moi sommes inquiets. Veux-tu que je te dise ce qui nous préoccupe ?

– Bien sûr, papa. »

Je lui ai donc fait part de ce que nous ressentions. Il ne s'est pas senti agressé, car je parlais de nous, pas de lui : « Voici ce qui nous inquiète, ce que nous ressentons. Voici comment nous voyons les choses. » Je ne lui ai pas dit : « Tu es vraiment égoïste. Tu fais du mal à toute la famille. »

Tout en expliquant nos inquiétudes, je lui ai également donné mon opinion concernant sa vraie nature. Sa réaction a tout de suite été positive : « Oui, tu as raison, papa. Je m'en rends compte. Je crois que j'ai un peu trop pensé à moi ces derniers temps. J'ai eu tort. »

Plus tard, il a avoué sa mauvaise conduite à sa mère et à tous les membres de la famille. Et il a pu repartir sur de bonnes bases.

Carl Rogers, expert en communication, explique comment être « en accord avec soi-même ». Il montre l'importance d'être à la fois conscient de ses actes et d'avoir le courage d'exprimer cette prise de conscience lorsque l'on communique avec les autres. Lorsque l'on n'a pas conscience de ce que l'on ressent au fond de soi, on est « en désaccord avec soi-même ». On a tendance à intellectualiser, à compartimenter ou à projeter inconsciemment ses problèmes sur les autres. Ce décalage entre la personne et son comportement n'est pas sans effet sur ses relations avec autrui. Il ne peut y avoir de véritable communication. Les conversations restent superficielles et inintéressantes.

Carl Rogers explique qu'il existe également un autre type de décalage : certaines personnes sont en accord avec elles-mêmes, elles ont conscience de leurs actes et de leurs sentiments, mais elles les nient et essaient d'agir ou de s'exprimer d'une autre façon. Ce décalage, non pas par rapport à soi mais vis-à-vis des autres, est tout simplement de la fausseté, de la duplicité, voire de l'hypocrisie.

Ces deux formes de décalages constituent un obstacle considérable à l'écoute et à la compréhension. C'est pourquoi il faut faire un profond travail d'introspection pour acquérir suffisamment de conscience de soi et avoir le courage d'exprimer ce que l'on ressent, ce que l'on pense, sans juger les autres.

Lorsque nous aimons quelqu'un, nous ne devons pas hésiter à nous confronter à lui. Pour établir des relations étroites et profondes, il faut être franc, parler avec sincérité, mais aussi avec amour. On ne doit ni céder à l'influence de l'autre ni perdre espoir de le voir changer. Cela demande beaucoup de temps, et aussi beaucoup de courage. Il faut savoir quand et comment intervenir – parfois avec tact, parfois avec fermeté, toujours avec respect. Aimer, cela implique parfois d'infliger un traitement de choc à l'autre pour l'obliger à être conscient de ses actes. Mais ensuite, il faut lui témoigner encore plus d'amour pour lui montrer à quel point il compte pour vous.

Les personnes avec lesquelles j'ai eu les relations les plus profondes et les plus durables sont celles avec lesquelles j'ai été vraiment franc à un certain moment de leur vie. Ces personnes sont aussi celles qui ont le plus d'estime pour moi. J'ai réussi à mettre le doigt sur des problèmes dont elles n'étaient pas conscientes, à en appréhender les conséquences et à les aider à évoluer de manière positive.

Joshua (fils)

Ce qui est bien, quand on a des frères et sœurs, c'est qu'ils disent vraiment ce qu'ils pensent.

Un jour, alors que je revenais d'un match de basket, papa et maman m'attendaient à la porte pour me dire à quel point j'avais bien joué. Maman n'en finissait pas de décrire mon talent et papa m'a assuré que c'était grâce à moi que notre équipe avait gagné.

Puis Jenny nous a rejoints et je lui ai demandé comment elle m'avait trouvé. Elle m'a répondu que mon jeu avait été très ordinaire et que j'avais intérêt à me reprendre en main si je voulais conserver ma position dans l'équipe. Elle a ajouté qu'elle espérait que je ferais mieux la prochaine fois, de sorte qu'elle ne soit pas aussi embarrassée.

Ça, c'est du feed-back!

Quand vous dites ce que vous pensez de quelqu'un, souvenez-vous que c'est la qualité de votre relation avec lui qui va déterminer votre niveau de communication. N'oubliez pas de parler à la première personne pour que l'autre ne se sente pas dévalorisé. Et faites-lui part de vos sentiments et de votre confiance en lui : « Je t'aime. J'ai beaucoup d'estime pour toi. Je sais que ce comportement n'est qu'une toute petite partie de toi. J'aime tout ce que tu es. »

Tout le monde a besoin d'entendre ces trois mots magiques : « Je t'aime. » Cela ne fait aucun doute. Un jour, je suis rentré à la maison complètement exténué. J'avais voyagé toute la journée. Les centaines de kilomètres que j'avais parcourus en avion, la foule des aéroports et les embouteillages sur la route m'avaient littéralement épuisé.

Lorsque je suis entré chez moi, j'ai trouvé mon fils dans mon bureau. Il avait passé presque toute la journée à le nettoyer. Il avait fait beaucoup d'efforts : il avait déplacé les meubles pour nettoyer la pièce, essuyé tous les objets, jeté ce qui traînait. Ce n'était qu'un petit garçon, mais il avait suffisamment de discernement pour savoir ce qu'il fallait jeter et ce qu'il fallait garder, d'après les instructions que nous lui avions données.

Dès que je suis entré dans mon bureau, j'ai commencé à lui faire des remarques désobligeantes : « Pourquoi n'as-tu pas fait ceci? Pourquoi n'as-tu pas fait cela? » Je ne me souviens même plus d'ailleurs de ce qu'il n'avait pas fait. Mais ce que je n'ai pas oublié – je ne l'oublierai jamais –, c'est le regard qu'il a eu. Il avait été si excité, si content de faire quelque chose pour moi. Il était tellement impatient de me voir lui témoigner ma reconnaissance. C'était l'unique récompense qui l'avait motivé pour travailler dur pendant toutes ces heures. Et à peine arrivé, j'avais commencé à critiquer.

Lorsque j'ai vu son regard, j'ai su tout de suite que j'avais fait une erreur. J'ai essayé de m'excuser, de lui expliquer, d'insister sur toutes les choses qu'il avait bien faites, de lui témoigner mon amour et de le remercier pour tout ce qu'il avait fait. Mais ce regard ne l'a pas quitté de la soirée.

C'est seulement quelques jours plus tard que nous avons pu reparler de cette soirée et rétablir de bonnes relations. J'en ai tiré une bonne leçon. J'ai compris que, lorsque quelqu'un a fait de son mieux, peu importe que le résultat corresponde ou non à ce que vous attendiez. Quand quelqu'un a fait quelque chose pour vous, la seule chose à faire est de le remercier. Montrez-lui que vous appréciez ses efforts et ne soyez pas avare d'éloges. Si cette personne a fait beaucoup d'efforts, exprimez-lui votre admiration. Ne faites pas de remarques déplaisantes, même si elles sont justifiées et même si vous pensez agir de manière constructive. Si vous croyez qu'une critique constructive peut être bénéfique, faites-la à un autre moment.

Quel que soit le résultat, à ce moment-là, concentrez-vous sur les efforts et les bonnes intentions. Dites-vous que la personne a mis beaucoup d'elle-même dans son travail. Montrez-vous encourageant et valorisant en toute circonstance. Vous ne compromettrez pas votre intégrité pour autant. Vous ferez simplement la part des choses entre ce qui compte vraiment et ce qui n'a pas grande importance.

INTÉGREZ L'HABITUDE N° 5 DANS VOTRE CULTURE FAMILIALE

Pour récolter les fruits de l'Habitude n° 5, il faut que celle-ci soit profondément ancrée au fond de vous-même. Il ne suffit pas d'avoir eu, un jour, un éclair de compréhension. Il faut que ce soit une véritable habitude. Vous devez constamment chercher à comprendre et à être compris dans vos interactions quotidiennes. Il existe plusieurs façons de développer l'Habitude n° 5 au sein de votre culture familiale.

Voyez la méthode appliquée par cette femme.

Il y a quelques années, nos deux fils, alors adolescents, se querellaient souvent. Lorsque nous avons entendu parler de l'Habitude n° 5, nous avons pensé qu'il serait utile d'en discuter avec eux.

Lors d'une soirée en famille, nous avons donc expliqué aux garçons en quoi consistait cette habitude. Nous leur avons enseigné le concept d'écoute empathique. Pour illustrer ce concept, nous avons organisé des jeux de rôles : deux personnes étaient en désaccord. Elles pouvaient soit se juger soit chercher à se comprendre. Dès lors que l'une d'elles comprenait l'autre, elle pouvait ensuite se faire comprendre. Nous avons alors dit aux garçons que, s'ils se querellaient pendant la semaine, nous les enfermerions dans une pièce dont ils ne pourraient sortir que si chacun était convaincu d'avoir été compris.

Ils n'ont pas mis longtemps à se quereller, et je les ai envoyés dans le salon : « Bon, Andrew, tu vas dire à David exactement ce que tu ressens. » Il a commencé à parler, mais à peine avait-il dit deux phrases que David l'a interrompu : « Ce n'est pas du tout comme ça que ça s'est passé ! »

Je suis alors intervenue : « Une minute ! Ce n'est pas ton tour de parler. Pour le moment, essaie de comprendre ce qu'Andrew dit. Tu devras reformuler ce qu'il essaie d'exprimer jusqu'à ce qu'il confirme que c'est bien ce qu'il a voulu dire. »

David a levé les yeux au ciel, puis nous avons réessayé.

Au bout de cinq phrases, David s'est levé d'un bond : « Ce n'est pas juste ! a-t-il crié. C'est toi qui... »

Une nouvelle fois, j'ai dû l'arrêter : « David ! Assieds-toi. Ton tour viendra, mais pas avant que tu puisses m'expliquer ce qu'Andrew est en train de dire, afin qu'il se sente compris. Tu ferais mieux de t'asseoir et d'essayer d'écouter. Personne ne te demande d'être d'accord avec Andrew. Contente-toi de réexprimer fidèlement son point de vue. Tu ne donneras pas ta version des faits tant que tu ne seras pas capable d'expliquer la sienne. »

David s'est rassis. Pendant quelques instants, il s'est mis à faire des grimaces pour exprimer son désaccord. Mais il s'est rendu compte que cela ne le mènerait nulle part. Alors il s'est calmé et a essayé de comprendre.

Chaque fois qu'il avait le sentiment de comprendre, je le priais de reformuler ce qu'Andrew venait de dire. Puis je demandais : « Est-ce bien cela, Andrew ? Est-ce bien ce que tu as voulu dire ? »

Andrew confirmait ou infirmait. Lorsqu'il pensait que David ne l'avait toujours pas compris, nous essayions encore. Finalement, David a réussi à expliquer de manière satisfaisante ce qu'Andrew ressentait.

Puis ce fut le tour de David. C'était presque drôle de voir comme ses sentiments avaient changé lorsqu'il a essayé d'expliquer son point de vue.

Il voyait effectivement la situation différemment, mais il en voulait beaucoup moins à son frère, car il savait maintenant comment celui-ci la voyait. Quant à Andrew, se sentant vraiment compris, il était beaucoup plus à même d'écouter le point de vue de David. Ils sont donc parvenus à discuter sans juger ni accuser l'autre. Chacun ayant fait part de ses sentiments, il est devenu relativement facile de trouver une solution qui leur convenait à tous les deux.

Cette première expérience a duré environ trois quarts d'heure. Mais ça en valait la peine. La fois suivante, ils savaient ce qu'ils avaient à faire. Nous avons appliqué cette méthode pendant des années. Ça n'a pas été facile. Les sentiments étaient parfois intenses et les problèmes délicats. Il leur est aussi arrivé de commencer à se disputer et de s'arrêter d'eux-mêmes, préférant sortir avec leurs amis que de passer une demi-heure enfermés dans une pièce à essayer d'arranger les choses. Plus ils faisaient l'effort de se comprendre, mieux ils s'entendaient.

Je me suis particulièrement réjouie de leur comportement lorsqu'ils se sont retrouvés plusieurs années après avoir quitté la maison. L'un vivait dans un autre Etat, l'autre dans un autre pays, et ils ne s'étaient pas vus depuis très longtemps. Ils étaient venus à la maison pour prendre des choses que leur arrière-grand-père leur avait laissées. Et leur entente faisait plaisir à voir. Ils ont ri ensemble, plaisanté et vraiment apprécié de se retrouver. Lorsqu'ils ont partagé l'héritage de leur arrière-grand-père, ils étaient pleins de sollicitude l'un envers l'autre : « Je sais que tu aimerais avoir ça, prends-le », « Ça pourrait t'être utile. Prends-le, toi. »

Ils pensaient gagnant-gagnant. Et je crois que c'est parce qu'ils se comprenaient. Je suis convaincue que cette habitude de chercher à se comprendre qu'ils ont prise pendant leur adolescence a été décisive dans leur relation.

Cette femme a patiemment enseigné à ses enfants les principes de l'écoute empathique. Elle les a accompagnés dans leur effort d'intégrer ces principes dans leur vie quotidienne. Cet investissement s'est révélé très fructueux par la suite.

Dans notre famille, nous avons établi une règle très simple pour intégrer l'écoute empathique dans notre culture familiale : *dès lors qu'il y a un désaccord entre deux personnes, l'une ne pourra faire valoir son point de vue que lorsqu'elle aura reformulé fidèlement le point de vue de l'autre.* Cela fonctionne à merveille! Vous ressentirez peut-être le besoin d'expliciter la façon dont vous voulez aborder la discussion, surtout si vous sentez que les personnes sont décidées à camper sur leurs positions et s'apprêtent à se livrer bataille : « Nous allons parler de choses importantes, qui nous tiennent à cœur. Pour faciliter la communication, je vous propose de suivre cette simple règle. » Énoncez-la. Dans un premier temps, vous aurez peut-être l'impression que cette démarche ralentit les choses mais, à long terme, vous en retirerez un bénéfice énorme du point de vue relationnel.

Nous essayons également de faire en sorte que chacun puisse prendre la parole lors de nos moments en tête-à-tête ou de nos rendez-vous familiaux. En ce qui concerne les rendez-vous familiaux, nous avons mis au point un processus de résolution de problèmes au cours duquel la personne qui a un problème prend l'initiative d'en parler et de le faire comprendre au reste de la famille. Nous avons accroché une feuille sur le réfrigérateur, et quiconque a envie de parler d'un problème ou d'émettre un souhait inscrit son nom sur cette feuille. Chaque personne qui s'est inscrite a la responsabilité de diriger le processus de résolution de son problème.

Nous avons remarqué que ceux qui prennent la parole ou l'initiative sont souvent récompensés de leurs efforts. Aussi, les autres ont le sentiment qu'ils n'auront jamais l'occasion de s'exprimer. Ils commencent à intérioriser leurs sentiments. Mais ces émotions inexprimées demeurent intactes. Elles sont « enterrées vivantes » et réapparaissent plus tard sous des formes déplorables : réactions démesurées, colère, agressivité, violence, silence malsain, maladies psychosomatiques ou toute autre forme de réactions nuisibles et douloureuses.

En revanche, **lorsque les personnes savent qu'elles pourront prendre la parole et être écoutées, elles sont plus détendues**. Elles n'ont pas de raison de perdre patience, parce qu'elles savent que leur tour viendra et qu'elles pourront se faire entendre. Il ne se dégage alors aucune énergie négative dans la famille, et chacun apprend à développer sa patience et sa maîtrise de soi.

C'est là l'une des grandes forces de l'Habitude n° 5. Si vous intégrez cette habitude au sein de votre culture familiale et dans votre façon de résoudre les problèmes, chacun aura le sentiment d'être écouté. Vous éviterez ainsi toutes les réactions stupides et impulsives que l'on a dans le cas contraire.

En ce qui concerne notre famille, je dois admettre que, malgré tous nos efforts pour faire en sorte que chacun soit entendu, certains ont dû faire preuve d'une grande proactivité pour y parvenir.

Jenny (fille)

Lorsque l'on fait partie d'une famille de neuf enfants, il est parfois difficile d'obtenir l'attention dont on a besoin. Il se passait toujours tellement de choses à la maison! Tout le monde était constamment en train de discuter ou de faire quelque chose. Alors, pour attirer l'attention, je faisais signe à papa ou à maman de venir et je leur parlais tout bas. En murmurant ainsi, j'étais sûre qu'ils me prêteraient attention et que tout le monde se tairait. Et ça marchait!

La seconde partie de l'Habitude n° 5 a donc pour but de vous aider à être écouté et compris.

TENEZ COMPTE DES DIFFÉRENTES PHASES DE DÉVELOPPEMENT

L'Habitude n° 5 consiste également à chercher à comprendre la façon dont les enfants voient les choses en prenant conscience de leur âge et de leurs phases de développement.

L'évolution de l'être humain répond à certains principes universels. Un enfant apprend à se retourner, à s'asseoir, à ramper, à marcher, puis à courir. Chaque étape a son importance. On ne peut pas en sauter. Certaines choses viennent nécessairement avant d'autres.

Cette règle s'applique aussi bien au développement physique qu'aux relations humaines et aux sentiments. Mais, si les phases de développement sont tout à fait visibles sur le plan physique, elles se remarquent beaucoup moins dans les domaines psychologique, affectif et spirituel. Vous devez donc y être d'autant plus attentif, et ne pas essayer de raccourcir, dédaigner ou contourner le processus.

Si nous ne faisons pas l'effort de comprendre les phases de développement de nos enfants et ne communiquons pas avec eux en fonction de leur niveau de conscience, il nous arrive d'avoir des attentes déraisonnables vis-à-vis d'eux et être déçus lorqu'elles ne correspondent pas à la réalité.

Un jour, je me suis énervé contre notre petit garçon, car il laissait toujours ses vêtements traîner par terre : « Tu ne te rends donc pas compte que tu ne devrais pas faire ça? Tu ne vois donc pas que tes vêtements sont sales et froissés quand tu les laisses traîner par terre?

Il ne m'a pas contredit, il ne s'est pas rebellé. Il était même d'accord avec moi. J'ai eu le sentiment qu'il ne voulait pas me contrarier. Mais il a continué invariablement à jeter ses vêtements par terre.

J'ai fini par me dire qu'il ne savait peut-être tout simplement pas comment ranger ses habits dans la penderie. Après tout, ce n'était qu'un petit garçon. J'ai donc passé une demi-heure avec lui pour lui montrer comment les ranger. Nous avons plié ensemble son pantalon en le tenant par le bas, nous l'avons mis sur un cintre, et je lui ai montré comment suspendre ce cintre dans sa penderie. Puis nous avons boutonné sa chemise, nous l'avons retournée, nous avons plié les côtés, les manches, puis le tout en deux parties égales. Et nous l'avons déposée dans son armoire.

Il a adoré cette séance d'apprentissage. Et nous avons fait durer le plaisir : nous avons sorti tous les vêtements de sa penderie pour les ranger à nouveau. Nous étions heureux de faire quelque chose ensemble et il a beaucoup appris. Il s'en tirait bien.

Le problème n'était donc pas qu'il ne voyait pas l'importance de ranger ses vêtements, ni qu'il refusait de le faire. C'était tout simplement qu'il ne savait pas comment s'y prendre. C'était uniquement un problème de savoir-faire.

Plus tard, adolescent, il a recommencé à laisser traîner ses vêtements. Mais cette fois, il ne s'agissait plus d'un problème de savoir-faire, mais d'un manque de motivation. C'est donc sur cette motivation qu'il a fallu agir.

Pour résoudre un problème, il faut d'abord en connaître la nature. Vous n'iriez pas chez un cardiologue pour une douleur aux pieds. Vous ne feriez pas appel à un serrurier si votre toit avait des fuites. De même, il est vain d'apporter à un problème de savoir-faire une solution fondée sur la motivation – et *vice versa*.

Lorsque l'on attend d'un enfant qu'il accomplisse une certaine tâche, je pense qu'il faut toujours se poser ces trois questions :

L'enfant *doit*-il le faire ? (question de principe)
L'enfant *peut*-il le faire ? (question de savoir-faire)
L'enfant *veut*-il le faire ? (question de motivation)

Essayez de répondre à ces questions, et vous saurez où faire porter vos efforts de manière efficace. S'il s'agit d'une question de principe, c'est par l'éducation que vous amènerez votre enfant à accomplir cette tâche. S'il s'agit d'une question de savoir-faire, c'est par l'apprentissage que vous y parviendrez. Éducation et apprentissage, ce n'est pas la même chose : l'éducation consiste à faire germer quelque chose chez quelqu'un. Dans ce cas, il faut expliquer quelques principes à l'enfant pour faire germer chez lui un certain sens des valeurs, de sorte qu'il sache lui-même ce qu'il doit faire. En revanche, l'apprentissage est une sorte de livraison clés en main. Ici, vous devez transmettre vos connaissances à l'enfant pour lui montrer comment accomplir sa tâche. Éducation ou apprentissage? Cela dépend de la nature du problème. L'une de ces solutions ne prime pas sur l'autre. Si l'enfant est confronté à une question de principe qui implique un choix – « Dois-je accomplir ma tâche ou sortir avec mes amis? » –, tout dépendra de la qualité de ses relations avec sa famille et de sa culture familiale.

S'il s'agit d'une question de motivation, vous devrez susciter le comportement désiré de manière extrinsèque ou intrinsèque, ou les deux. Offrez une récompense extrinsèque (argent de poche, privilège quelconque) ou insistez sur la récompense intrinsèque (la paix intérieure et la satisfaction que l'on retire lorsque l'on fait quelque chose de bien, en écoutant sa conscience). Ou bien faites les deux. Pour connaître la nature du problème, appliquez l'Habitude n° 5 : cherchez d'abord à comprendre, ensuite à être compris.

Au fil des ans, Sandra a fait preuve d'une grande sagesse et de beaucoup d'intuition pour comprendre les phases de développement de nos enfants. Elle a suivi des cours sur le développement de l'enfant à l'université et a mis en pratique ses connaissances au cours de sa vie d'adulte. Elle est tout à fait consciente de l'importance d'écouter son cœur et sait parfaitement s'adapter aux différentes phases de développement des enfants[4].

Sandra

Un jour, j'étais dans une épicerie et j'ai vu une jeune mère dont l'enfant, d'environ deux ans, était en pleine crise. Elle essayait calmement de le consoler et de le raisonner, mais il était dans tous ses états : il tremblait, criait, les sanglots l'empêchaient de respirer, et il a fini par exploser dans une véritable crise de rage. Sa pauvre mère était désespérée et très embarrassée.

En tant que mère, je me suis sentie concernée par cette terrible situation. J'avais envie de dire à cette jeune femme tout ce qui me passait par

4. À ce sujet, voir notamment : Arlene Eisenberg, Heidi E. Murkoff et Sandee E. Hathaway, *What to Expext the First Year* (Workman Publishing, 1989). Des mêmes auteurs, *What to Expect the Toddler Years* (Workman Publishing, 1994). Penelope Leach, *Les six premiers mois : accompagner son nouveau-né* (Seuil, 1988). T Berry Brazelton, *Touchpoints* (Addison Wesley Longman Publishing, 1992)

la tête : ne le prenez pas pour vous. Agissez de façon objective. Ne vous laissez pas influencer par ce type de comportement. Ne le laissez pas profiter de la situation. Dites-vous que les enfants de deux ans ne sont pas encore capables de gérer des émotions complexes (grande fatigue, colère, stress). C'est pourquoi ils perdent le contrôle d'eux-mêmes et sont pris d'une crise de rage.

Quand on a traversé ce genre de situation plusieurs fois, on se rend compte que le comportement d'un enfant est très lié à son stade de développement. Le développement d'un enfant suit une série d'étapes que l'on connaît relativement bien aujourd'hui : à deux ans, l'enfant est à un âge que l'on qualifie souvent de redoutable. À trois ans, il est digne de confiance. À quatre ans, son comportement est plutôt frustrant. Et à cinq ans, c'est un amour ! Les années paires sont souvent les plus difficiles, tandis que les années impaires sont plus calmes.

Chaque enfant est un individu à part entière, qui se différencie des autres. Toutefois, tous semblent suivre un même processus de développement. Ils évoluent progressivement de l'individualité à la collectivité. D'abord, ils jouent seuls. Puis, petit à petit, ils communiquent avec leurs poupées ou leurs peluches. Et enfin, au fur et à mesure qu'ils grandissent et mûrissent, ils communiquent avec d'autres enfants et jouent avec eux. De même, dans un premier temps, ils ont besoin d'avoir un sentiment de propriété. Ils doivent posséder avant de prêter leurs jouets, comme ils doivent comprendre avant de parler ou ramper avant de marcher. Nous devons être conscients de ce processus. Il faut être attentif, lire sur le sujet, afin d'apprendre à reconnaître les différents stades de développement chez nos propres enfants et les autres.

Si vous ne perdez pas de vue ce processus inéluctable, vous ne vous sentirez pas visé lorsque votre enfant de deux ans fera une crise, se rebellera ou essaiera de s'affirmer en tant que personne indépendante. Vous ne réagirez pas mal lorsque votre enfant de quatre ans emploiera des termes scatologiques ou un langage grossier pour attirer votre attention et oscillera entre le désir d'être un enfant responsable et celui de retourner à une mentalité de bébé. Vous n'appellerez pas votre mère, en larmes, pour lui avouer que votre enfant de six ans triche, ment et vole pour être le premier ou le meilleur. Vous ne vous inquiéterez pas lorsque votre enfant de neuf ans pensera que vous êtes malhonnête parce que vous n'avez pas respecté la limitation de vitesse ou que vous avez un peu menti sur une chose sans importance. Vous n'excuserez pas non plus un comportement irresponsable au nom du développement de l'enfant.

Mais vous ne lui collerez pas d'étiquette en termes de position socio-économique ou de QI.

Chaque famille apprend à comprendre et à résoudre ses propres problèmes en se fondant sur ses connaissances, son expérience et son intuition. Gardez toujours du recul et dites-vous : « Ça passera », « Un jour, on en rira », « C'est l'âge » – ou comptez jusqu'à dix avant de répondre !

APPLIQUEZ L'HABITUDE N° 5 DANS LE BON ORDRE

Alors que vous enseignerez l'Habitude n° 5 à votre famille, en vous concentrant sur votre Cercle d'influence pour l'assimiler vous-même, vous allez être surpris de son impact sur votre culture familiale – même sur les enfants en bas âge. Ce père en témoigne :

J'ai vraiment compris l'importance de chercher d'abord à comprendre en observant l'interaction de mes trois fils dans une situation difficile.

Jason, qui a un an et demi, s'est mis à faire tomber tous les jouets de Matt. Celui-ci, âgé de quatre ans et disposant de peu de vocabulaire pour se révolter, s'apprêtait à frapper son petit frère.

Juste à ce moment-là, Todd, âgé de six ans, s'est approché de Matt et lui a dit : « Tu es drôlement en colère, hein, Matt ? Jason a fait tomber tous tes jouets. Tu es tellement en colère que tu as envie de le battre. » Matt a regardé Todd un moment, puis il a marmonné quelques mots en levant les bras, et il est parti.

Je me suis dit : Tiens ! Ça marche vraiment !

Souvenez-vous de l'ordre dans lequel vous devez agir : d'abord chercher à comprendre, ensuite seulement chercher à être compris. Il ne suffit pas de savoir quoi faire. Il faut aussi savoir pourquoi et quand le faire. L'Habitude n° 5 nous aide à écouter – et à parler – avec le cœur. C'est aussi la porte ouverte à l'incroyable synergie qui peut émaner d'une famille, dont nous allons parler dans l'Habitude n° 6.

Application entre adultes et adolescents

Cherchez d'abord à comprendre...

- Faites faire aux membres de votre famille le test de l'Indien et de l'Esquimau. Expliquez qu'il est important de comprendre que les gens ne voient pas le monde tel qu'il est mais tel qu'ils sont ou tel qu'ils ont été conditionnés.
- Posez les questions suivantes : Considérez-vous qu'il est important de véritablement comprendre chaque membre de la famille et de faire preuve d'empathie ? Dans quelle mesure connaissons-nous les membres de notre famille ? Connaissons-nous leurs préoccupations, leurs vulnérabilités, leurs besoins, l'idée qu'ils ont de la vie et d'eux-mêmes, leurs espoirs et leurs attentes ? Comment pouvons-nous mieux les connaître ?
- Posez cette question : Voyez-vous dans notre famille des attitudes liées à un manque de compréhension ? (Vous pouvez être frustré parce que vos attentes ne sont pas clairement exprimées, juger, claquer les portes, accuser, être brusque, avoir des relations superficielles, être triste, seul ou vous mettre à pleurer.) Discutez de ce que vous pourriez faire pour que chaque membre de la famille ait la possibilité d'être entendu.

- Réfléchissez à votre façon de communiquer au sein de votre famille. Commentez les quatre types de réponses décrits à la page 280 : estimation, conseil, recherche d'information et interprétation. Dialoguez ensemble et entraînez-vous à donner des réponses qui visent à comprendre l'autre.
- Revoyez les principes de l'écoute empathique, pages 281 à 284, et les conseils des pages 287 à 288. Voyez ensemble en quoi ces informations peuvent vous aider à appliquer l'Habitude n° 5 dans votre famille.

… *et ensuite à être compris*

- Revoyez les pages 255 à 300. Expliquez pourquoi chercher d'abord à comprendre est essentiel pour être compris. En quoi cette pratique peut-elle vous aider à communiquer dans le langage de l'autre ?
- Envisagez ensemble la façon dont vous pouvez créer une « culture de la compréhension » au sein de votre famille.

Application avec les enfants

- Faites faire à vos enfants le test de l'Indien et de l'Esquimau. Quand ils parviendront à voir les deux personnages, expliquez-leur qu'il y a généralement plusieurs façons de voir les choses et que nous ne comprenons pas toujours la façon de voir de l'autre. Incitez-les à faire part d'un sujet sur lequel ils se sont sentis incompris.
- Prenez plusieurs paires de lunettes – des lunettes de vue et des lunettes de soleil. Faites observer à chaque enfant un même objet à travers différentes sortes de lunettes. Cet objet peut être flou, net, sombre, teinté de bleu, selon les lunettes avec lesquelles l'enfant le regarde. Expliquez que cette vision différente d'un même objet est semblable aux différentes façons de voir des gens. Faites-leur échanger leurs lunettes afin que chacun puisse voir ce que les autres voient.
- Préparez un plateau avec différentes choses à manger. Demandez à chaque enfant de goûter chaque aliment. Comparez les réactions. Certains adoreront peut-être les olives, alors que d'autres pourront difficilement les avaler. Expliquez que les différences de goût symbolisent les différentes façons de voir les

choses. Ajoutez qu'il est important pour nous tous de comprendre comment les autres voient les choses.

- Rendez visite à un vieil oncle ou à un vieil ami et demandez-lui de raconter quelque chose de son passé. Après cette visite, donnez à vos enfants des éléments qui leur permettront de comprendre le contexte dans lequel cette personne a vécu lorsqu'elle était jeune. Puis parlez-leur de la jeunesse de gens qu'ils connaissent : « Saviez-vous que M. Jacob était policier et qu'il était très grand et très beau? », « Mme Smith était maîtresse d'école et les enfants l'adoraient. » Montrez que, lorsque l'on connaît bien les gens, on les comprend mieux et il est plus facile de les cerner.
- Invitez une personne qui peut apporter quelque chose à vos enfants – quelqu'un qui joue d'un instrument, qui a fait un voyage récemment ou qui a une expérience intéressante à raconter. Montrez combien nous pouvons apprendre des autres en les écoutant et en les comprenant.
- Engagez-vous à être une famille plus compréhensive en écoutant mieux et en étant plus attentifs. Apprenez à vos enfants à écouter – pas seulement avec leurs oreilles, mais aussi avec leurs yeux, leur esprit et leur cœur.
- Mimez des sentiments. Demandez à vos enfants de mimer un sentiment, par exemple la colère, la tristesse, le bonheur ou la déception. Le reste de la famille devra deviner ce qu'ils ressentent. Montrez que l'on peut apprendre beaucoup des autres simplement en observant leur visage ou leurs gestes.

Habitude n° 6

Créez un effet de synergie

UN de mes amis m'a raconté une anecdote très intéressante au sujet de sa relation avec son fils. Au fur et à mesure que vous la lirez, réfléchissez à ce que vous auriez fait dans une situation semblable.

Une semaine après s'être inscrit dans l'équipe de basket du lycée, mon fils m'a annoncé qu'il voulait arrêter. Je lui ai dit que, s'il laissait tomber le basket, il ne ferait jamais rien à fond dans la vie. Je lui ai avoué que, moi aussi, j'avais eu envie de laisser tomber des activités quand j'étais jeune. Mais je m'étais toujours accroché, et ma vie en avait été profondément influencée. J'ai ajouté que tous ses frères avaient fait du basket, et que l'entraînement et la coopération exigés par ce sport leur avaient permis de développer un esprit d'équipe. J'étais sûr qu'il en retirerait lui aussi un grand bénéfice.

Mon fils semblait refuser de me comprendre. Furieux, il m'a répondu : « Papa, je ne suis pas mes frères. Je ne suis pas un bon joueur. Et j'en ai assez d'être harcelé par l'entraîneur. Et puis, il n'y a pas que le basket dans la vie. J'ai d'autres centres d'intérêts. »

J'étais tellement énervé que j'ai quitté la pièce pour couper court à la conversation. Pendant deux jours, je me suis senti vraiment déçu par la décision stupide et irresponsable de mon fils. J'avais de bonnes relations avec lui, mais je ne supportais pas de voir qu'il ne tenait aucun compte de mon opinion. J'ai essayé plusieurs fois de lui parler, mais il ne m'écoutait même pas.

Finalement, je me suis quand même demandé ce qui avait bien pu l'inciter à prendre cette décision. Je voulais vraiment connaître ses raisons. Dans un premier temps, il n'a même pas voulu revenir sur le sujet.

Je me suis alors contenté de lui poser quelques questions à propos d'autres choses, mais il ne répondait que par « oui » ou par « non ». Il n'était vraiment pas disposé à parler. Au bout d'un certain temps, les larmes aux yeux, il est venu vers moi :

« Papa, je sais que tu penses me comprendre, mais tu ne me comprends pas. Personne ne sait à quel point je me sens mal.

– Tu souffres, hein? ai-je répondu.

– Ça pour souffrir, je souffre! Parfois je ne sais même pas si tout ça vaut la peine. »

Et il m'a dit tout ce qu'il avait sur le cœur. Il m'a confié toutes sortes de choses que je ne me serais jamais imaginées. Il souffrait d'être constamment comparé à ses frères. Son entraîneur s'attendait à ce qu'il joue aussi bien qu'eux. Il se disait que, s'il prenait un autre chemin, on arrêterait peut-être de le comparer à eux. Il avait l'impression que je préférais ses frères parce qu'ils s'en tiraient mieux que lui. Et puis, il ne se sentait pas sûr de lui – pas seulement au basket, mais en général. Et il avait le sentiment que nous nous étions un peu éloignés l'un de l'autre.

Je dois admettre que ses paroles m'ont beaucoup touché. Je savais que ce qu'il avait dit à propos des comparaisons avec ses frères était vrai, et je me sentais coupable. Je n'ai pas cherché à lui cacher ma profonde tristesse. Et avec beaucoup d'émotion, je lui ai demandé pardon. Mais je lui ai dit que je pensais toujours que jouer au basket serait bénéfique pour lui. Je pouvais, avec le reste de la famille, essayer d'améliorer les choses s'il voulait jouer. Il m'a écouté avec patience et compréhension, mais il n'est pas revenu sur sa décision.

Finalement, je lui ai demandé s'il aimait le basket. Il m'a répondu qu'il adorait ça, mais qu'il ne supportait pas la pression qu'on lui mettait dans l'équipe du lycée. Ce qu'il disait ne me déplaisait pas, au fond. J'avoue que j'étais un peu déçu qu'il ne veuille plus faire partie de l'équipe du lycée, mais j'étais content qu'il ait toujours envie de jouer.

Il a commencé à me parler des garçons qui jouaient dans l'équipe de la ville, et je sentais qu'il s'intéressait beaucoup à cette équipe. Alors je lui ai demandé quand auraient lieu les matchs, afin que je m'organise pour y assister. Il m'a répondu qu'il n'en était pas sûr et a ajouté : « De toute façon, il nous faut un entraîneur. Sinon, on ne pourra pas participer aux matchs. »

À ce moment-là, comme par magie, nous avons tous les deux pensé à la même chose. Presque à l'unisson, nous nous sommes exclamés : « Je/Tu pourrais entraîner cette équipe! »

Je me suis sincèrement réjoui à l'idée de devenir entraîneur et de compter mon fils parmi les joueurs. Au cours des semaines qui ont suivi, j'ai vécu des moments inoubliables en tant que sportif et en tant que père. L'équipe jouait uniquement pour le plaisir. Bien sûr, nous avions le désir de gagner et nous avons connu quelques victoires, mais personne n'était sous pression. Et mon fils – qui avait détesté l'entraîneur de l'équipe du lycée – rayonnait à chaque fois que je lui criais : « Vas-y ! Là, là ! Bien joué ! Belle passe ! »

Le basket a transformé notre relation.

Cette histoire illustre très bien le résultat de l'Habitude n° 6 – créez un effet de synergie – et le processus qui l'entraîne – l'application des Habitudes n° 4 et 5.

Ce père et son fils semblaient être enfermés dans une situation gagnant-perdant. Le père voulait que son fils joue au basket, et il avait de bonnes raisons. Il pensait que son fils en retirerait un bénéfice à long terme. Mais celui-ci n'était pas de cet avis. Jouer dans l'équipe du lycée ne lui apportait absolument rien de positif. Bien au contraire ! Il était sans arrêt comparé à ses frères et soumis à une pression insupportable. Ce problème semblait être inextricable : il y aurait forcément un gagnant et un perdant, quelle que soit la décision prise.

Mais le père s'est efforcé de se mettre dans un autre état d'esprit. Il a cherché à comprendre pourquoi son fils ne voulait plus jouer dans l'équipe du lycée. En discutant avec lui, il s'est rendu compte du véritable problème. Et, ensemble, ils ont trouvé une solution meilleure que celle que chacun proposait, qui leur a permis d'être tous les deux gagnants. C'est ce qu'on appelle l'effet de synergie.

LA SYNERGIE : LE FRUIT DE TOUTES LES HABITUDES

La synergie est l'apogée, le fruit de toutes les Habitudes. C'est le phénomène magique qui se produit lorsque un plus un égale trois – ou plus. Si ce phénomène a lieu, c'est parce que la relation entre deux parties est une tierce partie si dynamique et catalytique qu'elle influence l'interaction des deux premières. La synergie naît d'un état d'esprit de respect mutuel (gagnant-gagnant) et de compréhension mutuelle, qui favorise l'émergence d'une nouvelle voie – sans compromis ni concession.

Pour comprendre le concept de synergie, pensez à votre corps. Le corps n'est pas une enveloppe dans laquelle mains, bras, jambes, cerveau, estomac, cœur, sont jetés en vrac. C'est un tout capable de merveilles parce que ses éléments interagissent de manière synergique. Prenons les mains, par exemple : elles sont bien plus efficaces ensemble que séparément. Les yeux nous donnent une bien meilleure vision en fonctionnant ensemble que si chacun regardait de son côté. Nos oreilles nous permettent de déterminer la direction du son, ce qui serait impossible si elles n'étaient pas connectées l'une à l'autre. L'ensemble du corps est bien plus efficace que ses parties prises individuellement ou même collectivement mais sans connexion.

La synergie émane donc du lien entre les parties d'un tout. Dans la famille, ce lien est celui qui existe entre les membres de la famille. La possibilité de créer un effet de synergie dépend donc de la qualité et de la nature de leurs relations. Entre mari et femme ou entre parents et enfants naît un nouvel esprit, créatif, d'où émerge une idée nouvelle, une troisième possibilité.

Ce lien est comme une « troisième personne ». Dans un couple, c'est le sentiment du « nous » qui crée cette « troisième personne ». Il en est de même dans la relation parents-enfants. La « troisième personne » née de cette relation est l'essence même de la culture familiale. Elle est à l'image de l'objectif que s'est fixé la famille et de son système de valeurs, fondé sur des principes.

Par conséquent, la synergie implique non seulement la création d'une vision et de valeurs communes, de solutions nouvelles et meilleures, mais aussi un sentiment commun de responsabilité à l'égard des normes et des valeurs qui ont orienté cette création. C'est elle qui donne une autorité morale à la culture. Elle incite les membres de la famille à être honnêtes, à parler avec franchise, à avoir le courage de régler leurs problèmes au lieu de les ignorer et de fuir les autres afin de ne pas y être confrontés.

Cette « troisième personne » devient en quelque sorte une autorité suprême, l'incarnation de l'éthique commune, de la vision et des valeurs communes, des mœurs sociales et des normes de la culture. Elle nous empêche d'être immoraux, avides de pouvoir, ou de tirer notre force de notre position sociale, de nos références, de nos études ou de notre sexe. Tant que nous respectons cette autorité suprême, nous savons que nous sommes responsables de notre position, de notre pouvoir, de notre prestige, de notre argent et de notre statut.

Mais si nous ne la respectons pas, si nous vivons selon nos propres lois, cette « troisième personne » meurt. Nous devenons étrangers les uns aux autres, nous sommes absorbés par notre sens de la propriété et tournés vers nous-mêmes. La culture familiale passe de l'interdépendance à l'indépendance, et la magie de la synergie disparaît.

Il est donc essentiel de respecter l'autorité morale de la culture familiale, à laquelle chacun est soumis.

LA SYNERGIE COMPORTE DES RISQUES

Créer un effet de synergie, c'est avancer dans l'inconnu, dans le chaos. Il ne s'agit plus de vivre en fonction de *notre* propre vision, de *nos* solutions. Nous passons du connu à l'inconnu, pour créer quelque chose d'entièrement nouveau. Pour cela, nous devons nous concentrer sur nos relations avec les autres, et non avancer à notre façon. Nous ne savons pas où nous allons aboutir, mais nous savons que cet aboutissement sera de loin supérieur à tous les investissements que chacun de nous aura faits pour y parvenir.

Bien sûr, c'est risqué. C'est l'aventure. C'est un phénomène magique, issu d'une vulnérabilité commune : personne ne sait ce qui va se passer; tout le monde prend des risques.

C'est pourquoi les trois premières Habitudes sont si fondamentales. Elles nous aident à développer un sentiment de sécurité, qui nous donne le courage de vivre avec ce genre de risques. Aussi paradoxal que cela puisse paraître, il faut avoir confiance en soi pour être humble. Il faut se sentir en sécurité pour assumer le risque d'être vulnérable. Dès lors que nous jouissons de la confiance et du sentiment de sécurité qui mènent à l'humilité et à la vulnérabilité, nous cessons de vivre selon nos propres lois. Au contraire, nous devenons les vecteurs de toutes les idées qui émergent dans la famille. De cet échange d'idées naît la dynamique qui libère les énergies créatrices.

Il n'y a rien de tel pour rapprocher les membres de la famille que de créer ensemble. Grâce aux Habitudes n° 4 et 5, vous aurez l'état d'esprit et le savoir-faire nécessaires pour y parvenir. Pensez gagnant-gagnant. Cherchez à comprendre, ensuite à être compris. Écoutez avec le cœur, pour créer un troisième esprit et une troisième solution. Autrement dit, écoutez avec un profond respect et avec empathie. Vous devez faire en sorte que chacune des deux parties soit ouverte à l'influence et aux enseignements de l'autre. Soyez humble et vulnérable pour que la « troisième personne » devienne créative et engendre des solutions qu'aucune des deux parties n'avait considérées. Pour atteindre ce niveau d'interdépendance, les individus doivent reconnaître la nature interdépendante du problème et créer un effet de synergie.

L'Habitude n° 6 est le fruit de toutes les habitudes. Il ne s'agit pas d'une coopération transactionnelle où un plus un égale deux, ni d'un compromis où un plus un égale un et demi. Il ne s'agit pas non plus d'une communication conflictuelle ni d'une synergie négative où un plus un est inférieur à un.

Lorsqu'il y a synergie, un plus un égale trois ou plus. La synergie est le niveau d'interdépendance le plus élevé, le plus productif et le plus satisfaisant. C'est le fruit le plus mûr de l'arbre. Et il n'y a aucun moyen d'obtenir ce fruit avant d'avoir planté, arrosé et soigné l'arbre.

LE SECRET DE LA SYNERGIE : PRÔNEZ LA DIFFÉRENCE

Pour créer un effet de synergie, il faut savoir valoriser – et même prôner – la différence. Pour en revenir à la métaphore du corps humain, si celui-ci n'était que mains, cœur, pieds, il serait beaucoup moins efficace. Ce sont les différences entre ses parties qui lui permettent d'accomplir autant de choses.

Une de nos cousines nous a raconté comment elle a fini par valoriser la différence entre elle et sa fille :

Pour mon onzième anniversaire, mes parents m'ont offert une magnifique édition d'un grand classique. Je l'ai lu avec beaucoup d'émotion et, lorsque j'ai tourné la dernière page, j'ai pleuré. J'étais vraiment entrée dans l'histoire.

J'ai précieusement conservé ce livre pendant des années, pensant le donner à ma propre fille. Lorsque Cathy a fêté ses onze ans, je le lui ai offert. Très heureuse de ce cadeau, elle a lu deux chapitres, puis ne l'a plus ouvert pendant des mois. J'étais profondément déçue.

Pour je ne sais quelle raison, j'avais toujours pensé que ma fille serait comme moi, qu'elle aimerait lire les livres que j'avais lus dans mon enfance, qu'elle aurait le même caractère que moi et qu'elle aimerait ce que j'aimais.

« Cathy est une jeune fille charmante, pleine de vitalité, un brin espiègle et toujours prête à rire », me disaient ses professeurs. « Elle est

vraiment sympa », disaient ses amies. Quant à son père, il la trouvait « pleine de vie, pleine d'humour et sensible ».

Un jour, j'ai avoué à mon mari que j'avais du mal à me faire à cette personnalité : « Je me sens dépassée par cet entrain, cet insatiable désir de « jouer », de plaisanter, de rire. Je n'ai jamais été comme ça, moi. »

Petite fille, lire était ma plus grande joie. Je savais au fond de moi que j'avais tort d'être déçue de cette différence entre nous, mais je ne pouvais pas m'en empêcher. Cathy était une énigme pour moi, et je n'arrivais pas à l'admettre.

Ce genre de sentiments inexprimés ne passent pas inaperçus aux yeux d'un enfant. Je savais qu'elle se rendrait compte de ce que je ressentais et qu'elle en souffrirait, si ce n'était pas déjà le cas. Je m'en voulais profondément d'être si tournée vers moi-même. Je savais que ma déception était injustifiée, mais tout l'amour que je portais à cette enfant ne changeait en rien mon amertume.

Toutes les nuits, quand tout le monde dormait, quand tout était calme et tranquille, je priais pour comprendre. Puis, un matin, alors que j'étais encore au lit, j'ai eu une sorte de flash : en l'espace de quelques secondes, j'ai vu une image de Cathy adulte. Nous étions deux adultes, l'une en face de l'autre. Et je me suis mise à penser à ma sœur. Nous avions toujours été différentes. Pourtant, je n'avais jamais souhaité qu'elle me ressemble. J'ai pris conscience que Cathy et moi serions toutes deux adultes un jour, tout comme ma sœur et moi, et que les amies les plus proches ne se ressemblent pas nécessairement.

J'avais enfin compris. Et je me suis dit : « Comment oses-tu essayer de projeter ta personnalité sur elle. Réjouis-toi de ses différences ! » Bien que ce flash n'ait duré que quelques secondes, il m'a ouvert les yeux, et mes sentiments ont complètement changé.

Ce que je ressens aujourd'hui est une profonde gratitude. Et ma relation avec ma fille est bien plus riche et joyeuse. En réalité, elle a pris une tout autre dimension.

Dans un premier temps, cette femme est partie du principe que sa fille serait comme elle. Ce postulat lui a causé beaucoup de déception et l'a empêchée d'apprécier l'unicité de sa fille. Ce n'est que lorsqu'elle a su accepter sa fille telle qu'elle était et se réjouir de leurs différences qu'elle a pu établir la relation riche et authentique qu'elle voulait avoir avec elle.

Cela vaut pour les relations entre tous les membres d'une famille.

Un jour, j'ai fait une conférence sur les différences entre l'hémisphère gauche et l'hémisphère droit du cerveau, dans une société de Floride. Cette conférence s'intitulait « Gérez avec l'hémisphère gauche, dirigez avec l'hémisphère droit. » Pendant la pause, le président de la société est venu me voir :

« Stephen, c'est bizarre, mais ce sujet m'a plus fait penser à mon couple qu'à ma société. Ma femme et moi avons un véritable problème de communication. Je me demandais si vous accepteriez de déjeuner avec nous, juste pour voir comment nous nous parlons.

– Avec plaisir », ai-je répondu.

Nous nous sommes donc assis tous les trois à la même table en échangeant quelques plaisanteries. Puis le président s'est tourné vers sa femme :

« Chérie, j'ai invité Stephen à déjeuner avec nous pour voir s'il peut nous aider à communiquer plus facilement l'un avec l'autre. Je sais que tu souhaiterais que je sois un mari plus sensible, plus prévenant. Peux-tu me dire exactement ce que tu aimerais que je fasse? (Son hémisphère dominant gauche réclame des faits, des détails sur des points précis.)

– Eh bien, je te l'ai déjà dit, ce n'est rien de particulier. C'est un sentiment que j'ai en général. (Son hémisphère dominant droit se concentre sur la relation, sur le tout.)

– Comment ça un « sentiment en général »? Dis-moi ce que tu veux que je fasse? Dis-moi quelque chose de précis, pour que je sache où faire porter mes efforts.

– C'est juste quelque chose que je ressens au fond de moi. (Son hémisphère droit lui transmet des images, des sentiments.) J'ai l'impression que notre couple n'est pas aussi important pour toi que tu le dis.

– Que puis-je faire pour qu'il soit important? Donne-moi des éléments concrets et précis sur lesquels je puisse m'appuyer.

– C'est difficile de le dire avec des mots. »

À ce moment-là, il a levé les yeux au ciel, puis m'a regardé avec un air de dire : « Pourriez-vous endurer ce genre de stupidités dans votre couple? »

« C'est une sensation, a-t-elle repris, une très forte sensation.

– Chérie, c'est justement ça le problème avec toi. Et c'est la même chose avec ta mère. En fait, c'est le problème de tout être humain. »

Puis il s'est mis à l'interroger comme s'il s'agissait d'une déposition dans un commissariat.

« Est-ce que tu vis là où tu veux vivre?

– Ce n'est pas vraiment ça, a-t-elle dit dans un soupir. Ce n'est même pas ça du tout.

– Je sais, a-t-il répondu avec une patience forcée. Mais tant que tu ne m'auras pas dit exactement ce que tu veux, j'imagine que la meilleure façon de le savoir est de trouver ce que tu ne veux pas. Est-ce que tu vis là où tu veux vivre?

– Je suppose que oui.

– Chérie, Stephen est ici pour quelques minutes seulement. Il essaie de nous aider. Dis-moi simplement « oui » ou « non ». Est-ce que tu vis là où tu veux vivre?

– Oui.

– Bon, ça, c'est réglé. Est-ce que tu as ce que tu veux?

– Oui.

– Bon. Est-ce que tu fais ce que tu veux? »

Il a continué à tout passer en revue, et ça ne faisait vraiment pas avancer les choses. Alors je suis intervenu :

« Est-ce que c'est comme ça tout le temps?

– Tous les jours, Stephen, a-t-il répondu.

– C'est l'histoire de notre couple, a-t-elle ajouté. »

Je les ai regardés, et je me suis dit qu'ils étaient deux moitiés de cerveau vivant ensemble.

« Avez-vous des enfants? ai-je demandé.

– Oui, deux.

– Vraiment? ai-je répliqué d'un ton dubitatif. Comment avez-vous fait?

– Comment ça, comment nous avons fait?

– Vous avez créé un effet de synergie! Un plus un égale deux, normalement. Mais, dans votre cas, un plus un égale quatre. Ça, c'est de la synergie! Le résultat est supérieur à la somme des deux éléments. Alors, comment avez-vous fait?

– Vous savez bien comment nous avons fait! a-t-il répondu.

– Vous avez dû valoriser la différence! »

Comparez cette anecdote avec le récit d'un couple d'amis qui était dans la même situation, si ce n'est que les rôles étaient inversés. Voici le témoignage de la femme.

Mon mari et moi avons des schémas de pensée très différents. J'ai tendance à être plus logique et plus séquentielle – l'hémisphère gauche de mon cerveau est dominant. Chez lui, c'est plutôt l'hémisphère droit qui domine. Il voit les choses de manière plus globale.

Lors de nos premières années de vie commune, nos différences nous ont créé des problèmes de communication. Il me semblait qu'il était toujours en train de scruter l'horizon, de chercher des alternatives, des nouvelles possibilités. Cela ne le dérangeait pas de changer de cap en cours de route s'il avait une meilleure idée. Quant à moi, je suivais mon raisonnement et j'étais précise. Une fois que nous avions pris une décision, je faisais tout dans le détail, j'approfondissais et je me tenais à cette décision quoi qu'il arrive.

Ces différences nous ont créé beaucoup de problèmes au moment de prendre des décisions, que ce soit pour fixer des objectifs, faire des achats ou élever les enfants. Notre engagement l'un envers l'autre était très solide, mais nous étions tous deux enfermés dans nos schémas de pensée respectifs et il nous était vraiment difficile de prendre des décisions ensemble.

Pendant un moment, nous avons essayé de nous répartir les responsabilités. En ce qui concerne le budget, par exemple, il intervenait sur les décisions à long terme, et moi je faisais les comptes. Il faut reconnaître que cette façon de faire nous a aidés. Chacun intervenait à sa façon dans notre couple et dans notre famille, dans ses domaines de prédilection.

Mais lorsque nous avons découvert comment utiliser nos différences pour créer un effet de synergie, notre relation s'est considérablement enrichie. Nous avons appris à nous écouter, à nous ouvrir à l'influence de l'autre et à prendre en considération sa façon de penser. Au lieu d'aborder les problèmes chacun de son côté, nous sommes parvenus à travailler ensemble à une solution commune, issue d'une véritable compréhension mutuelle.

Cette démarche nous a permis de trouver toutes sortes de solutions nouvelles à nos problèmes. C'était merveilleux de tout faire ensemble. Lorsque nous avons enfin compris que nos différences étaient un atout, nous avons eu accès à de nombreuses possibilités que nous n'avions pas explorées.

Nous avons aussi découvert que nous aimions écrire ensemble. Il avance les principaux concepts, les lignes directrices, et je propose des idées, j'approfondis et je rédige. Nous adorons ça ! Nous avons atteint un niveau d'interdépendance tout à fait nouveau pour nous. Nous sommes heureux d'être ensemble, non pas malgré nos différences, mais à cause de nos différences.

Dans ces deux couples, les conjoints sont très différents. Dans un premier temps, leurs différences ont provoqué frustration, incompréhension et éloignement. Puis elles leur ont permis d'atteindre un nouveau sentiment d'unité et de richesse dans leur relation.

Comment le second couple est-il parvenu à des résultats si positifs? Cet homme et cette femme ont su valoriser la différence et l'exploiter pour créer quelque chose de nouveau. Par conséquent, *ils sont plus efficaces ensemble que séparément*.

Comme je l'ai dit dans l'Habitude n° 5, chaque personne est unique. Et cette unicité, cette différence, est la base de la synergie. D'ailleurs, le fondement de la création biologique réside dans les différences physiques qui existent entre un homme et une femme. L'énergie créatrice d'où sont issus les enfants symbolise toutes les bonnes choses que l'on peut obtenir en valorisant la différence.

Il ne suffit pas de tolérer les différences au sein d'une famille. Il est dommage de répartir les fonctions et les responsabilités selon les différences. Car, pour créer un effet de synergie, il faut au contraire *prôner* la différence. **Il faut être capable de dire** : « **Le fait que nous voyions les choses différemment est une force – et non une faiblesse – pour notre relation.** »

DE L'ADMIRATION À L'IRRITATION

L'ironie du sort veut que nous soyons attirés par quelqu'un à cause de ses différences. Au début, c'est plaisant, excitant, merveilleux. Puis, au fur et à mesure que la relation se poursuit, l'admiration se transforme en irritation, et ces différences deviennent les causes de tous les problèmes.

Je me souviens d'un soir où je suis rentré à la maison après avoir passé deux ou trois jours sans véritablement communiquer avec mes enfants. Je me sentais un peu coupable de ce manque de communication. Et, quand je me sens coupable, j'ai tendance à être un peu indulgent.

Étant donné que j'étais souvent absent, Sandra devait compenser mon indulgence en étant un peu trop ferme. Sa fermeté m'incitait à me montrer un peu plus indulgent. Et mon indulgence accrue la rendait encore plus ferme. Ainsi, la discipline, à la maison, n'était pas toujours basée sur les principes qui créent une culture familiale épanouissante.

Lorsque je suis rentré à la maison, ce soir-là, je suis monté en haut des escaliers et j'ai crié : « Les garçons, vous êtes là? Comment ça va? »

Un de mes fils est venu vers moi en courant, m'a regardé et a crié à son frère : « Eh, Sean, il est gentil! » (Ce qui voulait dire : il est de bonne humeur.)

Ce que je ne savais pas, c'est que Sandra avait envoyé les garçons au lit et qu'ils avaient trouvé toutes sortes d'excuses pour se relever et continuer à jouer. Ils avaient dépassé les limites de la patience de Sandra, qui leur avait dit : « Maintenant, ne ressortez plus de votre lit ou ça va barder! »

Quand ils avaient vu les phares de ma voiture à travers leurs fenêtres, ils avaient eu une nouvelle lueur d'espoir. Ils s'étaient dit : « Nous allons voir si papa est de bonne humeur. Si c'est le cas, nous allons pouvoir nous relever et jouer encore un peu. » Lorsque je suis entré, ils attendaient le feu vert. La phrase : « Eh, Sean, il est gentil! » était le signal. Nous avons commencé à nous chamailler dans le salon et à nous amuser ensemble.

Puis Sandra est arrivée. À la fois déçue et en colère, elle a crié : « Les enfants sont encore debout? »

J'ai répondu aussitôt : « Eh, je ne les ai pas vus beaucoup ces derniers temps. J'ai envie de jouer un peu avec eux. » Inutile de dire que ma réaction ne lui a pas plu. La sienne m'avait aussi énervé, et nous nous sommes mis à nous disputer devant les enfants.

En fait, nous n'avions pas discuté ensemble du problème, et je m'étais comporté comme j'en avais eu envie. J'avais agi en fonction de mon humeur, de mes sentiments, et je n'avais pas été cohérent avec nos principes. Je n'avais pas respecté l'heure à laquelle les enfants devaient être au lit. Mais je ne les avais pas vus depuis longtemps et je me demandais si l'heure du coucher était vraiment importante dans ce cas-là.

Nous n'avons pas immédiatement trouvé une solution à ce problème. Mais finalement, nous en sommes arrivés à la conclusion que, *dans notre famille*, l'heure du coucher n'était pas si importante – surtout lorsque les enfants sont devenus adolescents. Nous avons pensé, bien que de nombreuses familles envoient leurs enfants se coucher à cette heure-là, qu'il serait agréable de profiter un peu plus de nos enfants. Les enfants se sont donc couchés plus tard. Ils s'amusaient ensemble et discutaient avec Sandra – car moi, j'étais toujours au lit avant tout le monde. C'est parce que nous avons reconnu nos différences, parce que nous avons agi en prenant en compte les sentiments de tous, que nous sommes parvenus à cette solution synergique.

Il est parfois difficile de vivre avec les différences et d'apprécier l'unicité de caractère des autres. Nous avons tendance à vouloir façonner les autres à notre image. Si notre confiance en nous-mêmes se base sur nos opinions, dès que nous sommes confrontés à une opinion différente – notamment de la part d'une personne proche –, nous perdons cette confiance. Aussi, nous voulons que les autres soient d'accord avec nous, pensent comme nous, adhèrent à nos idées. Mais, quand tout le monde pense de la même façon, personne ne pense vraiment. Lorsque deux personnes sont d'accord, l'une d'elle n'apporte rien. La synergie se fonde sur la différence. À défaut, il est impossible de créer de nouvelles possibilités.

Il faut savoir exploiter le meilleur de chacun, afin de créer quelque chose de complètement nouveau. Il n'y a pas de bon ragoût ni de bonne salade de fruits sans diversité. C'est cette diversité qui donne un goût nouveau. Et ce goût ne correspond à aucun des ingrédients ; il naît du mélange.

Au fil des ans, Sandra et moi nous sommes rendu compte que ce que nous appréciions le plus dans notre couple, c'étaient nos différences. Nous avons un système de valeurs, une destination, un engagement communs, mais ce « tronc commun » regorge de diversité. Et nous adorons ça ! Enfin, la plupart du temps... Chacun compte sur le point de vue différent de l'autre pour accroître sa capacité de jugement et prendre de meilleures décisions. Chacun compense ses faiblesses par les forces de l'autre. C'est l'unicité de caractère de chacun qui donne du piquant à notre relation.

Nous sommes convaincus que nous sommes plus efficaces ensemble que séparément. Et nous savons que c'est parce que nous sommes différents.

Cynthia (fille)

Quand je voulais un conseil, j'allais voir papa, et il me donnait toujours son avis : « À ta place, voilà ce que je ferais. » Et il entrait dans les moindres détails.

Mais parfois, je ne voulais pas de conseils. J'avais juste envie d'entendre : « Tu es la meilleure, on aurait dû te donner le premier rôle dans la pièce que tu joues, etc. » J'avais envie qu'on apprécie mes choix et qu'on m'encourage. Dans ce cas, c'est maman que j'allais voir. En fait, elle croyait tellement en ses enfants que j'avais toujours peur qu'elle demande à mon prof de théâtre : « Pourquoi ne lui avez-vous pas donné le premier rôle ? » ou à un garçon dont j'étais folle amoureuse : « Pourquoi ne sortirais-tu pas avec ma fille ? »

Elle pensait que ses enfants étaient parfaits. En fait, on ne peut pas dire qu'elle croyait que nous étions meilleurs que d'autres enfants, mais elle avait une haute opinion de nous. Et nous en avions tous conscience, même si nous savions qu'elle n'était pas objective et qu'elle exagérait souvent. C'était bon de savoir que quelqu'un croyait vraiment en nous. Elle nous donnait confiance en nous : « Vous pouvez faire tout ce que vous voulez. Vous atteindrez vos objectifs si vous êtes déterminés. Je crois en vous, je sais que vous en êtes capables. »

D'une certaine façon, papa et maman nous transmettaient le meilleur d'eux-mêmes.

LE PROCESSUS QUI MÈNE À LA SYNERGIE

La synergie n'est pas seulement un travail d'équipe ou une coopération. La synergie est un travail d'équipe *créatif*, une coopération *créative*. Quelque chose de nouveau est créé, qui n'aurait pu l'être si l'on n'avait pas prôné la différence. Grâce à une écoute empathique et à une communication profonde, une nouvelle possibilité est apparue.

Appliquez les Habitudes n° 4, 5 et 6, et vous parviendrez à créer un effet de synergie dans votre famille. J'aimerais vous faire part de l'expérience d'une femme et vous inviter à réfléchir à la façon dont vous auriez géré la situation si vous aviez été à sa place.

Lisez attentivement ce qui va suivre, en prenant soin de vous connecter à vos quatre dons (conscience de soi, éthique, imagination, volonté indépendante). J'interromprai le récit pour vous poser quelques questions. Ainsi, vous prendrez le temps de réfléchir à ce que vous feriez si vous étiez à la place de cette femme. Je vous suggère de prendre votre temps pour répondre à chaque question avant de poursuivre votre lecture.

Mon mari ne gagnait pas beaucoup d'argent, mais nous avions quand même pu acheter une maison. Nous étions ravis d'avoir un foyer à nous, même si tout notre argent y passait.

Après avoir passé un mois dans notre maison, nous nous sommes dit que notre salon ne présentait pas très bien à cause du vieux canapé que la mère de mon mari nous avait donné. Nous avons donc décidé d'en acheter un neuf, malgré notre situation financière, et nous sommes allés dans un magasin d'ameublement. Nous avons remarqué un magnifique canapé ancien qui correspondait exactement à ce que nous voulions. Mais il était horriblement cher. Et même le canapé le plus ordinaire coûtait deux fois plus cher que ce que nous pensions y mettre.

Le vendeur nous a demandé comment était notre maison. Nous lui avons dit, avec une certaine fierté, combien nous l'aimions. Puis il a ajouté : « Et ce canapé ancien, il n'irait pas bien chez vous? »

Nous lui avons répondu qu'il conviendrait parfaitement. Et il nous a expliqué qu'on pourrait nous le livrer le mercredi suivant. Lorsque nous lui avons dit que nous n'avions pas les moyens, il nous a assuré que ce n'était pas un problème, car il était possible de différer le paiement de deux mois.

Mon mari a alors accepté : « D'accord, nous le prenons. »

[Utilisez vos dons – notamment la conscience de soi et l'éthique. Si vous étiez à la place de cette femme, que feriez-vous?]

J'ai dit au vendeur qu'il fallait que l'on prenne le temps de réfléchir. [Voyez la proactivité (Habitude n° 1) dont cette femme fait preuve pour s'accorder un délai avant de donner sa réponse.]

Mais mon mari n'était pas d'accord : « Réfléchir à quoi? Nous en avons besoin maintenant, et nous pouvons le payer plus tard. » Mais j'ai insisté pour que nous réfléchissions et revenions plus tard. Lorsque j'ai pris la main de mon mari pour partir, j'ai senti qu'il était très énervé.

Nous nous sommes assis sur un banc dans un petit parc. Il était toujours énervé et n'avait pas dit un mot depuis que nous étions sortis du magasin.

[Sollicitez les mêmes dons – conscience de soi et éthique. Comment géreriez-vous cette situation?]

J'ai décidé de le laisser me dire ce qu'il ressentait et de l'écouter, afin de comprendre ses sentiments et sa façon de penser. [Voyez l'esprit gagnant-gagnant (Habitude n° 4) de cette femme et son désir de chercher à comprendre (première partie de l'Habitude n° 5).]

Il a fini par me dire qu'il se sentait embarrassé à chaque fois que quelqu'un venait chez nous et voyait notre vieux canapé. Il a ajouté qu'il travaillait dur et qu'il ne comprenait pas pourquoi il gagnait aussi peu. Il pensait que ce n'était pas juste que son frère gagne beaucoup plus que lui. Il avait parfois l'impression d'être un raté. Acheter un nouveau canapé aurait été valorisant pour lui.

Ses paroles me sont allées droit au cœur. Il m'avait presque convaincue de retourner au magasin et d'acheter le canapé. Mais, ensuite, je lui ai demandé s'il voulait bien écouter mon point de vue. [Cette femme cherche maintenant à être comprise (seconde partie de l'Habitude n° 5).] *Il a accepté.*

Je lui ai dit que j'étais fière de lui et que, pour moi, il était ce qu'il y avait de mieux au monde. Je lui ai expliqué que j'avais presque perdu le sommeil tellement j'avais peur que nous n'ayons pas assez d'argent pour payer nos dettes. J'ai ajouté que, si nous achetions ce canapé, dans deux mois nous devrions le payer – et nous n'aurions toujours pas l'argent.

Alors il m'a répondu qu'il savait que j'avais raison, mais que cela ne l'empêchait pas de se sentir mal à l'aise vis-à-vis des autres.

[Exploitez votre imagination créative. Voyez-vous une troisième possibilité ?]

Nous avons donc réfléchi à la façon dont nous pouvions rendre notre salon plus attrayant sans dépenser beaucoup d'argent. [Ce couple commence à créer un effet de synergie (Habitude n° 6).] *J'ai pensé que nous pourrions peut-être trouver un canapé dans nos moyens dans une boutique de meubles d'occasion. Il m'a dit en riant : « On pourrait même trouver un canapé ancien encore plus ancien que celui du magasin! » Je lui ai pris la main et nous nous sommes longuement regardés dans les yeux, sans rien dire.*

Finalement, nous avons décidé d'aller à la boutique de meubles d'occasion. Et nous avons trouvé un canapé avec une armature en bois, dont les coussins étaient détachables. Ceux-ci étaient terriblement usés, mais j'ai pensé qu'il ne devait pas être très difficile de les habiller avec un tissu qui irait avec les couleurs du salon. Nous avons acheté ce canapé pour cent francs et sommes rentrés à la maison. [Voyez l'intervention de l'éthique et de la volonté indépendante.]

La semaine suivante, j'ai pris des cours de couture et mon mari a remis en état l'armature de bois. Trois semaines plus tard, nous avions un magnifique canapé ancien.

Chaque jour, nous nous sommes assis sur ces coussins d'or en nous serrant l'un contre l'autre. Ce canapé a symbolisé la fin de nos difficultés financières. [Jugez vous-même du résultat !]

Quelles solutions avez-vous trouvées lorsque vous avez lu ce récit ? Vous en avez peut-être trouvé d'autres, plus appropriées à votre situation.

Quelles que soient vos solutions, êtes-vous conscient de l'intérêt d'appliquer les Habitudes que nous avons décrites ? La synergie qu'ont su créer cette femme et son mari a changé toute leur vie. Ils ont utilisé leurs quatre dons et se sont accordé un délai qui leur a permis d'agir au lieu de réagir. Ensuite, ils ont pensé gagnant-gagnant, ont cherché à comprendre puis à être compris, et ont interagi pour créer un effet de synergie et trouver une troisième possibilité. Ils ont développé leurs talents pour créer quelque chose de beau ensemble, ce qui a considérablement enrichi leur vie. Vous rendez-vous compte de tout ce que leur a apporté cette démarche ? Au lieu d'acheter à crédit et de payer des intérêts tous les mois, ils ont acheté comptant et ont travaillé ensemble pour embellir ce qu'ils avaient acheté.

Voici le témoignage d'une femme qui vit selon ces Habitudes.

Grâce aux Habitudes n° 4, 5 et 6, mon mari et moi sommes très interdépendants. C'est comme un ballet ou le jeu de deux dauphins – nous évoluons naturellement ensemble. Nous nous respectons mutuellement, nous nous faisons confiance et nous prenons toutes nos décisions ensemble – qu'il s'agisse de décisions importantes, comme l'endroit où nous allions vivre après notre mariage, ou de ce que nous allons faire à dîner. Ces Habitudes sont profondément ancrées en nous.

LE SYSTÈME IMMUNITAIRE DE LA FAMILLE

La synergie est l'ultime expression d'une culture familiale épanouissante – une culture créative et agréable, pleine d'humour, de diversité et de respect pour chacun et pour les points de vue de chacun.

La synergie a un potentiel très fort. Elle donne naissance à de nouvelles idées. Elle établit des relations très étroites entre les membres de la famille sur tous les plans, parce que créer quelque chose de nouveau avec quelqu'un d'autre rapproche considérablement.

La culture qui en découle vous permettra de résoudre plus facilement les problèmes auxquels vous pourrez être confronté. En réalité, la culture créée par les Habitudes n° 4, 5 et 6 est comparable au système immunitaire de notre corps. Elle détermine la capacité de la famille à résoudre ses problèmes. Elle protège les membres de la famille pour que, en cas d'erreur ou de difficulté inattendue – sur le plan financier, social ou physique –, ils n'en souffrent pas. La famille aura la faculté de s'adapter et de dépasser ces difficultés – d'y faire face et d'en tirer des leçons pour en ressortir encore plus forte.

Lorsque l'on a ce genre de système immunitaire dans sa famille, on voit les problèmes différemment. Un problème devient semblable à un vaccin. Les vaccins déclenchent le système immunitaire pour qu'il produise des anticorps. Ainsi, vous n'êtes jamais atteint par la maladie. Vous pouvez voir tout problème familial – un problème dans votre couple, dans votre travail, avec un adolescent, avec un frère ou une sœur – comme un vaccin. Bien sûr, vous souffrirez un peu, vous en garderez peut-être une petite cicatrice, mais votre système immunitaire sera stimulé et vous développerez votre capacité à lutter.

Quelles que soient les difficultés que vous rencontrez, sachez que votre système immunitaire peut y faire face. Vous pouvez transformer chaque échec, chaque déception, chaque moment d'abattement pouvant menacer la santé de la famille en une expérience enrichissante. Ainsi, la famille deviendra plus créative, plus synergique, plus apte à résoudre les problèmes et à affronter toutes sortes de difficultés. Les problèmes ne doivent pas vous décourager, mais au contraire vous encourager à développer votre force et votre immunité.

Lorsque nous considérons les problèmes comme des vaccins, nous abordons différemment ceux que nous pouvons avoir avec un enfant difficile. Nous sommes conscients de la force que nous en retirons et des bénéfices que cela représente pour notre culture familiale. En fait, **notre culture familiale est à l'image de la façon dont nous traitons l'enfant qui met le plus notre amour à l'épreuve**. Si nous sommes capables de témoigner un amour inconditionnel à notre enfant le plus difficile, les autres savent que notre amour pour eux est également inconditionnel. Et cette conviction génère des relations de confiance. Aussi, efforcez-vous d'être reconnaissant à l'égard des épreuves auxquelles vous soumet votre enfant le plus difficile, car ces épreuves pourront être très bénéfiques pour vous et votre culture familiale.

Si nous gardons toujours à l'esprit l'image du système immunitaire, nous pouvons considérer chaque petit problème comme une nouvelle inoculation. Grâce à une communication profonde et à la création d'un effet de synergie, la famille renforce son système immunitaire, afin que les prochains petits problèmes ne prennent pas une proportion démesurée.

Ce qu'il y a de terrible dans le sida, c'est qu'il détruit le système immunitaire. On ne meurt pas du sida; on meurt des maladies que notre système immunitaire n'a pas pu combattre. De même, les familles ne se désagrègent pas à cause d'un échec particulier; elles se désagrègent parce qu'elles ont négligé leur système immunitaire. Leurs Comptes émotionnels sont à découvert. Elles n'ont pas établi leur mode de vie en fonction des lois naturelles et des principes sur lesquels toute famille se fonde.

Si vous savez renforcer votre système immunitaire, vous vous prémunirez contre quatre maladies mortelles pour la famille : la critique, la plainte, la comparaison et la compétition. Ces maladies rendent impossible la création d'une culture familiale épanouissante. Et, à défaut d'un système immunitaire efficace, elles répandront la souffrance dans toute la famille.

« TU VOIS LES CHOSES DIFFÉREMMENT ? TRÈS BIEN ! AIDE-MOI À COMPRENDRE »

Pour comprendre l'intérêt des Habitudes n° 4, 5 et 6, vous pouvez revenir à la métaphore de l'avion. La plupart du temps, nous nous écartons de notre trajectoire, mais nous avons toujours un retour d'information qui nous permet d'y revenir. Il suffit d'y être attentif et d'en tenir compte.

Vivre en famille, c'est apprendre les leçons que nous donne la vie. Pour apprendre, il faut être attentif à ce que l'autre pense de vous. **Dès lors que vous avez compris que chaque problème exige une solution et non une réaction, vous commencez à apprendre. Votre famille apprend.** Vous assumez les difficultés qui mettent à l'épreuve votre capacité à créer un effet de synergie et à résoudre les problèmes avec une certaine force de caractère. Vous acceptez la différence : « Tu vois les choses différemment ? Très bien ! Aide-moi à comprendre. » Vous faites également appel à l'éthique, au sens moral de tous les membres de la famille.

Mais pour apprendre, vous devez cesser d'accuser les autres. Autrement dit, arrêtez de critiquer, de vous plaindre, de comparer et de vous mettre en compétition avec les autres. Vous devez penser gagnant-gagnant, chercher à comprendre puis à être compris, et créer un effet de synergie. Sans cela, vous parviendrez, au mieux, à une situation satisfaisante, mais pas optimale ; à une coopération, mais pas à une création ; à un compromis, mais pas à une synergie. Et au pire, vous finirez par lutter ou par fuir.

Vous devez également appliquer l'Habitude n° 1. En réalité, tout ce qu'il faut, c'est du caractère. Il en faut pour penser gagnant-gagnant lorsque vous et votre conjoint n'êtes pas d'accord sur l'achat d'une voiture, lorsque votre fils de deux ans veut porter un pantalon rose avec une chemise orange pour aller à l'épicerie, lorsque votre fille de quinze ans veut rentrer à la maison à trois heures du matin ou lorsque votre belle-mère veut tout changer dans la maison. Il en faut pour chercher d'abord à comprendre lorsque vous êtes convaincu de déjà connaître le point de vue de l'autre (ce qui n'est généralement pas le cas), lorsque vous êtes sûr d'avoir la solution d'un problème (ce qui n'est souvent pas le cas non plus) ou lorsque vous êtes en retard à un rendez-vous important. Il en faut, enfin, pour prôner la différence, pour chercher une troisième possibilité et pour travailler avec les membres de votre famille pour que la synergie fasse partie de votre culture familiale.

C'est pourquoi la proactivité est essentielle. Dès lors que vous développez votre capacité à agir selon des principes au lieu de réagir en fonction d'une émotion ou d'une circonstance, dès lors que vous donnez la priorité à la famille et que vous vous organisez en fonction de cette priorité, vous êtes capable de payer le prix nécessaire pour créer cette puissante synergie.

Ce père en témoigne.

Alors que je réfléchissais aux Habitudes n° 4, 5 et 6 et que j'essayais de les introduire dans notre culture familiale, j'ai eu le sentiment que je devais me consacrer plus particulièrement à ma relation avec ma fille de sept ans, Debbie. Elle était très émotive et, lorsque les choses n'allaient pas à son idée, elle courait s'enfermer dans sa chambre pour pleurer. Dès que nous lui disions quelque chose, elle se mettait dans tous ses états.

Sa frustration finissait par rejaillir sur nous. Et nous devenions nous-mêmes réactifs : « Calme-toi ! Arrête de pleurer ! Va dans ta chambre jusqu'à ce que tu sois calmée ! » Cette mauvaise réaction de notre part ne faisait qu'empirer les choses.

Mais un jour je suis parvenu à la voir sous un nouveau jour. Je me suis rendu compte que son émotivité était une qualité qui pourrait un jour être une force dans sa vie. Je l'avais souvent vue témoigner une compassion exceptionnelle à ses amies. Elle faisait toujours en sorte qu'aucune ne manque de rien, ne soit délaissée. Elle avait un grand cœur et une faculté admirable d'exprimer son amour. Et quand elle n'était pas en pleine crise affective, sa gaieté était un véritable soleil dans notre maison.

J'ai compris que ce « don » était un potentiel énorme. Et si je continuais à avoir cette approche négative et critique, j'allais tuer dans l'œuf ce qui pouvait devenir l'une de ses plus grandes forces. Le problème, c'était qu'elle ne savait pas comment gérer toutes ses émotions. Elle avait besoin de quelqu'un qui soit près d'elle, qui croie en elle et qui l'aide à s'en sortir

Aussi, le jour où elle a recommencé à perdre le contrôle d'elle-même, je n'ai pas mal réagi. Et lorsqu'elle s'est calmée, nous avons discuté ensemble de ce qu'il fallait faire pour résoudre les problèmes, pour trouver des solutions qui contentent tout le monde. Je me suis rendu compte que, pour qu'elle ait envie de s'investir dans ce processus, il fallait qu'elle connaisse quelques victoires. Alors j'ai fait en sorte qu'elle fasse quelques expériences où l'effet de synergie était très positif pour elle. Cela lui a permis de trouver suffisamment de courage et de confiance en elle pour comprendre que, si elle s'accordait un délai entre ce qui lui arrivait et sa réponse, elle s'en porterait beaucoup mieux.

Elle fait toujours quelques crises, mais elle est devenue beaucoup plus coopérative. Elle essaie de gérer ses émotions. Et je me suis rendu compte que, lorsqu'elle perd le contrôle d'elle-même, il vaut mieux la retenir plutôt que de la laisser seule dans sa chambre. Je ne lui dis plus : « Reste ici quand je te parle! » mais : « Viens près de moi. Essayons de régler ce problème ensemble. »

La prise de conscience de ce père concernant la vraie nature de sa fille lui a permis de valoriser sa différence. Il s'est montré proactif pour essayer de l'aider. Vous pouvez constater, par ailleurs, que même les jeunes enfants peuvent apprendre à pratiquer les Habitudes n° 4, 5 et 6.

Selon les circonstances, vous pouvez être plus ou moins proactif. La nature de la crise, votre détermination concernant certains de vos objectifs, votre degré de fatigue physique, mentale et affective, la volonté dont vous faites preuve, agissent sur votre capacité à être proactif pour créer un effet de synergie. Mais si vous êtes vraiment capable de valoriser la différence, vous aurez l'énergie et la sagesse nécessaires.

Vous devez aussi appliquer l'Habitude n° 2. C'est elle qui oriente vos choix. Elle vous aide à créer l'unité qui donne un sens à la diversité. Vous devez avoir une destination, sans laquelle le « feed-back » que vous recevez serait inexploitable. **On dit parfois que « le « feed-back » est le petit déjeuner des champions ». C'est inexact. Le petit déjeuner, c'est la vision. Le « feed-back » est le déjeuner. Et la remise en question est le dîner**. Lorsque vous avez votre destination en tête, vous savez comment interpréter ce que l'autre pense de vous, le « feed-back ». Et, même si vous vous éloignez de votre destination à cause des perturbations, vous pouvez toujours revenir à votre trajectoire et finir par l'atteindre.

Il est également essentiel d'appliquer l'Habitude n° 3. Les moments en tête-à-tête permettent aux membres de la famille de communiquer de manière authentique et synergique. Et les rendez-vous familiaux permettent d'atteindre l'ultime niveau de synergie familiale.

Comme vous pouvez le voir, toutes les Habitudes sont intimement liées. Elles interviennent ensemble pour se renforcer mutuellement et créer une culture familiale épanouissante.

CHERCHEZ ENSEMBLE UNE SOLUTION COMMUNE

Nous pouvons résumer les Habitudes n° 4, 5 et 6 par cette simple phrase : *impliquez tous les membres de votre famille dans le problème pour trouver ensemble une solution.*

C'est ce que nous avons fait dans notre famille à propos de la télévision. Sandra et moi avions lu beaucoup d'ouvrages concernant l'impact de la télévision sur les enfants et considérions qu'elle avait une influence néfaste sur notre famille. Nous avions établi des règles pour limiter le temps passé devant le petit écran, mais il semblait qu'il y avait toujours des exceptions. Ces règles n'arrêtaient pas de changer. Nous devions toujours revenir sur la question et étions las de négocier ce problème sans arrêt. Cette lutte incessante dégénérait parfois en véritables disputes.

Nous étions d'accord sur le problème, mais pas sur la solution. J'étais pour une approche catégorique, qui m'avait été inspirée par l'histoire d'un homme qui avait carrément jeté sa télévision à la poubelle ! D'un certain côté, cette action symbolique me paraissait correspondre tout à fait au message que nous voulions transmettre. Mais Sandra penchait pour une approche basée sur des principes. Elle ne voulait pas que les enfants soient contrariés par notre décision et aient l'impression d'être perdants.

Alors que nous discutions ensemble pour essayer d'aboutir à une solution commune, nous nous sommes rendu compte que nous étions en train d'essayer de résoudre ce problème à la place de nos enfants au lieu de les aider à le résoudre eux-mêmes. Nous avons donc décidé de travailler sur les Habitudes n° 4, 5 et 6 en famille. Lors de notre rendez-vous familial de la semaine, nous avons choisi comme sujet de discussion : « La télévision – quelle est la bonne dose ? » Tout le monde a participé activement, car chacun était concerné.

L'un de nos fils a demandé : « Qu'est-ce qu'il y a de mal à regarder la télévision ? Il y a beaucoup de choses bien. Et je peux faire mes devoirs correctement devant la télévision. J'ai de bonnes notes. D'ailleurs, nous avons tous de bonnes notes. Alors, où est le problème ? »

Puis ce fut le tour de l'une de nos filles : « Si vous avez peur que nous soyons corrompus par la télévision, vous avez tort. Nous ne regardons que les bonnes émissions. Si nous tombons sur quelque chose de mauvais, nous changeons de chaîne. Et puis, ce qui vous choque ne nous choque pas forcément. »

Une autre a pris la parole : « Si nous ne regardions pas certaines émissions, nous ne serions vraiment pas dans le coup. Tous les enfants les regardent, et nous en parlons tous les jours à l'école. Elles nous permettent de voir comment est le monde d'aujourd'hui, de sorte que nous ne nous laissions pas prendre à certains pièges. »

Nous n'avons pas interrompu les enfants. Ils avaient tous des arguments pour la télévision. En les écoutant, nous nous sommes rendu compte à quel point le sujet leur tenait à cœur.

Finalement, quand il nous a semblé qu'ils n'avaient plus rien à ajouter, nous sommes intervenus : « Maintenant, voyons si nous avons bien compris ce que vous nous avez dit. » Et nous avons commencé à reformuler tout ce qu'ils avaient dit et tous les sentiments qu'ils nous avaient transmis en parlant. Puis nous leur avons demandé s'ils pensaient que nous avions bien compris leur point de vue. Ayant reçu une réponse affirmative, nous avons poursuivi : « Maintenant, est-ce que vous voulez bien écouter notre point de vue ? »

Il y eut une vague de protestation : « Je sais, vous allez nous parler de toutes les critiques qui sont faites à propos de la télévision... Vous voulez nous enlever la seule chose qui nous permet d'oublier la pression de l'école... »

Encore une fois, nous avons écouté de manière empathique et leur avons assuré que nous n'avions pas du tout l'intention de faire ça :

« En fait, nous voulons simplement vous lire ces deux articles, puis nous vous laisserons décider.

– C'est une plaisanterie ! Et si notre décision est différente de la vôtre ?

– Nous respecterons votre décision. Tout ce que nous voulons, c'est que vous soyez tous d'accord sur ce que nous allons faire. »

Ils avaient l'air séduits par cette idée. Alors j'ai lu les articles que j'avais apportés. Les enfants savaient que le contenu de ces articles allait être important dans leur prise de décision et ont écouté attentivement. J'ai commencé par leur donner quelques informations choquantes. L'un des articles donnait les chiffres suivants : aux États-Unis, une personne âgée de un à dix-huit ans regarde la télévision en moyenne six heures par jour ou huit heures par jour si elle a le câble. Pendant toute leur scolarité, les jeunes Américains passent treize mille heures à l'école et seize mille devant la télévision, où ils voient vingt-quatre mille meurtres [1].

Nous avons expliqué aux enfants que, en tant que parents, nous étions effrayés par ces chiffres et que, lorsque l'on passait autant de temps devant la télévision, celle-ci avait plus d'influence sur la culture que l'éducation ou le temps passé en famille.

Nous leur avons montré que les propos des directeurs de chaînes de télévision étaient contradictoires. En effet, ils prétendent qu'aucune preuve scientifique ne permet d'associer le temps passé devant la télévision au comportement des téléspectateurs, alors qu'ils apportent des preuves de l'impact d'une publicité de vingt secondes sur ce comportement. Puis nous avons fait appel à leur propre expérience : « Réfléchissez à l'état d'esprit dans lequel vous êtes lorsque vous regardez une émission et lorsque vous regardez une publicité. Lorsqu'une publicité de trente à soixante secondes passe à la télévision, vous prenez du recul, vous ne croyez pas vraiment à ce que vous voyez ni à ce que vous entendez. Vous n'êtes pas très réceptifs, car vous savez que c'est du battage publicitaire. En revanche, lorsque vous regardez une émission, vous êtes réceptifs, vous entrez dans l'histoire, vous devenez vulnérables. Vous laissez les images entrer dans votre tête sans même vous en rendre compte. Vous absorbez tout. Il est certain que la publicité a un impact sur nous, bien que nous n'y soyons pas très réceptifs. Alors imaginez l'impact des émissions, sachant que notre réceptivité est bien plus grande ! »

Nous avons continué à lire les articles. Un des auteurs expliquait ce qui se passe lorsque la télévision devient la baby-sitter des enfants dont les parents sont occupés ailleurs et ne font pas attention à ce qu'ils regardent. Il estimait que ne pas surveiller ce que les enfants regardent revenait à inviter un étranger chez soi, pendant deux à trois heures par jour, pour qu'il parle aux enfants d'un monde perverti où les problèmes sont résolus par la violence et où le bonheur se résume

1. Victor Cline, *How to Make Your Child a Winner* (Walker and Company, 1980), Victor Cline, Roger Croft et Steven Courrier, « Desensitization of Children to Television Violence », *Journal of Personal and Social Psychology*, vol. 27 (3), septembre 1973.

à une bonne bière, une voiture rapide, un beau look et beaucoup de sexe. Bien sûr, pendant que la télévision est allumée, les parents sont tranquilles. Mais elle pourrait bien causer des problèmes qu'il sera impossible de résoudre par la suite.

Un des gouvernements des États-Unis a mené une étude sur le lien entre le temps passé devant la télévision et l'obésité et la déprime. Cette étude a permis de découvrir qu'une personne qui regarde la télévision quatre heures ou plus par jour est susceptible de fumer deux fois plus de cigarettes et d'être deux fois plus inactive physiquement qu'une personne qui la regarde au maximum une heure par jour[2].

Après avoir discuté de l'impact négatif de la télévision, nous avons insisté sur les conséquences positives d'un changement dans nos habitudes. Dans l'un des articles, une étude montrait que les familles qui réduisent le temps passé devant la télévision ont plus de temps pour discuter. Cet article citait également le témoignage d'un enfant : « Avant, on voyait papa avant qu'il parte travailler. Quand il rentrait à la maison, il regardait la télévision avec nous. Et puis, on lui disait : « Bonne nuit, papa. » Maintenant, nous parlons tout le temps, nous sommes devenus très proches[3]. »

Une autre étude révélait que les familles qui ont limité le temps passé devant la télévision à un maximum de deux heures, en choisissant avec précaution les émissions, ont bénéficié de profonds changements dans leurs relations familiales.

- Les parents peuvent transmettre plus facilement des valeurs. Les membres de la famille apprennent à établir des valeurs et à raisonner ensemble.
- Les relations parents-enfants s'améliorent.
- Les devoirs sont faits avec moins de précipitation.
- Les conversations augmentent considérablement.
- L'imagination des enfants reprend son rôle.
- Chaque membre de la famille évalue et sélectionne les émissions.

---

2. Voir Larry Tucker, « The Relationship of Television Viewing to Physical Fitness », *Adolescence*, vol. 21 (89), 1986.
3. Voir *Rapport sur la télévision et le comportement* de l'Institut national de la santé mentale (Washington, D.C., 1982). Voir aussi Susan Newman, « The Home Environment and Fifth Grade Students' Leisure Reading », *Elementary School Journal*, janvier 1988, vol. 86 (3).

- Les parents retrouvent leur rôle d'éducateurs.
- La lecture remplace parfois le temps passé devant la télévision[4].

Après avoir fait part de ces informations à nos enfants, nous nous sommes levés et avons quitté la pièce. Une heure plus tard, nous avons été invités à rentrer pour écouter le verdict. L'une de nos filles nous a fait, quelques jours plus tard, un compte rendu détaillé de ce qui s'était passé pendant cette heure cruciale.

Lorsque nous étions partis, ses frères et sœurs l'avaient tout de suite désignée pour mener la discussion. Ils savaient qu'elle penchait fortement en faveur de la télévision et pensaient qu'avec elle ils aboutiraient rapidement à une décision.

Dans un premier temps, la discussion avait été chaotique. Tout le monde voulait prendre la parole et faire valoir son point de vue pour parvenir à une décision libérale – peut-être réduiraient-ils un petit peu le temps qu'ils passaient à regarder la télévision pour nous contenter. L'un des enfants avait même proposé, pour mieux nous satisfaire, que toutes les tâches ménagères et les devoirs soient faits sans histoires, afin que rien ne les empêche de regarder la télévision.

Mais notre fils aîné avait pris la parole. Il avait été très impressionné par les articles. La télévision, pensait-il, lui avait mis dans la tête des idées qu'il aurait préféré ne pas avoir. Il avait le sentiment que, s'il regardait moins la télévision, il s'en porterait beaucoup mieux. Il avait également remarqué que ce que les enfants les plus jeunes regardaient était bien pire que ce qu'il avait vu étant petit.

Puis un petit avait confirmé cette idée en disant qu'il avait vu un film qui lui avait fait peur. A ce moment-là, l'état d'esprit était devenu très sérieux, et ils avaient commencé à penser différemment.

Un enfant avait reconnu qu'il regardait trop la télévision, mais il ne voulait pas tout abandonner en bloc. Il pensait que certaines émissions étaient bonnes et voulait vraiment les regarder. Puis chacun avait passé en revue les émissions qu'il aimait et voulait continuer à regarder.

Ensuite, quelqu'un avait fait une remarque intéressante : « Nous ne devrions pas nous fixer une limite quotidienne, parce qu'il y a des jours où on n'a pas du tout envie de regarder la télévision et des jours où on a envie de la regarder plus que d'habitude. Nous devrions fixer une limite pour la semaine. » Certains avaient alors proposé vingt

4. Ibid., *Rapport sur la télévision et le comportement.*

heures, d'autres cinq, et finalement ils s'étaient mis d'accord sur sept heures par semaine. Puis ils avaient désigné leur sœur – celle qui nous avait rapporté toute l'histoire – pour veiller à ce que leur décision soit respectée.

Cette décision a amorcé un tournant majeur dans notre vie. Nous avons commencé à communiquer plus souvent, à lire plus. La télévision n'était plus un problème. Et aujourd'hui, à part pour les informations, un bon film ou un événement sportif, elle n'est pratiquement jamais allumée.

En impliquant nos enfants dans le problème, nous les avons fait participer à notre démarche pour trouver une solution. Et cette solution étant la leur, ils ont fait en sorte qu'elle soit un succès. Nous n'avons pas eu besoin de les surveiller, ni de les rappeler à l'ordre.

En outre, en nous basant sur des informations concernant l'impact de la télévision lorsqu'on la regarde trop souvent, nous avons pu dépasser « notre point de vue » et « leur point de vue ». Nous avons su fonder notre réflexion sur des principes et faire appel à notre éthique commune. Nous avons aidé nos enfants à comprendre que, pour avoir l'esprit gagnant-gagnant, il ne suffit pas de contenter tout le monde à un moment donné. Il faut s'engager à respecter des principes, parce qu'une solution qui ne se fonde pas sur des principes ne peut aboutir à un résultat gagnant-gagnant à long terme.

EXERCICE PRATIQUE

Si vous voulez pratiquer les Habitudes n° 4, 5 et 6 au sein de votre famille, faites l'exercice suivant. Choisissez un problème sur lequel les membres de votre famille ont des points de vue différents. Essayez de répondre ensemble à ces quatre questions.

1. *Comment est-ce que chacun voit le problème?* Écoutez-vous les uns les autres dans le but de comprendre, et non de répondre. Communiquez jusqu'à ce que tous les membres de la famille soient capables de réexprimer le point de vue de chacun. Concentrez-vous sur l'intérêt de tous, et non sur les positions de chacun.
2. *Quelles sont les questions qui doivent être réglées?* Une fois que chacun a exprimé son point de vue et se sent parfaitement compris, examinez le problème ensemble et identifiez les questions qui doivent être réglées.

3. *Quelle est la solution proposée par chacun?* Essayez de définir l'intérêt de chacun. Prenez en considération toutes les propositions, examinez-les en détail et classez-les par ordre de priorité. Faites en sorte que l'opinion de chacun soit représentée.
4. *Quelles nouvelles solutions seraient pleinement satisfaisantes pour tous?* Créez un effet de synergie pour avoir une approche créative et trouver des solutions nouvelles.

En effectuant cette démarche, vous serez étonné de voir les nouvelles perspectives qui s'ouvriront à vous. En outre, vous verrez qu'il est plus agréable pour tout le monde de se concentrer sur le problème et sur le résultat désiré que sur les personnalités et les positions de chacun.

UNE AUTRE FORME DE SYNERGIE

Jusqu'ici, nous avons parlé de l'effet de synergie qui a lieu lorsque plusieurs personnes communiquent, comprennent les besoins des autres et les objectifs communs, et trouvent des solutions bien meilleures que celles qui avaient été proposées au départ. Dans ce cas, il y a un processus d'intégration. Une « troisième personne », née de ce processus, produit un résultat synergique. Cette démarche pourrait être qualifiée de *transformationnelle*. Dans le jargon nucléaire, on pourrait comparer ce type de synergie à la formation d'une substance totalement nouvelle, issue d'un changement de structure moléculaire.

Mais il existe une autre forme de synergie. C'est une synergie issue de la complémentarité – les faiblesses de chacun sont compensées par les forces des autres. Autrement dit, les personnes travaillent ensemble, comme une équipe, mais ne font aucun effort d'intégration pour engendrer de meilleures solutions. Cette synergie pourrait être qualifiée de *transactionnelle positive*. Dans cette forme de synergie, c'est la coopération entre les personnes, l'essence même de la relation – plutôt que la création de quelque chose de nouveau –, qui est synergique.

Cette approche requiert une grande conscience de soi. Lorsqu'une personne est consciente d'avoir une faiblesse, elle a suffisamment d'humilité pour rechercher la force d'autrui et ainsi compenser cette faiblesse. Cette faiblesse devient alors une force, parce qu'elle a donné lieu à la complémentarité. En revanche, lorsque nous ne sommes pas conscients de nos faiblesses et agissons comme si nos forces se suffisaient à elles-mêmes, ces forces deviennent des faiblesses, car elles sont anéanties par le manque de complémentarité.

Par exemple, admettons que la force d'un mari réside dans son courage et son dynamisme. Si la situation requiert de l'empathie et de la patience, sa force devient une faiblesse. De même, admettons que la force de sa femme réside dans sa sensibilité et sa patience. Si la situation requiert une décision ferme et rigoureuse, sa force devient une faiblesse. Mais si le mari et la femme ont suffisamment d'humilité pour se rendre compte de leurs forces et de leurs faiblesses, et s'efforcent d'interagir de manière complémentaire, leurs forces seront correctement exploitées et leurs faiblesses dérisoires – et ils aboutiront à un résultat synergique.

Un jour, j'ai travaillé avec un cadre qui était plein d'énergie positive, alors que son patron était rempli d'une énergie négative. Lorsque nous avons parlé de cette différence, il m'a dit : « Je crois que je dois trouver ce qui lui manque et le lui apporter. Mon rôle n'est pas de le critiquer, mais d'être complémentaire. » Cet homme a fait le choix d'être interdépendant. Il faut une grande indépendance émotionnelle pour en arriver là, une grande confiance en soi. Mari et femme, parents et enfants, peuvent agir de la même façon. En deux mots, la complémentarité signifie éclairer et non juger, montrer l'exemple et non critiquer.

Pour atteindre cette deuxième forme de synergie, nous devons être ouverts à l'opinion des autres concernant nos forces et nos faiblesses. Il nous faut avoir suffisamment confiance en nous-mêmes pour que notre équilibre émotionnel ne soit pas ébranlé par cette opinion. Et enfin, nous devons avoir suffisamment d'humilité pour voir chez les autres les forces qui nous manquent et nous efforcer d'interagir avec eux de manière complémentaire. Pour en revenir à la métaphore du corps humain : la main ne peut pas prendre la place du pied, ni la tête celle du cœur. Toutes les parties du corps humain sont complémentaires.

C'est exactement ce qui se passe dans une équipe de sportifs ou dans une famille épanouie. Cette forme de synergie exige moins d'interdépendance intellectuelle que la première. Peut-être requiert-elle également moins d'interdépendance émotionnelle. Mais elle est le fruit d'une grande conscience de soi et d'une grande conscience collective, d'une confiance en soi inébranlable et d'une humilité infinie. En réalité, on pourrait dire que c'est l'humilité qui permet aux personnes de bénéficier de cette complémentarité. La synergie transactionnelle positive est probablement la forme de coopération créative la plus courante. Même les enfants en bas âge peuvent la pratiquer.

LA SYNERGIE N'EST PAS TOUJOURS INDISPENSABLE

La synergie n'est pas indispensable à toute prise de décision. Sandra et moi avons trouvé un moyen qui nous semble très efficace pour prendre certaines décisions sans créer d'effet de synergie. Nous demandons simplement à l'autre : « Dis un chiffre. » Cela signifie : « Donne un chiffre entre un et dix indiquant l'importance que tu attaches à telle ou telle chose ? » Si l'un annonce neuf et l'autre trois, nous prenons notre décision en fonction de la personne qui a dit neuf. Si nous disons tous les deux cinq, nous trouvons parfois un simple compromis.

Pour que cette méthode soit fiable, nous nous sommes promis d'être toujours honnêtes l'un envers l'autre concernant l'importance que nous attachons à notre idée.

Nous appliquons aussi cette méthode avec les enfants. Lorsque nous partons en week-end, si les enfants veulent aller à des endroits différents, nous demandons à chacun de donner un chiffre entre un et dix, ce qui nous permet d'évaluer son désir d'aller à tel ou tel endroit. Puis tout le monde essaie de respecter le désir le plus fort. Autrement dit, nous avons essayé d'instaurer une sorte de démocratie qui tienne compte de l'importance du désir. Plus ce désir est fort, plus la voix de la personne sera entendue.

LE RÉSULTAT DE LA SYNERGIE EST SANS PRIX

Les Habitudes n° 4, 5 et 6 ne vous aideront pas seulement à résoudre vos problèmes. Elles vous seront utiles pour créer votre charte familiale et passer d'agréables moments en famille. C'est pourquoi je les enseigne souvent avant les Habitudes n° 2 et 3. Elles s'appliquent à toute une gamme de décisions où la famille a besoin de créer un effet de synergie – des décisions de tous les jours aux problèmes les plus délicats à gérer.

Un jour, je suis intervenu dans une université pour enseigner ces Habitudes aux étudiants. Nous avons choisi le sujet le plus délicat qui soit : l'avortement. Deux étudiants – un pour et l'autre contre – sont venus débattre de ce sujet devant leurs camarades. Je leur ai rappelé qu'ils devaient se mettre en situation d'interdépendance : penser gagnant-gagnant, chercher d'abord à comprendre et ensuite à être compris, créer un effet de synergie.

Le débat s'annonçait plutôt difficile :

« Voulez-vous vraiment aboutir à un résultat gagnant-gagnant ?

– Je ne vois pas comment ce serait possible. Je n'ai pas l'impression que...

– Une minute. Vous n'allez pas perdre. Vous allez gagner tous les deux.

– Mais c'est impossible. Si l'un gagne, l'autre perd forcément.

– Est-ce que vous voulez vraiment trouver une solution satisfaisante pour vous deux, et encore meilleure ? Ne capitulez pas. Ne cédez pas et ne faites aucun compromis. Le résultat doit être meilleur.

– Je ne vois pas ce que ça pourrait être.

– Je comprends. Personne ne le voit encore, parce que c'est vous qui allez le créer.

– Je ne ferai pas de compromis !

– Bien sûr que non, puisque le résultat doit être meilleur. N'oubliez pas : cherchez d'abord à comprendre. Vous ne donnerez votre opinion que lorsque vous aurez réexprimé fidèlement celle de votre camarade. »

Puis ils ont commencé à débattre. Au début, ils n'ont pas arrêté de s'interrompre mutuellement : « Oui, mais tu ne te rends pas compte... »

Je suis donc intervenu :

« Une minute ! Je ne sais pas si votre camarade se sent compris. Vous sentez-vous compris ?

– Absolument pas.

– Bon. Dans ce cas, continuez. »

Ils étaient dans tous leurs états, incapables d'écouter. Ils s'étaient mutuellement jugés depuis le début, du fait qu'ils avaient des opinions radicalement différentes.

Au bout d'environ trois quarts d'heure, ils ont commencé à véritablement s'écouter, ce qui a eu un grand impact sur eux et sur l'auditoire. Grâce à une écoute empathique, ils ont perçu les besoins, les craintes, les sentiments des gens concernant cette question très délicate. Peu à peu, ils sont passés à un état d'esprit complètement différent. Chacun d'eux se sentait honteux d'avoir jugé et catalogué l'autre *a priori*. Ils avaient les larmes aux yeux, comme beaucoup de leurs auditeurs. Au bout de deux heures, chacun a reconnu qu'il n'avait auparavant aucune idée de ce que signifiait « écouter » et qu'il comprenait maintenant le point de vue de l'autre.

Résultat : personne n'était vraiment favorable à l'avortement, excepté dans des situations extrêmes, mais tout le monde se sentait très concerné par les besoins et la douleur des gens confrontés à ce dilemme. Et chacun essayait de résoudre le problème à sa façon, afin de satisfaire au mieux ces besoins.

Après s'être vraiment écoutés et compris, les deux étudiants ont commencé à chercher des solutions. De leurs points de vue différents est née une incroyable synergie, et ils étaient étonnés de voir les idées qu'engendrait leur interaction. Ils ont trouvé de nouvelles possibilités, incluant notamment la prévention, l'adoption et l'éducation.

Tous les sujets, sans exception, peuvent faire l'objet d'une communication synergique dès lors que l'on applique les Habitudes n° 4, 5 et 6. Vous pouvez voir que le respect mutuel, la compréhension et la coopération créative sont intimement liés. Et vous découvrirez qu'il existe différents niveaux dans chacune de ces Habitudes. Une profonde compréhension aboutit à un respect mutuel, qui conduit à son tour à un niveau de compréhension encore plus profond. Ainsi, en ouvrant chaque nouvelle porte, vous devenez de plus en plus créatif et vous vous rapprochez de plus en plus.

Si cette démarche a si bien fonctionné avec les étudiants de cette université, c'est parce que tout l'auditoire se sentait concerné par le sujet. Les deux étudiants qui ont pris part au débat sentaient donc une grande responsabilité peser sur leurs épaules. Il se passe la même chose dans une famille lorsque les parents se rendent compte que leur façon de résoudre les problèmes est un modèle pour leurs enfants. Cette prise de conscience nous aide à dépasser nos tendances négatives et à prendre une voie plus efficace, plus noble, pour comprendre l'autre et chercher une troisième possibilité.

Créer un effet de synergie est à la fois difficile et passionnant. Et surtout, ça marche ! Mais ne soyez pas découragé si vous ne parvenez pas à régler vos problèmes les plus délicats du jour au lendemain. N'oubliez pas que nous sommes tous vulnérables. Si vous êtes enlisé dans un dilemme très complexe, peut-être vaut-il mieux le laisser de côté pendant quelque temps et y revenir plus tard. Travaillez sur des questions plus faciles à traiter. **Les petites victoires conduisent**

aux plus grandes. Ne compromettez pas le fonctionnement du processus. Ne vous laissez pas emporter.

Ne soyez pas déçu si vos relations familiales actuelles sont telles que la synergie vous paraît un rêve irréalisable. Lorsque certaines personnes voient à quel point une relation synergique est merveilleuse, elles se disent qu'elles n'auront jamais ce genre de relation avec leur conjoint et espèrent parfois en avoir une avec quelqu'un d'autre. Mais n'oubliez pas l'histoire du bambou chinois. Travaillez dans votre Cercle d'influence. Éclairez, ne jugez pas ; montrez l'exemple, ne critiquez pas. Faites profiter de votre expérience. Cela vous prendra peut-être des semaines, des mois ou même des années de patience. Mais ça viendra.

Ne laissez surtout pas l'argent, les biens matériels ou les activités personnelles prendre la place d'une relation synergique riche. Tout comme les bandes de délinquants peuvent devenir un substitut de la famille, tous ces pièges peuvent devenir un substitut de la synergie – un bien triste substitut, qui apporte peu de satisfaction. Soyez toujours conscient que l'argent ou la réputation ne font pas le bonheur. C'est la qualité de vos relations avec les gens que vous aimez et respectez qui vous rendra heureux.

Plus vous travaillerez à cette coopération créative au sein de votre famille, plus vous serez efficace. Votre « système immunitaire » se renforcera. Les liens entre les membres de votre famille se resserreront. Et vos expériences positives vous inciteront à aborder vos problèmes différemment. Ce processus vous aidera à transmettre à vos enfants le plus précieux des messages : « Je ne t'abandonnerai jamais. Je serai toujours là pour toi, quelles que soient les circonstances et quel que soit le problème. » Ce qui revient à dire : « Mon amour et mon estime pour toi sont inconditionnels. J'attache beaucoup d'importance à tout ce que tu es, car tu es unique. »

Le résultat de la synergie et les liens qu'elle crée sont sans prix.

Application entre adultes et adolescents

Le concept de synergie

- Expliquez le concept de synergie. Demandez aux membres de votre famille de donner quelques exemples de synergie, comme par exemple deux mains qui fonctionnent ensemble, deux pièces de bois supportant un poids plus élevé que celui que chacune pourrait supporter séparément, des organismes vivants intervenant de manière synergique dans l'environnement.

- Commentez les témoignages des pages 316 à 319 et 322 à 325. Posez les questions suivantes : Notre famille fonctionne-t-elle de manière synergique? Prônons-nous la différence? Comment pouvons-nous créer un effet de synergie?
- Réfléchissez à votre couple : Quelles sont les différences qui vous ont attiré chez l'autre? Ces différences vous irritent-elles aujourd'hui? Savez-vous les utiliser pour créer un effet de synergie? Répondez ensemble à cette question : Dans quelle mesure sommes-nous plus efficaces ensemble que séparément?
- Commentez le concept de système immunitaire familial. Posez la question suivante : Considérons-nous les problèmes comme des obstacles à surmonter ou comme des possibilités d'apprendre et d'évoluer? Expliquez que les difficultés que nous rencontrons dans la vie renforcent notre système immunitaire.
- Posez les questions suivantes aux membres de votre famille : Dans quelle mesure est-ce que nous satisfaisons nos quatre besoins essentiels : vivre, aimer, apprendre, transmettre? Dans quels domaines devons-nous progresser?

Apprentissage en famille

- Revoyez la partie intitulée « La synergie n'est pas toujours indispensable ». Essayez de prendre des décisions en famille sans avoir recours à la synergie. Puis faites ensemble l'« Exercice pratique » de la page 335.
- Faites quelques expériences montrant qu'il est bien plus facile d'agir à deux que tout seul. Par exemple, essayez de faire un lit, de porter une lourde caisse, de soulever une table par un côté, avec une seule main. Puis invitez les membres de votre famille à vous aider. Faites marcher votre imagination et trouvez d'autres moyens de démontrer le besoin de synergie.

Application avec les enfants

- Toute votre famille est contrainte de rester à la maison pendant un mois sans voir personne. Comment pouvez-vous créer un effet de synergie pour vivre le mieux possible cette situation?

Faites une liste des contributions que chacun pourrait faire. Par exemple :

Maman	Papa	Spencer	Lori	Mamie
Excellente cuisinière Sait coudre Aime les travaux manuels Adore les randonnées	Sait prendre des décisions Aime nous faire la lecture Invente des jeux Aime pêcher	Aime faire des jeux Adore le sport Artiste Peut chasser	Joue du piano Sait s'occuper de la maison Aime faire des gâteaux Très organisée	Raconte des histoires Joue du violon Fait des tartes A été infirmière

- Faites des expériences illustrant l'importance de la synergie.

  Expérience n° 1 : Demandez à un enfant de lacer ses chaussures d'une seule main. C'est impossible! Puis demandez à un autre d'aider le premier avec une seule main. Ça marche! Montrez que deux personnes travaillant ensemble sont plus efficaces qu'une seule – ou même deux – travaillant séparément.

  Expérience n° 2 : Mettez dans votre congélateur un grand récipient contenant 25 centilitres d'eau. Lorsqu'une plaque de glace se sera formée au fond du récipient, donnez-la à vos enfants et demandez-leur de la casser. Ils y parviendront probablement. Puis, dans le même récipient, versez quatre fois 25 centilitres d'eau. Demandez à vos enfants de casser la glace qui s'est formée. Ils ne pourront certainement pas. Servez-vous de cette expérience pour expliquer qu'ensemble les membres de la famille sont plus forts que séparément.
- Lisez à vos enfants le passage sur la télévision (pages 330 à 335). Décidez ensemble des règles que vous voulez établir chez vous.
- Demandez à vos enfants de faire un menu ensemble. S'ils sont assez grands, demandez-leur de faire la cuisine selon leur menu. Encouragez-les à faire des plats, comme une soupe, une salade de fruits ou un ragoût, dans lesquels le mélange de plusieurs ingrédients crée quelque chose de complètement nouveau.

- Enseignez à vos enfants la méthode qui consiste à donner un chiffre entre un et dix (voir page 338). Pratiquez cette méthode dans différentes situations. Vous réglerez beaucoup de problèmes tout en vous amusant.
- Faites un spectacle en famille. Invitez tous les membres de votre famille à faire part de leurs talents en musique, en danse, en sport, à lire leurs poèmes ou à montrer leurs dessins, leurs travaux manuels ou leurs collections. Montrez comme il est merveilleux d'avoir tous quelque chose de différent à apporter. Expliquez que, pour créer un effet de synergie, il est essentiel d'apprendre à apprécier les forces et les talents des autres.

Habitude n° 7

Renouvelez vos ressources

VOICI le témoignage d'un homme divorcé.

La première année de notre mariage, ma femme et moi passions beaucoup de temps ensemble. Nous allions en forêt. Nous faisions des balades à vélo. Nous nous promenions autour du lac. C'étaient des moments privilégiés, magiques, rien que pour nous deux.

Tout a changé lorsque nous avons déménagé et que nous avons commencé à beaucoup nous investir dans nos carrières respectives. Ma femme travaillait de nuit, moi de jour, et la semaine passait parfois sans que nous nous voyions. Nos liens ont commencé à se distendre. Ma femme s'est constitué son cercle d'amis et moi le mien. Et nous nous sommes peu à peu éloignés l'un de l'autre, parce que nous n'avons pas su consolider l'amour qui nous unissait.

L'ENTROPIE

En physique, on désigne par entropie la capacité naturelle de toute chose à se désintégrer jusqu'à atteindre sa forme la plus élémentaire. Le dictionnaire en donne la définition suivante : « Dégradation progressive et continue d'un système ou d'une société. »

C'est la même chose dans tous les domaines. Et nous le savons bien. Un corps négligé s'affaiblit. Une voiture mal entretenue s'abîme. Une personne qui passe tout son temps devant la télévision s'avilit. Toute chose dont on ne prend pas soin, que l'on n'entretient pas, finit nécessairement par se détériorer. Comme on dit en américain : « Use it or lose it » (Sers-t'en ou ce sera perdu).

Comme le soulignait Richard L. Evans :

Toute chose nécessite des soins, et la vie de couple ne fait pas exception. Ce n'est pas quelque chose qui s'autoentretient ou se prend à la légère. Rien de ce que l'on néglige ne reste en l'état. Toute chose requiert de l'attention, des efforts, des soins – particulièrement les relations humaines au sein d'un couple [1].

Il en est de même avec la culture familiale : il faut faire des efforts, ne serait-ce que pour *maintenir* une bonne entente, car les relations familiales et les attentes de chacun ne cessent d'évoluer. Or, si ces attentes ne sont pas satisfaites, l'entropie s'installe. Les efforts que l'on a pu faire par le passé ne suffisent plus. Les relations perdent en naturel, elles deviennent plus formelles, plus froides. Pour les améliorer, il faut faire de nouveaux efforts.

En outre, l'effet d'entropie est multiplié par les forces matérielles et sociales de l'environnement troublé dans lequel nous évoluons. C'est pourquoi il est si important, pour chaque famille, de prendre le temps de se régénérer dans les quatre dimensions essentielles de la vie : physique, sociale, mentale et spirituelle.

Imaginez-vous un instant en train d'essayer d'abattre un arbre. Vous sciez un tronc énorme et très dense. Vous sciez, vous sciez. Vous avez peiné toute la journée sans presque vous arrêter, vous avez sué sang et eau, et vous n'en êtes qu'à la moitié. Mais vous êtes si fatigué que vous vous dites que vous ne tiendrez pas cinq minutes de plus. Vous vous arrêtez un instant pour reprendre votre souffle.

Puis vous apercevez un autre homme à quelques mètres de vous. Lui aussi est en train de scier. Vous n'en croyez pas vos yeux ! Il y est presque ! Il a commencé en même temps que vous, son arbre était à peu près aussi gros que le vôtre, et il s'est arrêté toutes les heures, tandis que vous continuiez à travailler. Pourtant, il a quasiment terminé, et vous en êtes à peine à la moitié !

« Je n'y comprends rien ! vous exclamez-vous. Comment se fait-il que vous soyez allé si vite en vous arrêtant toutes les heures ? »

L'homme se retourne et sourit : « Vous m'avez vu m'arrêter toutes les heures, répond-il. Mais, ce que vous n'avez pas vu, c'est que j'en profitais pour aiguiser ma scie ! »

---

1. Richard L. Evans, Richard Evans' Quote Book (Publishers Press, 1971).

Comme cet homme aiguisait sa scie, nous devons aiguiser nos facultés, c'est-à-dire veiller à renouveler régulièrement nos ressources dans les quatre dimensions de la vie. Ce renouvellement est d'autant plus important que les activités pratiquées pour appliquer l'Habitude n° 7 permettent de cultiver toutes les autres Habitudes.

Pour reprendre la métaphore de l'avion, l'Habitude n° 7 répond à la nécessité d'alimenter régulièrement les réservoirs en carburant, d'assurer la maintenance de l'appareil et d'actualiser la formation du pilote et de l'équipage.

J'ai récemment vécu deux expériences très instructives : un vol en F15 et la visite du sous-marin nucléaire *Alabama*. J'ai été stupéfié par le degré de formation exigé pour les équipages. Même les pilotes et les marins les plus expérimentés s'entraînaient constamment à pratiquer les procédures élémentaires et continuaient à se former sur les nouvelles technologies pour rester à la pointe du progrès.

La veille du vol en F15, j'ai suivi un entraînement complet. On m'a donné un uniforme, on m'a briefé sur tous les aspects du vol et sur les procédures d'urgence en cas d'incident grave. Tout le monde a suivi l'entraînement, indépendamment de son niveau de formation. Et quand nous avons atterri, l'équipage a effectué, en vingt minutes, un exercice d'armement de l'appareil. Lors de cet exercice, les hommes ont fait preuve d'un niveau incroyable de compétence, de rapidité, d'interdépendance et d'innovation.

Dans le sous-marin nucléaire, l'équipage était manifestement soumis à un entraînement continuel – à la fois pour revoir les bases et pour se former sur toutes les nouvelles technologies et procédures. Les hommes devaient sans cesse actualiser leur formation et effectuer des exercices de maintenance.

Cet effort de renouvellement m'a définitivement convaincu de l'importance d'un entraînement régulier pour pouvoir réagir rapidement en cas d'urgence et de la nécessité d'une vision commune. C'est la force de cette vision qui permet de transcender la monotonie de la répétition.

Encore une fois, j'ai eu la confirmation de l'intérêt et de l'impact de l'Habitude n° 7 – renouveler ses ressources –, qui selon moi s'impose dans tous les aspects de la vie.

LA FORCE DU RENOUVELLEMENT INTERDÉPENDANT

Vous et votre famille pouvez renouveler vos ressources de manière à la fois indépendante et interdépendante.

De manière indépendante, vous pouvez faire du sport, avoir une alimentation saine, apprendre à gérer votre stress (dimension physique). Vous pouvez vous engager dans vos amitiés, rendre service à autrui, développer votre écoute empathique, créer un effet de synergie (dimension sociale). Vous pouvez lire, réfléchir, organiser, écrire, apprendre, cultiver vos talents (dimension mentale). Vous pouvez méditer, lire des textes sacrés ou des ouvrages de réflexion, prier si vous êtes croyant, réaffirmer votre attachement aux principes qui gouvernent la vie (dimension spirituelle). En essayant, chaque jour, de progresser dans chacune de ces quatre dimensions, vous développerez votre potentiel individuel et renouvellerez votre aptitude à appliquer les trois premières Habitudes (être proactif, savoir dès le départ où vous voulez aller, donner la priorité aux priorités).

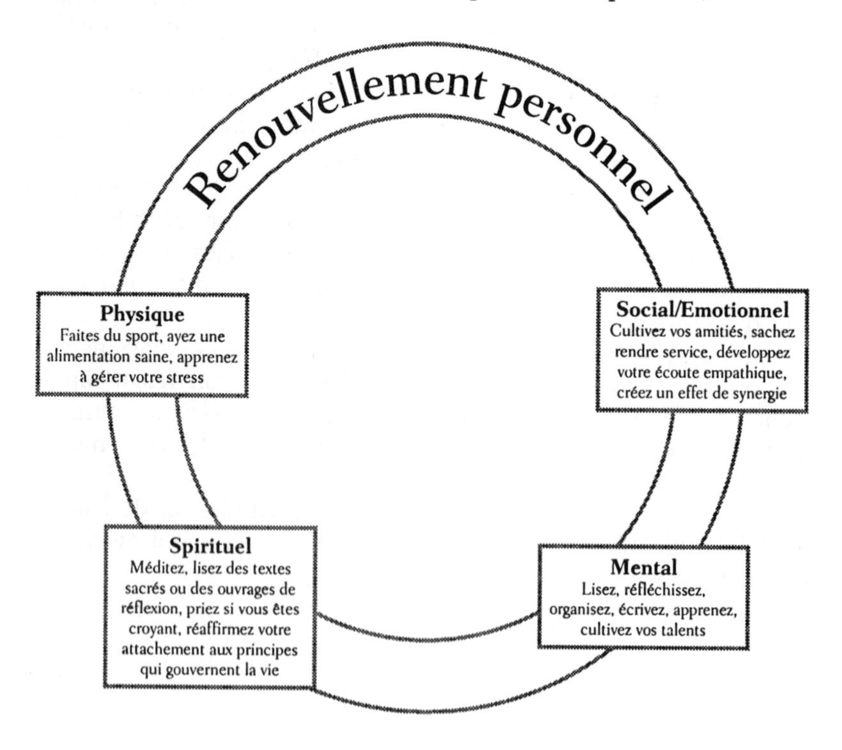

Remarquez que ces activités sont toutes *intrinsèques*, et non extrinsèques. Autrement dit, aucune n'est fondée sur la comparaison. Toutes développent un sentiment de valeur personnelle et familiale indépendant des autres et de l'environnement – même s'il s'exprime dans nos relations aux autres et à l'environnement. Remarquez aussi que chacune s'inscrit dans un Cercle d'influence personnel ou familial.

Lorsqu'elles sont pratiquées en commun, ces activités renforcent les liens familiaux. Par exemple, lorsque les membres d'une famille font du sport ensemble, chacun d'eux développe sa force musculaire et son endurance, et tous se rapprochent dans cet effort. Lorsqu'ils lisent ensemble, ils étendent leurs connaissances, mais approfondissent également leurs relations en discutant et en échangeant des idées. Lorsqu'ils méditent ensemble, chacun consolide sa propre foi et celle des autres. En se retrouvant pour faire des choses importantes à leurs yeux, ils deviennent plus unis.

Imaginez à quel point les moments en tête à tête avec votre conjoint ou avec l'un de vos enfants régénèrent la relation que vous avez avec eux. Ces moments privilégiés exigent un tel engagement et une telle énergie proactive – particulièrement lorsqu'il faut jongler avec une bonne douzaine d'autres activités – qu'ils témoignent merveilleusement de notre attachement à la personne.

Prenons la relation intime entre mari et femme. Si cette intimité n'est pas uniquement physique, mais aussi émotionnelle, sociale, mentale et spirituelle, elle peut atteindre des dimensions insoupçonnées de la nature humaine et satisfaire certains des besoins les plus profonds tant de l'homme que de la femme. Avec la procréation, c'est l'un des objectifs fondamentaux de cette relation. Il faut du temps, de la patience, un respect mutuel, une communication vraie et parfois le secours de la prière. Mais les couples qui en restent à la seule intimité physique ne connaîtront jamais ce degré d'unité et de plénitude que l'on atteint en approfondissant une relation dans ses quatre dimensions.

Considérons maintenant les rendez-vous familiaux. Si ces moments sont prévus à l'avance et bien préparés – qu'il s'agisse de transmettre des valeurs ou un savoir-faire, de s'amuser, de partager un repas, etc. –, et si chacun s'y investit sincèrement, les quatre dimensions sont intégrées et peuvent faire l'objet d'un renouvellement.

Lorsque vous effectuez ces activités qui permettent à la famille de renouveler ses ressources, de renforcer ses liens, de se régénérer, c'est toute la culture familiale qui est redynamisée.

L'ESSENCE DU RENOUVELLEMENT FAMILIAL : LES TRADITIONS

Dans une famille, il est indispensable d'entretenir les liens interpersonnels. Mais la famille doit en outre cultiver sa conscience collective, son éthique commune, sa vision commune et sa volonté sociale. C'est là l'objet de l'Habitude n° 7. Dans la famille, ce renouvellement constant est assuré par les traditions.

Les traditions sont faites de rites, de célébrations, d'événements importants pour la famille. Elles créent une identité : on est membre d'une famille unie, empreinte d'un amour et d'un respect mutuels, d'une famille qui fête les anniversaires et les événements importants, d'une famille où chacun fait provision de souvenirs heureux.

Les traditions renforcent les relations familiales. Elles nous donnent un sentiment d'appartenance, la sensation d'être soutenu, compris. À travers elles, nous nous sentons engagés les uns envers les autres. Nous faisons partie d'une structure qui transcende l'individualité. Nous exprimons et nous témoignons de notre loyauté aux autres. Nous avons besoin de nous sentir aimés, de sentir qu'on a besoin de nous, et nous sommes heureux de faire partie d'une famille. Lorsque parents et enfants restent fidèles à une tradition qui a, pour eux, un sens particulier, chaque fois qu'ils la célèbrent ils retrouvent intacte la charge émotionnelle du passé et resserrent leurs liens.

En réalité, si je devais résumer en un mot l'essentiel de l'Habitude n° 7, je dirais « traditions ». Des traditions telles que les rendez-vous familiaux et les moments en tête à tête régénèrent continuellement votre vie de famille dans ses quatre dimensions.

Dans notre famille, les rendez-vous familiaux et les moments en tête à tête – en particulier lorsque c'étaient les enfants qui décidaient de ce que nous allions faire – ont sans doute été les traditions les plus enrichissantes et les plus régénérantes. Ces traditions ont permis à notre famille de renouveler ses ressources et de rester unie. À travers elles, notre culture familiale a accordé une place essentielle au bien-être, à l'écoute, à la communication et au renouvellement constant de notre engagement envers nos valeurs.

Dans ce chapitre, nous examinerons d'autres traditions. Je tiens à préciser que ce que je raconterai de mon expérience personnelle por-

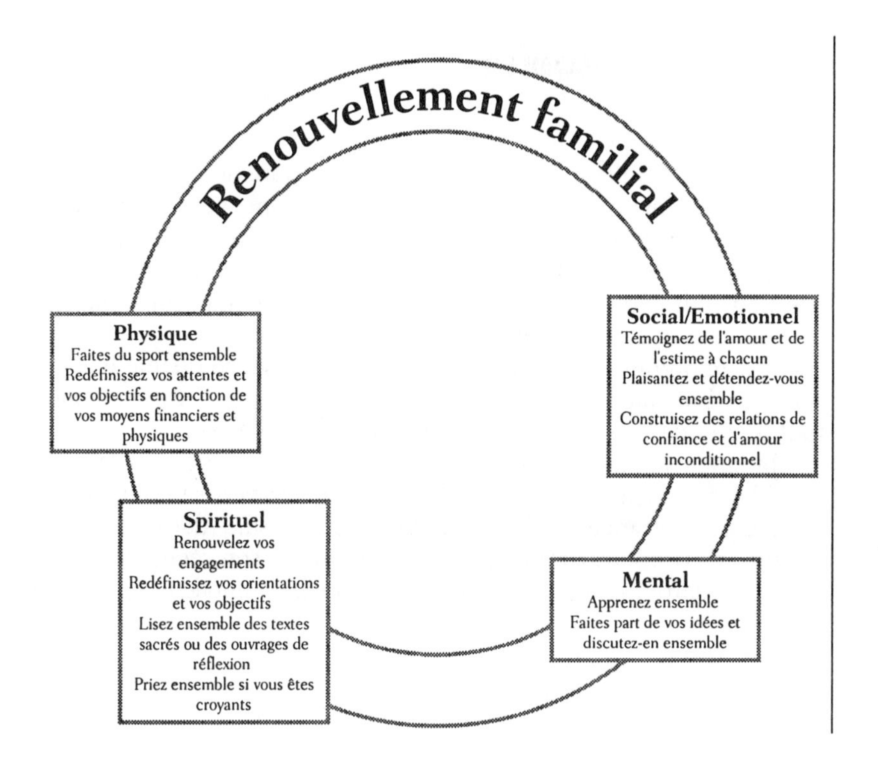

tera sur des traditions importantes pour notre famille. Vous ne vous sentirez peut-être pas concerné, puisque votre famille a sans doute les siennes. Je le comprends tout à fait. Mon but n'est pas d'enseigner notre façon de faire, ni de laisser entendre que c'est la meilleure. Je veux simplement souligner l'importance d'avoir des traditions permettant un renouvellement de la culture familiale en m'appuyant sur quelques exemples tirés de notre vécu.

Ce qui importe, c'est de choisir des traditions qui incarnent véritablement l'essence de votre culture familiale. Celles-ci vous aideront à créer une culture familiale épanouissante, qui encouragera chacun à rester fidèle à la vision commune de la famille. Les idées dont je vous fais part ici stimuleront, je l'espère, la réflexion et la discussion sur les traditions à créer ou à renforcer dans votre propre culture familiale.

LES REPAS EN FAMILLE

Nous avons tous besoin de manger. Pour parler au cœur, à l'esprit, à l'âme de quelqu'un, il suffit souvent de s'adresser d'abord à son estomac. Si vous vous en donnez vraiment la peine, vous pouvez faire du repas un moment privilégié, qui ne se réduise pas à un sandwich mangé sur le pouce en regardant la télévision. Les repas ne doivent pas non plus être interminables, en particulier si chacun y met un peu du sien pour le préparer et pour débarrasser.

Il est important de manger en famille, ne serait-ce qu'une fois par semaine. Lorsque le repas est enrichissant, gai et préparé avec amour, tout le monde aime se retrouver autour de la table.

Marianne Jennings, enseignante dans une université de l'Arizona, a publié un article dans lequel elle explique, à travers sa propre expérience, l'importance vitale de la table de cuisine dans la vie de famille. Vous pourrez remarquer, à la lecture de son récit, l'intervention des quatre dimensions – physique, sociale, mentale et spirituelle – de la vie.

Ma robe de mariée, je l'ai faite sur la table de la cuisine, là où, enfant, je faisais mes devoirs et prenais mon goûter en rentrant de l'école. C'est là aussi que j'ai révisé mes examens. Mon futur mari y a été observé sous toutes les coutures par sa future belle-famille. Quasiment tout ce que j'ai appris et tous les moments qui me sont chers ont un lien avec cette table. Ce modeste meuble, tout usé, tout éraflé, n'était après tout qu'un objet parmi tous les autres. Pourtant, quand je repense à tout ce que nous avons vécu autour de cette table, je me dis qu'elle a largement contribué à faire de moi ce que je suis aujourd'hui.

Chaque soir de mon enfance, c'est à cette table que je devais faire le compte rendu de ma journée : « C'est quand, ton prochain bulletin? », « Est-ce que tu as rangé toutes tes affaires qui traînaient au sous-sol? », « Tu as fait du piano, aujourd'hui? »

Si je voulais dîner, il fallait bien que je me prête à cette litanie de questions. Pas moyen d'échapper à l'interrogatoire quotidien.

Heureusement, cette table n'était pas seulement une source d'angoisses. C'était aussi pour moi un havre de sécurité. Le soir, assise là avec mes parents, entourée de chaleur et d'attention, j'oubliais les moqueries de mes camarades ou mon découragement devant un problème difficile.

Malgré la crise cubaine et les exercices antiaériens quasi quotidiens, la peur disparaissait dès que la famille se trouvait réunie autour de cette table. Tous les jours, indépendamment des obligations ou des impératifs de la journée, à sept heures pile, nous étions tous présents autour de la table.

Et après la corvée de la vaisselle (à l'époque, les lave-vaisselle n'étaient encore que des curiosités pour salons d'exposition), je me rasseyais pour faire mes devoirs. Mon père me faisait lire à voix haute les histoires de « Dick, Jane and Spot », puis j'écrivais les incontournables tables de multiplication, que je pourrais encore réciter par cœur aujourd'hui.

Le matin, je quittais la table avec un bon petit déjeuner dans le ventre, après inspection de mes ongles et de ma tenue. Personne ne sortait avant que l'emploi du temps de la journée ait été fixé et les tâches réparties. J'ai été élevée à cette table de cuisine. C'était mon point de repère contre toutes mes angoisses : les dents de travers, les taches de rousseur ou les interros de géographie.

Le temps des jupes-kilts et des socquettes blanches est révolu depuis longtemps. La vie m'a offert beaucoup plus de joie, d'amour et de défi que je n'aurais pu l'imaginer à l'époque où je devais affronter, les genoux tremblants sous la table, l'interrogatoire de mes parents. Maintenant, quand je vais leur rendre visite, je traîne au petit déjeuner pour le plaisir d'être avec eux à cette table. Après dîner, la vaisselle patiente dans l'évier tandis que mon père et moi discutons de tout, de la vente aux enchères des biens de Jackie Onassis à l'apprentissage de la propreté aux enfants en bas âge.

Et puis, peu après avoir rendu à la cuisine son aspect d'avant le repas, mes enfants réinvestissent la place, et nous nous retrouvons assis tous ensemble, à trois générations, pour la distribution de sirop d'érable et de glaces, qui bientôt fondent, dégoulinent et s'étalent sur ces petites bouilles toutes neuves réunies autour de la vieille table.

Les enfants parlent à leur grand-père de leurs dictées et des erreurs qu'ils ont faites. Et leur grand-père leur dit : « Votre mère se trompait sur les mêmes mots. Nous étions assis ici quand je lui faisais faire ses dictées, et elle se trompait toujours au même endroit. » C'est peut-être génétique. Ou alors c'est la table qui veut ça, cet endroit à la fois simple et magique où j'ai appris à devenir responsable, où je me suis sentie aimée et en sécurité.

Aujourd'hui, quand je dois faire des pieds et des mains tous les soirs pour que toute la famille vienne à table et faire la tournée des voisins pour rassembler ma tribu, je me demande pourquoi je ne me contente pas d'envoyer les enfants dans leur chambre avec une pizza et La Roue de la fortune. *Je ne le fais pas parce que je veux qu'ils aient cette chance de manger autour d'une table de cuisine.*

Aucun traité d'éducation, aucune étude psychologique sur le développement de l'enfant ou sur le respect de soi n'accorde vraiment d'importance à cet élément, qui n'a l'air de rien mais compte pour beaucoup dans l'éducation des enfants.

Une étude réalisée aux États-Unis a montré que seulement un adolescent sur deux mange régulièrement avec ses parents. 98 % des lycéennes qui vivent chez leurs parents font des études supérieures.

L'année dernière, ma fille m'a dit qu'elle ne connaissait qu'une seule autre élève de sa classe qui mangeait tous les soirs avec sa famille. Ce sont toutes les deux des élèves brillantes. Ma fille m'a expliqué que ses autres camarades faisaient juste chauffer quelque chose au micro-ondes et filaient dans leur chambre regarder la télé. Personne ne leur pose de questions, ils n'ont aucune compagnie à part celle de La Roue de la fortune. *Quelle tristesse de voir tous ces enfants passer à côté du miracle de l'enfance. Une table de cuisine contribue vraiment à ce miracle*[2].

Les traditions associées à cette table apportent à cette femme et à sa famille un renouvellement physique, mais aussi mental, spirituel et social.

Je connais une famille qui se régénère sur le plan spirituel au cours du repas en se référant à sa charte, accrochée au mur près de la table. Les membres de cette famille revoient quelques aspects de leur charte en fonction des difficultés qu'ils ont rencontrées dans la journée. D'autres familles travaillent à leur renouvellement spirituel en offrant une action de grâces avant de commencer à manger.

Pour de nombreuses familles, le repas familial offre aussi l'occasion d'un renouvellement mental, chacun faisant part de ce qu'il a appris dans la journée. J'ai des amis qui ont pour tradition de faire des discours d'une minute pendant le dîner : chacun doit discuter d'un sujet pendant une minute, qu'il s'agisse de l'« honnêteté » ou du « moment le plus drôle de la journée ». Non seulement cela rend la conversation plus intéressante et donne à tout le monde l'occasion de s'amuser, mais cela permet en outre à chacun de développer ses facultés mentales et sa facilité d'expression.

---

2. Marianne Jennings, « Kitchen Table Vital to Family Life », *Deseret News*, 9 février 1997.

J'ai également des amis qui gardent toujours une encyclopédie à portée de main. Dès que quelqu'un pose une question, ils s'y réfèrent. Un jour, un invité, originaire du Delaware, leur a dit que cet État était très petit.

« Petit comment? » a demandé l'un des enfants. Ils ont donc ouvert l'encyclopédie et ont appris que le Delaware faisait trois mille kilomètres carrés. « Est-ce que c'est vraiment petit? » a demandé un autre. Ils ont comparé avec d'autres États et ont découvert que l'Alabama était vingt-six fois plus grand et le Texas cent trente et une fois plus grand que le Delaware. En revanche, celui-ci faisait figure de géant comparé aux mille huit cents kilomètres carrés de Rhodes Island.

Il y a tant à apprendre! Quel est l'État que l'on appelle le Peach State* (*NdT : « l'État de la pêche » : la Géorgie*)? Y a-t-il vraiment plus de pêches qu'ailleurs? Quelle est la quantité de nourriture qu'un oiseau peut avaler en une journée comparée à son propre poids? Quelle est la taille d'une baleine comparée à celle d'un éléphant?

Même s'il n'est pas très important pour un enfant de connaître la superficie de chaque État, il est essentiel qu'il aime apprendre. Et lorsqu'il découvre qu'apprendre est amusant et que les adultes aiment apprendre, il devient vite avide de savoir.

Il existe beaucoup d'autres façons de faire du dîner un moment de renouvellement mental. Vous pouvez inviter des personnes avec qui vous partagerez à la fois le repas et la conversation. Vous pouvez, tout en mangeant, écouter un morceau de musique classique et discuter de la vie et de l'œuvre du compositeur. La nourriture elle-même peut être source de discussion sur les habitudes alimentaires et sur la cuisine et les coutumes des autres pays.

Cynthia (fille)

Maman a toujours dit que l'heure du repas était primordiale. Nous avons toujours mangé ensemble et tout le monde était là. Maman était aussi très forte pour prolonger notre éducation au cours du dîner. Deux ou trois fois par semaine, elle choisissait un sujet à traiter, habituellement en rapport avec l'actualité. Le 4 juillet par exemple, elle lisait deux ou trois choses sur la Déclaration d'indépendance. Dès qu'il y avait un jour férié ou quoi que ce soit de particulier, elle nous en expliquait l'origine, puis toute la famille en discutait. Parfois, il nous arrivait de rester une heure et demie à manger et à discuter autour de la table. Ce rituel est devenu vraiment agréable lorsque nous sommes entrés au lycée et à l'université, car nous étions alors à même de disserter sur un tas de choses. Ces débats à table nous ont donné le goût de la connaissance et de la découverte du monde.

David (fils)
À une époque, je suis sorti avec une fille qui n'était pas pour moi et qui me faisait du mal. Un soir, alors que nous étions à table, tous les membres de la famille se sont mis à parler de gens qui les avaient fait souffrir et à raconter comment ils avaient réussi à se sortir de situations difficiles. Tous montraient leur soulagement d'avoir pu se débarrasser de ce qui n'était plus qu'un mauvais souvenir.
En fait, tout cela était dit à mon attention mais, sur le moment, je ne m'en suis pas rendu compte. Je n'y ai repensé que plus tard. Pour moi, c'était juste un repas en famille comme un autre. Leurs commentaires étaient judicieux et semblaient s'appliquer parfaitement à ma situation. Plus tard, j'ai pris conscience de la chance que j'avais d'être entouré de personnes qui me soutenaient, qui se souciaient sincèrement de moi, de mon bonheur et de ma réussite.

Parfois, un repas en famille peut aussi être l'occasion de témoigner son estime ou de rendre service.

Colleen (fille)
Ce qui me plaisait par-dessus tout, c'étaient nos dîners consacrés au « prof préféré ». Papa et maman étaient très attentifs à notre scolarité. Ils savaient où nous en étions dans chaque matière et connaissaient tous nos professeurs. Ils tenaient à ce que ceux-ci sachent qu'on les appréciait. Tous les ans, maman demandait à chacun de nous qui était son prof préféré. Elle faisait ensuite une liste et lançait ses invitations. C'était un dîner en grandes pompes. Elle sortait sa plus belle porcelaine et faisait vraiment les choses bien. Chacun de nous était placé à côté de son professeur et mangeait en sa compagnie. Au bout de quelques années, c'était devenu vraiment drôle parce que les professeurs étaient au courant de ce dîner et, tous les ans, ils espéraient figurer parmi les élus.

Maria (fille)
Une année, un de mes frères a invité Joyce Nelson, une prof de littérature de notre lycée. À l'époque, j'avais vingt et un ans. Plusieurs d'entre nous l'avaient eue au lycée et nous l'avons tous accueillie chaleureusement. Chacun lui a dit ce qu'elle lui avait apporté. Quand mon tour est arrivé, je lui ai dit : « Aujourd'hui, je suis en fac de lettres et

c'est à vous que je le dois. J'ai été très influencée par les œuvres que vous nous avez fait lire et par ce que vous en avez dit. » Les autres professeurs invités étaient très émus, car il était rare qu'on leur adresse de telles marques d'estime.

Mais si les dîners en famille offrent une si parfaite occasion de perpétuer les traditions, c'est bien grâce à la nourriture. Comme me l'a dit l'une de mes filles : « Il semble qu'un grand nombre de traditions soient liées à la nourriture. La nourriture est à la base de tout. Tout le monde aime bien manger. » Avec de bons plats, une compagnie agréable, des conversations intéressantes, la tradition du repas en famille est l'occasion d'un renouvellement extraordinaire.

LES VACANCES EN FAMILLE

Dans notre famille, la détente et les loisirs font partie intégrante de notre charte familiale. Je pense qu'il n'y a rien de mieux pour consolider les liens entre les membres d'une famille. Il nous suffit de penser aux vacances, de faire les préparatifs – et de nous remémorer ce qui nous est arrivé de drôle ou de désolant lors de nos précédentes vacances –, pour sentir nos liens se resserrer. Tous les deux ou trois ans, nous organisons des vacances très spéciales, qui nous permettent de nous régénérer sur tous les plans.

Sandra

En matière de traditions, j'ai toujours pensé qu'il était important d'enseigner le patriotisme aux enfants. La plupart apprennent très tôt le serment d'allégeance. Ils mettent la main sur le cœur à la levée du drapeau. Dans les défilés, ils écoutent la fanfare jouer l'hymne national. Ils apprennent des chansons patriotiques à l'école et les chantent lors des célébrations du 4 juillet. Je crois qu'ils doivent connaître l'histoire de ces hommes qui ont combattu et sont morts pour les principes auxquels ils croyaient. Ils doivent savoir comment est né notre pays, comment a été écrite notre Constitution et le prix qu'ont payé ceux qui ont signé la Déclaration d'indépendance.

Pendant des années, nous avons envisagé la possibilité de visiter quelques-uns des sites historiques les plus célèbres, dans le Massachusetts, en Pennsylvanie et dans l'État de New York, où se sont déroulés les grands moments de la révolution américaine : l'Old Church (vieille église) de Boston (où une lanterne avait été accrochée pour signaler l'arrivée des Britanniques – « Une s'ils arrivent par les terres, deux s'ils arrivent par la mer »), le Freedom Trail (chemin de la liberté), la Liberty Bell (cloche de la liberté), la maison de nos célèbres patriotes, les derniers bâtiments de la caserne où George Washington avait mobilisé et entraîné une armée aux abois, et l'Independence Hall (où a été signée la Déclaration d'indépendance).

Nous avons peaufiné notre projet pendant des années. Puis, à l'occasion du bicentenaire, en 1976, nous nous sommes décidés à faire ce périple. Nous avons loué un camping-car puis, armés de toute une série de livres, cassettes et autres sources d'information, nous nous sommes mis en route. Je venais de lire Those Who Love (Ceux qui aiment), *d'Irving Stone, qui raconte l'histoire d'amour de John et Abigail Adams, et tout ce qu'ils ont donné et sacrifié pour la Révolution. Je m'étais sentie transportée par leur patriotisme et leur amour de notre pays. J'ai donc fait lire ce livre à nos enfants les plus âgés, sachant qu'ils ressentiraient la même chose.*

Nous ne pouvions rester qu'un jour et demi à Philadelphie, mais nous avions planifié notre séjour en conséquence. Nous avons vu la Liberty Bell et visité les Chambres du Continental Congress. Sur la pelouse, devant le bâtiment, une troupe de comédiens donnait 1776, *comédie musicale qui met en scène la signature de la Déclaration d'indépendance et évoque le rôle joué par ses plus célèbres protagonistes – notamment John et Abigail Adams, Benjamin Franklin, Thomas Jefferson et sa femme Martha, Richard Henry Lee, John Hancock et George Washington.*

Voici quelques paroles prononcées lors de cette représentation : « Ces hommes et ces femmes n'étaient pas des brutes assoiffées de sang. C'étaient des gens ayant de la fortune et de l'éducation – avocats et juristes, marchands, fermiers, propriétaires de grandes plantations –, et une bonne situation. Ils avaient la sécurité, ils ont préféré la liberté. Avec courage et détermination, ils ont prêté serment : « Pour cette Déclaration, forts de notre foi en la protection de la divine Providence, nous engageons notre vie, nos biens et notre honneur. » Ils nous ont donné une Amérique indépendante au sacrifice de leur vie, de leur fortune et de leur famille. »

L'endroit, la musique, les décors, tout a contribué à rendre cette soirée inoubliable. La flamme du patriotisme brûlait dans nos cœurs. L'un de nos fils a déclaré qu'il voulait devenir architecte pour construire un monument en hommage à John et Abigail Adams, afin que personne n'oublie ce qu'ils avaient fait pour nous. Un autre vou-

lait devenir musicien pour écrire des chansons en leur honneur. Nous nous sentions tous transformés, transportés, patriotes pour toujours et à jamais!

Certains moments ont ainsi rendu ces vacances vraiment merveilleuses. Mais je dois aussi avouer qu'il y en a eu de moins drôles... c'est le moins que l'on puisse dire!

Sandra et moi avions décidé de prendre le volant à tour de rôle, pendant que l'autre s'assiérait à la table du camping-car avec les enfants, pour discuter des visites prévues pour la journée et faire quelques commentaires sur les sites. Notre programme était très ambitieux, et nous étions pleins d'ardeur : nous étions partis pour un superbe voyage de quatre à cinq semaines à travers le pays!

Mais il s'est avéré que nous avons passé les moments les plus détestables que nous ayons jamais vécus ensemble. Tout est allé de mal en pis. Nous ne cessions de tomber en panne. Et comme nous n'y connaissions rien en mécanique, nous ne pouvions rien réparer. Sur toutes les discussions que nous avions projetées, nous n'avons pu en avoir qu'une ou deux. Nous avons passé le plus clair de notre temps à essayer de remettre en état ce qui était cassé ou à solliciter de l'aide, en cette période de vacances où personne ne veut être ennuyé par ce genre de chose.

On était en juillet. Le temps était chaud et humide. Le système de climatisation fonctionnait mal. Nous n'arrêtions pas de nous perdre, de passer des heures à chercher des campings, pour finalement les trouver pleins. Nous finissions souvent à l'arrière d'une station-service ou sur le parking d'une église, au lieu du beau camping où nous pensions nous arrêter.

Le 4 juillet, la climatisation nous a définitivement lâchés. Nous sommes allés demander de l'aide à une station-service, mais on nous a répondu qu'on ne faisait pas ce type de réparation, *a fortiori* pendant les vacances, et qu'à bien y réfléchir nous ne trouverions personne en ville susceptible de nous tirer d'affaire. Il faisait atrocement chaud et humide. Nous étions tous en nage et au bord des larmes.

Puis, soudain, l'un de nous a été pris d'un fou rire. Et nous nous sommes tous mis à rire, au point de ne plus pouvoir nous arrêter. Nous n'avions jamais autant ri. Nous avons demandé à l'employé de la station-service (qui a dû nous prendre pour des fous) où était le parc d'attractions le plus proche. Il nous a indiqué la direction, et nous avons filé nous amuser.

Pendant le reste du voyage, nous avons visité quelques sites historiques intéressants mais, à chaque arrêt, nous avons également fait une halte dans le parc d'attractions de la région. Au retour, nous connaissions davantage les parcs d'attractions que les sites historiques ! En fait, de toutes les vacances, il n'y a eu qu'un matin où nous avons pu avoir le type de discussion que nous avions prévu au départ. Mais ce périple restera inoubliable. Nous en sommes revenus régénérés – physiquement, socialement et, au moins dans une certaine mesure, mentalement.

Sandra et moi avons toujours été étonnés de voir que, en dépit des pannes de climatisation, des moustiques, des habits oubliés, des disputes, des départs avec des heures de retard et mille autres complications, tous les membres de la famille se souviennent avec plaisir de ces vacances mouvementées.

« Qu'est-ce qu'on s'est amusé cette année-là ! »
« Tu te souviens quand tu croyais qu'on était perdu ? »
« Et quand tu es tombé dans le ruisseau, quelle rigolade ! »
« La tête que tu avais quand elle a fait tomber ton hamburger ! »

Le fait d'être en famille apporte une dimension sociale qui rend tout événement encore plus excitant, parce qu'on le partage avec ses proches. En fait, ces liens familiaux sont souvent plus importants que l'événement lui-même.

Jenny (fille)
Un jour, papa a décidé de nous emmener camper, mon petit frère et moi. Le camping, ça n'a jamais été tellement notre truc. En fait, nous n'y connaissions rien. Mais papa était déterminé à nous faire vivre une expérience positive.

Tout, absolument tout, est allé de travers. Nous avons fait brûler notre dîner, il a plu à verse toute la nuit, notre tente a fini par s'écrouler et nous étions trempés jusqu'aux os. À deux heures du matin, papa nous a dit de nous lever. Nous avons rassemblé nos affaires et nous sommes rentrés à la maison.

Le lendemain, nous avons ri – et nous rions encore – de ce « désastre ». Malgré tout, cette expérience nous a rapprochés. Nous avons vécu quelque chose ensemble dont nous nous souvenons et dont nous pouvons parler.

Je connais une famille qui, depuis des années, voulait aller à Disneyland. Les parents avaient mis de l'argent de côté et enfin arrêté une date. Mais, trois semaines avant le départ, une certaine morosité semblait s'être installée.

Puis, au dîner, le fils de dix-sept ans s'est écrié : « Pourquoi est-ce qu'on doit aller à Disneyland ? »

Cette question a pris le père au dépourvu. « Comment ça ? » a-t-il répondu. Il ne comprenait pas : « Aurais-tu prévu de faire quelque chose avec tes amis ? Tout ce nous prévoyons de faire en famille passe toujours après tes amis ! »

Le garçon a baissé les yeux : « Ce n'est pas ça... »

Au bout d'un moment, sa sœur a dit d'une voix douce : « Je comprends ce que Jed veut dire. Je ne veux pas non plus aller à Disneyland. »

Le père restait silencieux, abasourdi. Sa femme a alors posé sa main sur son bras : « Ton frère a téléphoné aujourd'hui pour nous dire que ses enfants regrettaient amèrement que nous n'allions pas à Kenley Creek avec eux cette année. Je crois que c'est ce qui tracasse les nôtres. »

Tous ont explosé : « On veut voir nos cousins ! C'est plus important que Disneyland ! »

Le père a soupiré : « Moi aussi, j'ai envie de voir la famille, de passer un peu de temps avec mes frères et sœurs, mais je pensais que vous vouliez tous aller à Disneyland. Comme nous passons chaque année nos vacances à Kenley Creek, j'avais décidé que pour une fois nous ferions ce dont vous aviez envie. »

Jed a alors demandé : « On peut changer de programme, papa ? »

Et c'est ce qu'ils ont fait, à la grande satisfaction de tous.

Plus tard, le père m'a raconté ce que Kenley Creek signifiait pour eux.

Quand mon père et ma mère étaient jeunes, ils n'avaient pas beaucoup d'argent. Ils ne pouvaient pas nous offrir des vacances dans des endroits trop chers. Chaque année, ils faisaient donc toutes sortes de provisions, attachaient notre vieille tente sur le toit de la voiture, dans laquelle nous nous entassions tant bien que mal, et nous partions pour Kenley Creek. Nous y allions tous les ans.

Lorsque mon frère aîné s'est marié – sa femme était issue d'un milieu aisé et avait voyagé dans tout le pays –, nous ne pensions pas qu'il continuerait à venir avec nous à Kenley Creek. Mais il est venu, et sa femme a adoré.

L'un après l'autre, nous nous sommes mariés, mais nous avons tous continué à nous retrouver à Kenley Creek tous les étés.

L'année de la mort de papa, nous nous sommes demandé si nous irions. Maman a affirmé que c'est ce qu'il aurait voulu et qu'il serait présent avec nous. Nous y sommes donc allés.

Les années passant, nous avons tous eu des enfants, mais personne n'a jamais manqué à cette tradition. Le soir, au clair de lune, mon frère jouait des polkas à l'accordéon et les enfants dansaient.

Depuis la mort de maman, c'est comme si papa et elle venaient chaque soir s'asseoir avec nous autour du feu de bois, dans la quiétude de Kenley Creek. Nos cœurs nous les montrent, souriant devant le spectacle de leurs petits-enfants en train de danser ou de manger une pastèque rafraîchie par l'eau du torrent.

Ces vacances à Kenley Creek nous ont toujours permis de resserrer nos liens et n'ont cessé, année après année, de renforcer l'amour que nous nous portons.

Toutes les vacances en famille permettent de se ressourcer. Mais de nombreuses familles, dont la nôtre, ont découvert que, lorsque l'on va chaque année au même endroit, ce renouvellement prend une tout autre dimension.

Pour nous, cet endroit est une cabane à Hebgen Lake, dans le Montana. Nous y allons tous les étés. Cette tradition a commencé il y a environ quarante-cinq ans avec mon grand-père. Il y était allé pour se remettre d'une crise cardiaque. Pour lui, il ne pouvait y avoir de meilleur traitement que de vivre dans cet endroit. Il a commencé par se construire une cabane au bord de la rivière, a ensuite installé une caravane, puis a construit une autre cabane près du lac. Il y est retourné chaque été et a toujours invité sa famille à l'accompagner. Aujourd'hui, le lac est entouré de nombreuses cabanes, et nous sommes au moins cinq cents descendants à nous y rendre régulièrement.

Le nom d'Hebgen est devenu une sorte de charte familiale intergénérationnelle. Pour chacun d'entre nous, il est synonyme d'amour, d'unité et de joie. À Hebgen, nos enfants ont appris à courir sur le sable brûlant, à attraper des grenouilles, à construire des châteaux de sable sur les rives du lac, à nager dans l'eau glacée, à pêcher la truite, à observer les élans en train de boire à la lisière de la prairie, à jouer au volley sur la plage, à suivre les traces des ours. À Hebgen, nous avons passé de nombreuses soirées autour du feu, sous le ciel étoilé.

Il y a encore dix ans, il n'y avait toujours pas de téléphone ni de télévision. Et je me demande aujourd'hui si nous ne devrions pas en revenir à ce « bon vieux temps ».

Stephen (fils)
Quand j'étais plus jeune, chaque été, nous passions environ trois semaines à Hebgen. C'était tellement bien que j'aurais voulu y rester toutes les vacances. C'était souvent l'occasion de passer des moments privilégiés avec l'un de mes parents ou l'un de mes frères et sœurs. Nous faisions tout un tas de choses : pêche, moto, ski nautique, canoë... On se retrouvait tout naturellement pour faire des choses ensemble. Tout le monde adorait ça. Nous ne manquions jamais les vacances à Hebgen.

Sean (fils)
Une fois, quand j'étais étudiant, je suis allé à Hebgen. La saison de football allait commencer et je savais que j'allais être sous pression. Un matin, j'ai donc grimpé jusqu'à un endroit que notre famille appelle le « rocher de la prière ». C'est un gros rocher en haut d'une colline qui surplombe le lac. Le soleil se levait, il y avait une légère brise. Le lac était splendide. Je suis resté plusieurs heures, juste pour me retrouver et rassembler mes forces. Au plus fort de la saison, lorsque j'étais sous pression, j'ai souvent visualisé cette scène sur la colline, où j'étais serein et en paix. Cette vision m'apaisait. C'était comme rentrer à la maison.

Joshua (fils)
Comme je suis le plus jeune à la maison, maman fait toujours appel à moi pour mener à bien ses projets familiaux.

Entre autres choses, je suis réquisitionné pour la préparation de la traditionnelle chasse au trésor qui a lieu chaque été à Hebgen Lake, où nous passons nos vacances. Nous allons fouiner à West Yellowstone, où nous dévalisons les magasins pour remplir le coffre des pirates. Nous achetons des ballons, de l'encre magique, des cloches, des canoës indiens, des menottes en plastique, des couteaux en caoutchouc, des arcs et des flèches, des porte-monnaie, des yo-yo, des lance-pierres, des colliers indiens – un petit quelque chose pour chacun. Quand le coffre est plein, nous l'enveloppons dans de gigantesques sacs poubelle noirs et le chargeons sur le bateau, avec des pelles et des indices écrits sur des papiers brûlés aux coins pour faire plus vrai (une autre de mes missions).

Une fois le bateau amarré au bord d'une petite île, nous cherchons un endroit sur la plage où cacher le trésor. Nous recouvrons la cachette de sable et de quelques broussailles pour que rien n'y paraisse. Puis nous parcourons toute l'île pour laisser des indices un peu partout, dans les arbres, dans les buissons, sous les rochers... Et nous éparpillons des pièces de monnaie pour les plus petits.

À demi morts, nous rejoignons les hordes d'enfants qui nous attendent de l'autre côté, en brandissant un drapeau à tête de mort et en criant comme des fous (c'est plutôt maman qui s'en charge) que nous venons de faire fuir des pirates qui ont dû abandonner leur trésor.

Tout le monde – les enfants, les adultes et même les chiens – s'entasse alors dans les bateaux, les canoës, les canots pneumatiques, envahissant l'île pour courir à la recherche d'indices. Quand le trésor est découvert, le butin est réparti entre tous. Cette chasse au trésor est une tradition que nous respectons chaque année.

Ce type de vacances traditionnelles semble apporter à la famille un sentiment de plus grande stabilité et de plus grande unité. C'est pourquoi il est appréciable de pouvoir retourner chaque année au même endroit.

Mais encore une fois, ce n'est pas tant l'endroit où vous allez qui renforce vos liens que le fait d'être et de faire des choses ensemble. La tradition des vacances en famille crée des souvenirs qui fleurissent à jamais les jardins du cœur.

LES ANNIVERSAIRES

Une année, alors que notre fils Stephen avait traversé une période difficile, sa femme, Jeri, lui a fait un cadeau d'anniversaire très spécial. Voici ce qu'elle lui avait préparé.

Cette année-là, nous avions acheté une maison, déménagé, et mon mari venait de commencer un nouveau travail. Il était stressé et affaibli par toutes ces pressions. Je savais que la meilleure façon de le détendre était d'inviter son frère David à passer quelques jours avec lui. Personne ne lui faisait autant de bien. Ils s'adoraient et passaient de très bons moments ensemble.

Aussi, pour l'anniversaire de Stephen, j'ai acheté un billet d'avion à David pour qu'il vienne passer le week-end avec lui. Je voulais que ce cadeau soit une surprise, et j'ai dit à mon mari que nous irions voir un match de basket et qu'à un moment donné il recevrait son cadeau.

À peu près au milieu du match, son frère adoré est arrivé et s'est exclamé : « Surprise ! Je suis ton cadeau d'anniversaire ! » Stephen n'en revenait pas.

Pendant les vingt-quatre heures qui ont suivi, ils ont été comme deux larrons en foire. Ils ont ri, joué, discuté sans arrêt. Je les ai laissés seuls. Ils s'entendaient à merveille et la seule présence de David régénérait mon mari. Lorsque David est parti, c'était comme s'il avait emmené avec lui tout le stress de Stephen.

Les anniversaires sont une occasion merveilleuse d'exprimer votre amour et votre estime à vos proches – de les remercier d'être là et de faire partie de votre famille. Les traditions associées aux anniversaires peuvent être la source d'un renouvellement très bénéfique.

Dans notre famille, nous attachons énormément d'importance aux anniversaires. D'ailleurs, nous les fêtons pendant toute une semaine. Pendant cette semaine, nous essayons de montrer à nos enfants ce qu'ils représentent pour nous. Nous décorons toute la maison, nous accrochons des banderoles et des ballons, nous offrons des cadeaux au petit déjeuner, nous organisons une fête avec les amis, un dîner avec Sandra et moi uniquement, un autre avec toute la famille au grand complet, nous faisons les plats et le gâteau préférés de la personne, et nous lui disons pourquoi nous l'aimons :

« Ce que j'adore chez Cynthia, c'est qu'elle est vraiment spontanée. Quand on lui demande si elle veut venir au cinéma, elle est tout de suite d'accord. »

« Maria lit tellement que, lorsque l'on a besoin d'une citation, il suffit de l'appeler. Elle peut en donner quatre ou cinq qui correspondent parfaitement à l'idée que l'on veut illustrer. »

« Ce qui est bien avec Stephen, c'est que, non seulement c'est un bon sportif, mais il est toujours heureux d'aider les autres à devenir eux aussi de bons sportifs. Il est toujours prêt à prendre le temps de nous montrer comment progresser. »

Colleen (fille)

Pour être franche, le premier anniversaire que j'ai fêté après m'être mariée a été une véritable déception. Lorsque je me suis réveillée, il n'y avait ni banderoles ni ballons. La maison n'était même pas décorée ! En fait, ça ne se voyait même pas que c'était mon anniversaire. J'ai alors dit à mon mari que les décorations de maman me manquaient. Et l'année suivante – et toutes celles qui ont suivi –, il a tout fait pour que mon anniversaire soit comme avant.

Je connais même des personnes qui organisent une journée très spéciale pour l'anniversaire de leurs neveux et nièces. Voici le témoignage de deux sœurs.

Nos neveux et nièces (trois, cinq, onze et quatorze ans) adorent notre façon de fêter leur anniversaire. Le samedi de la semaine où tombe l'anniversaire de l'un des enfants, nous emmenons celui-ci faire les magasins sans les parents et sans les frères et sœurs. Nous lui donnons une certaine somme d'argent et nous allons là où il veut le dépenser. Il peut prendre tout le temps qu'il veut pour se décider. Puis nous allons déjeuner dans un restaurant – pas un McDonald's, un vrai restaurant! Et il commande tout ce qu'il veut.

Nous avons souvent été surprises du soin avec lequel nos neveux et nièces prennent leurs décisions pour faire leurs achats et passer leurs commandes. Ils font preuve de beaucoup de maturité et prennent tout cela très au sérieux – même notre nièce de trois ans. L'année dernière, elle a pris quatre panoplies, puis a dit : « Deux seulement. Besoin de deux seulement. » Pourtant, nous ne lui avions absolument rien dit. Et ça n'a pas été facile pour elle de choisir, mais elle l'a fait.

Cela fait maintenant treize ans que nous faisons cela. Nos neveux et nièces commencent à en parler des semaines avant leur anniversaire. Ils aiment cette tradition autant que nous.

Célébrer un anniversaire, c'est rendre hommage à la personne. C'est une occasion merveilleuse de témoigner son amour et de resserrer les liens avec cette personne.

LES JOURS DE FÊTE

Une femme d'une trentaine d'années m'a raconté cette histoire.

Récemment, j'ai acheté une maison avec l'intention d'y inviter toute ma famille pour Noël. J'ai acheté une table pour dix personnes et dix chaises. Et, à chaque fois que des amis viennent chez moi, ils me disent : « Tu es célibataire, que vas-tu faire de cette table? » Ils ne savent pas ce qu'elle représente pour moi. C'est autour de cette table que je réunirai toute ma famille. Ma mère ne peut plus cuisiner, mon frère est divorcé et ma sœur n'a pas assez de place pour inviter tout le monde chez elle. Réunir toute ma famille, c'est important pour moi. Et je veux le faire ici.

On se souvient toujours des fêtes passées en famille. Ce sont des moments importants. Certains parcourent parfois de longues distances pour retrouver leurs proches. On mange, on rit, on s'amuse, on partage. Et parfois on parle de choses qui nous donnent un sentiment d'unité.

Il y a de nombreuses traditions autour des fêtes : la dinde de Noël, les œufs de Pâques... Elles viennent de divers pays et cultures. Certaines sont particulières à une famille et se transmettent de génération en génération, tandis que d'autres se développent lorsque les enfants se marient. Toutes donnent un sentiment de stabilité et d'identité à la famille.

Les fêtes sont idéales pour faire naître des traditions puisqu'elles ont lieu chaque année. Il est tellement agréable de les préparer à l'avance en famille.

Dans notre famille, les jours de fête sont l'occasion de traditions très spéciales.

Catherine (fille)

Papa a toujours offert des fleurs et des chocolats à toutes ses filles le jour de la Saint-Valentin – et il nous en envoie toujours bien que nous soyons mariées. Tous les ans, nous recevons de magnifiques roses. Parfois, nous pensons qu'elles nous viennent de notre mari, mais non. Nous avons deux témoignages d'amour, et ça fait vraiment chaud au cœur. C'est drôle, car nous recevons deux bouquets de fleurs, et nous essayons de deviner lequel vient de notre mari et lequel vient de papa.

Cette tradition a commencé lorsque j'étais très jeune. Lorsque j'avais environ dix ans, papa m'a offert mes premiers chocolats pour la Saint-Valentin, et j'avais été très émue. C'était ma boîte de chocolats, et personne n'avait le droit d'y toucher.

Papa nous envoie aussi des fleurs le jour de la fête des Mères.

Jenny (fille)

Le soir d'Halloween, tout le monde passait à la maison. Maman et papa invitaient tous ceux qui le souhaitaient à entrer, à se réchauffer, à prendre un verre de vin chaud et à manger des beignets. Mais avant, ils devaient faire une petite représentation – chanter, danser, réciter un poème... Même des étudiants de l'université en avaient entendu parlé et venaient prendre un verre de vin chaud.

Un jour, des petits jeunes que maman décrivait comme des « bandits » sont venus à la maison. Ils sont devenus tout blêmes lorsqu'ils ont su qu'ils devaient faire une représentation. Mais, comme ils voulaient du vin chaud et des beignets, ils se sont efforcés de faire quelque chose. L'année suivante, ils sont revenus. Cette fois, ils avaient préparé une chanson et étaient tout excités à l'idée de nous la chanter.

À l'automne 1996, après avoir passé trente ans dans cette maison, nous avons déménagé. Nos nouveaux voisins nous ont dit que nous ne recevrions probablement pas plus d'une trentaine de visiteurs. Mais maman a servi environ cent soixante-quinze personnes – pour la plupart des anciens voisins, des nouveaux camarades de lycée, des familles entières, des jeunes mariés et beaucoup d'étudiants. Ils ont tous fait une représentation, bu du vin chaud et mangé des beignets. Même les amis de mes frères et sœurs aînés, qui sont désormais mariés, ont continué à venir avec leurs enfants. C'était une tradition.

Les jours de fête sont une occasion de renouveler chaque année un sentiment de camaraderie et de bien-être qui crée des liens. Ils permettent de rassembler régulièrement tous les membres de la famille et de consolider les relations.

ACTIVITÉS AVEC LA FAMILLE ÉTENDUE

Comme vous l'avez probablement remarqué tout au long de cet ouvrage, les oncles, tantes, grands-parents et autres membres de la famille peuvent avoir une influence extrêmement positive sur la famille nucléaire. Nous avons régulièrement l'occasion de nous retrouver au grand complet, à Noël par exemple. Mais nous pouvons nous rassembler bien plus souvent pour faire des choses ensemble.

Voyez comme ces grands-parents aiment organiser de grandes réunions familiales.

Tous les mois, nous réunissons la famille au grand complet. C'est une tradition chez nous. Nous invitons nos enfants et nos petits-enfants à venir dîner et passer la soirée avec nous. Tout le monde apporte quelque chose à manger, et chacun raconte ce qui se passe dans sa vie. Puis nous débarrassons tous ensemble et allons nous asseoir dans le salon. Nous disposons les chaises en cercle et nous apportons un grand panier de jeux pour les petits, afin qu'ils puissent jouer pendant que nous discutons. Souvent, quelqu'un chante une chanson ou lit un poème. Nous discutons parfois de l'un des aspects de notre charte familiale ou d'un autre sujet important. Quand les petits sont fatigués, tout le monde rentre à la maison. C'est vraiment bien d'être ensemble. Nos relations s'en trouvent régénérées.

Voici également le témoignage d'un couple d'environ soixante-dix ans.

Tous les dimanches, nous invitons notre fille unique, son mari et leurs enfants les plus jeunes à venir dîner à la maison. Chaque semaine, nous invitons également l'un de leurs quatre enfants mariés et sa famille – la première semaine du mois, l'aîné, la deuxième semaine, le suivant, etc. Ainsi, nous avons des contacts avec tout le monde – et nous voyons ce qui se passe dans la vie de notre fille et de nos petits-enfants, quels sont leurs objectifs et comment nous pouvons les aider.

Le désir de créer cette tradition est né il y a environ trente ans, lorsque notre fille s'est mariée et est partie vivre à des kilomètres de chez nous. Pendant longtemps, nous n'avons pratiquement communiqué que par téléphone et nous ne nous sommes vus que deux ou trois fois par an. Nous nous sommes souvent dit que ce serait bien de pouvoir simplement dîner avec elle et sa famille, et l'aider, notamment quand quelqu'un était malade.

Aussi, quand nous avons pris notre retraite, nous avons déménagé pour nous rapprocher d'elle. Nos dîners du dimanche soir sont une véritable tradition depuis maintenant treize ans. Nous sommes heureux de pouvoir apporter notre aide, enseigner certaines choses à nos petits-enfants, les voir grandir, et vraiment faire partie de la famille.

Ces personnes ont su élargir leurs activités, dîners et discussions à toute leur famille. Elles restent impliquées dans la vie de tous, ce qui crée des liens très forts entre les générations.

Vous pouvez impliquer les membres de votre famille étendue dans presque tout ce que vous faites. Sandra et moi assistons à toutes les représentations ou événements sportifs auxquels participent nos enfants et petits-enfants. Nous sommes toujours présents pour montrer à chacun combien il compte pour nous. Nous sommes d'ailleurs toujours invités. Nous assistons également aux événements auxquels participent nos frères et sœurs.

Colleen (fille)
Quand j'étais au lycée, j'ai joué dans une pièce de théâtre. Je n'avais qu'un petit rôle. Mais, le jour de la représentation, mes frères, sœurs, beaux-frères, belles-sœurs, neveux, nièces, tantes, oncles et parents

étaient dans la salle. Ils remplissaient trois rangs! La fille qui avait le premier rôle a regardé dans la salle et s'est exclamée : « Je n'arrive pas à y croire! C'est moi qui ai le premier rôle, et seule ma mère est venue me voir. Et toi, tu as un tout petit rôle et ta famille remplit la moitié de la salle! » Grâce à cet immense public, je m'étais vraiment sentie importante.

Lorsque tous les membres de la famille étendue se retrouvent régulièrement, les cousins deviennent généralement les meilleurs amis du monde. Pour nous, il est très important de conserver des liens étroits. Nous sommes convaincus que les relations avec la famille étendue permettent de conserver une forme de cohésion très précieuse dans la société actuelle.

Sean (fils)
J'apprécie vraiment que toute notre famille ait des liens étroits. Mes enfants grandissent avec leurs cousins. Ils ont à peu près le même âge, et ce sont de très bons amis. Je pense que, lorsqu'ils seront adolescents, ils seront heureux d'être proches. Ils bénéficieront du soutien de tous. Et si quelqu'un commence à avoir des problèmes, il est fort probable que ce soutien l'empêchera de toucher le fond.

APPRENEZ ENSEMBLE

Il y a de nombreuses occasions d'apprendre en famille. Cet apprentissage est la source d'un renouvellement extraordinaire dans tous les domaines.

Lorsque nous partons en voyage tous ensemble, nous avons pris l'habitude de chanter dans la voiture. C'est ainsi que la plupart de nos enfants ont appris les chansons américaines traditionnelles et les comédies musicales. À bien y réfléchir, il faut bien que les enfants apprennent les paroles et les mélodies des chansons populaires que tout le monde connaît. Sinon, comment pourraient-ils eux aussi les connaître?

Pour apprendre ensemble, vous pouvez aussi vous investir dans des loisirs ou des centres d'intérêt communs : la lecture, une association, une collection. Impliquez-vous. Discutez-en ensemble.

Apprendre ensemble est source de renouvellement sur les plans à la fois social et mental. Vous avez un centre d'intérêt commun, vous éprouvez de la joie à découvrir des choses ensemble. C'est aussi l'occasion d'un renouvellement physique lorsque vous apprenez un sport ou une activité physique quelconque. Enfin, lorsque l'apprentissage concerne les principes qui gouvernent la vie, vous bénéficiez d'un renouvellement spirituel.

Apprendre ensemble peut devenir une merveilleuse tradition, et l'une des plus grandes joies de la vie de famille. Lorsque vous élevez vos enfants, vous élevez également vos petits-enfants. Aussi, il est essentiel de faire part de votre savoir, afin que celui-ci puisse être transmis.

Sean (fils)

Nos parents nous emmenaient partout. Nous partions avec eux en voyage. Papa nous emmenait à ses conférences. Nous découvrions énormément de choses. Et je pense que cela m'a été très bénéfique. Je suis à l'aise à peu près partout, car je me suis familiarisé avec de nombreuses situations. J'ai fait du camping sauvage, j'ai dormi à la belle étoile, je suis allé dans des camps de survie. Je n'ai pas peur de l'eau car j'ai appris à nager et à faire du ski nautique. J'ai essayé presque tous les sports au moins une fois.

J'essaie de faire la même chose avec mes enfants. Si je vais à un match de base-ball, je les emmène. Si je vais chercher quelque chose au centre commercial, je les emmène. Si je vais dehors dans le jardin, je les emmène. J'essaie de leur faire découvrir les différents aspects de la vie.

La lecture est également une tradition essentielle. Vous pouvez lire en famille. Les enfants ont besoin de lire mais aussi de voir leurs parents lire.

Il y a quelques années, mon fils Joshua m'a demandé si j'avais déjà lu. J'ai été très choqué par cette question. En fait, je me suis rendu compte qu'il ne m'avait jamais vu lire. Je lis presque toujours lorsque je suis seul. Et je lis environ trois ou quatre livres par semaine. Mais, lorsque je suis avec ma famille, je m'y consacre entièrement et je ne lis pas.

Une étude réalisée récemment indique que, si les enfants ne lisent pas, c'est d'abord parce qu'ils ne voient pas leurs parents lire[3]. Et c'est l'erreur que j'ai faite. J'aurais dû lire plus souvent devant mes enfants. J'aurais dû leur faire part de ce que j'apprenais et de ce qui m'intéressait.

3. Dale Johnson, « Sex Differences in Reading Across Cultures », *Reading Research Quarterly*, vol. 9 (1), 1973.

Sandra

Toutes les deux semaines, tous les enfants s'entassaient dans la voiture et nous allions à la bibliothèque municipale. On pouvait emprunter cinq livres par personne pendant deux semaines. Chacun choisissait les livres qui l'intéressaient.

Mon rôle principal était de veiller à ce que les livres ne soient pas mutilés, détruits ou perdus en l'espace de ces deux semaines. J'étais toujours inquiète lorsqu'il fallait rassembler les livres de tous les enfants pour aller les rendre.

Apprendre en famille, c'est plus qu'une tradition. C'est un besoin. Dans le monde d'aujourd'hui, si l'on ne se tient pas informé, on est complètement sur la touche. Le train de vie que l'on mène et l'évolution de la technologie sont incroyablement rapides. De nombreux produits sont obsolètes le jour même de leur mise sur le marché. Les professions sont en pleine évolution. C'est ahurissant. C'est effrayant. C'est pourquoi il est si important d'apprendre continuellement. L'apprentissage doit faire partie de la culture familiale.

SI VOUS ÊTES CROYANTS, PRIEZ ENSEMBLE

Voici le témoignage d'un homme croyant.

Lorsque j'étais enfant, mes parents insistaient pour que nous priions ensemble. À l'époque, cela ne me paraissait pas indispensable. Et je ne comprenais pas pourquoi ils y attachaient autant d'importance. Mais c'était comme ça, alors nous allions à l'église ensemble tous les dimanches. Et je dois avouer que mes frères et moi nous ennuyions plus qu'autre chose.

Mais en grandissant, je me suis rendu compte que notre famille était plus unie que celle de beaucoup de mes camarades. Nous avions des valeurs et des objectifs communs. Nous pouvions compter les uns sur les autres pour résoudre nos problèmes et trouver des solutions. Nous savions ce en quoi nous croyions, ce en quoi nous croyions tous. Nous étions unis par cette croyance. Et nous ne priions pas seulement une fois par semaine. La religion et la prière étaient une forme d'éducation. Nos parents nous apprenaient, de manière formelle ou informelle, à distinguer le bien du mal. Si nous exprimions notre désaccord, ils nous écoutaient, et nous aidaient à trouver nous-mêmes des réponses lorsque nous avions des doutes. Ils nous enseignaient certaines valeurs et la foi.

En outre, nous avions des petites traditions familiales. Par exemple, nous priions ensemble tous les soirs. C'était parfois pénible d'entendre les autres dire leurs prières. Mais plus tard, je me suis rendu compte de tout ce que j'avais appris en les écoutant. J'ai appris tout ce qui était important pour eux, ce dont ils avaient besoin et envie, ce qui leur faisait peur ou les inquiétait. Aujourd'hui, je me rends compte que la prière nous a vraiment rapprochés.

Nous avons aussi prié et jeûné dans les périodes difficiles. Lorsque ma grand-mère est entrée à l'hôpital à cause d'un cancer, toute la famille s'est réunie – oncles, tantes et cousins. Nous avons prié pour elle et jeûné ensemble. Le fait d'être ensemble nous a donné la force de surmonter cette épreuve. Et lorsqu'elle est décédée, c'était bon d'être tous rassemblés. Notre unité nous sauvait du désespoir. Et même si nous étions tristes, nous avons tous été forts et unis lors de ses funérailles. Je suis ressorti de cette expérience avec une compréhension profonde du cycle de la vie, de la naissance à la mort. Et je crois que notre union a eu d'autant plus de sens que nous partagions la même foi.

L'union spirituelle, mais aussi mentale et sociale, de cette famille leur a été apportée par la prière.

Un sondage Gallup indique que 95 % des Américains croient en une forme d'autorité suprême. Et plus que jamais, le besoin de bénéficier d'une aide spirituelle se fait sentir. En France, 75 % des personnes se disent catholiques et, pour 25 %, la religion est importante[4]. Des études montrent aussi clairement que la prière est l'une des caractéristiques principales des familles épanouies. Prier ensemble peut créer une unité et une compréhension commune des choses – tout comme une charte familiale.

En outre, il semble, d'après d'autres études, que la pratique d'une religion soit un important facteur de santé mentale et émotionnelle, et de stabilité – surtout lorsque la religion correspond à une foi profonde. Lorsque l'on ne pratique une religion que par conformité ou dans un but de reconnaissance sociale, par exemple, on s'expose à des conséquences parfois regrettables. Cette pratique peut déboucher sur une culture extrêmement stricte, où des attentes irréalistes causent de graves problèmes affectifs aux personnes déjà vulnérables sur ce plan[5].

---

4. CNN/USA Today/Gallup Poll (Princeton, N.J., 16-18 décembre 1994). Gérard Mermet, Francoscopie 1997- Comment vivent les Français (Larousse, 1996).
5. David G. Myers, *The Pursuit of Happiness* (William Morrow & Company, 1992).

Mais, lorsque la famille agit en fonction de principes moraux et non au nom d'un perfectionnisme rigide, elle en retire beaucoup de bénéfices. La culture familiale accepte les imperfections morales lorsqu'elles sont avouées et reconnaît l'importance de chaque personne, même si elle encourage chacune à vivre selon les principes qui gouvernent la vie.

C.S. Lewis nous fait part de ses convictions.

Lorsque je fais ma prière du soir, j'essaie de me souvenir des péchés que j'ai commis dans la journée et, neuf fois sur dix, je me rends compte que je n'ai pas fait preuve de charité envers mon prochain. J'ai boudé, raillé, rejeté, crié. Et l'excuse qui me vient immédiatement à l'esprit, c'est que je ne m'attendais pas à être provoqué. J'ai été pris de cours, je n'ai pas eu le temps de me ressaisir. Ce qu'un homme fait lorsqu'il est pris de cours est probablement la meilleure preuve de ce qu'il est. Ce qui jaillit de l'homme avant qu'il ait le temps de le déguiser, c'est la vérité. S'il y a des rats dans votre cave, vous les verrez sûrement si vous entrez d'un seul coup. Mais ce n'est pas le caractère inattendu de votre entrée qui crée les rats. Les rats n'ont simplement pas le temps de se cacher. De même, le caractère inattendu de la provocation ne me donne pas mauvais caractère, mais montre que j'ai mauvais caractère. Cette cave n'est pas à la portée de ma volonté consciente. Je ne peux pas agir directement sur ma conscience. Après quelques efforts pour y parvenir, je me rends compte que l'on ne peut changer son âme qu'avec l'aide de Dieu[6].

Dans notre famille, nous puisons nos forces dans la prière. Nous avons toujours accordé beaucoup d'importance au service religieux. Nous allons à l'église ensemble et travaillons ensemble pour servir l'Eglise et la communauté. La religion nous unit en tant que famille et nous permet d'évoluer sur le plan spirituel.

Et nous prions tous les jours à la maison : nous essayons de passer quelques minutes ensemble chaque matin pour commencer la journée avec un sentiment d'unité et de foi.

Stephen (fils)

Nous faisions toujours nos prières en famille le matin. C'était une tradition. Quel que soit notre âge, nous étions tous debout à sept heures. Nous lisions ensemble, parlions de nos besoins et de nos projets pour la

---

6. C.S. Lewis, *Mere Christianity* (Macmillan, 1976).

journée. Puis nous faisions une prière pour toute la famille. Nous avions nos couvertures et étions allongés sur les canapés. Parfois, certains d'entre nous s'endormaient jusqu'à ce que ce soit leur tour de lire. Ça n'a peut-être pas été aussi efficace que ça aurait pu l'être, mais au moins on faisait l'effort de le faire. Et nous parlions de beaucoup de choses. Nous avons appris plus que ne nous le pensions à l'époque.

Cette tradition, ainsi que la lecture de textes sacrés, a été la source d'un renouvellement spirituel constant. Toutes les familles peuvent agir de même. Vous pouvez vous remémorer des principes universels et atemporels en lisant la Bible, le Coran, le Talmud ou la Bhagavad-Gita. Vous pouvez également lire des textes de réflexion, des essais philosophiques, des autobiographies, des anthologies – toutes sortes d'ouvrages traitant des valeurs ou des principes auxquels vous croyez[7].

L'essentiel est de vous organiser pour passer, chaque matin, dix ou quinze minutes à lire un ouvrage vous remémorant ces principes. Ainsi, vous aurez toutes les chances de faire de meilleurs choix tout au long de la journée, dans votre vie privée et professionnelle. Vous vous sentirez élevé à un autre niveau de pensée, et vos interactions avec autrui seront plus satisfaisantes. Vous aurez plus de recul. Vous serez capable de vous accorder un délai encore plus long entre ce qui vous arrivera et votre réponse. Vous garderez plus facilement à l'esprit ce qui compte vraiment pour vous.

Vous serez également plus proche de votre famille. Vous serez au courant des besoins de chacun en fonction, par exemple, d'un examen ou d'un rendez-vous important. Vous commencerez la journée en resserrant vos liens avec ceux qui comptent le plus pour vous.

Les prières quotidiennes sont l'occasion d'un renouvellement spirituel, social et mental. Si vous voulez ajouter la dimension physique, vous pouvez vous asseoir en tailleur en vous tenant droit, aller marcher ou faire du taiji. Quelle que soit votre façon de procéder, vous découvrirez que le matin est un moment idéal pour le renouvellement familial. C'est une façon merveilleuse de commencer la journée.

---

7. À ce sujet, voir notamment : Frank Walters, *Book of the Hopi* (Ballantine, 1963). James Allen, *As a Man Thinketh* (Bookcraft, 1983). Henry David Thoreau, *Walden* (Carlto House, 1940). William Bennett, *The Book of Virtues* (Simon & Schuster, 1993). Jack Canfield et Mark Victor Hansen, *Bouillon de poulet pour l'âme* (Michel Lafon, 1997)

TRAVAILLEZ ENSEMBLE

Lisez le témoignage de cet homme.

L'un de mes meilleurs souvenirs d'enfance, c'est d'avoir travaillé auprès de mon père dans notre jardin. Lorsqu'il nous a suggéré de l'accompagner, mon frère et moi étions tout excités. À ce moment-là, nous ne nous étions pas rendu compte que cela signifiait passer des heures en plein soleil, la pelle à la main, à se faire des ampoules aux mains en creusant.

Nous travaillions dur. Mais papa travaillait près de nous. Il avait pris le temps de nous enseigner certaines choses, jusqu'à ce que nous ayons à l'esprit la vision du jardin idéal. Nous avons beaucoup appris entre le jour où nous nous demandions à quoi pourraient bien servir les trous que nous creusions et le moment où nous avons récolté les premiers fruits de notre labeur, quatre ou cinq ans plus tard.

Je m'étais énormément impliqué dans ma tâche. C'était devenu un vrai plaisir pour moi de ramasser les fruits de nos arbres – pêches, pommes et poires –, le maïs, les tomates, car j'avais participé au travail du jardin. Plus tard, lorsque j'étais adolescent et très pris par l'école, je trouvais toujours le temps de veiller à ce que notre jardin soit bien entretenu et les arbres bien taillés.

Je crois que j'ai beaucoup appris pendant ces années-là. Je pouvais voir ce que les membres de notre famille avaient accompli ensemble. Lorsque nous marchions dans notre jardin, nous savions que ce que nous voyions était le fruit de notre travail, et nous en ressentions une grande satisfaction.

Aujourd'hui, lorsque j'entreprends une tâche, je suis très influencé par ce que j'ai vécu pendant mon enfance. Quand je m'occupe d'un projet pour lequel j'ai besoin de l'investissement de plusieurs personnes, je repense à ce que mon père m'avait dit concernant les bénéfices que l'on en retirerait en tant que famille. Et, dans mon travail, j'applique la même méthode que lui pour que les personnes se sentent impliquées : « Bon, nous devons mener à bien ce projet. Voici ce que nous devons faire. Quel est le but ? Quel doit être le résultat ? »

Lorsque je dois mettre de l'ordre dans ma vie privée, je repense à nos magnifiques rangées de haricots. Enfant, je croyais que c'était une plaisanterie lorsque nous avions planté les graines. Je ne pouvais pas croire que ces graines deviendraient de beaux haricots. Mais quelques semaines plus tard, j'ai bel et bien vu nos haricots, tout prêts à être mangés. Quand je repense à cela maintenant, je sais que je peux réussir.

Je repense aussi souvent à l'exemple de mon père. Il mettait tellement de joie dans son travail ! Et puis, je crois qu'il était heureux de me voir travailler avec joie moi aussi et de voir les résultats de notre dur labeur et les merveilles de la nature et des lois naturelles.

Travailler ensemble dans le jardin a régénéré ce garçon et sa famille. Ils ont bénéficié d'un renouvellement social car ils ont œuvré ensemble. Leurs efforts ont engendré un renouvellement physique alors qu'ils suaient sous le soleil brûlant. Toutes les choses que ce garçon a apprises auprès de son père ont été la source d'un renouvellement mental. Dans ce jardin, il a découvert certaines lois naturelles qui gouvernent tous les aspects de la vie, puis les a appliquées des années plus tard dans une situation complètement différente. Cette expérience a donc aussi été un renouvellement spirituel pour lui. Il est proche de la nature et des lois naturelles.

L'attitude de ce père, qui a proposé à ses enfants de travailler avec lui, est tout à fait louable. Voici le témoignage d'un autre homme.

Je crois que, lorsque l'on travaille pour vivre, on devient facilement obnubilé par les tâches à effectuer. Je sais que c'est mon cas. Lorsque je travaille avec mes enfants, j'ai tendance à être très directif et très exigeant.

Mais je me suis rendu compte que, lorsque l'on travaille avec ses enfants, les objectifs sont différents. En réalité, le travail consiste à former leur caractère et leurs compétences. Lorsque l'on garde cette idée à l'esprit, on n'est jamais déçu. On est en paix avec soi-même et on travaille avec joie.

Un jour, un homme m'a raconté une histoire qui m'a beaucoup marqué : il avait décidé d'acheter quelques vaches pour aider ses enfants à apprendre la responsabilité. Un voisin, fermier depuis des années, est venu le voir un jour et a commencé à critiquer la façon de faire des enfants. L'autre a souri en disant : « Je te remercie de l'intérêt que tu portes à notre travail, mais tu ne comprends pas. Je n'élève pas des vaches, j'élève des enfants. »

Cette histoire m'a beaucoup aidé dans mon travail avec mes enfants.

Autrefois, les membres d'une famille devaient travailler ensemble pour survivre, et le travail les rapprochait beaucoup. Dans la société d'aujourd'hui, le travail désagrège les familles. Les parents partent travailler dans des endroits différents, loin de leur maison. Et les enfants n'ont pas besoin de travailler. De plus, ils grandissent dans un environnement social qui considère plus le travail comme une malédiction que comme un bienfait.

Aussi, travailler ensemble aujourd'hui est une tradition qu'il faut créer de l'intérieur vers l'extérieur. Il existe de nombreuses façons de le faire, et on peut en retirer beaucoup de bénéfices. Comme nous l'avons déjà vu, travailler ensemble dans un jardin est très bénéfique. Toute le monde récolte les fruits de son labeur. Dans de nombreuses familles, parents et enfants effectuent leurs tâches ménagères ensemble le samedi. Certains parents font aussi travailler leurs enfants dans leur entreprise pendant l'été.

Catherine (fille)

Dans notre famille, il y avait la tradition du « rangement en dix minutes ». Après une fête ou après avoir mis une pièce en désordre, papa se levait en disant : « Bon, faisons un petit rangement en dix minutes avant d'aller nous coucher. » Chaque membre de la famille se mettait à ranger la pièce et, comme nous étions nombreux, cela ne durait pas plus de dix minutes. Nous savions qu'il n'y en aurait pas pour une heure, alors chacun y mettait du sien.

Parfois, nous travaillions aussi à quelque chose tous ensemble. Nous travaillions vraiment dur pendant trois à quatre heures, mais nous discutions en même temps et riions beaucoup. Et après, nous allions au cinéma ou ailleurs pour nous détendre. Nous étions impatients d'y aller. Nous savions que nous devions travailler. Ça faisait partie de notre vie. Mais c'était tellement bien d'avoir une récompense à la fin ou de s'amuser tout en travaillant.

RENDEZ SERVICE ENSEMBLE

Dans la famille de cette femme, rendre service est une tradition.

Mon mari, Mark, a grandi dans un village de Polynésie où les gens devaient travailler ensemble pour survivre. Et ma mère faisait tout ce qu'elle pouvait pour aider les autres – par l'intermédiaire de l'église ou dès qu'elle entendait parler de quelqu'un qui avait besoin de quelque chose. Mark et moi avons donc le sens du travail et du service. Lorsque nous avons eu des enfants, nous avons décidé de leur apprendre à rendre service aux autres.

Nous n'avions pas beaucoup d'argent. Aussi, nous n'avons jamais pu faire beaucoup de dons aux associations caritatives. Mais nous pouvions rendre service autrement. Nous avons décidé de faire des couvertures en patchwork. La matière première nécessaire ne revenait vraiment pas cher. Et faire une couverture, ce n'était pas très difficile. Cela impliquait un effort physique et un savoir-faire que nous pouvions avoir en famille. Et puis, une couverture, c'était utile à tout le monde.

Chaque année, nous avons donc fait environ douze couvertures pour différentes familles. Cette année, nous en avons fait pour la famille de ma tante, qui a traversé une période difficile. Et nous venons d'en commencer une pour un voisin qui est en train de divorcer.

La plupart du temps, ce sont les enfants qui identifient les gens qui sont dans le besoin, parce que les jeunes enfants parlent bien plus entre eux et ne sont pas aussi embarrassés pour parler de leurs besoins. Ils aiment nous aider à rendre service. Lorsque nous faisons les couvertures, nous nous asseyons tous ensemble et nous parlons de tout. Cette activité est l'occasion de communiquer. Et puis, les enfants adorent donner les couvertures une fois qu'elles sont finies. Parfois, nous les donnons sans nous faire connaître : nous nous contentons de les déposer. C'est ce qu'ils aiment le plus.

Nous passons de bons moments ensemble. Même nos petites filles âgées de trois et cinq ans participent. Elles découpent les morceaux de tissu et coupent le fil. Parfois, elles font des petites cartes que nous déposons avec les couvertures. Tout le monde participe. Cela nous paraît très important.

Voici le témoignage d'un père sur l'importance de rendre service.

Il y a quelque temps, ma femme et moi nous sommes rendu compte que nous avions beaucoup reçu dans notre vie et qu'il était temps que nous donnions à notre tour. Nous avons commencé à réunir chez nous un groupe de jeunes. Nous avions aussi des adolescents, et il nous a semblé que ce serait une bonne façon de leur montrer que nous voulions les comprendre et faire partie de leur vie.

Toutes les semaines, douze ou treize adolescents, toutes confessions et races confondues, venaient à la maison. Dans un premier temps, nous avons juste voulu faire un essai, pour voir si ça leur plaisait de se retrouver une fois par semaine. Nous avons passé un contrat afin d'être sûrs que chacun était d'accord sur ce que nous allions faire. Nous avons donné quelques directives concernant le comportement à adopter, comme :

« Lorsque quelqu'un parle, tout le monde l'écoute. » Et nous avons essayé d'organiser des discussions sur des sujets qui les intéressaient.

Au début, nous avons parlé de l'honnêteté, du respect, de l'importance de demander pardon lorsque l'on fait des erreurs et de rendre service aux autres. Puis les jeunes se sont mis à poser des questions comme : « Qu'est-ce que la confiance ? » et « Quelle sorte de pression les autres peuvent-ils exercer sur nous ? » Ma femme et moi faisions des recherches sur chacun de ces thèmes, et nous en discutions la semaine suivante. Mais nous ne passions pas beaucoup de temps à la théorie. Cela ne durait pas plus d'un quart d'heure. Ensuite, nous faisions des activités physiques, dehors ou dans la maison, qui illustraient le concept sur lequel ils voulaient des éclaircissements.

Après cette période d'essai, les jeunes ont tous voulu continuer. Ils aimaient avoir un endroit où ils pouvaient parler et poser des questions sur des choses importantes pour eux. Et les parents étaient contents eux aussi. Un jour, la mère d'une jeune adolescente nous a téléphoné : « Je ne sais pas ce que vous faites chez vous pendant deux heures, mais c'est remarquable. L'autre jour, j'ai fait une remarque désobligeante à propos de quelqu'un, et ma fille m'a dit : « Tu sais, maman, nous ne connaissons pas cette personne. Nous ne devrions pas dire ça. C'est juste ce que les gens racontent. » Je suis tellement contente qu'elle pense comme ça. Si seulement les adultes pouvaient en faire autant. »

Rendre service aux autres est une tradition merveilleuse. Elle apporte un renouvellement spirituel parce qu'elle dépasse l'ego. Cela peut être aussi l'occasion d'appliquer et ou de renouveler votre charte familiale.

Selon la nature du service que vous rendez, le renouvellement peut également être mental ou physique. Ce service peut impliquer le développement d'un talent, l'apprentissage de concepts ou d'un savoir-faire, ou la réalisation d'une activité physique. Et le renouvellement social est énorme : rien ne rapproche autant les membres d'une famille que de travailler ensemble pour accomplir quelque chose qui en vaut vraiment la peine.

AMUSEZ-VOUS ENSEMBLE

S'amuser – passer de bons moments ensemble, se sentir bien à la maison, s'y sentir vraiment chez soi – est probablement la part la plus importante de toutes les traditions familiales. C'est même tellement important que ça devrait être une tradition au même titre que tout le reste. Il y a des milliers de façons de s'amuser.

Dans notre famille, nous avons créé une bonne ambiance grâce à l'humour. Par exemple, nous avons un certain nombre de films de famille que nous appelons nos « films cultes ». Ces films sont à mourir de rire, et nous les regardons souvent pour nous amuser. Tout le monde les adore. Nous savons les dialogues par cœur, à tel point que, lorsque nous nous trouvons dans une situation semblable à celle d'un film, nous rejouons toute la scène, à la virgule près. Nous sommes tous tordus de rire, et les gens qui ne sont pas de la famille se demandent ce qui nous arrive.

Comme nous l'avons vu dans l'Habitude n° 1, l'humour nous permet de prendre du recul et nous évite de nous prendre au sérieux. Nous ne nous vexons pas pour des broutilles, et il n'y a pas de malaise ni de climat désagréable entre nous. Parfois, il suffit d'un peu d'humour pour changer le cours d'un événement ou faire d'une tâche banale une véritable aventure.

Maria (fille)

Quand nous vivions à Hawaï, papa laissait maman se reposer le samedi et s'occupait de nous. Il nous annonçait toujours : « Les enfants, aujourd'hui, je vais vous faire vivre de grandes aventures! » Nous ne savions jamais de quoi il s'agissait. Nous étions complètement excités. En fait, nous ne l'avons appris que plus tard, il improvisait tout au fur et à mesure.

Pour commencer, nous allions nager dans l'océan, puis acheter des glaces. Puis nous faisions une randonnée sur les chemins de terre. Nous pouvions vivre sept « aventures » différentes dans la journée, et chacune était pour nous une véritable joie.

Parfois, papa nous emmenait aussi à la piscine et jouait avec nous pendant des heures. Il n'arrêtait pas de nous jeter à l'eau. Il s'amusait comme un petit fou. Il n'avait pas d'inhibitions et ne ressentait aucune gêne. Beaucoup de parents ne veulent pas jouer avec leurs enfants, mais papa et maman aimaient s'amuser et faisaient toujours beaucoup de choses avec nous.

David (fils)

Je me souviens des jours où c'était papa qui faisait la tournée des voisins pour emmener les enfants à l'école. La voiture était pleine à craquer, et papa faisait le fou tout le long du chemin. Il nous racontait des blagues. Il nous faisait chanter des chansons ou réciter des poèmes. Il faisait rire tout le monde aux larmes.

Lorsque nous sommes devenus plus grands, nous étions parfois gênés par son comportement. Alors il nous disait : « Bon, on fait les fous ou on s'ennuie? Faites votre choix. »

Et nous répondions : « On préfère s'ennuyer, ne nous dérange pas, papa. » Alors il ne bougeait plus et se tenait tranquille. Mais les autres enfants se mettaient à crier : « Non, on fait les fous! On veut faire les fous! » Et c'était reparti pour un tour. Les gamins adoraient ça.

Sandra

Certaines de nos traditions n'auraient jamais dû commencer – mais les enfants ne veulent surtout pas les abandonner! Par exemple, un jour, pendant le dîner, Stephen a reçu un coup de téléphone d'un associé. Les garçons étaient impatients qu'il en termine et tournaient autour de lui en lui faisant signe de raccrocher. Stephen les a repoussés de la main en leur demandant de se taire.

Mais les garçons ont vite compris que leur père ne pouvait pas à la fois avoir une conversation importante au téléphone et les empêcher de faire les fous. Ils ont vu qu'ils étaient en position de force et en ont immédiatement profité. L'un d'eux a pris du beurre dans le réfrigérateur et s'est mis à en étaler une bonne couche sur le crâne chauve de son père. Un autre a ajouté une couche de confiture de framboise, et le troisième a couronné le tout d'une tranche de pain de mie. Stephen avait un splendide sandwich sur la tête et n'y pouvait rien.

Depuis ce jour-là, ils ont recommencé à chaque fois que leur père était au téléphone pour affaires. Ils adoraient ça, surtout quand leurs amis étaient là pour les voir faire. Stephen n'était pas très friand de cette tradition, mais le pire restait à venir. Un soir d'été, alors que nous discutions sur la pelouse avec des voisins et des amis, une voiture pleine à craquer a déboulé dans l'allée.

Cinq ou six adolescents ont sauté de la voiture et se sont précipités vers Stephen. Ils voulaient faire une vidéo pour participer à un jeu. Ils criaient : « M. Covey! M. Covey! Nous avons besoin de vous. Il faut que nous gagnions. Aidez-nous à faire la meilleure vidéo. » Ils se sont affairés autour de lui pour le tartiner de beurre, de confiture, et confectionner un magnifique sandwich. L'un d'eux filmait toute l'opération. Lorsqu'ils sont partis, Stephen est allé se laver la tête et est revenu nous rejoindre sur la pelouse.

À peine s'était-il remis de ses émotions (ainsi que nos voisins et amis) qu'une deuxième voiture remplie d'adolescents enthousiastes et impatients s'est arrêtée dans l'allée. Et ils ont accouru vers Stephen en lui demandant exactement la même chose. Ils lui ont assuré qu'ils savaient comment faire le sandwich car Sean, David et Stephen leur avaient tout expliqué.

Avant la fin de la soirée, trois voitures s'étaient arrêtées chez nous pour demander l'aimable participation de Stephen. Notre voisin, chez qui tous les adolescents étaient réunis, nous a expliqué qu'ils étaient en train de faire le play-back de l'épisode du sandwich. Il nous a assuré que Stephen était la star de la soirée.

Quel honneur – et quelle tradition!

CULTIVEZ L'ESPRIT DE RENOUVELLEMENT

Quelles que soient les traditions que vous décidez de créer au sein de votre culture familiale, vous découvrirez qu'elles cultivent presque toutes un esprit ou un sentiment de renouvellement dans votre vie quotidienne.

Sandra

Au fil des ans, j'ai toujours demandé aux enfants comment s'était passée leur journée lorsqu'ils rentraient de l'école. C'était une tradition. Cela ne prend que quelques minutes de les accueillir chaleureusement pendant qu'ils posent leur cartable, enlèvent leur manteau, délacent leurs chaussures. Dès qu'ils entraient, j'abandonnais immédiatement ce que j'étais en train de faire et me consacrais à eux. Je leur posais des questions, j'essayais de voir s'ils se sentaient bien, s'ils étaient de bonne humeur, et je les aidais à préparer leur goûter. On peut toujours être tenté de continuer à vaquer à ses occupations quand les enfants rentrent de l'école mais, si l'on se consacre entièrement à eux, on enrichit vraiment les relations. Il m'arrive même de les suivre jusqu'à leur chambre en discutant avec eux de leurs activités de la journée.

Nous aimons tous avoir le sentiment d'être attendus lorsque nous arrivons quelque part. C'est agréable d'être accueillis chaleureusement et de sentir que nous comptons pour notre famille. C'est très valorisant d'avoir quelqu'un qui nous écoute, s'intéresse à nous et semble aimer être avec nous. C'est pour ça qu'il est important de faire l'effort de se rendre disponibles.

Un jour, à un dîner entre amis, Sabra, l'une des invités, est arrivée seule en disant que son mari avait été retardé et serait là dans une heure.

Il est arrivé environ trois quarts d'heure plus tard, en s'excusant de son retard. Lorsqu'il est entré, le visage de Sabra s'est éclairé. Chacun a pu voir, à travers son sourire, l'amour qu'elle avait pour lui. Il semblait évident qu'ils avaient tous deux été très impatients de se retrouver.

Je m'étais dit : « Quel accueil chaleureux! Cet homme a de la chance. » Environ un an plus tard, Woody, le mari, est subitement tombé malade. Au bout de quelques semaines, il était mort. Tout le monde était très choqué. Je pense que Sabra a été contente d'avoir toujours su lui témoigner son amour dans leur vie quotidienne.

Nous avons également essayé d'« adopter » les amis de nos enfants.

Sean (fils)

Quand j'étais au collège, j'avais des amis dans l'équipe de football qui étaient un peu sauvages. Mais papa et maman les ont vraiment adoptés. Ils filmaient tous nos matchs de foot et, après, invitaient tout le monde à les regarder à la maison en mangeant une pizza. Environ la moitié de l'équipe venait, et nous regardions le match tous ensemble. Tous mes amis appréciaient mes parents. Ils les trouvaient cool, et moi aussi. Ce qui est vraiment bien, c'est que mes amis ont fini par être influencés par notre famille. Et il y en a qui ont complètement changé de comportement.

David (fils)

Notre maison était le point de ralliement de tout le voisinage, car ma mère accueillait toujours mes amis avec plaisir. Elle voulait être capable de faire face à tout ce remue-ménage. Parfois, j'arrivais de l'école avec quatre ou cinq copains de foot affamés et, en entrant dans la cuisine, je tapais du poing sur la table et je braillais sur le ton de la plaisanterie : « J'ai faim! Et tous mes amis ont faim! » Elle riait et gagnait l'estime de mes amis en nous préparant un excellent repas, quelle que soit l'heure. Son sens de l'humour et son désir de faire face à n'importe quelle situation m'ont toujours mis à l'aise devant mes amis, et je n'hésitais pas à les inviter.

Ces traditions, petites et grandes, nous rapprochent, nous régénèrent et nous donnent une identité en tant que famille. Chaque famille est unique, et doit découvrir et créer les siennes. Nos enfants ont grandi avec de nombreuses traditions et se sont rendu compte que, lorsque l'on se marie, on découvre parfois que celles de son conjoint sont très différentes. C'est pourquoi il est très important de pratiquer les Habitudes n° 4, 5 et 6, pour choisir ensemble les traditions qui reflètent le mieux le genre de famille que l'on veut être.

LES TRADITIONS CICATRISENT LES BLESSURES

Avec le temps, ces traditions acquièrent une importance considérable au sein de la culture familiale. Quels que soient votre passé et votre situation actuelle, vous pouvez prendre conscience de certaines choses, créer dans votre famille ce qui lui manque, et même en faire profiter ceux qui n'ont jamais bénéficié d'un tel renouvellement dans leur vie.

Je connais un homme qui a grandi dans un environnement familial très cynique. Il a épousé une femme merveilleuse, qui l'a aidé à trouver qui il était vraiment et à découvrir son immense potentiel. Au fur et à mesure qu'il a acquis une certaine confiance en lui, il a pris conscience de l'environnement nuisible dans lequel il avait grandi et s'est de plus en plus identifié à la famille de sa femme. Celle-là avait ses problèmes, mais était enrichissante, attentionnée et encourageante.

Pour cet homme, « rentrer à la maison », c'était aller chez les parents de sa femme. Ceux-ci l'aimaient, croyaient en lui et l'encourageaient. Ils riaient et discutaient ensemble tard le soir. Cet homme, qui a maintenant quarante ans, a récemment téléphoné à ses beaux-parents pour leur demander s'il pouvait passer un week-end avec eux. Il avait envie de rendre visite à sa belle-famille, de dîner avec eux et de dormir dans la chambre d'ami. Ils ont accepté sans hésiter et avec plaisir. C'était comme s'il avait retrouvé son enfance et pansé ses blessures. Après ce week-end, cet homme m'a dit : « C'est comme si j'avais été lavé et ressourcé, comme si j'avais retrouvé ma jeunesse et mon espoir. » Il a développé son potentiel caché et, aujourd'hui, c'est un modèle et un mentor pour sa propre famille. Il l'aide à retrouver stabilité et espoir.

Dans toute forme de détresse ou de maladie, la guérison concerne les quatre dimensions de la vie : physique (on a recours à la science, à la médecine, au secteur paramédical, et on prend soi-même soin de son corps), sociale/émotionnelle (on se concentre sur l'énergie positive, on évite l'énergie négative telle que la critique, l'envie et la haine, on s'accroche au soutien et aux encouragements apportés par la famille et les amis), mentale (grâce à la maladie, on apprend, on peut visualiser le système immunitaire en train de lutter contre elle) et spirituelle (on a recours à la foi et aux énergies spirituelles supérieures à la nôtre). Le renouvellement au sein de la famille rend cette guérison en quatre dimensions accessible à tous les membres de la famille. Il permet de créer le système immunitaire efficace dont nous avons parlé dans l'Habitude n° 6. Il est le garant d'une santé physique, sociale, mentale et spirituelle.

Si vous attachez de l'importance aux traditions et au renouvellement au sein de votre famille, vous rendrez possibles toutes sortes d'interactions créatives qui aboutiront à une culture familiale épanouissante. **Il est essentiel de renouveler vos ressources en permanence, car tout votre potentiel en découle**. L'Habitude n° 7 régénère toutes les autres et crée un immense champ magnétique au sein de la culture familiale, qui ramène constamment les membres de la famille sur le chemin qu'ils ont choisi au départ.

Les traditions sont très importantes, même si tout ne fonctionne pas toujours comme on l'avait prévu. Dans notre famille, par exemple, le matin de Noël, nous rassemblons tous les enfants avant d'aller ensemble au salon. Nous les alignons, du plus petit au plus grand, dans les escaliers. Nous mettons un disque de chants de Noël, prenons le caméscope et nous apprêtons à filmer : « Tout le monde est prêt? Allons-y! » Et invariablement, dans la débâcle, le plus petit tombe dans les escaliers et se met à pleurer. Quand nous sommes tous ensemble, ça fait du monde dans la même pièce. Nous sommes un peu les uns sur les autres, et il y a parfois des disputes.

Pourtant, nous nous souvenons toujours avec plaisir de ces moments-là. Les traditions nous rapprochent, nous unissent et nous régénèrent. Elles nous apportent un renouvellement social, mental, physique et spirituel. Et ce renouvellement nous permet de faire face aux aléas de la vie avec sérénité.

Application entre adultes et adolescents

La famille peut-elle se désagréger?

- Revoyez les pages 345 à 347. Demandez aux membres de votre famille ce qu'est l'entropie. Commentez l'idée suivante : « Toute chose nécessite des soins, et la vie de couple ne fait pas exception. » Quels sont les signes d'entropie dans une relation?

Comment créer des liens étroits entre les membres de la famille?

- Quelles sont les traditions les plus bénéfiques à votre famille? Ce peut être les repas en famille, les anniversaires, les vacances en famille, les jours de fête ou d'autres occasions.
- Demandez aux membres de votre famille quelles sont les traditions qu'ils ont remarquées dans d'autres familles. Demandez ce que font ces familles pour cultiver leurs traditions.
- Revoyez les pages 368 à 370. Demandez à votre famille quelles sont les traditions qu'ils aimeraient élargir à la famille étendue.
- Montrez comment les activités de renouvellement – s'amuser ensemble, apprendre ensemble, travailler ensemble, rendre service ensemble et, pour les croyants, prier ensemble – peuvent satisfaire nos quatre besoins essentiels : vivre, aimer, apprendre, transmettre.

Comment cultiver un esprit de renouvellement familial?

- Commentez les témoignages des pages 370 à 385. Demandez aux membres de votre famille : Prenons-nous le temps de renouveler nos ressources? Que pouvons-nous faire en tant que famille pour développer un esprit de renouvellement?

Application avec les enfants

- Donnez à vos enfants une feuille de papier et un crayon dont la mine est cassée. Demandez-leur de faire un dessin de votre famille. Ils ne pourront pas. Dites-leur d'appuyer un peu plus. Cela ne marchera toujours pas. Demandez-leur ce qu'il faut faire. Il faut tailler le crayon. Ensuite, lisez-leur l'histoire du bûcheron, page 346, et demandez-leur de trouver d'autres choses qui doivent être constamment renouvelées pour fonctionner. Posez les questions suivantes : Que se passerait-il si nous oubliions d'acheter du gaz, de faire vérifier les freins de la voiture, de fêter l'anniversaire de maman, celui de quelqu'un d'autre ou tout autre événement important pour un membre de la famille? Que pouvons-nous faire pour renouveler constamment nos ressources?
- Faites de l'exercice et du sport avec vos enfants. Allez marcher régulièrement avec eux. Allez à la piscine, au golf. Rappelez-leur régulièrement l'importance de maintenir son corps en bonne santé.

- Enseignez à vos enfants l'importance de travailler, de lire, d'étudier, de faire ses devoirs. Ne partez pas du principe que quelqu'un d'autre leur apprendra les leçons les plus importantes de la vie.
- Emmenez-les à des représentations culturelles adaptées à leur âge : pièces de théâtre, spectacles de danse, concerts, chorales. Incitez-les à participer à des activités qui leur permettront de développer leurs talents.
- Engagez-vous à apprendre de nouvelles activités avec vos enfants, comme la couture, le travail du bois, la pâtisserie ou le traitement de texte.
- Faites participer vos enfants au programme de vos vacances en famille.
- Cherchez comment fêter les anniversaires de façon vraiment spéciale.
- Demandez à vos enfants ce qu'ils apprécient lors des jours de fête.
- Faites participer vos enfants à votre vie spirituelle. Si vous êtes croyant, laissez-les vous accompagner à l'endroit où vous priez. Faites-leur part de vos sentiments et de vos convictions. Priez ensemble, lisez ensemble.
- Faites participer vos enfants à vos projets pour rendre service aux autres.
- Programmez à l'avance des moments où vous pourrez vous amuser avec vos enfants : aller voir des matchs, faire des randonnées en montagne, faire de la balançoire dans un parc, jouer au golf miniature ou aller manger des glaces.
- Demandez à vos enfants de s'investir pour faire du dîner un moment agréable. Faites-leur décorer la table, choisir le dessert, ou même décider d'un sujet de conversation. Insistez pour que tous les membres de votre famille soient réunis autour de la table pour prendre le repas ensemble.

De la survie à l'épanouissement en passant par la stabilité et le succès

Je ne sais pas quelle sera votre destinée mais, ce que je sais, c'est que les seuls parmi vous qui seront heureux seront ceux qui auront cherché et trouvé comment servir autrui.

Albert Schweitzer

Maintenant que nous avons passé en revue les « 7 Habitudes », j'aimerais vous donner une vision globale du pouvoir de cette démarche consistant à aller de l'intérieur vers l'extérieur. Vous allez voir comment chaque Habitude intervient pour enclencher cette démarche.

Pour commencer, j'aimerais vous faire part de l'histoire d'une femme qui a fait preuve d'une grande proactivité. Par son courage, elle est devenue une véritable force de la nature. Voyez vous-même l'impact de sa démarche sur elle, sa famille et la société.

À l'âge de dix-neuf ans, j'étais divorcée avec un enfant de deux ans. Nous étions dans une situation très difficile, mais je voulais m'en sortir le mieux possible pour mon fils. Nous n'avions pas grand-chose à manger. En fait, pendant un moment, j'en suis arrivée à me priver de manger pour nourrir mon fils. J'avais perdu tellement de poids qu'une collègue m'a demandé si j'étais malade. Et pour la première fois, je me suis laissée aller et lui ai tout raconté. Elle m'a mise en contact avec une association d'aide aux familles en difficultés, et j'ai pu entrer à l'université.

À ce moment-là, j'avais toujours à l'esprit cette vision que j'avais eue à l'âge de dix-sept ans, alors que j'étais enceinte de mon fils : je me voyais aller à l'université. Je ne savais pas comment. À dix-sept ans, je n'avais pas de diplôme. Mais je savais qu'un jour j'allais aider les autres et éclairer le chemin de ceux qui vivaient dans la même obscurité que moi. Cette vision était tellement forte qu'elle transcendait tout le reste. Elle m'a donné la force de me battre et de tout faire pour obtenir le baccalauréat.

À dix-neuf ans, je suis donc entrée à l'université. Je ne savais toujours pas comment ma vision se concrétiserait. Comment pouvais-je aider les autres alors que j'étais moi-même très angoissée par ma situation? Mais je me sentais portée par cette vision et par mon fils. Je voulais qu'il ait une vie décente. Je voulais qu'il ait de quoi manger, de quoi se vêtir, une cour pour jouer et une bonne éducation. Mais je ne pouvais lui offrir tout cela sans avoir d'éducation moi-même. Alors j'ai continué à me dire que, si j'avais un diplôme et un peu d'argent, nous pourrions vivre décemment. Je suis allée régulièrement à l'université et j'ai travaillé dur.

À l'âge de vingt-deux ans, je me suis remariée, cette fois avec un homme merveilleux. Nous avons eu une jolie petite fille. J'ai laissé tomber les cours pour pouvoir être avec mes enfants pendant qu'ils étaient petits. Nous avons réussi à nous en sortir financièrement, mais j'avais toujours cette obsession de vouloir lutter contre ce monstre qu'était la faim. Je ne pouvais pas m'empêcher d'y penser. Dès que mes enfants ont été plus grands, je me suis complètement investie dans mes études pour obtenir mon diplôme. C'était mon mari qui s'occupait des enfants pendant que j'étais en cours.

J'ai fini par obtenir mon diplôme : une maîtrise en gestion commerciale. Mes études se sont révélées très utiles, plus tard, lorsque mon mari a perdu son travail. J'ai pu l'aider à reprendre des études. Il a obtenu à son tour une maîtrise, et il est actuellement conseiller d'orientation. Il dit qu'il n'y serait jamais parvenu sans mon soutien.

Pendant une période, j'ai été très prise par mon travail et par ma famille. Puis je me suis dit : j'ai réussi. J'ai mon diplôme. J'ai une famille qui ne manque de rien. Je devrais être heureuse. Mais je me suis rappelé que je m'étais toujours dit que j'aiderais les autres, et je ne l'avais toujours pas fait. Aussi, lorsque la responsable de l'association des anciens élèves de l'université m'a demandé de faire un discours en l'honneur des élèves qui venaient de passer leur doctorat, j'ai accepté. Lorsque je lui ai demandé de quoi elle voulait que je parle, elle m'a dit : « Racontez-leur simplement votre parcours. »

Pour être honnête, parler devant un groupe de docteurs en sciences ou en mathématiques m'impressionnait beaucoup. L'idée de leur raconter ma vie ne me réjouissait pas particulièrement. Mais, entre-temps, j'avais entendu parler des chartes personnelles et en avais écrit une. Cette charte disait, en substance, que ma mission dans la vie était d'aider les autres à voir le meilleur d'eux-mêmes. Et je crois que c'est ma charte qui m'a donné le courage de raconter mon histoire.

Je me suis préparée à ce discours en me disant que, si c'était un échec, je ne parlerais plus jamais de mon histoire. Mais mon intervention s'est révélée un franc succès, car plusieurs femmes de l'université ont décidé de collecter des fonds et de créer une association pour aider les jeunes mères célibataires. Cette association porte le nom d'une personne qui croyait que, si l'on donne à une femme la chance de faire des études, c'est non seulement sa vie mais aussi celle de ses enfants qui en sont transformées.

J'étais heureuse et je pensais que j'avais fait ma part pour aider les autres. Mais, un peu plus tard, je suis allée à un cours sur le développement personnel des femmes où j'ai eu l'occasion de raconter une nouvelle fois toute mon histoire. Une femme a eu l'idée d'offrir une bourse d'études à celles qui avaient très peu de revenus. Nous avons toutes accepté de donner une certaine somme par an.

De fil en aiguille, je suis devenue conseillère à la commission des bourses de l'université. Je me suis mise à collecter des fonds pour les femmes qui avaient un bon niveau mais peu de ressources financières. Cela semble être peu de choses, mais je sais que ça peut tout changer dans une vie. J'ai reçu beaucoup d'aide de la part de personnes qui avaient l'impression de ne pas faire grand-chose. Mais je leur suis très reconnaissante.

Tout cela a eu des conséquences positives sur ma vie privée également. Mon fils, qui est actuellement en maîtrise, travaille auprès de personnes handicapées. Il s'investit beaucoup pour ces personnes. Et ma fille, étudiante en première année, enseigne bénévolement l'anglais aux enfants étrangers. Elle est très dévouée pour les familles défavorisées. Mes deux enfants se sentent très solidaires des autres. Ils sont tout à fait conscients de l'importance de rendre service à autrui, et toute leur vie va dans ce sens. Quant à mon mari, son métier de conseiller d'orientation lui donne continuellement l'occasion d'aider les gens de manière personnalisée.

Je n'en avais jamais vraiment eu conscience auparavant, mais maintenant je me rends compte que toute notre famille s'investit pour le bien d'autrui et de la société en général. Il me semble que ma vision s'est concrétisée de manière plus complète et plus large que ce que je m'étais imaginé au départ.

Je crois qu'aider les autres est ce qu'on peut faire de mieux dans la vie. Je suis heureuse que nous soyons aujourd'hui en mesure de le faire.

La proactivité dont cette femme a su faire preuve a eu un impact considérable sur sa vie, celle des membres de sa famille et celle de toutes les personnes qu'elle a aidées. Quel formidable travail sur soi ! Au lieu de laisser les circonstances empêcher sa vision de se concrétiser, elle y a cru et a tout fait pour que cette vision devienne une force motrice lui permettant de dépasser ces circonstances.

Au cours de cette démarche, cette femme et sa famille sont passées de la survie à l'épanouissement, en passant par la stabilité et le succès.

LA SURVIE

Au début, l'unique préoccupation de cette femme était de survivre. Elle avait faim. Son fils avait faim. Son seul but dans la vie était de trouver suffisamment d'argent pour ne pas mourir de faim. Ce besoin était si essentiel, si vital, que, même lorsque les circonstances ont changé, elle était toujours obsédée par cette volonté de « lutter contre ce monstre qu'était la faim ».

Elle en était donc au tout premier niveau : la *survie*. De nombreuses familles, de nombreux couples, en sont malheureusement à ce niveau. Ils luttent littéralement pour survivre, non seulement financièrement, mais aussi sur les plans mental, spirituel et social. La vie de ces personnes est remplie d'incertitude et d'angoisse. Elles sont dans le chaos, sans structures ni principes sur lesquels s'appuyer. Elles ne savent pas de quoi demain sera fait. Elles ont souvent le sentiment qu'elles sont victimes des circonstances ou de l'injustice des autres. Elles sont comme ces patients que l'on emmène au service des urgences : entre la vie et la mort ; il est impossible de savoir quel sera leur avenir.

Ces familles aiguisent leur capacité de survie. Elles ont parfois des moments de répit entre deux périodes difficiles. Mais leur seul objectif est de survivre.

LA STABILITÉ

Pour en revenir au récit que je vous ai rapporté, vous pouvez remarquer que, grâce à ses efforts et à l'aide des autres, cette femme est passée de la survie à la *stabilité*. Elle pouvait subvenir à ses besoins primaires. Elle a même eu une vie de couple stable. Pourtant, elle luttait toujours pour que sa famille soit heureuse.

La stabilité est le deuxième niveau, que de nombreuses familles et de nombreux couples essaient d'atteindre. Ils survivent, mais ils ont des habitudes et des horaires différents, et n'ont pas le temps ou ne prennent pas la peine de parler de ce qui pourrait leur apporter plus de stabilité. Ils vivent dans un désordre perpétuel. Ils ne savent pas quoi faire. Ils ne croient plus en rien et se sentent pris dans un piège.

Mais plus ces personnes apprennent, plus elles ont d'espoir. Et, dès lors qu'elles travaillent à partir de leurs connaissances pour établir des structures leur permettant de communiquer et de résoudre leurs problèmes, leur espoir devient encore plus grand. Car l'espoir dépasse l'ignorance et la futilité. Et la famille, ou le couple, devient stable et fiable.

Mais la stabilité n'est pas encore le succès. Un certain degré d'organisation permet aux familles de manger à leur faim et de payer leurs factures. Mais elles ne parviennent pas pour autant à vivre harmonieusement. Les membres de la famille se rejoignent de temps à autre pour régler les problèmes les plus urgents, mais ils n'ont pas de véritable communication. Ils trouvent généralement leurs satisfactions ailleurs qu'au sein de la famille. Le foyer n'a pas d'importance. On s'y ennuie. Et on trouve l'interdépendance si épuisante qu'on préfère ne rien partager. Il n'y a pas de vrai bonheur, d'amour, de joie ni de paix.

LE SUCCÈS

Pour parvenir au troisième niveau, le *succès*, il faut avoir atteint des objectifs importants. Ces objectifs peuvent être d'ordre économique : augmenter son revenu, améliorer la gestion de son revenu actuel, réduire les dépenses et économiser pour faire des études ou partir en vacances. Ils peuvent être d'ordre mental : se qualifier dans un nouveau domaine, obtenir un diplôme. Ceux de cette femme étaient orientés en priorité vers ces deux domaines. Ils visaient à jouir d'un certain bien-être économique et d'une bonne formation. Mais les objectifs peuvent également être sociaux : passer plus de temps en famille, établir une véritable communication ou des traditions. Enfin, ils peuvent être spirituels : créer un sentiment de vision et de valeurs communes, renouveler sa foi et ses convictions.

Le succès, pour une famille, c'est de se fixer et d'atteindre des objectifs nobles. La famille est importante pour tous. On éprouve une joie sincère à se retrouver. On a confiance les uns dans les autres. On organise et on effectue des activités familiales. On s'efforce de vivre mieux, d'aimer mieux, d'apprendre mieux et de renouveler les ressources de la famille grâce aux traditions.

Mais, même dans les familles qui ont atteint ce troisième niveau, il manque souvent une autre dimension. Rappelez-vous les paroles de cette femme : « Pendant une période, j'ai été très prise par mon travail et par ma famille. Puis je me suis dit : j'ai réussi. J'ai mon diplôme. J'ai une famille qui ne manque de rien. Je devrais être heureuse. Mais je me suis rappelé que je m'étais toujours dit que j'aiderais les autres, et je ne l'avais toujours pas fait. »

L'ÉPANOUISSEMENT

Lorsque la famille s'investit dans un projet noble, étranger à elle-même, elle atteint le quatrième niveau, l'*épanouissement*. La famille ne se contente pas d'avoir connu le succès, elle a un sens de la responsabilité envers l'humanité tout entière. Elle se sent à la fois responsable et redevable. La mission de la famille est de transmettre, d'influencer positivement la société à travers diverses organisations ou associations. Cette femme qui nous fait part de son expérience a ressenti un sentiment de responsabilité et s'est consacrée aux autres. Et, grâce à son exemple, ses enfants ont fait de même. Certaines familles intègrent ce sentiment de responsabilité dans leur charte familiale. Toute la famille est donc entraînée dans cet élan vers les autres.

Parfois, un membre de la famille se consacre à une activité particulière, et le reste de la famille s'unit pour le soutenir dans cet effort. Dans notre famille, par exemple, nous soutenions tous Sandra lorsqu'elle passait des heures à travailler dans une association caritative. Nous avons également essayé de soutenir et d'encourager certains de nos enfants qui avaient décidé de passer quelques années à l'étranger pour se mettre au service des plus démunis. Nous avons tous ressenti un sentiment d'unité lorsque, au fil des ans, tous les membres de la famille m'ont soutenu, et pour certains suivi, dans ma tâche au Covey Leadership Center (actuelle Franklin Covey Company). Tous ces efforts ont été effectués par l'ensemble de la famille, bien que tous les membres n'aient pas été impliqués directement dans chaque activité.

L'ensemble de la famille peut aussi s'investir dans un projet commun. Je connais une famille qui fournit des cassettes vidéo aux personnes âgées vivant dans des maisons de retraite. Cette tradition a commencé avec leur grand-mère, lorsque celle-ci a dû rentrer dans une maison de retraite à la suite d'une attaque. Cette grand-mère adorait regarder des vieux films. Aussi, la famille a décidé de lui rendre visite au moins une fois par semaine et de lui amener des cassettes vidéo. La grand-mère et ses amies y ont tellement pris goût que cette famille a fini par amener des cassettes pour tout le monde. Au fil des ans, les cinq petits-enfants de cette vieille dame ont continué à rendre service aux personnes âgées. Ils sont ainsi restés très proches tout en se consacrant aux autres.

Je connais une autre famille qui passe le réveillon du nouvel an à cuisiner pour les sans-abris. Tous les membres de la famille décident à l'avance de ce qu'ils vont faire à manger, de la façon dont ils vont décorer les tables, puis ils répartissent les tâches. C'est devenu une joyeuse tradition, au cours de laquelle ils travaillent tous ensemble pour préparer un merveilleux réveillon aux plus démunis.

De nombreuses familles ont rendu service au moins une fois en s'unissant pour aider l'un des leurs qui se trouvait dans le besoin.

Ce homme, père de famille, en témoigne.

Fin 1989, nous avons appris que mon père avait une tumeur au cerveau. Pendant seize mois, il a dû subir un traitement chimiothérapique. Puis, fin 1990, il ne pouvait plus rester seul, et ma mère, qui avait plus de soixante-dix ans, ne pouvait pas l'aider.

Ma femme et moi avons dû prendre une décision. Après en avoir discuté ensemble, nous avons décidé de prendre mon père et ma mère à la maison. Nous avons installé mon père au salon, dans un lit d'hôpital, où il est mort trois mois plus tard.

Je me rends compte aujourd'hui que j'ai agi selon des principes profondément ancrés en moi et avec une idée précise de mes priorités dans la vie. J'aurais pu ne pas prendre cette décision. Bien que les circons-

tances aient été difficiles, j'en ai retiré beaucoup de bénéfices. Maintenant, lorsque je regarde en arrière, je me dis que j'ai fait ce qu'il fallait. Nous avons fait tout ce que nous avons pu pour mon père. Nous lui avons donné ce que nous pouvions lui donner de mieux sur le plan humain : nous! Et nous sommes heureux de l'avoir fait.

Nous sommes devenus très intimes avec mon père durant les derniers mois de sa vie. Ma femme et moi avons beaucoup appris, et ma mère aussi. Elle voit l'avenir sereinement, car elle sait que, si elle devait traverser ce genre d'épreuve, nous agirions de même avec elle. Quant à nos enfants, ils nous ont vus nous consacrer à mon père, ont aidé comme ils ont pu et en ont tiré une grande leçon.

Pendant ces quelques mois, ces personnes ont aidé un membre de leur famille à mourir avec dignité, en l'entourant d'amour. En agissant ainsi, elles ont transmis un merveilleux message à sa femme et à toute la famille. Et les enfants ont grandi dans un foyer rempli de compassion, de dévouement et d'amour.

Ceux qui souffrent transmettent parfois eux-mêmes un héritage lourd de sens à leur famille. J'ai été moi-même profondément influencé par l'exemple de ma sœur Marilyn lorsqu'elle était mourante. Deux jours avant sa mort, elle m'a dit : « Mon seul désir est de montrer à mes enfants et petits-enfants comment mourir dignement et vivre de façon noble, selon les principes qui gouvernent la vie. » Pendant les dernières semaines de sa vie, elle s'est efforcée de transmettre cet héritage. Et je sais que ses enfants et petits-enfants ont été, tout comme moi, influencés par son exemple pour le reste de leur vie.

Il y a de nombreuses façons de vivre en se consacrant aux autres au sein de sa famille et de la société en général. J'ai des amis et des parents dont les membres de la famille se sont unis pour les aider à faire face à de graves problèmes, qu'il s'agisse de toxicomanie, d'un enfant trisomique, de problèmes financiers importants ou d'un mariage raté. Tous les membres de la famille ont apporté leur aide pour effacer les plaies du passé.

Les familles peuvent aussi intervenir dans les écoles ou dans la ville pour améliorer la prévention contre la drogue, réduire le taux de criminalité ou soutenir les enfants de familles à risques. Elles peuvent collecter des fonds, donner des cours particuliers ou rendre toutes sortes de services. Elles peuvent aussi atteindre un niveau d'interdépendance plus élevé en travaillant ensemble ou en s'investissant dans des projets avec d'autres familles.

Dans certains pays, la population entière s'investit dans un énorme effort interdépendant. C'est le cas à l'île Maurice, petit pays proche de la côte est de l'Afrique. Là-bas, plus d'un million de personnes travaillent ensemble pour survivre sur le plan économique et subvenir aux besoins de leurs enfants, au sein d'une culture qui prône à la fois l'indépendance et l'interdépendance. Il n'y a ni chômage ni sans-abris, très peu de pauvreté et de criminalité. De plus, les citoyens de l'île Maurice sont issus de cinq cultures très différentes. Ces différences sont très marquées, et pourtant ils savent les valoriser. Tous célèbrent les jours de fête correspondant à toutes les religions pratiquées sur l'île. Cette interdépendance parfaitement intégrée par la population reflète ses valeurs concernant l'ordre, l'harmonie, la coopération, la synergie et l'investissement de chacun au profit de tous, notamment des enfants.

En se consacrant à autrui, les familles n'aident pas seulement les autres. Elles en retirent elles aussi de grands bénéfices. Les membres de la famille se rapprochent, s'unissent et ressentent un grand sentiment de satisfaction après avoir œuvré ensemble pour le bien d'autrui. Ils atteignent une plénitude commune.

C'est en se tournant vers les autres que la famille se perpétue. C'est en donnant qu'elle trouve un sens à sa vie. Plus elle donne, plus son désir de donner s'accroît. Hans Selye, précurseur de la recherche sur le stress, affirme que le meilleur moyen de rester fort, en bonne santé et vivant est de gagner l'amour de son prochain. Il explique que, si les femmes vivent plus longtemps que les hommes, c'est pour des raisons davantage psychologiques que physiologiques. Une femme ne s'arrête jamais de travailler. Elle a une responsabilité constante envers sa famille. Ce sentiment de responsabilité est profondément ancré en elle et dans sa culture. En revanche, de nombreux hommes se concentrent sur leur carrière; c'est là qu'ils trouvent leur identité. Leur famille passe alors au second plan et, lorsqu'ils prennent leur retraite, ils perdent ce sens de la responsabilité envers les autres. Ils perdent de leur dynamisme et de leur force, leur système immunitaire se détériore, et ils ont tendance à mourir avant les femmes. Un auteur anonyme d'une grande sagesse a écrit : « J'ai cherché mon dieu, je ne l'ai pas trouvé. J'ai cherché mon âme, elle m'a échappé. J'ai cherché à servir mon frère, et je les ai trouvés tous les trois : mon dieu, mon âme et mon frère. »

C'est ce quatrième niveau, après la survie, la stabilité et le succès, qui fait de nous une famille épanouie. C'est ainsi que la famille devient une véritable force motrice pour les autres familles et pour toute la société. À ce niveau, **la famille** n'est plus une fin en soi. Elle devient le moyen de parvenir à une fin qui lui est supérieure. Elle **est le vecteur du bien-être de tous**.

DE LA RÉSOLUTION DE PROBLÈMES À LA CRÉATION

Alors que vous évoluerez vers votre destination en tant que famille, il vous sera peut-être utile de viser l'un après l'autre chacun de ces niveaux, en les considérant comme des étapes de votre parcours. À chaque fois que vous atteindrez une étape, ce sera à la fois un succès et un tremplin pour parvenir à la suivante.

Le passage de la survie à l'épanouissement implique un changement radical dans votre schéma de pensée. Lorsque l'on recherche la survie et la stabilité, on se concentre sur la façon dont on peut résoudre les problèmes.

« Comment nourrir notre famille et lui donner un toit? »

« Que faire pour que Daryl change de comportement et pour que Sara ait de meilleures notes? »

« Comment avoir de meilleures relations? »

« Comment rembourser nos dettes? »

Mais lorsque l'on évolue vers le succès et l'épanouissement, on se concentre sur la création d'une vision, d'objectifs qui transcendent la famille.

« Quelle genre d'éducation voulons-nous donner à nos enfants? »

« Quelles ressources financières aimerions-nous avoir dans cinq ou dix ans? »

« Comment renforcer nos liens familiaux? »

« Que pouvons-nous faire en tant que famille pour changer les choses? »

Cela ne veut pas dire que les familles qui sont passées à l'étape du succès puis à celle de l'épanouissement n'ont pas de problèmes à résoudre. Elles en ont. Mais elles se concentrent *d'abord* sur la création. Au lieu d'essayer de se débarrasser des éléments négatifs de leur vie, elles créent des éléments positifs – de nouveaux objectifs, de nouvelles possibilités, qui optimiseront leur situation. Au lieu de se

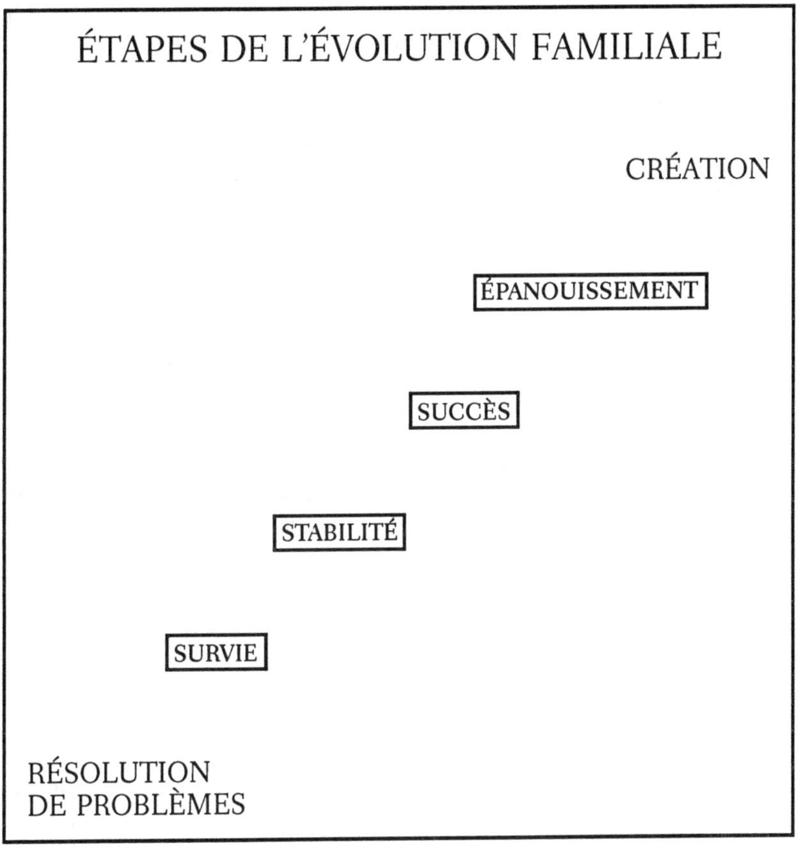

ÉTAPES DE L'ÉVOLUTION FAMILIALE

CRÉATION

ÉPANOUISSEMENT

SUCCÈS

STABILITÉ

SURVIE

RÉSOLUTION
DE PROBLÈMES

précipiter d'une crise à une autre en essayant de les résorber, elles s'efforcent de créer un effet de synergie pour atteindre un plus haut degré d'épanouissement.

Lorsque l'on se concentre sur les problèmes, on essaie d'éliminer quelque chose. Lorsque l'on se concentre sur une vision ou sur les possibilités, on essaie de créer quelque chose.

C'est tout un état d'esprit. L'implication émotionnelle et spirituelle est différente, ce qui se ressent énormément dans la culture familiale. C'est comme si vous passiez d'un état de fatigue permanent à un état de repos et de dynamisme. Au lieu de vous sentir frustré, déçu, enlisé dans toutes sortes de problèmes, sans la moindre lueur d'espoir, vous vous sentez optimiste, revigoré et plein d'espoir. Vous êtes rempli d'une énergie positive qui conduit à la synergie et à la créativité. Concentré sur votre vision, vous ne vous laissez pas abattre par les problèmes.

Passer de la survie à l'épanouissement ne dépend généralement pas beaucoup des circonstances extérieures. Cette femme en témoigne.

Nous avons découvert que les ressources financières n'ont pas grand-chose à voir avec l'épanouissement d'une famille. Maintenant que nous avons plus d'argent, nous pouvons faire plus mais, même dans les premières années de notre mariage, nous pouvions consacrer du temps aux autres. Et cela nous a vraiment unis en tant que famille. Nous avons enseigné à nos enfants, dès leur plus jeune âge, l'importance d'aider un voisin, de rendre visite aux personnes âgées ou d'apporter un repas à une personne malade. Ensemble, nous avons trouvé une identité à notre famille : « Nous sommes une famille qui aide les autres. » Nos enfants ont été très influencés par cet esprit de dévouement lorsqu'ils sont devenus adolescents.

FORCES MOTRICES ET FORCES CONTRAIRES

En passant de la survie à l'épanouissement, vous découvrirez qu'il existe des forces motrices qui vous donneront de l'énergie et vous aideront à aller de l'avant. La connaissance et l'espoir vous propulseront vers la stabilité. La motivation et la confiance vous conduiront au succès. Le sens du dévouement et la vision du changement vous pousseront vers l'épanouissement. Toutes ces forces sont semblables aux vents arrière qui font avancer un avion plus rapidement vers sa destination – et le font parfois arriver avant l'heure prévue.

Mais il y a aussi beaucoup de vents contraires – des forces qui vous ralentissent, vous empêchent d'avancer ou vous font même reculer. La peur et la tendance à s'apitoyer sur votre sort vous ramèneront toujours au stade de la survie. Le manque de connaissance et le laisser-aller vous empêcheront d'atteindre la stabilité. L'ennui et la fuite devant l'effort vous priveront de succès. Et votre façon de vivre tourné vers vous-même plutôt que vers les autres, votre sens de la propriété, vous empêcheront de connaître l'épanouissement.

Les forces contraires sont généralement d'ordre émotionnel et psychologique, alors que les forces motrices sont plus logiques, structurées et proactives.

Bien sûr, vous devez faire en sorte d'optimiser les forces motrices. C'est ce que font la plupart des gens. Mais en période de crise, les forces contraires finiront par vous faire revenir en arrière.

Ce qui compte avant tout, c'est d'éliminer toutes les forces contraires. Les ignorer, cela revient à avancer vers votre destination avec les propulseurs montés à l'envers. Malgré tous vos efforts, si vous ne faites rien pour vous débarrasser de ces forces contraires, vous n'arriverez nulle part et vous vous fatiguerez pour rien. Vous devez travailler sur les forces motrices et sur les forces contraires en même temps, mais surtout sur les forces contraires.

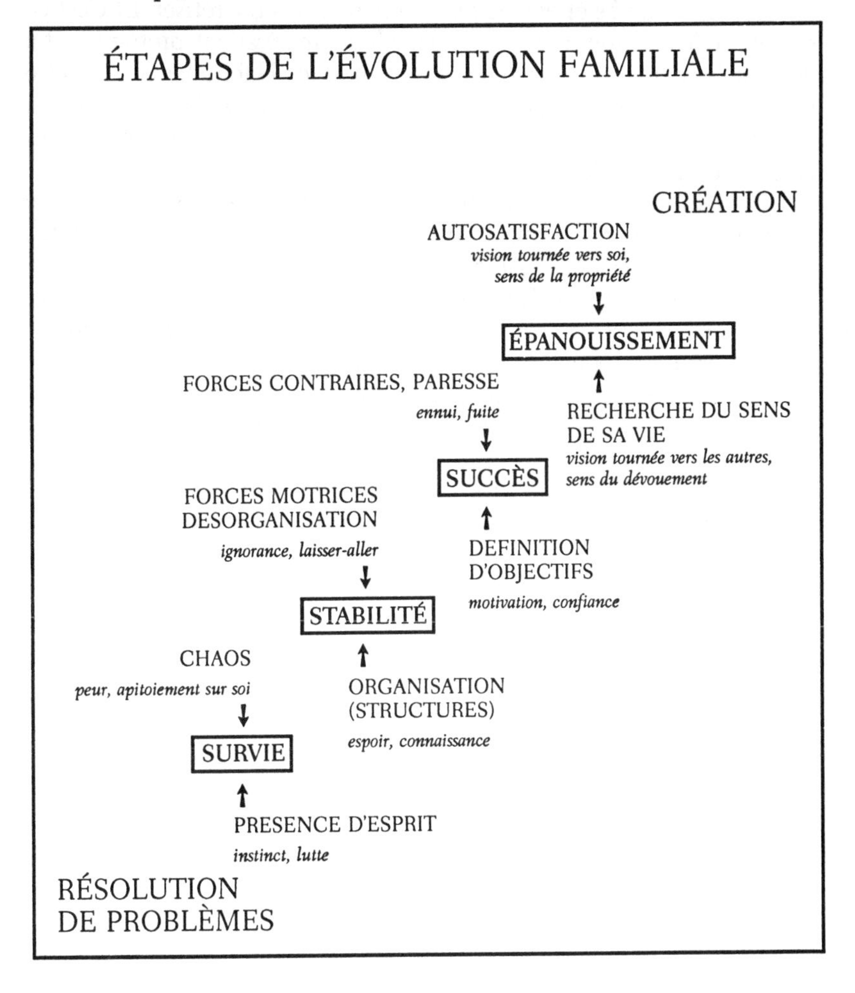

Les Habitudes n° 1, 2, et 3 déclenchent les force motrices car elles consolident la proactivité. Elles nous donnent le sentiment d'avoir une destination claire et motivante, qui transcende l'individualité. En réalité, sans aucune forme de vision ou de mission, nous devenons partisans du moindre effort, nous vivons sur nos réserves, sans chercher à développer de nouveaux talents. Mais, lorsque nous sommes tournés vers les autres, nous nous efforçons de développer nos capacités et de concrétiser notre vision, parce que cette vision est plus puissante que tout le reste. C'est le but des familles épanouies. Elles ont la volonté de créer ce genre de vision irrésistible et de contracter un engagement envers elles-mêmes et envers les autres pour la concrétiser. Et c'est ce qui incite les personnes à puiser dans leurs motivations profondes et à devenir le meilleur d'elles-mêmes. Ensuite, les Habitudes n° 4, 5 et 6 nous montrent le processus qu'il faut suivre pour réaliser nos projets. Enfin, l'Habitude n° 7 nous permet de renouveler nos ressources pour être toujours capables d'atteindre nos objectifs.

Les Habitudes n° 4, 5 et 6 nous donnent aussi la possibilité d'identifier et d'éliminer les forces contraires d'ordre culturel, émotionnel, social et psychologique. Ainsi, la moindre quantité d'énergie proactive peut tout changer. En fait, dès lors que nous sommes capables d'analyser les angoisses et l'énergie négative qui nous empêchent de progresser, nous pouvons les transformer en forces motrices. Nous observons souvent ce phénomène lorsque des personnes dites à problèmes se sentent écoutées et comprises, et finissent par trouver elles-mêmes des solutions.

Prenons l'exemple d'une voiture pour illustrer mon propos. Si vous aviez un pied sur l'accélérateur et l'autre sur le frein, que feriez-vous pour avancer plus vite : vous appuieriez à fond sur l'accélérateur ou vous relâcheriez le frein? Il est évident qu'il faut relâcher le frein. Vous pourriez peut-être même lever un peu le pied de l'accélérateur et aller encore plus vite que lorsque vous freiniez en même temps.

De la même façon, les Habitudes n° 4, 5 et 6 donnent une bouffée d'air. Elles permettent de relâcher le frein émotionnel, de sorte que la moindre accélération fera évoluer la culture familiale très rapidement. Des études scientifiques montrent que, lorsque l'on essaie d'analyser soi-même les problèmes pour trouver une solution, les forces contraires deviennent des forces motrices [1].

1. Kurt Lewin, *Field Theory in Special Science* (Harper, 1951).

En appliquant les « 7 Habitudes », vous serez donc capable d'agir sur ces deux types de forces en même temps pour passer de la survie à l'épanouissement. Vous pouvez vous référer au tableau de la page 401 pour vous situer et identifier vos forces contraires et vos forces motrices. À partir de cette analyse, vous saurez comment passer d'un état d'esprit axé sur la résolution de problèmes à un état d'esprit axé sur la création.

PAR OÙ COMMENCER ?

Nous désirons tous améliorer notre vie de famille. Inconsciemment, nous voulons passer de la survie au succès et à l'épanouissement. Mais nous avons parfois beaucoup de mal. En dépit de tous nos efforts, il nous arrive d'obtenir le résultat inverse de celui que nous escomptions.

Cet effet contreproductif est particulièrement fréquent dans nos interactions avec notre conjoint ou avec un adolescent. Il nous arrive même de nous demander comment influencer les jeunes enfants de manière positive. Devons-nous les punir, leur donner une fessée, les envoyer dans leur chambre? Est-il juste de profiter de la supériorité de notre développement physique ou mental pour les contraindre à faire ce que nous voulons qu'ils fassent? Ou existe-t-il des principes pouvant nous aider à comprendre comment les influencer d'une façon plus appropriée?

Tout membre d'une famille, quel qu'il soit, désirant vraiment devenir une personne de transition – puis un acteur du changement – et aider sa famille à progresser vers l'épanouissement peut le faire, surtout s'il joue les quatre rôles que nous allons décrire. La famille est constamment en évolution, de la même façon qu'un arbre. C'est pourquoi j'ai choisi d'englober ces rôles dans ce que j'appelle l'arbre de la vie de famille fondée sur des principes. Cet arbre nous rappelle que la famille est un élément de la nature et que nous devons agir selon des lois naturelles ou des principes. Il nous aide à trouver des stratégies pour résoudre nos problèmes familiaux. Vous pouvez vous reporter à la page 415 pour observer cet arbre.

Gardez à l'esprit l'image de cet arbre. Vous allez voir que, si vous appliquez les « 7 Habitudes » pour chacun de ces rôles, vous pourrez aider votre famille à passer de la survie à l'épanouissement. Examinons-les un par un.

Donner l'exemple

Je connais un homme qui adorait aller à la chasse avec son père quand il était petit. Ils passaient des semaines à faire les préparatifs. C'était un véritable événement. Plus tard, cet homme m'a raconté une histoire tout à fait édifiante.

Je n'oublierai jamais ce qui s'est passé le jour de l'ouverture de la chasse au faisan cette année-là. Papa, mon frère aîné et moi nous sommes levés à quatre heures du matin. Nous avons pris le petit déjeuner consistant que maman nous avait préparé, sommes montés dans la voiture et avons roulé jusqu'à six heures pour atteindre l'endroit où nous avions l'habitude de chasser. Nous étions arrivés à l'avance pour réserver notre terrain avant que les autres chasseurs n'arrivent. L'heure d'ouverture était prévue à huit heures.

Au fur et à mesure que l'heure approchait, d'autres chasseurs arrivaient et tournaient autour de nous pour chercher un bon endroit. À 7 h 40, nous avons vu des chasseurs entrer dans la forêt. À 7 h 45, nous avons entendu le premier coup de feu – un quart d'heure avant l'heure d'ouverture officielle. Nous avons regardé papa. Il a regardé sa montre calmement, et nous avons attendu. Nous voyions des oiseaux tomber du ciel. À 7 h 50, tous les chasseurs étaient entrés dans la forêt, et nous entendions coup de feu sur coup de feu.

Papa a regardé sa montre, puis a dit : « La chasse ouvre à huit heures, les garçons. » Environ trois minutes avant l'ouverture, quatre chasseurs se sont engagés dans notre terrain de chasse. Nous avons regardé papa, et il a répété : « La chasse ouvre à huit heures. » À huit heures, il n'y avait plus d'oiseaux, mais nous sommes partis chasser.

Nous sommes revenus bredouilles ce jour-là. Mais nous avons eu pour toujours l'image d'un homme à qui je voulais ardemment ressembler : mon père, mon idéal, qui m'a enseigné l'intégrité absolue.

Ce qui était important pour le père de cet homme, ce n'était pas le plaisir d'être un grand chasseur, ni l'estime qu'il pouvait gagner, mais la satisfaction d'être un homme intègre, un père et un modèle d'intégrité pour ses fils.

Je connais un autre homme qui a donné un exemple tout à fait différent à son fils. Voici le témoignage de sa femme.

Mon mari, Jerri, ne s'est jamais vraiment occupé de l'éducation de notre fils Sam. Il est toujours resté en peu en retrait, ne se sentant pas concerné.

À chaque fois que je lui dis qu'il devrait s'investir plus pour Sam, il hausse les épaules. Il dit qu'il n'a rien à lui apporter et que c'est à moi de prendre son éducation en main.

Sam est maintenant au lycée, et il a d'énormes problèmes. Un soir, j'ai dit à Jerri que, la prochaine fois que le proviseur du lycée téléphonerait, je le lui passerais, car moi j'en avais assez. Ce soir-là, Jerri a dit à Sam que sa mère ne l'aiderait plus et qu'il ferait donc mieux d'arrêter de causer des problèmes à tout le monde.

Lorsque je l'ai entendu dire ça, j'étais folle de rage. J'ai eu envie de me lever et de partir. J'ai explosé, et Jerri m'a répondu : « Eh, ne t'en prends pas à moi ! C'est toi qui l'a élevé. C'est toi qui l'a influencé, pas moi. »

Qui influence vraiment ce jeune garçon ? Quel exemple ce père donne-t-il à son fils ? Cet homme a essayé de se dégager de ses responsabilités et a laissé sa femme s'occuper de l'éducation de leur fils. Mais n'a-t-il pas eu d'influence sur lui pour autant ? Sa façon d'agir (sa passivité) ne l'a-t-elle pas profondément influencé ?

Il ne fait aucun doute que c'est l'exemple de son père qui a influencé le comportement de ce jeune garçon. Selon Albert Schweitzer, pour élever les enfants, il faut « agir selon trois principes : premièrement, donner l'exemple ; deuxièmement, donner l'exemple ; et troisièmement, donner l'exemple ». Nous sommes d'abord et avant tout des modèles pour nos enfants. Ce que nous voyons en eux reflète notre moi profond, que nous ne pouvons ni cacher ni déguiser. Même si l'on essaie de se donner des apparences, nos véritables désirs, valeurs, croyances refont surface sous de nombreuses formes. On ne transmet que ce que l'on est – ni plus, ni moins.

Votre premier rôle consiste à donner l'exemple. Ce rôle constitue les racines de l'arbre. La cohérence et l'intégrité de votre propre vie donnent une certaine crédibilité à vos actes. Lorsque les membres de votre famille voient ce que vous faites pour les autres, ils croient en vous et ont confiance en vous, parce qu'ils savent que vous êtes digne de confiance.

En fait, que cela vous plaise ou non, vous êtes un modèle. Si vous êtes parent, vous êtes le *premier* modèle de vos enfants. ***Vous ne***

***pouvez pas ne pas être un modèle*. C'est impossible. Vos enfants verront votre exemple, qu'il soit positif ou négatif, comme un modèle à suivre.**

Comme l'a si bien dit cet écrivain anonyme :

Lorsqu'un enfant vit dans la critique, il apprend à accuser les autres.
Lorsqu'un enfant vit dans la confiance, il apprend à avoir confiance en lui.
Lorsqu'un enfant vit dans l'hostilité, il apprend à combattre.
Lorsqu'un enfant vit dans le respect, il apprend l'amour.
Lorsqu'un enfant vit dans la peur, il apprend à être anxieux.
Lorsqu'un enfant vit dans la reconnaissance, il apprend à avoir un but.
Lorsqu'un enfant vit dans la pitié, il apprend à s'apitoyer sur lui-même.
Lorsqu'un enfant vit dans l'approbation, il apprend l'amour-propre.
Lorsqu'un enfant vit dans la jalousie, il apprend à se sentir coupable.
Lorsqu'un enfant vit dans la bienveillance, il apprend que la vie est belle.

Si nous sommes attentifs, nous pouvons voir nos propres faiblesses réapparaître chez nos enfants. C'est particulièrement vrai en ce qui concerne la façon dont nous abordons nos différences et nos désaccords. Prenons un exemple : une mère entre au salon pour dire à ses deux petits garçons de venir manger et les trouve en train de se disputer pour un jouet. Elle intervient : « Les enfants, je vous ai déjà dit de ne pas vous disputer ! Vous n'avez qu'à jouer avec chacun votre tour. » L'aîné arrache le jouet des mains de son petit frère en criant : « J'étais le premier ! » Le petit se met à pleurer et refuse de venir manger.

La mère ne comprend pas pourquoi ses fils semblent ne jamais apprendre. Puis elle réfléchit un moment à la manière dont elle et son mari agissent lorsqu'ils sont en désaccord. Elle se souvient du soir où ils se sont disputés sur un problème de gestion du budget. Elle repense à ce jour où son mari est parti travailler plutôt de mauvaise humeur après un désaccord sur un projet commun. Et plus cette mère réfléchit, plus elle se rend compte qu'elle et son mari ont toujours donné un mauvais exemple à leurs enfants.

Tous les témoignages cités dans ce livre montrent clairement que la façon de penser et d'agir des enfants est calquée sur le comportement des parents. Les enfants héritent du schéma de pensée de leurs parents, et celui-ci se répercute parfois sur trois ou quatre générations. Les parents ont été conditionnés par leurs propres parents, lesquels ont été conditionnés par les leurs, etc. Et aucune génération ne s'est rendu compte de la transmission de cet héritage.

C'est pourquoi, en tant que parents, nous devons être un modèle pour nos enfants. C'est notre responsabilité la plus fondamentale, la plus sacrée et la plus spirituelle. Nous donnons dès le départ à nos enfants le scénario de leur vie. Et il est fort probable qu'ils suivront ce scénario toute leur vie. Nous devons nous rendre compte que l'exemple que nous donnons chaque jour constitue la plus importante de toutes les influences que nous exerçons sur nos enfants. Nous devons donc analyser avec soin notre propre vie et nous demander : qui suis-je, comment est-ce que je me définirais ? (sentiment de sécurité). Où est-ce que je me dirige et qu'est-ce que je fais pour savoir comment orienter ma vie ? (orientation). Comment la vie fonctionne-t-elle et comment dois-je vivre ma vie ? (sagesse). Quelles sont les ressources dont je dispose pour influencer ma vie et celle des autres ? (ressources). Quel que soit notre mode de vie, celui-ci influencera profondément nos enfants – que nous en soyons conscients ou non, que nous le voulions ou non.

Si vous choisissez de vivre selon les « 7 Habitudes », qu'apprendront vos enfants ? Vous essaierez de vivre selon la charte familiale que vous aurez établie, vous aurez beaucoup de respect et d'amour pour les autres, vous chercherez à comprendre puis à être compris, vous croirez au pouvoir de la synergie et vous n'aurez pas peur de prendre des risques pour créer, avec les autres, une troisième possibilité. Vous renouvellerez constamment vos ressources pour conserver votre forme physique et votre vitalité, pour apprendre, pour consolider vos liens avec votre famille et pour être toujours fidèle aux principes qui gouvernent la vie. C'est cet exemple-là que vous donnerez à vos enfants.

Vous rendez-vous compte de l'impact qu'un tel modèle peut avoir sur la vie d'un enfant ?

Influencer positivement

Je connais un homme pour qui la famille compte énormément. Bien qu'il s'investisse dans de nombreuses activités en dehors de chez lui, il met un point d'honneur à enseigner des principes universels à ses enfants et à les aider à devenir des adultes responsables, bienveillants et solidaires. Et il est lui-même un excellent exemple de ce qu'il essaie d'enseigner.

Deux de ses filles avaient l'intention de se marier. Aussi, un soir, lorsque les fiancés de ses filles étaient à la maison, il les a réunis tous les quatre dans le salon et a passé plusieurs heures à leur parler de choses qu'il avait apprises et qui les aideraient au cours de leur vie.

Après cette discussion, les filles sont allées voir leur mère un peu déçues : « La seule chose qui intéresse papa, c'est de nous enseigner des principes, mais il ne s'intéresse pas à nous en tant qu'individus. » Cet homme voulait transmettre à ses filles la sagesse et le savoir qu'il avait acquis au fil des ans, mais celles-ci ne se sentaient pas acceptées en tant que personnes. Elles se demandaient s'il les aimait telles qu'elles étaient. Et, tant qu'elles n'ont pas été sûres qu'il leur portait un amour inconditionnel, elles n'ont pas été ouvertes à son influence, qu'elle soit bonne ou mauvaise.

Souvenez-vous : « Peu m'importe ce que tu sais tant que je ne sais pas combien je t'importe. » Votre deuxième rôle, représenté par le tronc massif de l'arbre, consiste donc à influencer les autres à la manière d'un mentor. Un mentor attache de l'importance aux relations. Il met les autres en valeur. Il fait preuve d'un amour profond, sincère et inconditionnel.

Cet amour incite les autres à s'ouvrir à son influence, car ils ont confiance en celui qui les aime tels qu'ils sont. C'est ce que nous avons vu dans l'Habitude n° 1 concernant les Lois fondamentales de l'amour et les Lois fondamentales de la vie. Si vous vivez selon les Lois fondamentales de l'amour – si vous aimez les autres sans condition, pour ce qu'ils sont et non en fonction de leur comportement ou de leur statut social –, vous les inciterez à vivre selon les Lois fondamentales de la vie – l'honnêteté, l'intégrité, le respect, la responsabilité et la confiance.

En tant que parent, vous devez vous rendre compte que, quelle que soit votre relation avec vos enfants, vous êtes leur premier mentor – la personne à qui ils s'identifient, dont ils désirent profondément être aimés. Vous ne pouvez pas ne pas être un mentor. Vous êtes, pour vos enfants, leur première source de sécurité ou d'insécurité physique ou affective. De vous dépend leur sentiment d'être aimés ou négligés. C'est en grande partie de vous que dépendent l'amour-propre de votre enfant et votre capacité à l'influencer et à lui enseigner des principes.

La façon dont vous jouez votre rôle de mentor avec chacun des membres de votre famille – *mais surtout avec votre enfant le plus difficile* – détermine également le degré de confiance qui règne au sein de la famille. Comme nous l'avons vu dans l'Habitude n° 6, votre culture familiale dépend en grande partie de la façon dont vous traitez l'enfant qui vous met le plus à l'épreuve, qui teste le plus votre capacité à aimer sans condition. Si vous êtes capable de témoigner un amour inconditionnel à cet enfant, tous les autres sauront que votre amour pour eux est également inconditionnel.

Il y a cinq façons différentes de montrer votre amour inconditionnel. Si vous n'en négligez aucune, les liens familiaux se resserreront considérablement.

1. **Pratiquez l'empathie** : écoutez le cœur de l'autre avec votre cœur.
2. **Faites part de votre expérience :** discutez de vos idées, de vos émotions et de vos convictions.
3. **Mettez l'autre en valeur** : montrez-lui que vous croyez en lui, encouragez-le, témoignez-lui votre estime et aidez-le à découvrir sa valeur intrinsèque.
4. **Priez pour l'autre, si vous êtes croyant :** soyez disponible pour lui, consacrez-lui du temps, puisez dans votre énergie pour lui transmettre celle dont il a besoin pour atteindre ses objectifs.
5. **Sacrifiez-vous pour l'autre** : faites plus que ce qu'il attend de vous. Soyez attentif et mettez-vous au service de l'autre même si cela vous coûte.

On néglige très souvent l'empathie, la valorisation et le sacrifice. On se contente généralement de faire part de son expérience et d'essayer d'aider l'autre. Pourtant, ces cinq éléments sont indispensables pour donner à l'autre la certitude d'être aimé sans condition.

On fait souvent l'erreur d'essayer d'enseigner (ou d'influencer, de prévenir, d'éduquer) avant d'avoir une relation qui nous permette de le faire. La prochaine fois que vous voudrez corriger le comportement de votre enfant, accordez-vous un délai et demandez-vous si vos efforts sont efficaces. Pour qu'ils ne soient pas vains, vous devrez avoir la certitude d'avoir établi avec lui une relation d'amour inconditionnel. Posez-vous la question suivante : mon enfant est-il susceptible d'être ouvert à mon influence, mes paroles ne vont-elles pas rebondir sur lui comme s'il portait un gilet pare-balles ? Nous agissons souvent sous l'impulsion du moment, sans prendre la peine de nous demander si nous allons être efficaces, si nos efforts vont vraiment aboutir au résultat voulu. Lorsque nous échouons, c'est souvent parce que nous n'avons pas assez consolidé nos relations.

Commencez par resserrer vos liens avec votre famille. Si les membres de votre famille se sentent aimés, ils prendront confiance en eux et s'ouvriront à votre influence, car ils s'identifieront moins à ce qu'ils entendent qu'à ce qu'ils voient et ressentent.

Organiser

Même si vous donnez un merveilleux exemple, même si vous avez d'excellentes relations avec les membres de votre famille, vous n'atteindrez pas votre objectif si votre famille n'est pas organisée. Vous obtiendrez là encore un résultat contreproductif.

Si une société prône le travail en équipe et la coopération tout en fonctionnant avec un système qui favorise la compétition et la promotion individuelle, elle ne peut pas obtenir ce qu'elle veut, car son organisation va dans le sens contraire.

De même, **vous pouvez parler d'amour et d'esprit de famille mais, si vous ne vous réservez pas des moments en famille,** comme des repas ou des vacances, **votre manque d'organisation vous empêchera d'évoluer vers votre objectif**. Si vous dites « Je t'aime » à quelqu'un sans prendre le temps de passer des moments en tête à tête avec lui, l'entropie s'installera dans votre relation et celle-ci se détériorera.

L'organisation consiste à fonder des structures au sein de votre famille. Appliquez les Habitudes n° 4, 5 et 6 pour rédiger votre charte familiale et établir deux structures essentielles : les rendez-vous familiaux et les moments en tête à tête. Ce sont ces structures qui vous permettront de faire évoluer votre famille vers sa destination.

À défaut de structures, vous ne serez pas en mesure de construire une culture fondée sur une vision et des valeurs communes. Il n'y aura pas de véritable autorité morale, parce que vous n'exercerez votre autorité qu'occasionnellement, sur des points précis, mais elle ne fera pas partie de votre culture familiale.

En revanche, si vous développez une autorité morale, qui s'inscrive dans votre culture sous forme de principes, personne n'empêchera votre famille d'être ce qu'elle est. Les mœurs et les normes ancrées dans votre culture renforceront ces principes. En vous réservant des moments en famille, vous montrez à quel point votre famille compte pour vous. Aussi, même si quelqu'un fait preuve de duplicité ou se montre paresseux, les structures que vous aurez établies au sein de votre famille compenseront en grande partie les faiblesses de cette personne. Par exemple, lorsque l'on est en vacances, il y a toujours des hauts et des bas, mais le fait d'être en vacances ensemble, d'avoir respecté cette tradition, renforce les principes sur lesquels se fonde la culture familiale. Ainsi, la structure même de la famille est exemplaire.

Rappelons les propos du sociologue Emile Durkheim : « Lorsque les mœurs sont suffisantes, les lois sont inutiles. Lorsque les mœurs sont insuffisantes, les lois sont inapplicables. » Nous pouvons adapter ce regard sur la société à la famille. **Lorsque les mœurs sont suffisantes, les règles familiales sont inutiles. Lorsque les mœurs sont insuffisantes, les règles familiales sont inapplicables.**

À défaut de structures, votre famille sera instable et ne dépassera peut-être pas le stade de la survie. Mais si vous ancrez profondément certaines habitudes dans votre culture, celles-ci deviendront suffisamment puissantes pour rendre dérisoires les faiblesses de chacun. Par exemple, si vous vous apprêtez à passer un moment en famille alors que le climat ne s'y prête pas vraiment, vous serez peut-être mal à l'aise au début. Mais, après avoir passé toute la soirée ensemble, vous vous sentirez vraiment bien.

J'ai remarqué l'extrême importance des structures dans ma vie professionnelle. Si l'on construit au sein de l'entreprise des structures et des systèmes fondés sur des principes, l'entreprise ne dépend plus des personnes qui la dirigent. J'ai vu des cas où tous les cadres supérieurs ont quitté l'entreprise sans que celle-ci en souffre. C'est une des clés du succès économique du Japon. Edwards Deming, spécialiste en management, en est convaincu : « Ce ne sont pas les personnes qui sont inefficaces, mais les structures et les systèmes[2]. »

C'est pourquoi l'organisation est si importante. Votre troisième rôle, qui correspond sur l'arbre à la division du tronc en plusieurs branches, consiste donc à organiser. C'est grâce à l'organisation de votre vie de famille, aux structures que vous aurez établies, que tout le monde prendra conscience de l'importance de la famille. Vous ne vous contenterez pas de dire qu'elle est importante, vous vous orga-

2. W. Edwards Deming, Out of the Crisis (Institut de technologie du Massachusetts, 1982).

niserez de sorte à lui donner tout le poids qu'elle mérite – repas en famille, rendez-vous familiaux, moments en tête à tête. Tous les membres de la famille pourront se reposer sur ces structures et se sentir en confiance et en sécurité. En vous organisant en fonction de vos priorités, vous serez à même de créer des structures qui vous soutiendront dans vos efforts. L'organisation transformera les forces contraires de votre vie en forces motrices et vous aidera à passer de la survie à l'épanouissement.

Enseigner

Lorsque l'un de nos fils est entré au collège, il a commencé à avoir de mauvaises notes. Un jour, après l'école, Sandra est allée lui parler :

« Écoute, tu es intelligent. Alors, quel est le problème ?

– Je ne sais pas, a-t-il marmonné.

– Bon, voyons si nous pouvons faire quelque chose pour toi. »

Après le dîner, ils ont revu ensemble quelques-uns de ses devoirs. Sandra a fini par se rendre compte que notre fils ne lisait pas bien les énoncés des problèmes. Et puis, il semblait qu'il ne savait pas faire un plan. Il lui manquait certaines bases qui entravaient son raisonnement.

Ils ont donc commencé à passer une heure tous les soirs à faire des plans de textes et à bien lire les instructions des problèmes. À la fin du premier trimestre, il n'avait que des bonnes notes.

Lorsque son frère a vu son relevé de notes, il s'est exclamé : « C'est ton relevé de notes ? Tu dois être une sorte de génie ! »

Si Sandra a pu aider notre fils à cette période de sa vie, c'est parce qu'elle a su donner l'exemple, l'influencer positivement et s'organiser. Elle a toujours attaché beaucoup d'importance aux études, et tout le monde le savait dans la famille. Elle avait une très bonne relation avec notre fils. Elle lui a consacré énormément de temps, depuis sa naissance, pour créer des liens solides entre eux. Et elle s'est organisée pour pouvoir pour l'aider chaque soir.

Lorsque nous enseignons quelque chose à un membre de la famille, nous savons que nous avons une grande influence sur sa vie future. C'est un des moments sacrés de la vie de famille. Nos efforts lui donnent la possibilité de développer ses propres facultés, pour devenir un adulte indépendant. C'est là le rôle des parents et de la famille.

Maria (fille)

Je n'oublierai jamais ce qui s'est passé, il y a de nombreuses années, quand j'étais encore adolescente. Mon père était en voyage d'affaires, et c'était mon tour de veiller avec maman, alors que mes frères et sœurs étaient couchés. Nous nous sommes fait un chocolat chaud, nous avons bavardé un moment, puis nous nous sommes installées dans le grand lit pour regarder une rediffusion de Starsky et Hutch.

Maman était enceinte de quelques mois à ce moment-là et, pendant que nous regardions la télévision, elle s'est levée brusquement et a couru à la salle de bains, où elle est restée un long moment. Au bout d'un certain temps, je l'ai entendue pleurer et je me suis rendu compte que quelque chose n'allait pas. Je me suis levée à mon tour et l'ai trouvée en larmes, sa robe de chambre tachée de sang. Elle avait fait une fausse couche.

Lorsqu'elle m'a vue entrer, elle s'est immédiatement arrêtée de pleurer et m'a expliqué de manière très objective ce qui s'était passé. Elle m'a assuré qu'elle se sentait bien, en m'expliquant que parfois les bébés n'étaient pas toujours bien formés et qu'il valait mieux qu'il en soit ainsi. J'étais rassurée. Nous avons tout nettoyé et nous sommes retournées dans le lit.

Maintenant que je suis mère, je suis stupéfiée de la façon dont ma mère a su transformer ce qui a dû être un déchirement insoutenable en un enseignement pour une jeune adolescente. Au lieu de s'enfermer dans sa douleur, ce qui aurait été naturel, elle a fait passer mes sentiments avant les siens. Cette épreuve n'a donc pas été une expérience traumatisante pour moi, mais au contraire un enseignement positif.

Ainsi, votre quatrième rôle consiste à enseigner. Sur l'arbre, il se situe au niveau des feuilles et des fruits. Vous devez explicitement enseigner aux membres de votre famille les Lois fondamentales de la vie, les principes sur lesquels ils devront fonder leur vie. Plus tard, ils auront confiance en ces principes et en eux-mêmes car ils auront appris l'intégrité. Être intègre, c'est avoir intégré certains principes universels, atemporels et incontestables. Lorsque les enfants ont devant eux un bon exemple et qu'ils se sentent aimés, ils sont ouverts à l'enseignement. Et il est fort probable qu'ils vivront selon cet enseignement pour devenir à leur tour de bons exemples et de bons enseignants. Et ce merveilleux cycle continuera.

Ce genre d'enseignement crée une « compétence consciente ». Certains sont inconsciemment incompétents, c'est-à-dire inefficaces sans s'en rendre compte. D'autres sont consciemment incompétents, c'est-à-dire qu'ils se rendent compte de leur inefficacité, mais n'ont tout simplement pas envie de changer. D'autres encore sont inconsciemment compétents, c'est-à-dire efficaces sans savoir pourquoi. On leur a légué un héritage positif. Ils peuvent donner l'exemple, mais pas enseigner, parce qu'ils ne savent pas d'où leur vient leur compétence. Enfin, certains sont consciemment compétents – ils savent ce qu'ils font et pourquoi cela fonctionne. Ainsi, ils peuvent à la fois donner l'exemple et enseigner. C'est ce niveau de compétence consciente qui permet aux personnes de transmettre leurs connaissances et leur savoir-faire d'une génération à l'autre.

Votre rôle d'enseignant, qui consiste à faire naître une compétence consciente chez vos enfants, est absolument irremplaçable. Comme nous l'avons vu dans l'Habitude n° 3 (Donnez la priorité aux priorités), si vous ne prenez pas cette responsabilité, la société s'en chargera. Et c'est elle qui influencera la vie actuelle et future de vos enfants.

Si vous avez travaillé sur vous-même pour donner l'exemple, pour établir des relations de confiance et pour vous organiser, l'enseignement des Lois fondamentales de la vie sera bien plus facile.

Ce que vous enseignerez sera en grande partie issu de votre charte familiale. Il s'agira des principes et des valeurs auxquels vous avez donné la priorité. Et je vous conseille de ne pas prêter attention à ceux qui disent que vous ne devriez pas enseigner de valeurs à vos enfants avant qu'ils ne soient en âge de les choisir eux-mêmes. (Cette affirmation fait d'ailleurs elle-même partie d'un certain système de valeurs.) On ne peut pas vivre sans valeurs ni enseigner sans transmettre des valeurs. Tout s'articule autour des valeurs. Vous devez donc définir celles selon lesquelles vous voulez vivre. Si vous vous sentez vraiment responsable de vos enfants, vous leur transmettrez ces valeurs avant que la société n'usurpe votre rôle. Faites-leur lire des ouvrages de réflexion, faites-leur part de vos sentiments, de vos pensées les plus nobles. Enseignez-leur comment être attentif et fidèle aux chuchotements de la conscience, même si les autres ne font pas preuve d'autant de probité.

Choisissez vos moments pour enseigner en fonction des besoins des membres de votre famille. Si vous êtes attentif, vous vous rendrez compte de ces besoins lors des rendez-vous familiaux ou des moments en tête à tête.

La vie de famille fondée sur des principes

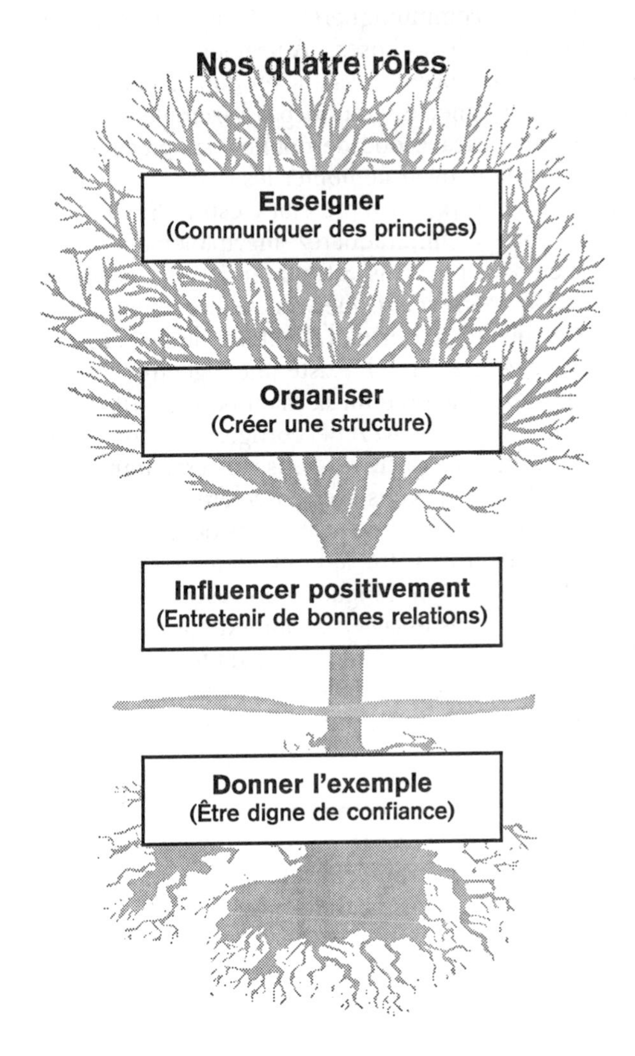

Voici quelques suggestions concernant l'enseignement.

1. Testez le climat général. Si l'autre se sent menacé, ne lui donnez pas de préceptes, car il sera réfractaire à tout enseignement. Il vaut mieux attendre et créer un climat de confiance pour qu'il soit dans un état d'esprit réceptif. En faisant preuve de patience et en

veillant à ne pas réprimander ou corriger une attitude au mauvais moment, vous communiquerez à l'autre votre respect et votre compréhension des choses. Autrement dit, lorsque vous ne pouvez pas enseigner une valeur en donnant des préceptes, vous pouvez en enseigner une autre par l'exemple. Montrer l'exemple est bien plus efficace que de donner des préceptes. Mais l'idéal est bien sûr de pouvoir combiner les deux.

2. Tenez compte de votre propre état d'esprit. Si vous êtes en colère et déçu, vous communiquerez inévitablement vos sentiments, même si ce n'est pas dans votre intention. Prenez le temps d'avoir du recul. L'enseignement que vous voulez apporter sera bien plus efficace si vous ressentez de l'affection, du respect, et si vous êtes en paix avec vous-même. Il existe une règle très simple à ce sujet : si vous êtes capable de tenir la main de votre fils ou de votre fille pendant que vous essayez de corriger son comportement, vous aurez une influence positive. Vous ne serez tout simplement pas capable de le faire si vous êtes en colère.
3. Sachez distinguer les moments où vous devez enseigner de ceux où vous devez apporter votre aide et votre soutien. Sermonner vos enfants lorsqu'ils sont fatigués nerveusement ou sous pression, c'est comme si vous essayiez d'apprendre à nager à un homme en train de se noyer. Il a besoin d'une main tendue, pas d'un discours.
4. Soyez conscient que nous sommes toujours en train d'enseigner quelque chose, car ce que nous sommes jaillit constamment de nous.

Souvenez-vous : vous ne pouvez pas ne pas être un modèle ou un mentor. Et vous ne pouvez pas ne pas enseigner. Votre personnalité, votre exemple, la relation que vous avez avec vos enfants et les priorités que reflète votre organisation (ou votre manque d'organisation) au sein de votre famille font de vous le premier et le plus influent des enseignants de vos enfants. Leur connaissance ou leur ignorance des leçons essentielles de la vie est en grande partie entre vos mains.

QUATRE RÔLES, QUATRE BESOINS, QUATRE DONS

Reprenons l'image de l'arbre de la vie de famille fondée sur des principes. Vous pouvez voir les quatre rôles que nous avons décrits : donner l'exemple, influencer positivement, organiser et enseigner. Dans la colonne de gauche, les quatre besoins essentiels de l'homme

La vie de famille fondée sur des principes

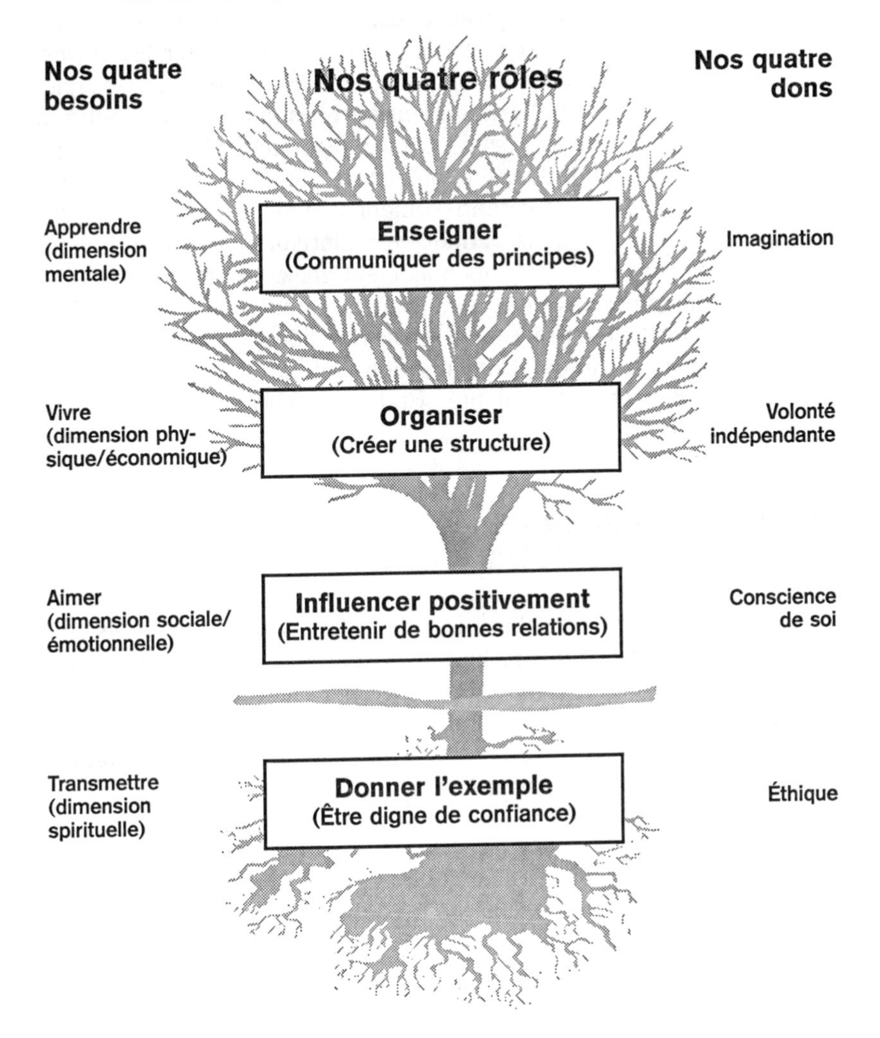

– vivre (dimension physique), aimer (dimension sociale), apprendre (dimension mentale), transmettre (dimension spirituelle) – sont associés à ces quatre rôles. N'oubliez pas le cinquième besoin de la famille : rire et s'amuser. Dans la colonne de droite, nos quatre dons (conscience de soi, éthique, imagination et volonté indépendante) sont également rattachés à ces quatre rôles.

Donner l'exemple satisfait un besoin d'ordre spirituel en se fondant sur l'éthique. L'influence positive est un rôle d'ordre social qui implique une bonne conscience de soi afin de respecter les autres, les comprendre, pratiquer l'empathie et créer un effet de synergie. L'organisation correspond à la dimension physique et fait appel à la volonté indépendante et sociale pour rédiger une charte familiale, programmer des rendez-vous familiaux ou des moments en tête à tête. L'enseignement est essentiellement mental. L'esprit est le gouvernail de la vie, qui nous permet de maintenir le cap vers l'avenir que nous nous sommes créé mentalement grâce à notre imagination.

En réalité, plusieurs dons sont sollicités pour chaque rôle. Pour influencer positivement, il faut à la fois une bonne conscience de soi et une certaine éthique. L'organisation fait intervenir l'éthique, la conscience de soi et la volonté. Et l'enseignement fait appel aux quatre dons à la fois.

VOUS ÊTES RESPONSABLE DE L'ÉVOLUTION DE VOTRE FAMILLE

Réfléchissez une nouvelle fois à ces rôles. Vous voyez qu'ils sont intimement liés à nos quatre besoins essentiels et à nos quatre dons. Laissez-moi vous montrer à présent comment ils vont vous permettre de faire évoluer votre vie de famille.

Lorsque vous *donnez l'exemple*, chaque membre de votre famille *voit* votre exemple et apprend à avoir *confiance en vous*.

Lorsque vous *influencez positivement*, chaque membre de votre famille *ressent* votre amour inconditionnel et commence à avoir une bonne *estime de soi*.

Lorsque vous *organisez*, chaque membre de votre famille *expérimente* l'ordre et a *confiance dans les structures* qui satisfont ses besoins essentiels.

Lorsque vous *enseignez*, chaque membre de votre famille *entend* et *agit*. Il constate les résultats de ses actes par lui-même et apprend à avoir *confiance dans les principes* qui gouvernent la vie et *confiance en lui*.

En jouant ces quatre rôles, vous exercez votre influence et faites évoluer votre famille. Si vous fondez votre démarche sur des principes universels, votre exemple débouche sur la loyauté. Votre rôle de mentor crée un climat de confiance. Votre organisation engendre des structures. Votre enseignement vous permet de communiquer des principes.

Lorsque vous évoluez vers l'épanouissement, quelle que soit l'étape à laquelle vous vous trouvez, vous jouez, consciemment ou non, ces quatre rôles. Vous montrez l'exemple par votre désir de survie, de fixer des objectifs ou de rendre service à autrui. Vous pouvez influencer les autres de manière négative en les dévalorisant, en conditionnant votre amour, ou bien de manière positive en leur témoignant un amour inconditionnel. L'organisation au sein de votre famille peut être inexistante ou efficace (emploi du temps des activités de la semaine, règles familiales, charte familiale). De manière formelle ou informelle, vous enseignez l'irrespect ou l'honnêteté, l'intégrité et le dévouement.

Encore une fois, **que vous le vouliez ou non, vous êtes responsable de l'évolution de votre famille** et, d'une façon ou d'une autre, vous jouez ces rôles. Mais comment les jouez-vous ? Comment optimiser ces rôles pour créer le genre de famille que vous voulez être (voir le dessin de l'arbre page suivante) ?

LA VIE DE FAMILLE FONDÉE SUR DES PRINCIPES

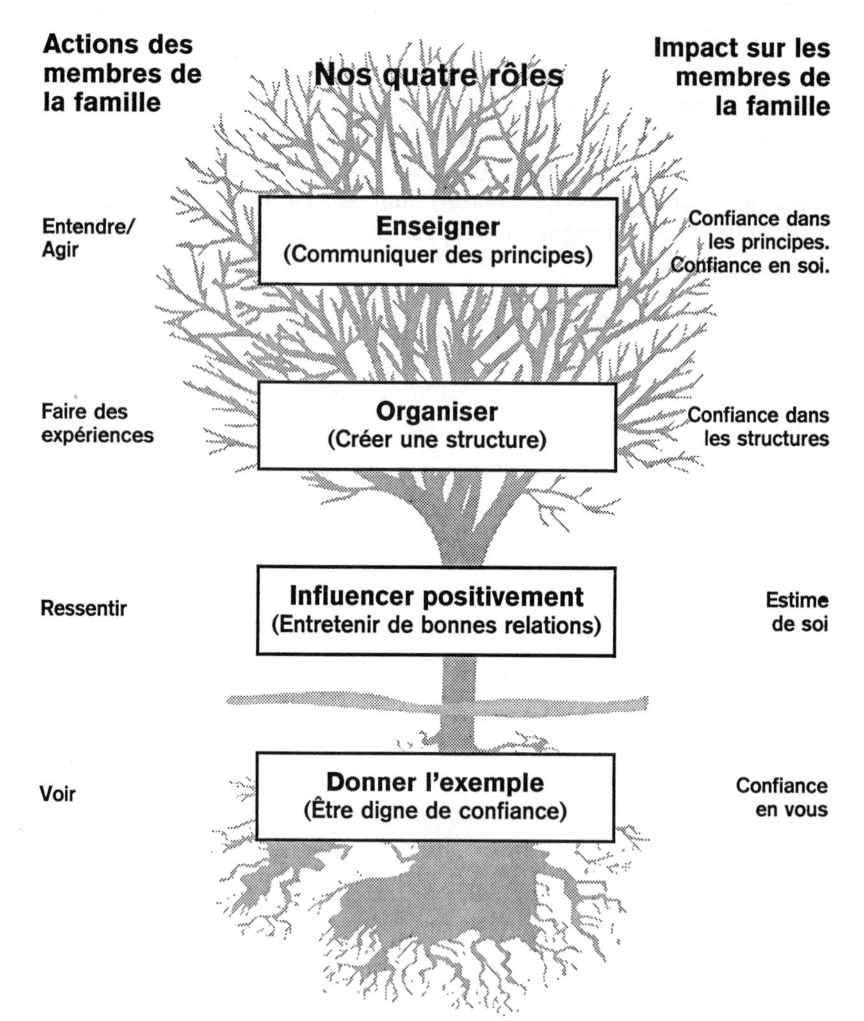

L'URGENCE ET L'IMPORTANCE

Depuis de nombreuses années, lors de mes conférences, je pose cette question à mes auditeurs : « Que feriez-vous pour changer favorablement le cours de votre vie privée? » Ensuite, je leur demande la même chose concernant leur vie professionnelle. En général, ils trouvent rapidement des réponses. Au fond d'eux-mêmes, ils savent très bien ce qu'ils doivent faire.

Puis je leur demande de déterminer si les réponses qu'ils ont données sont *urgentes* ou *importantes* ou les deux. L'urgence vient de l'extérieur, de pressions et de crises liées à notre environnement. L'importance vient de l'intérieur, de notre propre système de valeurs.

Dans presque tous les cas, les réponses données par mes auditeurs sont importantes mais pas urgentes. Au fur et à mesure que nous en discutons, ils se rendent compte que, s'ils ne font pas ces choses pourtant importantes, c'est parce qu'elles ne sont pas urgentes. Et malheureusement, beaucoup de gens sont esclaves de l'urgence. En fait, s'ils ne sont pas soumis à l'urgence, ils se sentent coupables. Ils ont l'impression que quelque chose ne va pas.

Mais si l'on veut une vie épanouie, il faut se concentrer sur ce qui est important, et pas seulement sur ce qui est urgent. Des études réalisées à l'échelle mondiale montrent que les cadres qui réussissent le mieux donnent la priorité à ce qui est important. Parfois, ce qui est urgent est aussi important, mais c'est rarement le cas.

L'important doit primer sur l'urgent dans tous les domaines, y compris la famille. Bien sûr, les parents devront résoudre des crises à la fois importantes et urgentes. Mais s'ils font le choix proactif de consacrer plus de temps à ce qui est important mais pas nécessairement urgent, ils réduisent le risque de traverser des crises.

Rappelez-vous toutes les choses importantes que je vous ai suggéré de faire tout au long de ce livre : gérer un Compte émotionnel; faire une charte personnelle, conjugale ou familiale; organiser des rendez-vous familiaux; passer des moments en tête à tête avec chaque membre de la famille; créer des traditions familiales; travailler ensemble, apprendre ensemble et, pour les croyants, prier ensemble. Tout cela n'a aucun caractère d'urgence. Ce n'est pas comme si vous deviez vous précipiter à l'hôpital avec un enfant qui a fait une overdose, faire face à votre conjoint qui vient de déclarer qu'il va demander le divorce ou raisonner un enfant qui veut abandonner ses études.

Mais si vous choisissez de consacrer du temps à ce qui est important, vous verrez que le nombre et l'intensité des crises auxquelles vous serez confronté diminueront. De nombreuses questions seront réglées avant de devenir de véritables problèmes. Les relations entre les membres de la famille seront saines. Les structures seront préétablies. Vous pourrez discuter de tout, essayer d'arranger les choses et enseigner des principes. Vous agirez de manière préventive et non curative. Comme dit le dicton : « Mieux vaut prévenir que guérir. »

Si nous comparions les familles aux entreprises, nous pourrions dire que, pour la plupart, il y a un excès de management et un déficit de leadership. Or la qualité du leadership rend le besoin de management moins pressant, parce que les personnes peuvent s'autogérer. Et *vice versa* : l'insuffisance de leadership engendre un plus grand besoin de management car, à défaut d'une vision commune et d'un système de valeurs commun, il faut exercer un plus grand contrôle sur les personnes. Dans ce cas, il faut agir de l'extérieur, ce qui incite à la rébellion. Souvenez de ce proverbe, extrait du livre des Proverbes de la Bible : « Sans vision, un peuple meurt. »

C'est là qu'interviennent les « 7 Habitudes ». Elles vous permettent d'exercer à la fois leadership et management au sein de votre famille, c'est-à-dire de faire à la fois ce qui est important et ce qui est urgent *et* important. Elles contribuent à resserrer vos liens. Et elles vous aident à enseigner à votre famille les principes qui gouvernent la vie et à les mettre en œuvre, ensemble, sous forme de charte ou de structures familiales.

Aujourd'hui, nous l'avons vu, la vie de famille est un exercice de haute voltige sans filet. Mais, en vivant selon les principes universels, nous pouvons nous-mêmes tisser un filet sous forme d'autorité morale et développer l'état d'esprit et les aptitudes nécessaires pour réaliser toutes les figures acrobatiques de la vie de famille.

Les « 7 Habitudes » vous aideront à jouer vos rôles selon les principes qui gouvernent la vie et à passer progressivement de la survie à l'épanouissement.

LES TROIS ERREURS COURANTES

Nous faisons fréquemment trois erreurs dans notre vie de famille.

Erreur n° 1 : penser que jouer un seul rôle suffit

La première erreur consiste à penser que chaque rôle (donner l'exemple, influencer positivement, organiser, enseigner) se suffit à lui-même. De nombreuses personnes estiment qu'il suffit de donner l'exemple. Elles sont persuadées que les enfants finiront un jour ou l'autre par suivre cet exemple. Elles ne voient pas l'intérêt d'influencer, d'organiser et d'enseigner.

D'autres pensent qu'exercer une influence positive ou aimer ses enfants est largement suffisant. En consolidant les liens familiaux, en témoignant constamment leur amour, elles croient pouvoir compenser le mauvais exemple, le manque de structures et d'enseignement. L'amour est considéré comme le remède à tous les maux.

D'autres encore sont convaincues que l'organisation – la création de structures au sein de la famille – a réponse à tout. Autrement dit, elles misent tout sur le management, aux dépens du leadership. Elles procèdent peut-être de la bonne manière, mais dans la mauvaise direction. Elles ont créé d'excellentes structures, mais il n'y a pas de chaleur dans leurs relations. Les enfants ont tendance à vouloir s'échapper le plus tôt possible de leur foyer et n'ont souvent pas envie d'y retourner – sauf peut-être s'ils ont un sens aigu du devoir envers la famille ou un ardent désir d'effectuer des changements.

Enfin, certaines personnes ont le sentiment que leur rôle de parents se borne à enseigner et à expliquer des principes de façon claire et exhaustive. Si cela ne suffit pas, cette méthode a au moins l'avantage de faire prendre conscience aux enfants de leur responsabilité.

D'autres cumulent exemple et influence et s'en tiennent là. D'autres encore font l'impasse sur l'organisation en se répétant que, ce qui compte de toute façon, ce sont les relations.

Bref, nous pensons souvent qu'il est inutile de nous investir dans ces quatre rôles à la fois. Mais c'est une grave erreur. Chaque rôle est nécessaire, mais absolument insuffisant. Par exemple, vous pouvez être une personne vertueuse et avoir de bonnes relations avec les membres de votre famille mais, si vous omettez l'organisation et l'enseignement, votre famille n'aura ni structures ni renfort systémique lorsque vous serez absent ou lorsque vous traverserez une crise passagère. Les enfants n'ont pas seulement besoin de voir et de ressentir. Ils doivent aussi expérimenter et entendre – sinon, ils risquent de ne jamais comprendre les principes qui mènent au bonheur et au succès.

Erreur n° 2 : jouer vos rôles dans le désordre

La deuxième erreur, encore plus courante, consiste à ne pas tenir compte de l'ordre dans lequel vous devez jouer vos rôles : penser que vous pouvez enseigner sans avoir établi de bonnes relations; essayer d'établir de bonnes relations sans être digne de confiance; ou croire que l'enseignement verbal des principes qui gouvernent la vie n'a pas besoin de se refléter dans les structures de la vie de famille quotidienne.

Pourtant, tout comme les feuilles de l'arbre sont rattachées aux brindilles, les brindilles aux branches, les branches au tronc et le tronc aux racines, chaque rôle émane de celui qui le précède. Autrement dit, il faut jouer chaque rôle dans l'ordre : d'abord donner l'exemple, puis influencer, ensuite organiser, et enfin enseigner. Cet ordre représente le processus d'évolution qui va de l'intérieur vers l'extérieur. **Tout comme les racines donnent naissance à toutes les parties de l'arbre et les nourrissent, votre exemple détermine vos relations, vos efforts pour organiser votre vie de famille et vos possibilités d'enseigner**. Votre exemple est le fondement de tout. Dans les familles épanouies, les parents suivent cet ordre. Et, en période de crise, ils essaient d'identifier l'origine du problème pour savoir où faire porter leurs efforts et ne pas brûler les étapes.

Dans la philosophie grecque, l'influence humaine est issue d'*ethos*, de *pathos* et de *logos*. L'*ethos* est la crédibilité qui émane de l'exemple. Le *pathos* vient de la relation, c'est-à-dire de la compréhension et du respect mutuels. Et le *logos* est la logique – la logique de la vie, les leçons de la vie.

Comme pour les « 7 Habitudes », l'ordre et la synergie sont très importants. Les enfants n'entendent pas s'ils ne ressentent pas, s'ils ne voient pas. Toute la logique du processus repose sur votre crédibilité.

Erreur n° 3 : se contenter d'une fois

La troisième erreur consiste à se contenter de jouer une seule fois chacun de ces rôles. Nous voyons l'accomplissement de notre tâche comme une fin en soi et non comme un processus en cours.

Donner l'exemple, *influencer positivement*, *organiser* et *enseigner* sont des verbes qui se conjuguent au présent. Vous devez toujours être un exemple et vous excuser lorsque vous perdez le contrôle de vous-même. Vos excuses sont aussi un exemple à suivre. Vous devez constamment consolider vos liens, surtout si vos attentes sont haut placées, car le repas d'hier ne coupe pas la faim d'aujourd'hui. Les circonstances évoluent continuellement, et l'organisation doit toujours s'adapter au changement, afin que les principes soient appliqués dans les nouvelles structures. L'enseignement doit également être constant, car les personnes passent progressivement d'une étape de l'évolution à une autre. Or les mêmes principes s'appliquent différemment à chaque étape. En outre, les changements de circonstances et les différents stades de développement de l'enfant nécessitent l'application de nouveaux principes, qui doivent également être enseignés.

Dans notre famille, nous avons découvert que chaque enfant représente un défi unique. Chacun a des besoins uniques et requiert un niveau d'engagement et une vision également uniques. Nous avons remarqué que, avec notre dernier enfant – sans doute ressentons-nous une certaine nostalgie pour l'époque où nous avions tous nos enfants à la maison –, nous avons tendance à être un peu trop indulgents. Peut-être cette tendance s'explique-t-elle par notre besoin de sentir que nos enfants ont besoin de nous, bien que notre charte familiale soit axée sur l'indépendance et l'interdépendance.

Joshua (fils)

Je suis le dernier de neuf enfants, ce qui a certains avantages. Mes frères et sœurs disent toujours que papa et maman me gâtent trop et me passent tous mes caprices. Ils m'assurent qu'ils sont loin d'être aussi stricts avec moi qu'ils l'ont été avec eux et que je n'effectue aucune des tâches qu'ils ont dû accomplir. D'ailleurs, ils me demandent toujours : « Qu'est-ce que tu fais à part ranger ta chambre et sortir la poubelle? »

Ils me racontent que, lorsqu'ils étaient enfants, les profs étaient bien plus sévères à l'école et que notre famille avait beaucoup moins d'argent.

Les temps étaient plus durs, alors que moi j'ai la part belle. Ils disent que je ferais bien de m'atteler au travail et d'avoir des bonnes notes si je veux aller à l'université, et que je n'aurai jamais le bac si je lis les polycopiés sans prendre la peine de développer mon raisonnement. Ils veulent que je suive leurs conseils pour ne pas faire les mêmes erreurs qu'eux. Ils aimeraient que je fasse du sport dans une équipe professionnelle, car ils pourraient m'entraîner. Et ils m'assurent que, si je les écoute, j'aurai la vie facile, bien plus qu'eux à mon âge.

Alors même que j'écris ce livre, je suis vraiment heureux d'avoir la possibilité de changer constamment, de progresser et d'appliquer les principes que j'essaie d'enseigner. Je me rends compte chaque jour qu'il faut toujours respecter les lois naturelles qui gouvernent l'évolution, le développement et la vie en général. Sinon, c'est comme si nous voulions, pleins de bonnes intentions, aider un papillon à sortir de son cocon. Nous le voyons lutter et essayer de briser le cocon, l'ancienne structure où il vivait, avec ses petites ailes. Et, pour l'aider, nous coupons le cocon avec un canif. Résultat : ses ailes ne se développeront jamais entièrement et il mourra.

Nous ne devons jamais considérer que notre tâche est accomplie. Notre devoir envers nos enfants, nos petits-enfants et même nos arrière-petits-enfants est éternel.

Un jour, j'ai eu l'occasion de discuter avec des couples de retraités de l'importance des relations de famille entre les générations. Ils ont reconnu qu'ils avaient entièrement délégué leur responsabilité à leurs enfants et petits-enfants. Leur engagement envers leur famille n'était pas une de leurs priorités. Ils ne voyaient leurs enfants qu'occasionnellement, pendant les vacances, et ne se sentaient pas coupables car ils avaient su faire d'eux des adultes indépendants. Mais, au fur et à mesure que nous avons discuté ensemble, ils se sont rendu compte que cette compartimentation de leur famille et, en quelque sorte, leur abdication leur pesaient, et ils ont décidé de s'engager plus activement. Bien sûr, il est important d'aider nos enfants à devenir indépendants, mais ce genre de compartimentation ne permettra jamais de créer le système de soutien entre générations si indispensable aujourd'hui pour aider la famille nucléaire a évoluer dans l'environnement troublé qui l'entoure.

Les familles tombent souvent dans l'un de ces deux extrêmes : soit les membres de la famille deviennent trop dépendants les uns des autres sur le plan affectif (et même parfois sur les plans financier, intellectuel et social), soit – peut-être par peur de la dépendance – ils se détachent trop les uns des autres et deviennent trop indépendants. Il s'agit en réalité d'une forme de contre-dépendance. Parfois, les familles cultivent un mode de vie indépendant qui a l'apparence de l'interdépendance, bien qu'en réalité il s'agisse d'une profonde dépendance. On parvient souvent à distinguer une telle dépendance de la véritable interdépendance en écoutant parler les personnes : soit elles accusent les autres, soit elles sont tournées vers l'avenir et se concentrent sur leurs responsabilités.

C'est seulement lorsque l'on a gagné sa victoire personnelle, lorsque l'on a acquis une forme d'indépendance authentique et équilibrée, que l'on peut commencer à travailler sur l'interdépendance. En ce qui concerne notre famille, Sandra et moi pensons que notre responsabilité en tant que grands-parents passe après notre rôle de parents. Autrement dit, nous nous consacrons avant tout à nos enfants, en nous efforçant de les aider à élever les leurs. Nos objectifs envers nos enfants mariés et leur famille sont clairement définis. Nous sommes convaincus que les grands-parents ne doivent jamais être anesthésiés par la retraite. **Dans sa famille, on ne prend jamais sa retraite**. Il y a toujours un besoin de soutien et une nécessité de construire une vision pour l'ensemble de la famille.

Même quand les enfants ont quitté le foyer, les parents doivent être attentifs à leurs besoins et les aider à jouer leur rôle. Ils doivent aussi savoir satisfaire les besoins de leurs petits-enfants, passer du temps avec eux, tous ensemble ou un par un. Ainsi, ils renforcent l'enseignement qui leur est prodigué et compensent d'éventuelles faiblesses.

Votre amour et votre soutien ne peuvent que grandir en même temps que votre famille. Quel que soit votre âge, vous pouvez toujours montrer à vos enfants et petits-enfants que vous êtes « dingue » d'eux et leur témoigner un amour inconditionnel[3]. Les grands-parents sont faits pour ça.

Sandra et moi nous sentons obligés envers nos neuf enfants, leurs conjoints et nos vingt-sept (pour le moment) petits-enfants. Nous sommes impatients d'étendre notre rôle à nos prochains petits-

---

3. Urie Bronfenbrenner, voir interview de Susan Byrne « Nobody Home : The Erosion of the American Family », *Psychology Today*, mai 1997. Voir aussi l'étude de E.E. Maccoby et J.A. Martin, « Socialization in the Context of the Family : Parent-Child Interaction », P.H. Mussen (ed.), *Handbook of Child Psychology*, vol.4 (John Wiley, 1983).

enfants et à nos futurs arrière-petits-enfants. Et nous espérons que nous serons encore là pour contribuer à l'éducation de nos arrière-arrière-petits-enfants.

La famille est le pilier de la société. Nous ne devons donc jamais abandonner nos rôles. Toute notre vie, nous devons donner l'exemple, influencer positivement, organiser et enseigner.

LE PALONNIER DU GOUVERNAIL

Le passage de la survie à l'épanouissement peut paraître difficile. Nous avons parfois l'impression que cette évolution est hors de notre portée. L'écart entre la réalité et l'idéal semble énorme, d'autant que vous êtes peut-être le seul à essayer de faire bouger les choses. Dans quelle mesure une personne seule peut-elle influencer les autres ?

La personne de transition doit garder en tête une simple image : le palonnier du gouvernail. Dans les avions, le gouvernail de direction est équipé d'un dispositif de commande que l'on appelle le *palonnier*. Lorsque l'on actionne ce palonnier, le gouvernail entre en jeu et provoque un changement de direction. Il suffit d'un petit geste pour faire tout un demi-tour.

Dans votre famille, vous devez vous voir comme le palonnier, ce petit dispositif qui actionne le gouvernail pour opérer un changement de direction radical. Si vous êtes parent, c'est forcément vous le palonnier. C'est vous qui avez le pouvoir de choisir, de vous engager. Votre engagement relie votre vision à vos actes. À défaut d'engagement de votre part, vos actes dépendront des circonstances et non de votre vision. Aussi, vous devez vous engager envers vous-même et envers votre famille. C'est la première chose à faire, le fondement de tout. Vous pouvez commencer en faisant le choix proactif de vivre selon les « 7 Habitudes ».

Bien que les parents jouent le rôle le plus important, le palonnier est parfois incarné par d'autres membres de la famille – fils, filles, tantes, oncles, cousins, grands-parents ou parents adoptifs. Ils apportent un changement profond au sein de la culture familiale. Nombreux sont ceux qui se sont transformés en personnes de transition. Ils ont mis un terme à la reproduction d'un schéma négatif d'une génération à l'autre. Leurs efforts et leur exemple ont transcendé l'hérédité, le conditionnement et les pressions extérieures, et un nouveau schéma est né.

Un homme issu d'une famille qui vivait de l'aide sociale nous a apporté ce témoignage troublant.

Pendant toute ma scolarité, j'ai eu envie d'aller à l'université et de faire des études. Mais maman me disait toujours : « Tu ne peux pas, tu n'es pas assez intelligent. Tu vas faire comme tout le monde, tu vas vivre aux crochets de l'État. » C'était tellement décourageant.

Mais parfois, j'allais passer le week-end chez ma sœur et, grâce à elle, je pouvais voir qu'il y avait autre chose dans la vie que de dépendre de l'aide sociale. Elle avait un tout autre mode de vie, et son exemple m'était précieux.

Elle était mariée. Son mari gagnait bien sa vie. Elle travaillait à mi-temps lorsqu'elle en avait envie – elle n'était pas obligée. Ils vivaient dans un beau quartier. Et c'était à travers elle que je voyais le monde. J'allais parfois camper avec eux. Nous faisions beaucoup de choses ensemble. C'est elle qui m'a donné envie de faire quelque chose de ma vie. Je me disais que c'était comme ça que je voulais vivre. Et je savais que je ne pourrais pas le faire en me contentant de toucher les allocations.

Elle a eu beaucoup d'influence sur ma vie au fil des ans. Grâce à elle, j'ai eu le courage de déménager et d'aller à l'université pour prendre ma vie en main. Aujourd'hui encore, nous nous rendons visite une fois par an. Nous parlons beaucoup ensemble, de nos rêves, de nos aspirations, de nos objectifs. Nous nous confions l'un à l'autre.

Cette relation, que nous prenons soin d'entretenir, a été décisive dans ma vie.

Un autre homme, devenu acteur du changement, se souvient de celui qui lui a permis d'opérer cette transition dans sa vie.

Lorsque j'avais neuf ans, mes parents ont divorcé. Mon père a quitté ma mère en laissant derrière lui sept enfants âgés de dix-sept ans à un an et demi. Il était alcoolique et n'était d'aucun secours pour la famille, que ce soit sur le plan affectif ou financier. Il n'a jamais versé de pension alimentaire à ma mère. Après le départ de mon père, mon frère s'est engagé dans la marine. Et je suis resté à la maison avec ma mère et mes cinq sœurs. Ça doit être pour ça que je ne suis pas très débrouillard en mécanique ou en plomberie. Je n'ai jamais su ce qu'était l'influence d'un père.

Lorsque j'ai épousé Cherlynn, je me suis trouvé dans des circonstances complètement différentes. Son père était un modèle très influent. Il s'investissait beaucoup dans la vie de ses enfants, leur consacrant beaucoup de temps et d'énergie. Il les encourageait à se fixer des objectifs, pour l'éducation de leurs propres enfants notamment. Il organisait des vacances en famille. Lorsqu'il y avait des problèmes, il essayait d'aider toutes les personnes concernées à aboutir à un résultat gagnant-gagnant.

Cet homme participait de manière si active à la vie de famille que son exemple m'a laissé des traces indélébiles. Il n'y avait pas de problèmes majeurs dans sa famille, et je crois qu'il y était pour beaucoup. Alors j'ai essayé de prendre modèle sur lui en observant sa façon de faire. Il m'impressionnait beaucoup. Le père de Cherlynn a été le modèle sur lequel j'ai construit toute ma vie.

Ces personnes de transition, ces acteurs du changement, incarnations du palonnier du gouvernail, ont eu une influence considérable sur ces deux hommes. Même lorsque nous n'avons pas un passé négatif, le besoin d'aide pour construire un avenir positif se fait sentir. Et il suffit parfois de bien peu pour nous aider à effectuer un profond changement.

Chacun de nous fait partie d'une famille et, en tant que tel, peut exercer une influence très positive. Marianne Williamson le dit en ces termes :

Nous n'avons pas peur d'être inefficaces. Nous avons peur d'être puissants outre mesure. C'est notre lumière et non notre ombre qui nous effraie le plus. Nous nous demandons : qui suis-je pour être brillant, splendide, talentueux, fabuleux? Mais qui ne serions-nous pas? Nous sommes les enfants de Dieu. Nous n'avons aucun intérêt à nous sous-estimer, à nous rabaisser devant les autres pour ne pas les mettre mal à l'aise. Nous sommes tous ici pour briller, tout comme les enfants. Nous sommes nés pour rendre manifeste la gloire de Dieu qui est en nous, en nous tous. En laissant briller notre lumière intérieure, nous donnons inconsciemment la permission aux autres de faire de même. Nous sommes libérés de notre propre peur, et notre seule présence libère les autres de la leur [4].

Les propos de Marianne Williamson reflètent tout à fait l'ampleur de la condition humaine. Nous devons voir en nous notre propre capacité à transcender notre vécu, à faire évoluer notre famille et à faire de notre famille le vecteur de l'évolution de la société.

4. Marianne Williamson, *Un retour à l'amour* (Amrita, 1997).

LAISSEZ-VOUS ALLER

Je n'oublierai jamais le jour où je suis descendu d'une falaise en rappel pour la première fois. J'avais observé les autres s'entraîner et m'étais entraîné moi-même. Puis je les ai regardés descendre le long de la falaise et arriver en bas, où des bras chaleureux se tendaient vers eux.

Lorsque mon tour est arrivé, j'ai été pris d'une peur bleue. Je savais que j'étais attaché à une corde en cas de problème. Je revoyais encore ceux qui m'avaient précédé descendre avec succès. J'avais un sentiment de sécurité intellectuel vis-à-vis de ma situation. J'étais même l'un des instructeurs de l'exercice – non sur le plan technique, mais du point de vue social, émotionnel et spirituel. Et quarante jeunes gens attendaient de moi que je les aide et que je les guide. En dépit de tout cela, j'étais terrifié. Mon premier pas le long de la falaise a été le moment de vérité. Je l'ai fait. Tout terrifié que j'étais, je l'ai fait, comme les autres. Je suis arrivé sain et sauf en bas, revigoré par la satisfaction d'avoir relevé le défi.

Je conseille à ceux qui ont du mal à adopter les idées que je décris dans ce livre – faire une charte familiale, avoir des rendez-vous familiaux et passer des moments en tête à tête – de penser à cette descente en rappel. Peut-être vous sentez-vous comme je me suis senti en haut de la falaise. Peut-être ne vous sentez-vous pas prêt à établir ces structures, même si elles vous paraissent satisfaisantes d'un point de vue strictement intellectuel.

Mais, croyez-moi, vous pouvez le faire ! Il suffit de faire le pas. Comme dit le dicton : « Il n'y a que le premier pas qui coûte. »

Je sais que nous avons parlé de beaucoup de choses dans ce livre. Mais ne vous sentez pas submergé. Commencez là où vous en êtes et avancez à votre rythme. Et vous verrez, ça marchera. Plus vous vivrez selon les « 7 Habitudes », plus vous verrez que leur pouvoir n'émane pas tant de chacune d'elles que de la façon dont elles se combinent pour créer un cadre. Ce cadre constitue une sorte de carte que vous pouvez utiliser dans toutes les situations.

Songez à quel point une carte précise peut vous être utile pour atteindre votre destination. En revanche, une mauvaise carte est plus qu'inutile. Elle peut vous induire en erreur. Imaginez ce qui se passerait si vous vouliez vous rendre dans une ville des États-Unis alors que vous n'avez qu'une carte de France. Vous y référer ne ferait que vous embrouiller encore plus. Vous aurez toujours la possibilité de penser de manière positive et de ne pas vous énerver, mais vous n'en serez pas moins perdu. Si cette carte est votre seule source d'information, il est peu probable que vous atteigniez votre destination.

En ce qui concerne la famille, il existe trois mauvaises cartes.

1. **La carte des conseils d'autrui.** On projette souvent notre propre vie sur celle des autres. Mais réfléchissez. Vos lunettes sont-elles adaptées à la vue de votre voisin ? Vos chaussures vont-elles à votre meilleur ami ? Parfois oui, mais c'est rarement le cas. Ce qui convient dans une situation ne convient pas forcément dans une autre.
2. **La carte des valeurs sociales.** Certaines théories se fondent sur des valeurs sociales et non sur des principes. Or, comme nous l'avons vu dans l'Habitude n° 3 (Donnez la priorité aux priorités), les valeurs sociales ne correspondent pas toujours aux principes universels. Par exemple, si vous aimez un enfant en fonction de son comportement, vous pourrez peut-être influencer ce comportement à court terme, mais vous n'obtiendrez pas de résultat positif à long terme. En outre, est-ce vraiment une image fidèle de ce qu'est l'amour ?
3. **La carte déterministe.** Cette carte se fonde sur des hypothèses déterministes. C'est l'un des plus subtils de tous les paradigmes. On part du principe qu'on est victime de l'hérédité ou des circonstances. Cet état d'esprit se reflète souvent dans des réflexions de ce genre :

« Je suis comme ça, je n'y peux rien. »

« Ma grand-mère était comme ça, ma mère était comme ça, et je suis pareille. »

« Oh, ça, c'est un trait de caractère qui vient du côté de mon père. »

« C'est lui qui m'énerve ! »

« Ces enfants vont me rendre fou ! »

La carte déterministe donne une image partiale de notre nature profonde et nie notre pouvoir fondamental de choisir.

Dans notre vie de famille, nous nous fondons souvent sur ces cartes. Tant que nous les avons, nous sommes tentés de les suivre. Il faut donc vraiment s'en débarrasser.

Je me souviens d'un jour où ma mère est venue assister à l'une de mes conférences. Elle s'était assise au premier rang. Mais, près d'elle, deux personnes n'arrêtaient pas de discuter, ce qui l'a agacée au plus haut point. Cette attitude lui paraissait irrespectueuse – et même insultante – pour son fils. Elle était vraiment contrariée.

À la fin de la conférence, elle s'est tournée vers la personne qui était assise auprès d'elle et s'est mise à lui commenter avec emportement ce qui s'était passé. Cette personne lui a répondu : « Ah, oui ! Cette femme est coréenne, et ce monsieur est son interprète. »

Ma mère était terriblement gênée. Elle a soudain vu les choses sous un jour complètement différent. Elle avait honte et était très embarrassée d'avoir porté un jugement erroné. Et elle avait raté une bonne partie de la conférence à cause de cette histoire. Tout cela à cause d'une mauvaise carte !

Pendant la conférence, elle aurait pu avoir plus d'indulgence pour ces deux personnes. Après, elle aurait même pu aller les voir pour essayer d'arranger les choses de manière positive. Mais, tant que sa « carte » lui indiquait qu'elles étaient impolies et irrespectueuses, ses efforts pour être positive et changer de comportement ne pouvaient apporter que de faibles résultats. C'est seulement lorsqu'elle a eu la bonne carte qu'elle a pu voir la situation différemment et complètement changer d'attitude.

Nous agissons tous en fonction de nos cartes. Et si nous voulons effectuer des changements au sein de notre vie et de notre famille, nous ne devons pas nous contenter d'agir sur les comportements. Nous devons changer de cartes.

Aller de l'extérieur vers l'intérieur, ce n'est plus possible. Il faut agir de l'intérieur vers l'extérieur. Comme l'a dit Einstein : « Les problèmes auxquels nous sommes confrontés ne peuvent être résolus avec le même état d'esprit que celui que nous avions lorsqu'ils ont surgi. » Il faut apprendre à modifier son schéma de pensée, pour utiliser une nouvelle carte.

LE DIAGRAMME DES « 7 HABITUDES »

J'aimerais que vous ayez, en tant que lecteur, une vision globale du pouvoir de la carte ou du diagramme des « 7 Habitudes ». Ne vous concentrez pas sur une Habitude, sur un témoignage ou sur une structure en particulier. Il faut que vous appreniez à penser différemment et que vous agissiez à partir de ce nouveau schéma de pensée.

Vous vous demandez peut-être comment une approche unique peut être adaptée à toutes sortes de situations : une grande famille, un couple sans enfant, une famille monoparentale, une famille recomposée ou la famille au sens large (grands-parents, oncles, tantes, etc.). Vous pouvez aussi vous demander si cette approche unique est adaptée à tous les pays, à toutes les cultures. Je le crois – à condition qu'elle se fonde sur des besoins et des principes universels.

Le diagramme des « 7 Habitudes » correspond à une approche axée sur des principes visant à satisfaire nos besoins – physiques/économiques, sociaux, mentaux et spirituels. Ce cadre est simple, mais pas simpliste. Comme l'a dit Oliver Wendell Holmes : « Je ne donnerais pas un centime pour la simplicité sur le versant abrupt de la complexité, mais je donnerais mon bras droit pour la simplicité sur le long versant de la complexité. » Le diagramme des « 7 Habitudes » est une approche simple sur le long versant de la complexité, parce que toutes les Habitudes sont fondées sur des principes universels que chaque individu peut adapter à sa situation en agissant de l'intérieur vers l'extérieur. Il s'applique aux problèmes ponctuels comme aux problèmes récurrents. Il soulage la peine et s'attaque aux causes profondes. Il ne s'agit pas d'une simple théorie, ni d'une poignée de formules simplistes. C'est véritablement une autre façon d'aborder la vie de famille.

Pour illustrer mes propos, je vais vous faire part de l'histoire de deux personnes qui se sont sorties de situations difficiles grâce aux « 7 Habitudes ». Au fil de votre lecture, essayez de voir à quel moment ces personnes commencent à utiliser les « 7 Habitudes » pour comprendre ou pour résoudre leurs problèmes.

Voici le témoignage d'une femme qui avait de graves problèmes dans son couple.

Mon mari et moi avons toujours formé un couple instable. Nous sommes tous deux extrêmement obstinés, nous savons ce que nous voulons et nous sommes prêts à tout pour l'obtenir.

Il y a environ un an et demi, nous nous sommes retrouvés dans une situation inextricable. Trois ans auparavant, Jeff m'avait annoncé qu'il avait l'intention de faire des études à l'autre bout du pays. J'étais vraiment contrariée, car j'avais une carrière prometteuse devant moi, nous venions d'acheter une maison, toute ma famille vivait près de nous... Bref, j'étais très bien où j'étais.

Alors j'ai campé sur ma position et résisté férocement pendant environ six mois. Finalement, je me suis dit que j'étais mariée à cet homme et qu'il était probablement de mon devoir de le suivre. Je suis donc partie avec lui, la mort dans l'âme. Je l'ai entretenu pendant deux ans, mais c'est tout ce que j'ai fait pour lui. Je n'étais pas heureuse là-bas. Je n'avais pas d'amis, pas de famille. Il m'a fallu du temps pour m'adapter. Il fallait que je recommence tout depuis le début. Je tenais Jeff pour responsable de mon malheur, car c'était lui qui avait eu l'idée de m'amener jusque-là.

Lorsque Jeff a enfin obtenu son diplôme, je lui ai dit : « Bon, je n'ai pas arrêté de travailler. Maintenant, c'est à ton tour de chercher du travail. » Il a consciencieusement commencé toutes les démarches habituelles pour trouver un emploi. Il a fait des dossiers de candidature et est allé à des entretiens dans tout le pays. Mais les choses tournaient plutôt mal, et il était très malheureux.

Cela m'importait peu de le savoir malheureux. Tout ce que je voulais, c'était qu'il trouve un travail, n'importe où, et qu'il me sorte de cette ville universitaire.

Il essayait sans cesse de me faire part de ses sentiments et de ses envies : « Tu sais, Angie, ce que j'ai vraiment envie de faire, c'est de monter ma propre boîte. Ça ne m'emballe pas vraiment de travailler pour quelqu'un d'autre. »

Et je lui répondais : « Tu sais quoi ? Ça m'est complètement égal. Nous sommes endettés jusqu'au cou. Il faut que tu trouves un travail pour que nous puissions vivre, parce que moi j'ai envie d'avoir d'autres enfants. J'ai besoin de lever le pied et de poser mes valises une fois pour toutes. Et avec toi, ce n'est vraiment pas possible. » En fait, je ne supportais plus qu'il ne sache pas ce qu'il voulait faire. J'en ai eu assez et je suis partie rendre visite à mes parents.

Pendant que j'étais là-bas, j'ai décidé d'aller à un entretien pour un travail et j'ai été embauchée. J'ai téléphoné à Jeff et je lui ai dit : « Tu n'arrives pas à trouver du travail ? Eh bien, moi, j'en ai trouvé. J'ai réussi parce que je le voulais vraiment. » J'ai travaillé pendant trois mois. Et c'est à ce moment-là que j'ai entendu parler des « 7 Habitudes ».

Jeff a finalement décidé de me rejoindre pour que nous discutions ensemble de notre vie. Nous n'avions plus rien en commun. Nous vivions chacun à une extrémité du pays, nous ne parlions pratiquement plus, nous n'avions pas de foyer fixe. Mais nous avions un enfant. Nous en étions venus à nous demander si nous allions reprendre la vie commune ou continuer à vivre chacun de notre côté.

Le soir où Jeff est arrivé, nous sommes allés dîner, et je me suis dit : je vais essayer de penser gagnant-gagnant, de créer un effet de synergie, c'est la seule chose que je puisse encore tenter.

J'ai parlé des « 7 Habitudes » à Jeff, et il a été d'accord pour essayer de les appliquer. Nous sommes restés à discuter dans ce restaurant pendant quatre ou cinq heures. Nous avons commencé à faire une liste de ce que nous attendions vraiment de notre couple. Il a été surpris de voir que, ce que je voulais vraiment, c'était la stabilité. En fait, le travail qu'il ferait m'importait peu pourvu qu'il nous apporte une certaine stabilité.

Alors il m'a demandé : « Si je peux à la fois monter ma boîte et t'offrir la stabilité, ça t'irait?

– Bien sûr, ai-je répondu.

– Si je pouvais faire ça tout en te permettant de trouver un travail qui te plaît dans un endroit qui te plaît, est-ce que ça te conviendrait?

– Bien sûr.

– Est-ce que ça te pèse de travailler? Est-ce pour ça que tu me dis toujours qu'il faut que je trouve un travail?

– Non. En fait, ça me plaît de travailler, mais je n'aime pas être la seule à porter cette responsabilité. »

Nous avons tout passé en revue. Lorsque nous sommes sortis du restaurant, nous avions clairement défini nos attentes communes. Nous les avons écrites, parce que nous avions peur de ne pas vraiment nous engager.

En septembre dernier, un an jour pour jour après ce dîner, Jeff a ressorti notre liste, et nous avons fait le point sur l'année qui venait de s'écouler.

Il avait monté sa propre affaire, qui était florissante. Ce n'était pas tous les jours facile. Il travaillait parfois vingt heures par jour, et nous avions dû nous endetter encore pour qu'il puisse s'installer. Mais les affaires tournaient bien et nous permettaient de rembourser nos dettes.

Quant à moi, j'avais pris mon travail plus au sérieux. Les risques qu'avait pris Jeff en s'installant à son compte m'obligeaient à travailler, c'est vrai. Mais j'aimais beaucoup mon travail. J'avais pu évoluer dans l'entreprise dans laquelle je travaillais, et j'avais fini par avoir un poste qui correspondait tout à fait à mes attentes.

Nous avions acheté une maison. En fait, nous nous sommes rendu compte que nous avions fait tout ce qui était sur notre liste. Pour la première fois de notre vie, nous avions trouvé la stabilité. Et j'étais vraiment heureuse. Tout avait commencé lors de ce dîner au restaurant, lorsque nous avions décidé de pratiquer les Habitudes n° 4, 5 et 6.

Cette femme a fait le choix proactif de sauver son mariage (Habitude n° 1 : Soyez proactif). Malgré la situation difficile dans laquelle elle se trouvait, elle a décidé de pratiquer les Habitudes n° 4, 5 et 6 (Pensez gagnant-gagnant; Cherchez d'abord à comprendre, ensuite à être compris; Créez un effet de synergie). Elle a expliqué à son mari comment fonctionnait ce processus, et ils ont fait ensemble une liste de leurs attentes (Habitude n° 2 : Sachez dès le départ où vous voulez aller).

Ils ont commencé à penser en termes de bénéfices communs (Habitude n° 4 : Pensez gagnant-gagnant) et ont évolué vers une compréhension mutuelle (Habitude n° 5 : Cherchez d'abord à comprendre, ensuite à être compris). En discutant et en se confiant l'un à l'autre, ils ont pu découvrir les véritables attentes de l'autre. Ils ont passé en revue tous les aspects de leur vie et sont sortis du restaurant avec une liste d'attentes communes (Habitude n° 2 : Sachez dès le départ où vous voulez aller). Un an plus tard, ils ont repris cette liste et évalué leurs progrès (Habitude n° 7 : Renouvelez vos ressources).

Cette femme et son mari se sont fondés sur les « 7 Habitudes » pour créer un changement positif dans leur couple et dans leur vie.

Prenons un autre exemple. Une femme seule nous raconte comment elle a su dépasser le handicap et la mort de son mari.

Il y a cinq ans, mon mari, Tom, a eu un accident. Il s'est retrouvé entièrement paralysé. À ce moment-là, l'avenir a cessé d'exister pour nous. Nous n'étions même pas sûrs que nous avions encore un avenir. Seul le présent comptait, c'est-à-dire la survie de Tom.

À chaque fois que nous avions l'impression qu'il faisait quelques progrès, il retournait à l'hôpital. Il y allait tous les six mois environ. Et il y restait quatre à huit semaines. Généralement, ses progrès ne duraient pas, et c'était un éternel recommencement.

Nous ne savions jamais ce qui nous attendait. Tout ce que nous savions, c'était que l'accident de Tom avait réduit son espérance de vie, mais nous ignorions dans quelle mesure. Il pouvait vivre encore une heure, une journée, un an, dix ans. Nous n'avions plus la même notion du temps. Nous étions à l'affût du moindre signe d'amélioration.

À ce moment-là, j'ai changé de travail. Je travaillais alors soixante heures par semaine et ça n'était toujours pas suffisant. Il semblait que je ne travaillais jamais assez, jamais assez bien ou jamais assez vite. Et je me retrouvais soudain dans une situation où l'Habitude n° 3 (Donnez la priorité aux priorités) était la règle. Je me suis dit : « C'est à toi de décider quelle est ta priorité dans la vie. Non seulement c'est toi qui décides, mais c'est à toi d'en faire une priorité. »

Les jours de Tom étaient comptés, et je voulais me consacrer entièrement à lui pour le temps qui lui restait à vivre. Soudain, cette cruelle situation m'avait en quelque sorte donné la permission de lui donner la priorité. Je ne me sentais plus liée par mon travail.

Après avoir changé de travail, quand ma journée était finie, je rentrais auprès de lui et passais du temps avec lui. Parfois, nous restions simplement assis à nous tenir la main ou à regarder la télévision. Et je n'avais plus à me demander si je travaillais assez, assez bien ou assez vite. Avant, je courais à droite et à gauche, je faisais à manger et je me dépêchais de faire tout ce qu'il y avait à faire dans la maison avant de devoir retourner travailler le lendemain. Je consacrais très peu de temps à mon mari. Mais maintenant, je savais que je pouvais vraiment lui donner la priorité. Et nous avons passé des moments inoubliables ensemble. Nous avons parlé de sa mort. Nous avons préparé ses funérailles. Nous avons parlé de notre vie, de tout ce que nous avions partagé et de ce que nous nous étions mutuellement apporté. Durant les six derniers mois de sa vie, nous sommes devenus extrêmement proches, plus que nous ne l'avions jamais été.

La charte personnelle que j'ai écrite à ce moment-là contenait cette phrase : « Je servirai autrui en me consacrant à une personne à la fois. » Et pendant ces six mois, c'est à Tom que je me suis consacrée. Tom avait lui aussi clairement défini sa mission : malgré l'épreuve qu'il traversait, il veillerait à y faire face avec dignité, à en retirer des leçons et à faire part aux autres de ce qu'il apprenait. Il avait le sentiment qu'il devait être un modèle pour ses fils et leur montrer qu'il y avait toujours quelque chose à apprendre de la vie.

La mort de Tom nous a donné, en tant que famille, un sentiment de liberté. Et ma charte personnelle a continué à orienter ma vie. C'était très dur. Après avoir consacré chaque instant de ma vie à mon mari, je ressentais un vide énorme. Mais désormais, c'était aux enfants qu'il fallait que je consacre du temps. Ils vivaient eux aussi une épreuve très difficile. Ma charte personnelle m'autorisait à m'investir dans le processus de cicatrisation dont nous avions tous besoin. Pendant les quelques mois qui ont suivi la mort de Tom, mes enfants sont devenus « la personne » à laquelle je me suis entièrement consacrée. Et à certains moments, cette personne, c'était moi.

Maintenant que je vis seule avec mes enfants, je me rends compte que, si je vois mon rôle de mère comme le plus important de tous, je n'ai aucun problème à donner la priorité à mes enfants dans ma vie. Cet état d'esprit m'a apporté quelque chose que je n'ai jamais connu dans ma propre famille : la possibilité de passer du temps avec mes enfants et de leur faire part de mon expérience et des principes qui m'ont guidée dans les moments les plus difficiles. Je le fais sans sacrifier le reste de ma vie. Je travaille toujours, et mon travail n'en souffre pas parce que je suis constamment ressourcée par les relations les plus importantes de ma vie.

Cette femme a commencé par appliquer l'Habitude n° 3 (Donnez la priorité aux priorités) pour s'organiser autour de ses véritables priorités. Elle a discuté avec son mari, et ils ont commencé à se comprendre mutuellement (Habitude n° 5 : Cherchez à comprendre, ensuite à être compris). Ils ont tous deux appliqué l'Habitude n° 2 (Sachez dès le départ où vous voulez aller) en créant leur charte personnelle, ce qui a donné un sens profond à leur vie pendant toute cette période difficile. De plus, cette femme a continué à vivre selon sa charte même après la mort de son mari.

Elle s'est donné pour but de servir autrui, ce qui lui a permis de se consacrer tout naturellement à ses enfants (Habitude n° 2 : Sachez dès le départ où vous voulez aller). Elle a fait le choix proactif de passer plus de temps avec eux (Habitude n° 3 : Donnez la priorité aux priorités). Vous pouvez remarquer son esprit de renouvellement (Habitude n° 7 : Renouvelez vos ressources) et le bien-être qu'elle ressent à prendre du temps pour elle-même et pour ses enfants pour cicatriser leur blessure.

Même au cœur d'une situation particulièrement éprouvante, cette femme est devenue une personne de transition, un acteur du changement. Au lieu de reproduire le schéma tracé par ses parents, elle a fait le choix proactif de transmettre à ses enfants un héritage d'amour.

Ces deux témoignages retracent des expériences très différentes. Néanmoins, vous pouvez voir que le diagramme des « 7 Habitudes » s'adapte parfaitement à chacune d'elles.

Encore une fois, on constate que le pouvoir de ce cadre ne réside pas dans chacune des Habitudes, mais dans la façon dont elles interviennent ensemble. En les combinant, on crée un effet de synergie qui génère un tout supérieur à la somme des parties.

APPLIQUEZ LE DIAGRAMME DES « 7 HABITUDES » À VOTRE SITUATION PERSONNELLE

J'aimerais maintenant vous inviter à essayer de résoudre un problème familial en appliquant ce cadre à votre propre situation. Vous pouvez vous aider de la fiche qui figure à la page suivante. Si vous appliquez le processus des « 7 Habitudes » à chacun de vos problèmes, vous deviendrez une famille de plus en plus épanouie, car vous aurez accès aux principes qui gouvernent la vie et vous saurez les intégrer.

Chaque problème vous ramènera à ces principes. Vous verrez qu'ils interviennent dans toutes les situations et vous reconnaîtrez ainsi leur caractère universel et atemporel. À chaque fois, vous comprendrez vraiment ce qu'ils signifient comme si c'était la première fois. Comme l'a dit T.S. Eliot : « Nous ne devons pas cesser d'explorer. La fin de notre processus d'exploration, c'est d'arriver à l'endroit où nous avons commencé et de le découvrir pour la première fois[5]. »

L'un des avantages du diagramme des « 7 Habitudes » (hormis le fait que ça marche !), c'est qu'il vous propose un langage dans lequel vous pouvez communiquer. Si vous parlez tous le même langage, vous pouvez vous comprendre plus facilement. Les familles qui pratiquent les « 7 Habitudes » me le disent très souvent.

5. *The Complete Poems and Plays of T.S. Eliot* (Faber and Faber, 1969).

LES « 7 HABITUDES » APPLIQUÉES À VOTRE VIE DE FAMILLE

Vous connaissez votre famille mieux que personne. Essayez de résoudre un problème familial en appliquant les « 7 Habitudes » pour trouver une solution fidèle aux principes qui gouvernent la vie. Vous pouvez faire cet exercice avec un autre membre de votre famille ou avec un ami.

Votre situation : Quel est le problème? Quand se produit-il? Dans quelles circonstances?

	Les questions que vous devez vous poser	Vos idées pour trouver des solutions en appliquant les « 7 Habitudes »
Habitude n° 1 Soyez proactif	Est-ce que je me sens responsable de mes actes? Est-ce que je sais m'accorder un délai pour agir selon des principes et non réagir?	
Habitude n° 2 Sachez dès le départ où vous voulez aller	Quelle est ma vision de l'avenir? En quoi une charte personnelle ou familiale (ou l'élaboration de cette charte) peut-elle être utile?	
Habitude n° 3 Donnez la priorité aux priorités	Est-ce que je me consacre à ce qui compte le plus? Que puis-je faire pour aller dans ce sens? En quoi les rendez-vous familiaux et les moments passés en tête à tête peuvent-ils être utiles?	
Habitude n° 4 Pensez gagnant-gagnant	Est-ce que je veux vraiment que tout le monde soit gagnant? Suis-je prêt à chercher une troisième solution qui contentera tout le monde?	
Habitude n° 5 Cherchez d'abord à comprendre, ensuite à être compris	Comment puis-je vraiment chercher à comprendre les autres? Comment puis-je trouver le courage d'exprimer mon propre point de vue sans crainte?	
Habitude n° 6 Créez un effet de synergie	Comment et avec qui puis-je avoir une interaction créative pour trouver une solution à ce problème?	
Habitude n° 7 Renouvelez vos ressources	Comment puis-je me ressourcer et ressourcer ma famille afin que tout le monde ait l'énergie suffisante pour s'investir dans la résolution de ce problème?	

Voici le témoignage d'un homme, marié et père de famille.

Ce qui nous a vraiment aidés, lorsque nous avons commencé à appliquer les « 7 Habitudes », c'est que nous avons eu un langage commun qui nous a permis de parler plus facilement de nos problèmes. Auparavant, notre langage se résumait à quitter la pièce, claquer la porte ou entrer dans une rage folle. Mais maintenant, nous pouvons communiquer. Nous pouvons exprimer notre colère ou notre douleur. Et, lorsque nous utilisons des termes comme « synergie » ou « Compte émotionnel », nos enfants savent de quoi nous parlons. C'est vraiment important.

Une femme m'a fait part de son opinion sur les « 7 Habitudes ».

Les « 7 Habitudes » nous ont rendus plus ouverts, plus humbles. Elles font partie de notre vie de tous les jours. Lorsque je dis quelque chose de désagréable à mon mari, il me rappelle que c'est un retrait sur son Compte émotionnel, et non un dépôt. Nous utilisons ces termes dans nos conversations quotidiennes. Ainsi, nous ne nous disputons pas violemment et nous ne souffrons pas non plus en silence. Nous nous disons les choses simplement, sans hostilité. C'est une manière de communiquer à la fois subtile et douce.

Une femme qui s'est mariée récemment témoigne de l'importance d'avoir un langage commun.

Les « 7 Habitudes » nous ont donné à la fois un langage et un cadre. Aujourd'hui, je peux dire : « Tiens, nous avons pensé gagnant-gagnant », « C'est un choix proactif que nous pouvons faire ensemble » ou « Nous ne sommes pas d'accord, c'est vrai, mais je veux vraiment te comprendre. C'est très important pour moi. Et je suis convaincue que nous trouverons ensemble une troisième possibilité bien meilleure que celles que toi et moi proposons. »

Les « 7 Habitudes » vous donneront un langage commun et vous permettront de communiquer à un tout autre niveau. En les appliquant, vous pourrez devenir une personne de transition, puis un acteur du changement, dans n'importe quelle situation.

AYEZ DU COURAGE

Pour devenir une personne de transition ou une famille de transition – comme pour descendre une falaise en rappel –, **ce qu'il faut avant tout, c'est du courage**. Le courage est une qualité qui met à l'épreuve toutes les autres. Songez à une qualité ou à une vertu quelconque – la patience, la persévérance, la tempérance, l'humilité, la charité, la fidélité, la bonne humeur, la sagesse ou l'intégrité. Si vous êtes dans un environnement décourageant, c'est justement là qu'il faut avoir le courage de faire preuve de vertu.

Ce sont précisément les circonstances décourageantes qui rendent le courage nécessaire. Si votre entourage est encourageant, si vos proches vous donnent du courage, vous pouvez vous laisser porter par l'énergie qu'ils vous communiquent. Mais si vous êtes entouré de personnes décourageantes, celles-ci vous retirent votre courage, et vous devez puiser dans vos ressources personnelles pour en retrouver.

Souvenez-vous : dans le chapitre consacré à l'Habitude n° 3 (Donnez la priorité aux priorités), nous avons vu que, il y a quarante ou cinquante ans, la société encourageait la famille. Par conséquent, notre engagement et la nécessité de lui donner la priorité n'étaient pas aussi importants. L'environnement extérieur était un allié. Mais aujourd'hui, il est décourageant. C'est pourquoi les personnes et les familles de transition doivent agir en puisant dans leurs ressources intérieures, dans leur courage. Il en faut pour créer une culture familiale épanouissante au sein d'un environnement troublé.

Mais nous pouvons réussir. Par notre courage, nous pouvons changer les choses. Nous devons avoir le courage de nous battre, de créer un effet de synergie, de chercher d'abord à comprendre. Le courage doit devenir un verbe, tout comme aimer et pardonner. Il est en notre pouvoir d'être courageux. Cette idée même est encourageante. Si vous ajoutez à cette idée votre vision de ce que peut être votre famille, vous trouverez l'énergie nécessaire. Votre courage deviendra une véritable force motrice.

Ce qu'il y a de mieux dans une famille, c'est que l'on peut s'encourager les uns les autres. Vous pouvez donner du courage à un autre membre de votre famille, croire en lui, le mettre en valeur. Vous pouvez vous promettre de ne jamais vous laisser tomber. Vous avez la possibilité de voir le potentiel qui est en l'autre et d'avoir foi en ce potentiel au lieu de vous concentrer sur un certain comportement. Vous pouvez créer un environnement encourageant dans votre foyer, de sorte que les membres de votre famille pourront développer la force nécessaire pour lutter contre un environnement extérieur décourageant et hostile à la famille.

NOUS AVONS TOUS BESOIN D'AMOUR

Peu de temps avant que ma mère ne meurt, j'ai relu une de ses lettres. Elle m'écrivait souvent, même si nous nous parlions tous les jours au téléphone et nous rendions visite toutes les semaines. Ses lettres étaient très personnelles, très intimes. Écrire était sa façon d'exprimer son estime et son amour.

Je me revois en train de lire cette lettre. Les larmes coulaient le long de mes joues. Je m'étais senti un peu gêné, un peu puéril, honteux d'être si vulnérable. Pourtant, cette lettre me réchauffait le cœur, m'enrichissait, me nourrissait. Et je me suis dit : tout le monde a besoin de l'amour d'une mère et d'un père.

Nous pouvons tous apporter cet amour à nos enfants et à nos petits-enfants. Y a-t-il quoi que ce soit de plus important dans la vie ?

Pour Sandra et moi, comme pour beaucoup de parents, la naissance de chacun de nos enfants a été une expérience sublime, merveilleuse – surtout pour les trois derniers, lorsque les pères étaient autorisés à assister à l'accouchement. Nous avons connu un bonheur immense lorsque notre fille Cynthia nous a invités à la naissance de son sixième enfant.

Nos enfants sont nés avant la généralisation de la péridurale. Lors de l'un de ses accouchements, alors qu'elle était dans les derniers instants du travail, sans aucune anesthésie, Sandra m'a demandé de l'aider à respirer correctement. Elle avait appris la technique de la respiration au cours de quatorze séances de préparation à l'accouchement auxquelles nous avions assisté ensemble. Je l'ai encouragée et j'ai essayé de lui montrer l'exemple, mais elle m'a dit qu'elle respirait instinctivement à l'envers et qu'il fallait qu'elle se concentre pour se ressaisir. Elle a ajouté que je n'avais aucune idée de ce qui était en train de lui arriver, tout en me remerciant de mes bonnes intentions et de mes efforts.

À ce moment-là, j'ai ressenti un amour et un respect indicibles pour elle. En fait, c'est ce que je ressens pour toutes les mères, pour tous leurs actes de sacrifice. Il me semble que toutes les grandes choses de ce monde naissent du sacrifice, et que seul le sacrifice rend possible la création d'une famille épanouie.

Même si nous nous écartons parfois de notre chemin, et en dépit de tout, je suis convaincu que le rôle le plus noble et le plus important que nous puissions avoir est celui de mère ou de père. Mon grand-père, Stephen L. Richards, a un jour prononcé des paroles qui m'ont énormément influencé, tout au long de ma vie, dans mon rôle de mari et de père : « De toutes les vocations qu'un homme puisse avoir, aucune n'implique autant de responsabilités et d'attentions que la vocation irrésistible d'être mari et père. À mon sens, on ne peut dire d'aucun homme qu'il a réussi sa vie, quel que soit ce qu'il a accompli, s'il n'est pas entouré de ceux qu'il aime. »

L'UNION DE L'HUMILITÉ ET DU COURAGE

Après avoir cherché toute sa vie la clé du succès, Albert E.N. Gray a fait une observation très intéressante au cours d'un discours intitulé *Le Dénominateur commun du succès* : « Le succès d'une personne vient de ce qu'elle fait ce que les personnes vivant sans succès n'aiment pas faire. Elle n'aime pas le faire non plus, mais elle subordonne son aversion à l'objectif qu'elle s'est fixé[6]. »

Étant donné que vous êtes responsable de l'évolution de votre famille, vous devez avoir un objectif et être fermement décidé à l'atteindre. C'est cet objectif – ce sentiment d'avoir une destination – qui vous donnera le courage de dépasser vos appréhensions par rapport à tout ce que vous avez appris dans ce livre.

En réalité, on pourrait comparer l'*humilité* et le *courage* au père et à la mère d'une famille imaginaire. Il faut de l'humilité et du courage pour reconnaître que ce sont les principes, les lois naturelles, qui gouvernent la vie. Et il faut du courage pour se soumettre à ces principes lorsque le système de valeurs de la société y est contraire. L'enfant qui naît de l'union de l'humilité et du courage, c'est l'*intégrité*, c'est-à-dire une vie dans laquelle on a intégré ces principes. Et les petits-enfants sont la *sagesse* et la *mentalité d'abondance*.

En tant qu'individus et en tant que familles, nous avons toujours l'espoir de revenir à la trajectoire que nous nous sommes tracée, même si nous nous en éloignons souvent. Souvenez-vous de la bous-

---

6. Discours d'Albert E.N. Gray, « The Common Denominator of Success », à Newark, New Jersey,, 1983.

sole. Le nord magnétique est toujours là pour nous aider à nous repérer, et nous pouvons toujours faire le choix de vivre selon les lois naturelles infaillibles pour atteindre notre destination.

Malgré tous les défis qu'elle nous lance, rien n'apporte autant de satisfaction que la famille. Aucun effort n'est autant récompensé que ceux que l'on fait pour elle. De toute mon âme, je voudrais vous dire que la famille mérite de nombreux efforts, de nombreux sacrifices et les longues souffrances que l'on endure parfois. Il y a toujours une lueur d'espoir.

Un jour, j'ai vu à la télévision une émission sur l'incarcération. Deux détenus expliquaient que la prison les avait rendus complètement insensibles. Plus personne ne les intéressait, et ils étaient insensibles à la douleur des autres. Ils reconnaissaient être devenus égoïstes, tournés vers eux-mêmes. Ils voyaient les gens comme des « choses » qui leur permettaient ou les empêchaient d'avoir ce qu'ils voulaient.

Puis ces deux hommes ont eu la possibilité de connaître mieux leurs ancêtres. Ils ont appris comment leurs parents, grands-parents et arrière-grands-parents avaient vécu, quels avaient été leurs combats, leurs victoires et leurs échecs. Ils en ont retiré beaucoup de bénéfices. Prenant conscience que leurs ancêtres avaient eu eux aussi des défis à relever, ils ont commencé à penser différemment. Ils ne regardaient plus les autres avec indifférence. Ils se sont dit que, même s'ils avaient fait de terribles erreurs, leur vie n'était pas finie. Ils ont eu le désir de s'en sortir et de laisser, comme leurs ancêtres, un héritage que leurs descendants pourraient voir. Même s'ils ne sortaient jamais de prison, cela ne changeait rien. Ils laisseraient des traces de leur histoire, et leurs descendants comprendraient la vie qu'ils avaient eue en prison. Il n'y avait plus aucune froideur dans le regard de ces hommes. Ils avaient retrouvé une conscience et un immense espoir, parce qu'ils avaient eu le sentiment de « rentrer à la maison » en apprenant à connaître leurs ancêtres, leur famille.

Tout le monde a une famille. Chacun peut se demander : quel est l'héritage que m'a laissé ma famille. Et chacun peut essayer d'en laisser un à son tour. Je pense personnellement que, au-delà de l'influence de notre famille, il en existe une autre, encore plus puissante : celle de Dieu. Si nous conservons la foi, si nous n'abandonnons jamais un fils ou une fille rebelle, si nous faisons tout ce qui est en notre pouvoir pour l'atteindre, Dieu interviendra peut-être, à Sa façon, quand Il le jugera bon. Nous ne pouvons jamais savoir quand les êtres humains sont prêts à descendre dans les profondeurs de leur âme pour exercer le plus précieux don de la vie : la liberté de choisir de rentrer chez soi.

Je vous souhaite sincèrement de réussir à créer une culture familiale épanouissante au sein de votre famille.

Les moments qui m'ont le plus ému dans ma vie sont ceux que j'ai vécus en débarquant d'un avion. J'ai souvent vu toute une famille attendant l'un de ses membres qui rentrait à la maison après une longue absence. Lorsque je vois ce magnifique tableau de retrouvailles, je m'arrête et je regarde. Je suis ému. Alors que tous s'embrassent avec des larmes de joie, heureux d'être enfin réunis, mon cœur se serre et je me languis d'être à la maison. Et je me dis encore une fois que vivre, c'est vraiment rentrer chez soi.

Application entre adultes et adolescents

L'évolution familiale

- Revoyez les pages 392 à 398. Identifiez les quatre étapes – survie, stabilité, succès et épanouissement – et commentez leurs caractéristiques principales. Demandez aux membres de votre famille à quelle étape vous en êtes et quelle est celle que vous devez atteindre.
- Commentez l'idée suivante : « En se consacrant à autrui, les familles n'aident pas seulement les autres. Elles en retirent elles aussi de grands bénéfices. »
- Revoyez les pages 398 à 403. Discutez de la métaphore de la voiture : un pied sur l'accélérateur et un pied sur le frein. Posez la question suivante à votre famille : Comment pouvons-nous éliminer les forces contraires afin que les forces motrices puissent nous faire progresser ?

Vous êtes responsable de votre évolution familiale

- Revoyez l'arbre de la vie de famille fondée sur des principes (pages 403 à 416). Commentez nos quatre rôles : donner l'exemple, influencer positivement, organiser et enseigner. Identifiez les caractéristiques de chaque rôle. Posez les questions suivantes :

  – Pourquoi est-il important d'être digne de confiance lorsque l'on donne l'exemple ?

– Pourquoi doit-on établir des relations de confiance pour influencer positivement? En quoi le concept de Compte émotionnel peut-il nous aider à travailler dans ce sens?

– Pourquoi l'organisation joue-t-elle un rôle si important dans la vie de famille?

– Pourquoi l'enseignement est-il important au sein de la famille?

- Commentez les trois erreurs courantes concernant la vie de famille (pages 423 à 428).
- Revoyez la différence entre la discipline et la punition. Vous pouvez vous référer à l'Habitude n° 4, pages 249 à 250. Posez la question suivante : En quoi une vie de famille fondée sur des principes peut-elle nous aider à faire respecter la discipline sans punir?
- Commentez les métaphores du palonnier du gouvernail (pages 428 à 430) et de la descente en rappel (pages 431 à 350). Discutez du courage (pages 443 et 444) et de l'humilité (page 445). Confrontez ces concepts à l'évolution familiale et au développement de l'enfant.
- Répondez ensemble aux questions suivantes : Dans notre famille, donnons-nous la priorité au leadership ou au management? Quelle est la différence entre ces deux concepts?
- Commentez la phrase suivante : « Que vous le vouliez ou non, vous êtes responsable de l'évolution de votre famille. » En quoi est-ce vrai?

Application avec les enfants

Nous sommes gentils avec les autres et nous essayons de les aider

- Exposez les situations suivantes :
  1. Amy a demandé à son papa de l'aider à faire ses devoirs. Il était fatigué, mais il lui a souri et a accepté.
  2. Adam voulait jouer avec sa voiture téléguidée, mais son frère jumeau jouait avec. La maman d'Adam lui a demandé si son frère pouvait jouer encore un peu avec.

Posez les questions suivantes : Que se passe-t-il lorsque les membres de la famille sont gentils les uns avec les autres? Comment se sentent-ils?

- Ecrivez le prénom de chaque membre de la famille sur un morceau de papier et mettez tous les papiers dans une boîte. Faites tirer un papier à chacun. Sans dévoiler l'identité de la personne dont il s'agit, chacun devra se montrer gentil envers cette personne pendant une semaine et dire ce qu'il ressent.
- Racontez cette histoire :

  Sammy était à la fenêtre et regardait la pluie tomber. Soudain, il a entendu un cri dehors. Il a écouté attentivement et a essayé de voir à travers la vitre, mais il pleuvait tellement qu'il n'y voyait rien. Il a couru à la porte et l'a ouverte. Et là, il a trouvé un petit chat, tout mouillé, qui n'arrêtait pas de miauler. Le cœur de Sammy s'est serré à la vue de ce petit animal trempé. Il l'a pris dans ses bras et l'a senti trembler. Il l'a serré contre lui et l'a emmené dans la cuisine. La sœur de Sammy a mis quelques chiffons propres au fond d'une petite boîte. Puis elle a séché le petit chat et a versé un peu de lait dans une soucoupe. Sammy a posé sa main sur le petit chat pour le réchauffer, et celui-ci a arrêté de trembler. Sammy s'est senti tout heureux : « Je suis si content d'avoir entendu le petit chat. Nous lui avons peut-être sauvé la vie. »

  Posez la question suivante : Quels sont les sentiments de Sammy pour le petit chat ? Voici quelques réponses possibles : Il avait de la peine car le petit chat était tout mouillé et avait froid. Il a voulu être gentil avec lui et l'aider. Il s'est senti heureux d'avoir été gentil et d'avoir apporté son aide.
- Racontez une situation personnelle dans laquelle vous avez fait preuve de gentillesse et essayé d'aider quelqu'un. Dites ce que vous avez ressenti à ce moment-là. Suggérez à vos enfants des moyens d'aider les autres. Dites-leur d'apporter leur aide à quelqu'un pendant une semaine. Demandez-leur ce qu'ils ressentent.
- Faites participer vos enfants à ce que vous faites pour aider vos voisins, vos amis et la société en général. Grâce à votre mentalité d'abondance, vous donnerez l'exemple, et vos enfants deviendront des adultes dévoués, soucieux du bien-être des autres.

Glossaire

Accord gagnant-gagnant : engagement entre deux ou plusieurs personnes concernant des résultats à atteindre. Dans un accord gagnant-gagnant, l'objectif est que les deux parties soient bénéficiaires et « trouvent leur compte ». C'est un accord qui profite aux deux parties, contrairement aux accords gagnant-perdant (je gagne, tu perds), perdant-gagnant (je perds, tu gagnes) et perdant-perdant (je perds, tu perds).

Acteur du changement : personne capable de mener en tant que leader une famille ou un groupe de personnes vers un changement de paradigme (*voir ce mot*).

Boussole : système de guidage propre à chaque personne, comprenant à la fois des principes et les quatre dons humains : conscience de soi, éthique, imagination et volonté indépendante (*voir ces mots*).

Cadre de référence/Paradigme : c'est le regard que nous portons sur le monde, notre propre vision des autres, ou encore notre façon personnelle de voir les choses. Le Grand Larousse encyclopédique le définit comme une norme de pensée et un modèle d'action qui tendent à s'imposer à tout individu d'un groupe.

Charte personnelle : représente en quelque sorte la Constitution de chaque individu (comme il y a une Constitution française). Elle peut être écrite ou verbale, et représente les valeurs fondamentales selon lesquelles chacun souhaite régir sa vie.

Charte familiale : traduit l'unification de la volonté de toutes les personnes de la famille (parents et enfants), des valeurs qui les animent, de ce que chacun des membres veut faire et être, et des principes qui constitueront le plan de vol de cette famille. Cette charte est en quelque sorte la fusion des chartes individuelles des membres d'une même famille.

Caractère : ensemble des dispositions psychologiques et des comportements habituels d'un individu, sans distinction de l'inné et de l'acquis.

Cercle des préoccupations : il s'agit de tout ce qui concerne et affecte directement une personne ou sa famille, sur lequel elle peut agir.

Cercle d'influence : il s'agit des choses ou des personnes extérieures à une famille sur lesquelles cette famille peut avoir un impact direct et exercer une influence.

Compte émotionnel : à la manière d'un compte bancaire sur lequel on effectue des dépôts et des retraits, le Compte émotionnel caractérise le montant de la confiance ou la qualité de la relation qui nous unit aux autres. Par exemple, dans la relation qui unit un couple, chaque fois que l'un des deux a un geste d'attention à l'égard de l'autre, il crédite son Compte émotionnel (il effectue un dépôt). *A contrario*, chaque fois qu'il a un mouvement d'humeur contre l'autre, il effectue un retrait (il débite son Compte émotionnel). Une relation entre deux ou plusieurs personnes ne peut pas être saine si le Compte émotionnel de l'un ou de l'autre est constamment en déficit…

Culture familiale : ambiance, état d'esprit, sentiment et atmosphère qui règnent dans un foyer, caractérisant une famille.

Conscience morale/Éthique (un des quatre dons humains) **:** sens inné de ce qui est bien et mal. Pour Jean-Jacques Rousseau, c'est un « instinct divin », une « immortelle et céleste voix ». La conscience morale est, au sens sociologique, le reflet de la morale commune.

Conscience de soi (un des quatre dons humains) : capacité à prendre du recul et à analyser nos propres pensées et nos comportements.

Dons humains : au nombre de quatre (*voir Conscience de soi, Éthique, Imagination, Volonté indépendante*).

Empathie : capacité d'un individu à percevoir le monde subjectif d'autrui comme s'il était cette autre personne. Traduit la compassion, la capacité à se mettre à la place d'un autre, à penser comme lui, à voir comme lui, à écouter comme lui.

Entropie : tendance des choses à se détériorer ou à se désagréger.

Enseigner : partager intentionnellement, expliquer et informer, transmettre la connaissance et le savoir aux autres.

Entrave/Force contraire : contrainte ou pression qui nous empêche d'atteindre nos objectifs.

Éthique : *voir Conscience morale.*

Exemple (donner l') : concevoir un modèle fondé sur des principes qu'une autre personne peut adopter à son tour.

Extérieur-Intérieur : fait d'être influencé davantage par les événements extérieurs que par ses engagements et ses convictions propres.

Famille épanouie : famille heureuse, harmonieuse et interdépendante, qui apporte une contribution à son entourage.

Famille nucléaire : cœur de la « famille de base », autour duquel la « famille au sens large » (grands-parents, oncles et tantes, cousins) se regroupe.

Force contraire : *voir Entrave.*

Force motrice : quelque chose qui motive, qui stimule chacun de nous et sa famille.

Grosses pierres : il s'agit des activités qui sont les priorités de notre propre vie, selon nos propres choix et notre propre volonté.

Habitude : modèle établi, façon de voir les choses ou manière de penser.

Imagination (un des quatre dons humains) : capacité à concevoir quelque chose dans notre esprit au-delà de la réalité présente.

Lois fondamentales de la vie : principes de base ou lois naturelles qui gouvernent la vie.

Lois fondamentales de l'amour : lois naturelles qui affirment la valeur inhérente des individus et le pouvoir de l'amour inconditionnel.

Mentalité d'abondance : caractéristique d'une personne capable de s'occuper toujours plus des autres et de ne pas se sentir limitée dans son amour.

Mentalité de pénurie : tournure d'esprit d'une personne qui ne pense qu'à la compétition et jalouse les succès d'autrui.

Mentor (être un) : façon de s'intéresser à quelqu'un dans une relation individuelle, personnelle et serviable, en l'influençant de manière positive.

Organisation : création d'un ordre et de systèmes permettant d'accomplir ce qui est mis en valeur par la famille.

Paradigme : *voir Cadre de référence.*

Personne de transition : caractéristique de celui ou celle qui bloque les tendances négatives, arrête de reproduire des cycles et devient un « acteur du changement » *(voir ce mot).*

Principes : lois naturelles universelles qui nous sont extérieures. Ces lois naturelles et humaines sont aussi réelles, aussi pérennes, que celles de la pesanteur dans le domaine de la physique, par exemple. Ces principes sont imbriqués dans le tissu de toutes les sociétés et constituent la racine de toute famille et de toute institution qui perdure et prospère. Il s'agit notamment de l'équité, de la justice, de l'intégrité, de l'honnêteté et de la confiance.

Proactivité : capacité à être responsable de nos propres choix et à garder la liberté de décider en fonction de nos valeurs plutôt que de notre humeur ou des circonstances.

Rendez-vous familial : temps réservé chaque semaine à la famille réunie au grand complet.

Renouvellement des ressources : capacité à renouveler, rajeunir et recréer ses capacités spirituelles, mentales, émotionnelles et physiques.

Stabilité : condition dans laquelle la famille réussit à construire une organisation et une structure cohérentes tout en résolvant ses problèmes.

Succès : condition par laquelle la famille atteint des objectifs de valeurs, ressent un bonheur authentique, se fait plaisir, possède des coutumes et s'entraide.

Survie : condition dans laquelle se trouve une famille qui se bat jour après jour, physiquement, économiquement, socialement, émotionnellement et spirituellement, pour vivre et aimer au niveau minimum.

Synergie : action de deux personnes ou plus produisant ensemble davantage que la somme de ce qu'elles pourraient produire séparément (un plus un égale trois ou plus).

Tête-à-tête : temps régulièrement consacré par l'un des membres de la famille à une seule personne de sa famille pour développer avec elle des relations profondes permettant de bâtir une relation solide. Par exemple, un père qui donne rendez-vous à un de ses enfants pour faire avec lui quelque chose qui lui tient à cœur (monter à cheval, aller au cinéma, déjeuner au restaurant, assister à un match de foot, etc.).

Touche pause : symbole, comme sur un magnétophone, qui nous convie à nous arrêter un instant, à nous accorder un délai, à réfléchir et à agir d'une meilleure manière.

Traducteur fidèle : personne capable de refléter fidèlement le contenu et les sentiments des propos exprimés par quelqu'un d'autre. Cette personne fait preuve d'écoute empathique, c'est-à-dire qu'elle est capable de se mettre à la place de l'autre.

Transcender : devenir la force créative de sa propre vie.

Valeurs : contrairement aux principes, ce sont des croyances et des idéaux personnels qui reflètent notre manière de voir le monde.

Volonté indépendante (un des quatre dons humains) **:** capacité à choisir et à agir selon nos propres impératifs et notre détermination.

Franklin Covey Company®
Global Offices

Franklin Covey Company Australia

Ground Floor, Fujitsu House
159 Coronation Dr.
Milton, QLD 4046
Tel (61-7) 3259-0222
Fax : (61-7) 3369-7810
e-mail : australia@covey.com

Covey Leadership Center Bermuda

4 Dunscombe Rd.
Warwick, Bermuda WK08
Tel : (441) 236-0383
Fax : (441) 236-0192
e-mail : bermuda@covey.com

Covey Leadership Center Brazil

e-mail : brazil@covey.com

Franklin Covey Company Canada

1165 Franklin Blvd.
Cambridge Ontario
NIR 8E1
Canada
Tel : (519) 740-2580
Fax : (519) 740-8833
Toll Free CS : 800-265-6655
CS Fax : (519) 740-6848

Covey Leadership Center Indonesia

Jl. Bendungan Jatiluhur 56
Bendungan Hilir
Jakarta, Indonesia 10210
Tel : (62-21) 572-0761
Fax : e-mail : indonesia@covey.com

Covey Leadership Center Ireland

5 Argyle Saquare
Donnybrook
Dublin 4, Ireland
Tel : (333-1) 668-1422
Fax : (353-1) 668-1459
ireland@covey.com

Covey Leadership Center Japan

Ogimura Bldg, 7F
2-4-11 Kudan Minami
Chiyoda-Ku, Tokyo 102, Japan
Tel : (81-3) 3264-7401
Fax : (81-3) 3264-7402
e-mail : japan@covey.com

Franklin Excellence Japan

Seibunkan Building 3F
Idabashi 1-5-9
Chiyoda-ku Tokyo 102
Japan
Tel : (81-3) 3234-4025
Fax : (81-3) 3238-1696
CS/Retail : (81-3) 5276-5207

Covey Leadership Center Korea

6F 1460-1 Seoyang Bldg
Seocho-Dong
Seocho-Ku,
Seoul, 137-070 Korea
Tel : (82-2) 3472-3360/3, 5
Fax : (82-2) 3472-3364
e-mail : korea@covey.com
Covey Leadership Center Latin America / Caribbean
107 N. Virginia Ave.
Winter Park, PL 32789
Tel : (407) 644-4416
Fax : (407) 644-5919
e-mail : latinamerica@covey.com

Argentina Office
Corrientes 861, 5to. Piso
2000 Rosario, Argentina
Tel/Fax : (54-41) 408-765
e-mail : argentina@covey.com

Chile Office
Ave. Presidente Errazuriz
#3328 Las Condes
Santiago, Chile
Tel : (56-2) 242-9292
Fax : (56-2) 233-8143
chile@covey.com

Colombia Office
Calle 90 No. 11 A-34,
Officina 206
Santa Fé de Bogotá, Columbia
Tel : (57-1) 610-0396 / 0385
Fax : (57-1) 610-2723
e-mail : columbia@covey.com

CLC Curacao
Ajaxway 3
Curacao, Netherlands Antilles
Tel : (599) 9-371284 / 1286
Fax : (599) 9-371289
e-mail : curacao@covey.com

Panama
Via Ramón Arias, El Carmen
Oficentro Ropardi, Oficina 1G
Panamá 1, República de Panamá
Tel : (507) 223-3341 / 7671
Fax : (507) 269-2978
e-mail : panama@covey.com
For all Latin American contries not listed, please contact CLC Latin America Headquarters.

Covey Leadership Center Malaysia / Brunei

J-4, Bangunan Khas,
Lorong 8/1E
46050 Petaling Jaya
Selangor, Malaysia
Tel : (60-3) 758-6418
Fax : (60-3) 755-2589
e-mail : malaysia@covey.com

Covey Leadership Center Mexico

José Ma. Rico 121-402
Colonia del Valle
03100 México D.F. Mexico
Tel : (52-5) 524-5804
Fax : (52-5) 524-5903
mexico@covey.com

Franklin Covey Company Mexico

1401 Wasatch Avenue
Salt Lake City
UTAH 84104
Tel : (801) 975-1776
Fax : (801) 532-1558

Monterey
Edificio Losoles D-15
Avenida Lazaro Cardenas
#2400 Pte.
San Pedro Garza Garcia
NL 66220
Mexico
Tel : (52-8) 363-2171
Fax : (52-8) 363-5314

Mexico City
Florencia #39 Tercer Piso
Col. Juarez Delgacion Cuahutemoc
Mexico DF 06600
Mexico
Tel : (52-5) 533-5201/5194
Fax : (52-5) 533-9103

Guadalajara
Country Club
Prol. Americas 1600, 2o. Piso
Guadalajara, Jal. 44610
Tel : (52-3) 678-9211
Fax : (52-3) 678-9271

Franklin Covey Company Middle East Region

3507 North University Ave.
Suite 100
Provo, Utah 84605-9008

Tel : (801) 496-5036
Fax : (801) 496-5195
middleeast@covey.com

Covey Leadership Center
New Zeland

111 Valley Road
Mount Eden
Auckland, New Zeland
Deltvery address
Private Bag 56 907
Dominion Road
Auckland, New Zeland
Tel : (64-9) 623-2917
Fax : (64-9) 630-1250
newzeland@covey.com

Covey Leadership Center
Nigeria

Plot 1664 Oyin Jolayyemi st. (4th Floor)
Victoria Island, Nigeria
Tel : (234-1) 261-7942
Fax : (234-1) 262-0597
e-mail : nigeria@covey.com

Covey Leadership Center
Philippines

Ateneo Univ. C.G.B.
Loyola Heights
Quezon City, 1108 Philippines
Tel : (63-2) 924-4490
Fax : (63-2) 924-1869
philippines@covey.com

Covey Leadership Center
Puerto Rico

Edif. Banco Coop. Plaza
Suite 601-B
623 Ave. Ponce de Leon
Hato Rey, PR 00917
Tel : (787) 754-7436 or 7441
Fax : (787) 751-3840
puertorico@covey.com

Covey Leadership Center
Singapore, Hong Kong, Taiwan, China

19 Tanglin Road, #05-18
Tanglin Shopping Ctr.,
Singapore 247909
Tel : (65) 838-8638
Fax : (65) 838-8618 or 8628
singapore@covey.com

Franklin Covey Company
International Asia, Inc.

Room 1803
Tung Wai Commercial Building
109-111 Gloucester Road
Wanchai, HONG KONG
Tel : (852) 2541-2218
Fax : (852) 2544-4311

Fanklin Covey Company
Taiwan

7F-3, No. 166, Section 4
Taipei 106, Taiwan
Republic of China (ROC)
Tel : (886-2)-731-4566
Fax : (886-2) 711-5295

Covey Leadership Center Southern Africa

18 Crescent Road
Parkwood 2193
Johannesburg, South Africa
Tel : (27-11) 442-4589 / 4596
Fax : (27-11) 442-4190
southernafrica@covey.com

Cape Town Office
20 Krige Street
P.O. Box 3117
Stellenbosch 7602
South Africa
Tel : (27-21) 886-5857
Fax : (27-21) 883-8080

Covey Leadership Center Thailand

thailand@covey.com

Covey Leadership Center Trinidad/Tobago

#23 Westwood St.
San Fernando
Trinidad, West Indies
Tel : (868) 652-6805
Fax : (868) 657-4432
trinidad&tobago@covey.com

Covey Leadership Center United Kingdom

Enfield House, Enfield Road
Edgbaston, Birmingham
B15 1QA England
Tel : (44-121) 604-6999
Fax : (44-121) 604-6777
unitedkingdom@covey.com

Franklin Covey Company United Kingdom

1 Omega Business Centre
Daventry
NN11 5RT
ENGLAND
Tel : (44-1) 1372-301-311
Fax : (44-1) 1952-605-077
fquestdav@aol.com

Covey Leadership Center Venezuela

Calle California Con Mucuchies
Edif. Los Angeles, Piso 2,
Ofic. 5-6B, Las Mercedes
Caracas, Venezuela
Ph : (58-2) 993-8550
Fax : (58-2) 993-1763
venezuela@covey.com

Franklin Covey Company Corporate Office International Division

360 West 4800 North
Provo, Utah 84604-4478
Ph : (801) 496-5000
Fax : (801) 496-5030
international@covey.com

Table des matières

Pour en savoir plus :

Franklin Covey
2200 West Parkway Boulevard
Salt Lake City, Utah 84119-2331 USA
Tél (international) : 00-1-801-229-1333 ou **fax** 00-1-801-229-1233
Internet : http : //www.franklincovey.com

Achevé d'imprimer par
Brodard et Taupin
en février 1998
pour le compte
des Éditions Générales F1RST

N° d'édition : 451
Dépôt légal : février 1998
N° d'impression : 6516T-5
Imprimé en France